रामविलास शर्मा
परवर्ती पूंजीवाद और साहित्येतिहास की समस्याएं

रामविलास शर्मा
परवर्ती पूंजीवाद और साहित्येतिहास की समस्याएं

जगदीश्वर चतुर्वेदी

अनामिका पब्लिशर्स एंड डिस्ट्रीब्यूटर्स (प्रा.) लिमिटेड

4697/3, 21-ए, अंसारी रोड, दरियागंज, नई दिल्ली 110002

फोन : 011-23281655, 011-43708938

E-mail: anamikapublishers@yahoo.co.in

प्रथम संस्करण : 2017

आई.एस.बी.एन. 978-81-7975-178-7

भारत में मुद्रित

अनामिका पब्लिशर्स एंड डिस्ट्रीब्यूटर्स (प्रा.) लिमिटेड, 4697/3, 21-ए, अंसारी रोड, दरियागंज, नई दिल्ली 110002 द्वारा प्रकाशित। शिवानी कम्प्यूटर्स, दिल्ली 110093 द्वारा शब्दांकित एवं विकास कंप्यूटर एंड प्रिंटर्स, ट्रॉनिका सिटी, गाजियाबाद में मुद्रित।

अनुक्रम

भूमिका

मार्क्सवादी आलोचना के क्रम में यह दूसरी किताब है। इसमें रामविलास शर्मा के नजरिए का विस्तार के साथ मूल्यांकन करते हुए उन तमाम साहित्यिक विधा रूपों और साहित्यिक प्रवृत्तियों का मूल्यांकन किया गया है जो विगत सत्तर साल में हिंदी साहित्य में विकसित हुई हैं। इसके अलावा आलोचना की विभिन्न अवधारणाओं का विस्तार के साथ विवेचन किया गया है। यह किताब परंपरागत मार्क्सवादी आलोचना के परिप्रेक्ष्य से बाहर निकलकर नए परिप्रेक्ष्य में लिखी गई है। खासकर साहित्यिक रूढ़िवाद, अस्मिता, आत्मकथा और जीवनी के मूल्यांकन से जुड़ी समस्याओं पर इस किताब में विस्तार से चर्चा की गई है। आशा है पाठकों को यह पुस्तक पसंद आएगी।

14, अक्टूबर 2016

जगदीश्वर चतुर्वेदी

अस्मिता, आत्मकथा, हिंदी जाति और रामविलास शर्मा

हिंदी साहित्य में रामविलास शर्मा अस्मिता विमर्श के सबसे बड़े आलोचक हैं। हिंदी में अस्मिता विमर्श स्त्री साहित्य और दलित साहित्य से आरंभ नहीं होता बल्कि रामविलास शर्मा के हिंदी जाति विमर्श से आरंभ होता है। हिंदी जाति की अवधारणा अस्मिता विमर्श का हिस्सा है और इस पर कोई बहस अस्मिता साहित्य के परिप्रेक्ष्य में ही की जानी चाहिए। एक अन्य चीज समाजवादी पहचान की खोज का क्षेत्र भी इसके दायरे में आता है। रामविलास शर्मा ने समाजवाद के पक्ष में जो कुछ भी लिखा है वह भी मूलतः अस्मिता विमर्श के परिप्रेक्ष्य में लिखा है। वे वर्ग की अवधारणा के आधार पर सोचते हैं इससे यह समझ बनती है कि वे मार्क्सवादी हैं, लेकिन इस प्रसंग में हम याद रखें कि वे वर्ग को अस्मिता के रूप में ही पेश करते हैं। कायदे से अस्मिता पर नहीं, 'अस्मिता साहित्य' की अवधारणा पर विचार करना चाहिए। इससे अस्मिता विमर्श पर समग्रता में विचार करने में सुविधा होगी। इससे नए पैदा हुए निजी और सार्वजनिक स्पेस को परिभाषित करने में मदद मिलेगी।

आत्मकथा इन दिनों फैशन में है। इसने पाठकों में 'अन्य' के जीवन को जानने का ऑब्सेशन भी पैदा किया है। यह प्रवृत्ति टीवी से आई है। यह टेलीविजन का प्रधान 'फ्लो' है। एक जमाना था आत्मकथा को साहित्य में महत्व नहीं देते थे। आत्मकथा के केंद्र में आने का प्रधान कारण है आम लोगों की 'अन्य' के निजी जीवन में बढ़ती दिलचस्पी।

'अन्य' के निजी जीवन में संचारक्रांति के बाद तेजी से दिलचस्पी बढ़ी है। संचारक्रांति प्राइवेसी को महत्वपूर्ण विषय बनाती है। प्राइवेसी जानने के लिए लोग आत्मकथाओं को खोज-खोजकर पढ़ रहे हैं। पाठकों से लेकर आलोचकों तक सबकी दिलचस्पी इसके विधारूप में नहीं है, बल्कि 'अन्य' के निजी जीवन के गुप्त पहलुओं

को जानने में है। यहां तक कि टेलीविजन पर चल रहे धारावाहिकों को रियलिटी टीवी ने बहुत पीछे छोड़ दिया है। आत्मकथा की निजी आख्यानशैली अपील कर रही है। इसके कारण कई आत्मकथा केंद्रित धारावाहिक बेहद जनप्रिय रहे हैं।

खबरों से लेकर अन्य टीवी कार्यक्रमों में व्यक्तिगत विवरण और ब्यौरों के कार्यक्रमों में आम लोग खूब दिलचस्पी ले रहे हैं। यहां तक कि चैट शो में भी आत्मस्वीकारोक्तियां खूब आ रही हैं। ये चीजें कितनी बिखरी, सनसनीखेज और यहां तक कि क्रूरतापूर्ण हैं, इसमें किसी की दिलचस्पी नहीं है। 'सच का सामना' जैसे धारावाहिक में इसे देख सकते हैं। यहां पॉलीग्राफिक टेस्ट के जरिए व्यक्ति के सच-झूठ को खोजने की कोशिश की जाती है। इस कार्यक्रम का समूचा फॉर्मेट अमेरिकी टीवी सीरियल 'मूवमेंट ऑफ ट्रुथ' से लिया गया है। इसमें व्यक्ति से निजी सवाल किए जाते हैं, पहले पॉलीग्राफिक टेस्ट लिया जाता है फिर दर्शकों के सामने बिठाकर वे ही सवाल किए जाते हैं और उनके उत्तर हासिल किए जाते हैं। 'अन्य' के निजी जीवन में दिलचस्पी बढ़ने का एक अन्य कारक है ब्लॉगिंग और फेसबुक (सोशल मीडिया)।

अस्मिता साहित्य लोकतंत्र की देन है। लोकतंत्र के विकास के साथ अस्मिता विमर्श जुड़ा है। अस्मिता की राजनीति का सबसे बड़ा उभार तब सामने आता है जब भारत में आपातकाल की समाप्ति होती है। लोकतंत्र के प्रति पहले से भी ज्यादा पुख्ता संबंध और संपर्क बनते हैं। लोकतंत्र के पुख्ता होने के साथ हाशिए पर पड़े समूह एकत्रित होते हैं, अपनी पहचान स्थापित करते हैं, अपने लिए सामाजिक सुरक्षा और सामाजिक स्पेस की मांग करते हैं। पुराने किस्म का सामुदायिक या सामाजिक-बोध अधूरा प्रतीत होता है। फलतः हाशिए के लोग नए किस्म की सामुदायिकता की हिमायत करते हैं। सामुदायिकता के नए पैरामीटर बनते हैं।

अस्मिता साहित्य और राजनीति में व्यक्ति का उत्पीड़न एक बड़ा विषय है। व्यक्ति के उत्पीड़न को ज्यादा से ज्यादा प्रामाणिक बनाकर पेश करने की ओर भी आम लेखकों का ध्यान गया । खासकर दलित लेखकों ने इस दिशा में काम किया। इस क्रम में अनेक दलित लेखकों और स्त्री लेखिकाओं के निजी अनुभव सामने आए हैं। दलितों और स्त्रियों के अनुभवों में साझा तत्व है पितृसत्ता का उत्पीड़न, अनुशासन और वर्चस्व।

इससे सबसे भिन्न रामविलास शर्मा के लेखन में अस्मिता विमर्श को मार्क्सवादी नजरिए से देखा गया है। वे वर्गीय नजरिए से जातिप्रथा पर विचार करते हैं। इस

प्रसंग में उनकी दो किताबें खासतौर पर उल्लेखनीय हैं। पहली है *इतिहास दर्शन* (1995) और दूसरी है *गांधी, आंबेडकर, लोहिया और भारतीय इतिहास की समस्याएं* (2000) । इन दोनों किताबों में उन्होंने अस्मिता के सवाल पर जातिप्रथा और उससे जुड़े सवालों पर वर्गीय नजरिए से विचार किया है। इसके अलावा उन्होंने कई साक्षात्कारों में भी अपनी राय व्यक्त की है।

इसके अलावा *भाषा और समाज* नामक किताब हिंदी जाति की अवधारणा के संदर्भ में महत्वपूर्ण है। साहित्य में पहले आत्मकथा पर विधा के रूप में ध्यान नहीं गया। उस पर बहुत कम लिखा गया। लेकिन हिंदी में इस फिनोमिना को 1990 के बाद जनप्रियता मिली। इस क्रम में साहित्य के ढांचे में परिवर्तन आया। कम से कम यह कह सकते हैं कि रामविलास शर्मा ने आत्मकथा और जीवनी इन दोनों ही विधा रूपों का निर्माण करके एक तरह सबको रास्ता दिखाया। रामविलास शर्मा ने सबसे पहले *निराला की साहित्य साधना* (1969) में जीवनकथा में निराला के निजी, अनजाने पहलुओं का उद्घाटन करने के साथ निजी पत्रों को भी शामिल किया। इसका दूसरा और तीसरा खंड 1972 में प्रकाशित किया। इसी तरह *घर की बात* (1983) के रूप में संपादित पुस्तक प्रकाशित की जिसमें अपने परिवार के अन्य लोगों के बारे में लिखे निजी अनुभवों को शामिल किया गया है। संभवतः यह हिंदी में किस पुरुष लेखक के निजी विवरण और ब्यौरों को पेश करने का पहला प्रयास है। इसी तरह *बड़े भाई* के नाम से 1986 में संपादित किताब आई। बाद में आत्मकथा के रूप में *अपनी धरती अपने लोग* (1996) का तीन खंडों में प्रकाशन हुआ।

रामविलास शर्मा ने लिखा है कि जातिप्रथा सिर्फ भारत की ही विशेषता नहीं है, वह दुनिया के अन्य देशों में भी है। जिस तरह वह प्राचीनकाल में भारत में थी, वैसे ही यूनान में भी थी। रामविलास शर्मा ने लिखा है, 'यूनानी दार्शनिक प्लेटो की रचना *रिपब्लिक* (गणतंत्र) से भारतीय इतिहास के विवेचकों में गहरी दिलचस्पी होनी चाहिए। यह ऐसी किताब है जिसमें आदर्श समाजव्यवस्था कायम करने के लिए जातिप्रथा को आधार बनाया गया है।'

आमतौर पर अस्मिता साहित्य पर जब भी बात होती है तो उस पर हमें बार-बार बाबा साहेब आंबेडकर के विचारों का स्मरण आता है। दलित लेखक अपने तरीके से दलित अस्मिता की रक्षा के नाम पर बाबा साहेब के विचारों का प्रयोग करते हैं। दलित लेखकों ने जिन सवालों को उठाया है उन पर बड़ी ही शिद्दत के साथ विचार करने की आवश्यकता है।

आंबेडकर-ज्योतिबा फुले का महान योगदान है कि उन्होंने दलित को सामाजिक विमर्श और सामाजिक मुक्ति का प्रधान विषय बनाया। अस्मिता विमर्श का एक छोर महाराष्ट्र के दलित आंदोलन और उसकी सांस्कृतिक प्रक्रियाओं से जुड़ा है, दूसरा छोर यू.पी-बिहार की दलित राजनीति और सांस्कृतिक प्रक्रिया से जुड़ा है। अस्मिता विमर्श का तीसरा आयाम मासमीडिया और मासकल्चर के राष्ट्रव्यापी उभार से जुड़ा है। इन तीनों आयामों को मद्देनजर रखते हुए अस्मिता की राजनीति और अस्मिता साहित्य के विभिन्न पक्षों पर विचार करने की जरूरत है।

अस्मिता के सवाल आधुनिक युग की देन हैं। आधुनिक युग के पहले अस्मिता की धारणा का जन्म नहीं होता। आधुनिक काल आने के साथ व्यक्तिगत को सामाजिक करने और अपना अतीत को जानने-खोजने का जो सिलसिला आरंभ हुआ उसने अस्मिता विमर्श को संभव बनाया।

अस्मिता राजनीति में विगत 150 सालों में व्यापक परिवर्तन हुए हैं। खासकर नव्य आर्थिक उदारीकरण और उपग्रह मीडिया प्रसारण आने के बाद परिवर्तनों का सिलसिला तेज हुआ है। उत्तर-आधुनिकतावाद आने के साथ सारी दुनिया में उत्तर-आधुनिक अस्मिता की धारणा का तो बवंडर ही चल निकला। मसलन, अस्मिता निर्माण के उपकरणों के रूप में मोबाइल, आई पॉड, मर्दानगी आदि पर जमकर चर्चाएं हो रही हैं।

उत्तर-आधुनिकता के साथ आई अस्मिता ने सेल्फ (निज) के तरल, विखंडित, विशृंखलित, अ-केंद्रित, अवसादमय, वर्णसंकर और वायवीय रूपों को जन्म दिया है। उत्तर-आधुनिक अस्मिता का अर्थ है तर्क, सत्य, प्रगति और सार्वभौम स्वतंत्रता वाले आधुनिक आख्यान का अंत। इन दिनों अस्मिता के छोटे-छोटे आख्यान केंद्र में आ गए हैं। स्त्री से लेकर दलित तक, भाषा से लेकर संस्कृति तक, सांप्रदायिकता, पृथकतावाद, राष्ट्रवाद आदि तक अस्मिता के लघु प्रश्न केंद्र में हैं।

अस्मिता का एक आयाम उपेक्षित रहा है वह है व्यक्तिवाद। इसके कई रूप प्रचलन में हैं। इनमें पहला रूप वह है जो स्वयं रामविलास शर्मा की आत्मकथा *अपनी धरती अपने लोग* और *निराला की साहित्य साधना* में व्यक्त हुआ है। इन दोनों किताबों में लेखक के निर्माण की सामाजिक-सांस्कृतिक प्रक्रिया का विस्तार से विवेचन मिलता है। रामविलास शर्मा इन किताबों में लेखक की निजी पहचान तक सीमित रखते हैं। लेखक के निजी व्यक्तित्व की शक्ति को व्यक्तिवादी ढंग से रेखांकित करते हैं।

यह ऐसा लेखक व्यक्तित्व है जो एक ओर सामाजिकता से बंधा है तो दूसरी ओर निजी व्यक्तिवादी नैतिकता से बंधा है। यह ऐसा व्यक्ति है जो सामाजिक तथ्यों की पुष्टि करता है। इन दोनों किताबों में 'निजी' और 'ऐतिहासिक' तत्वों के तहमेल से लेखकद्वय के व्यक्तित्व का निर्माण किया गया है। साथ ही, इन दोनों किताबों में लेखकद्वय के निर्माण में सक्रिय भूमिका निभाने वाले ऐतिहासिक, सांस्कृतिक, आर्थिक कारकों का व्यापक विवेचन किया है।

लेखकद्वय की आत्मकथा-जीवनी में जिस व्यक्तिवाद को विकसित किया है वह स्थानीय लेखकों-संबंधियों-मित्रों राजनेताओं-शिक्षकों आदि के संपर्कों से बना है। इनमें राजनीतिक वर्चस्व के रूपों का जिक्र भी चला आया है। साथ ही, इसमें जो व्यक्तिवाद दिखाई देता है वह विचारधारात्मक आवश्यकताओं की पूर्ति करता है। यह ऐसा व्यक्तिवाद है जो छोटे शहरों में पला और बढ़ा है। परंपरा की पकड़ से बाहर है। इनमें रामविलास शर्मा और निराला दोनों ही गैर-परंपरागत और आधुनिक नजर आते हैं।

लेखकद्वय का व्यक्तिवाद पैसे के नियंत्रण से मुक्त है। दोनों की संचालक शक्ति पैसा और धर्म नहीं है। दोनों के यहां 'निजी' या 'आत्म' महत्वपूर्ण है। दोनों के ही 'आत्म' से जुड़े मुद्दे ही केंद्र में हैं। यह ऐसा व्यक्ति है जो अपने व्यक्तित्व का स्वयं निर्माता है। हंसी-खुशी, सुख-दुःख आदि का वह स्वयं सर्जक है। लेखकद्वय की विशेषता है कि वे निजी व्यक्तित्व की विशेषताओं को नहीं खोते। दोनों में 'इगो' की समस्या है। यह ऐसा व्यक्ति है जो अपनी स्वाधीनता का भरपूर इस्तेमाल करता है। *निराला की साहित्य साधना* में निराला की इमोशनल कमजोरियों का व्यापक जिक्र है। जबकि रामविलास शर्मा की आत्मकथा में इमोशनल कमजोरियां एकसिरे से गायब हैं।

लेखकद्वय अपने-अपने तरीके से आभामंडल बनाते हैं। रामविलास जी ने सचेत ढंग से इन किताबों में मेनीपुलेशन की तकनीक का इस्तेमाल करते हुए दोनों में ही खास किस्म की साहित्यचेतना को रेखांकित किया है। खासकर रामविलास शर्मा की साहित्यचेतना को सुनियोजित ढंग से प्रगतिवाद की संगति और प्रगतिशील मूल्यों की संगति में निर्मित किया है। दोनों किताबों में व्यक्तित्व निर्माण के ग्लोबल राजनीतिक तत्वों का इस्तेमाल किया है। खासकर लेखन में अंतर्राष्ट्रीय-राष्ट्रीय प्रभावों को सहज ही देखा जा सकता है।

व्यक्ति किस तरह बनता है और वह विचारों को कैसे निर्मित करता है ?

उसका सामाजिक-निजी जीवन कैसा है ? इसे हम व्यक्तियों के बहाने प्राचीन ग्रीस-यूनान से लेकर भारत के हिंदीभाषी क्षेत्र तक फैले व्यापक फलक पर रखकर देख सकते हैं। जिन लेखकों-विचारकों पर रामविलास शर्मा ने किताबें लिखी हैं, वे हैं, निराला, प्रेमचंद्र, रामचंद्र शुक्ल, महावीरप्रसाद द्विवेदी, गांधी, आंबेडकर, लोहिया, हेगेल, मार्क्स, सुकरात, अरस्तू, प्लेटो आदि । इन सभी किताबों में रामविलास शर्मा ने जिस उपकरण का इस्तेमाल किया है वह है इन लेखकों का 'तार्किक सोच' और उसके आसपास बन रही 'सर्वसम्मति'।

'तार्किक सोच' और 'सर्वसम्मति' के आधार पर ही इन लेखकों के विचारधारात्मक संघर्ष और वैचारिक परिवेश की मीमांसा पेश की है। इस पूरे प्रसंग में जिस चीज को रामविलास शर्मा सबसे ज्यादा उभारते हैं वह है सार्वजनिक परिवेश। सार्वजनिक परिवेश के व्यापक चित्रों को पेश करके वे असल में बुर्जुआ विचारधारा के विस्तार का काम करते हैं।

बुर्जुआ विचारधारा का मूल मकसद है व्यक्ति के सार्वजनिक परिवेश का विस्तार। विगत 100 सालों में व्यक्ति के निजी और सार्वजनिक परिवेश में गुणात्मक परिवर्तन हुआ है। सार्वजनिक परिवेश का विस्तार हुआ है। रामविलास शर्मा ने सार्वजनिक परिवेश (पब्लिक स्पेयर) के विस्तार के काम को एक ऐसे समय में विस्तार से पेश किया है जबकि चारों ओर से सार्वजनिक परिवेश को संकुचित करने के लिए ग्लोबल दबाव आ रहे थे।

खासकर टेलीविजन आने के बाद निजी और सार्वजनिक परिवेश, खासकर नागरिक संपर्क-संबंध कमजोर हुए हैं। जेनुइन राजनीतिक बहसों और नागरिक गोलबंदी का ह्रास हुआ है। टेलीविजन पर आने वाले चैट शो कुल मिलाकर नियोजित बहस के रूप हैं। ये सार्वजनिक परिवेश को निर्मित नहीं करते। क्योंकि ये नियोजन और नियमन के जरिए आते हैं। जब कि व्यक्ति के निजी परिवेश का सांस्थानिक उपनिवेशीकरण कर दिया गया है। यही वह परिवेश है जिसमें रामविलास शर्मा ने विभिन्न व्यक्तित्वों, लेखकों और विचारकों के बहाने नए सिरे से निजी और सार्वजनिक परिवेश को परिभाषित करने की कोशिश की है।

अस्मिता, व्यक्तिवाद और सार्वजनिक परिवेश के अंतस्संबंध को रामविलास शर्मा ने अपनी प्रसिद्ध कृति *इतिहास दर्शन* (1995) में सुंदर ढंग से पेश किया है। मसलन, सुकरात से आरंभ करते हैं और पहला ही उपशीर्षक देते हैं 'समाज व्यवस्था से दर्शनशास्त्र की टक्कर'। सुकरात पर आरोप था कि वह अपने विचारों से नौजवानों

को गुमराह करते हैं। इसीलिए उनको प्राणदंड दिया गया था। सुकरात को जिस समय यह सजा दी गई वे सत्तर साल की उम्र पार कर चुके थे। उन्होंने न्यायकर्ताओं की सभा में कहा था कि अभियोग लगाने वाले कुछ दिन सब्र करते तो वह वैसे ही विदा हो जाते। पर सुकरात के रूप में उन्हें ऐसा खतरा दिख रहा था कि वे सब्र करने को तैयार नहीं थे।

सवाल उठता है वे कौन लोग थे जो सुकरात की जान लेने पर तुले हुए थे ? सुकरात ऐसा क्या कहते थे जिससे इन लोगों की समझ में नौजवान गुमराह हुए जा रहे थे ? गुमराह हुए जा रहे थे तो ऐसा कौन सा संकट पैदा हो गया था कि उनकी जान लिए बिना काम न चलता ?

सुकरात के विचारों की ओर नौजवान इसलिए आकर्षित होते थे कि वे धार्मिक रूढ़िवाद को चुनौती देते थे। सुकरात पर अभियोग था कि वह नौजवानों को भ्रष्ट करते हैं, जिन देवताओं को नगरवासी मानते हैं, उन्हें वे नहीं मानते, उनके बदले वे अन्य देवताओं पर विश्वास करते हैं। सुकरात ने इन आरोपों को निराधार बताया।

सुकरात की खूबी क्या थी ? वे देवताओं के बारे में मनुष्यों की परंपरागत धारणाओं को चुनौती दे रहे थे। ये धारणाएं उनके लिए उपयोगी थीं जो अवकाशभोगी थे, जो दूसरों के अंधविश्वासों से लाभ उठाकर उनका श्रम हड़प जाते थे। असल में सुकरात की विशेषता थी कि वे प्रचलित विश्वासों के प्रति शंका प्रकट करते थे यानी सुकरात के मार्ग पर चलने के लिए क्या करें ? एक ही उत्तर है प्रचलित विश्वासों के प्रति शंका प्रकट करें।

यूनान में जमींदारों और सूदखोरों का मानना था कि लोग सामाजिक नियमों को विधान मानकर उनके अनुसार काम करते रहे, क्या न्याय है, क्या अन्याय है, कौन से नियम न्यायपूर्ण हैं, कौन से अन्यायपूर्ण, इसके बारे में जांच-पड़ताल न करें। लेकिन सुकरात ने यहीं से काम आरंभ किया था। सुकरात देवकथाओं पर आंखें बंद करके विश्वास नहीं करते थे बल्कि नए सिरे से अनुसंधान करते थे।

सुकरात हर चीज पर शंका करते थे, सवाल खड़े करते थे। इसी तरह यूनान में शिक्षकों का एक समूह भी था जिसे सोफिस्तेस या अंग्रेजी में सोफिस्ट कहते थे। ये लोग फीस लेकर धनी परिवारों के युवाओं को शिक्षा देते थे। विशेष रूप से उन्हें तर्क-विद्या सिखाते थे। सुकरात को फीस लेकर शिक्षा देना पसंद न था; इससे भी अधिक महत्वपूर्ण यह कि तर्क-वितर्क कौशल की अपेक्षा, वह मनुष्य का सदाचारी और सच्चरित्र होना अधिक महत्वपूर्ण मानते थे। सोफिस्टों की खूबी थी कि उन्होंने

लोगों की तर्क-बुद्धि जगाई थी। प्रचलित मान्यताओं को परखना सिखाया था। वे व्यापक सांस्कृतिक आंदोलन के सूत्रधार थे। सुकरात इन्हीं की परंपरा में आते थे। इनके प्रयासों के कारण स्वतंत्र चिंतन और व्यक्तिगत विवेक के जरिए आप्त वाक्यों को अपदस्थ किया। उल्लेखनीय है तर्क-विद्या में सुकरात ने सोफिस्टों से आगे जाकर मानक बनाए हैं।

रामविलास शर्मा ने लिखा है, 'यूनान के दर्शनकार, सोफिस्ट और सुकरात ये तीनों एक ही सांस्कृतिक आंदोलन का अंग हैं। इन तीनों की साझा विशेषता है संसार के बारे में प्रचलित धारणाओं को चुनौती देना। सुकरात की एक अन्य विशेषता थी कि वे हर चीज की व्याख्या करते थे। सोफिस्ट की खूबी थी वे नैतिक और राजनीतिक प्रश्नों की चर्चा करके चुप हो जाते थे वहीं सुकरात का उद्देश्य था लोगों को सुधारना।'

रामविलास शर्मा ने लिखा है, 'सुकरात लोगों को सुधारने पर तुले हुए थे, संपत्तिशाली लोग सुधरने को तैयार न थे। सुकरात, जनता के बीच, बाजार हाट में उनकी आलोचना करते थे। अब तक के तर्कशास्त्री न्याय, शासनतंत्र आदि की व्याख्या करके संतुष्ट हो जाते थे, सुकरात लोगों को सुधारना चाहते थे। व्यवस्था को बदले बिना लोगों को सुधारा न जा सकता था। सरकार बदलने से काम चलने वाला न था। जमींदारी गुट का शासन हो, लोकतंत्र हो, सुकरात की टक्कर दोनों से थी क्योंकि उनकी आलोचना का लक्ष्य संपत्तिशाली वर्गों वाली समाज व्यवस्था थी।'

रामविलास शर्मा ने लिखा है, 'सुकरात धाय के पुत्र थे। वह अपनी तर्क विद्या की तुलना धाय के कौशल से करते थे। धाय स्वयं बच्चा नहीं जनती, बच्चा जनने में दूसरों की सहायता करती है। सुकरात कहते थे, ज्ञान के मामले में मैं बांझ हूं, देवता मुझे धाय का काम करने को बाध्य करते हैं, उसने मुझे कभी बच्चा जनने नहीं दिया। अर्थात सुकरात के पास कोई विचारों का खजाना नहीं है, वह तो दूसरों के दिमाग से निकलवाते हैं। सुकरात का मानना था कि दवा खिलाकर, मंत्र पढ़कर धाय गर्भवती के पेट में दर्द पैदा करती है जिससे प्रजनन संभव होता है। सुकरात के लिए कहा जा सकता था कि वह लोगों को अज्ञान का एहसास कराके इसी तरह उनके मन में दर्द पैदा करते थे। यूनान में धाय युवकों और युवतियों में उपयुक्त जोड़े ढूंढकर उनका विवाह संबंध भी निश्चित कराती थी। सुकरात का कहना था, मैं तो आदमी को परखने के बाद उसे ज्ञानी के पास ले जाकर छोड़ देता हूं।'

सुकरात की विशेषता थी वे सामान्य जीवन के उदाहरणों के जरिए अपनी बात समझाते थे। उनकी बातचीत में हमेशा मोचियों, लद्दू गधों, लुहारों, चमड़ा बनाने वालों

आदि का जिक्र रहता था। वे ज्ञान को परख की निगाह से देखते थे। आमतौर पर अपने बयानों में कारीगरों के अनुभवों का इस्तेमाल करते थे। यही वजह है कि उनसे जो भी बात करता था कारीगरों से स्वतः ही तादात्म्य स्थापित कर लेता था। गोर्गिअस की शब्दावली 'तुम्हारे कारीगरों' में इसी तादात्म्य की झलक मिलती है।

सुकरात ने इसी झलक को उजागर करते हुए, थेमिस्तोक्लेस के बारे में, हमें बताया गया है; जहां तक पेरिक्लेस का संबंध है, 'जब वह मध्य प्राचीर के बारे में हमें सलाह दे रहे थे, तब मैंने स्वयं उन्हें सुना था।' सुकरात या तो कारीगरों के साथ खुद काम कर रहे थे या जहां काम हो रहा था, वहां खड़े सब कुछ देख सुन रहे थे।

सुकरात की दृष्टि में वक्तृत्व कला लोगों को प्रभावित करने की कला है। 'गोर्गिअस अपनी कला के प्रति आश्वस्त होकर कहते हैं, वक्तृत्व कला में जो व्यक्ति कुशल है, वह सभा को प्रभावित करके स्वयं को किसी भी पेशे के लिए नियुक्त करा सकता है; वह किसी भी प्रश्न पर, किसी के भी विरुद्ध, इस ढंग से बोल सकता है कि बहुमत उसके पक्ष में हो जाए। सुकरात के लिए यह सिद्ध करना कठिन नहीं है कि वह बहुमत अज्ञानियों का होगा। इन्हें प्रभावित करने की कला मूल्यवान हो तो किसी चीज का वास्तविक ज्ञान प्राप्त करना आवश्यक न होगा; लोगों को प्रभावित कर लेना काफी होगा कि तुम्हारे पास इतना ज्ञान है ? सुकरात के अनुसार वक्तृत्व कला लोगों को खुश करने की कला है। बावर्ची ऐसा खाना पका सकता है जिससे खाने वाला खुश हो जाएं पर वह उसके उपयुक्त है या अनुपयुक्त, यह तो वैद्य बता सकता है, बावर्ची नहीं।'

रामविलास शर्मा ने सुकरात के बहाने आधुनिक भारत के लिए उपयुक्त सार्वजनिक जीवन की परिकल्पना को रेखांकित किया है। इसके बहाने वे हमारे देश के सार्वजनिक स्पेयर या सार्वजनिक परिवेश को पुनर्परिभाषित करते हैं। उन्होंने लिखा है, 'सुकरात यदि लोकतंत्र के शासकों से संतुष्ट नहीं थे तो वे निरंकुश शासकों से और भी क्षुब्ध थे। वक्तृत्व कला के पक्ष में एक और बात कही गई थी कि जिसके पास यह कला होती है, वह निरंकुश शासकों जैसा शक्तिशाली होता है। इस सिलसिले में मखदूनिया के शासक आर्खिलाऑस का उदाहरण दिया जाता था। उसने वैध उत्तराधिकारी को मारकर राज्य पर अधिकार किया था। गद्दी पर बैठने के बाद उसने एथेंस के अनेक संभ्रांत नागरिकों को आमंत्रित किया। और लोग गए, सुकरात ने उसके यहां जाने से इनकार कर दिया। सुकरात का कहना था, सदाचारी का जीवन अच्छा है, भले ही उसमें कष्ट सहना पड़े। जिस व्यक्ति में दुर्गुण हों और वह उनसे

मुक्त न हो सके, उसका जीवन सबसे खराब मानना चाहिए।'

आधुनिक काल में फासिस्ट, भ्रष्ट, अपराधकर्मी और आततायी शासकों और व्यक्तियों के पक्ष में तरह-तरह के तर्क दिए जाते हैं और उनका बड़े सलीके से मीडिया से लेकर साहित्य तक प्रचार किया जाता है। इन सबकी बड़ी तीखी आलोचना सुकरात के लेखन में मिलती है। सुकरात का मानना था भला और सदाचारी आदमी सुखी होता है, दुष्ट और अन्यायी नहीं।

वंशगत श्रेष्ठता और उसके आधार पर प्रशंसा को सुकरात एकदम पसंद नहीं करते थे। अभिजात वंश के लोगों में यह बीमारी है कि वंशगत आधार पर प्रशंसा करते हैं और चाहते हैं कि इसी आधार पर लोग उनकी प्रशंसा करें। भारत में यह बीमारी जातिगत आधार पर प्रशंसा में रूपांतरित हो गई है। जातिगत महापुरुषों या पुरखों के आधार पर प्रशंसा करते हैं। सुकरात को यह सब नापसंद था। ऐसी प्रशंसा को सुकरात संकुचित दृष्टिकोण मानते थे।

फंडामेंटलिस्ट जिस तरह इन दिनों आक्रामक हुए हैं उसके खिलाफ रामविलास शर्मा में आक्रोश रहा है। फंडामेंटलिज्म किस तरह का वातावरण बनाता है, और हमें क्या करना चाहिए। इसकी ओर रामविलास शर्मा ने सुकरात के बहाने ध्यान खींचा है। पुराने अभिजात और नए अभिजात वर्ग का फंडामेंटलिज्म से याराना है। उन्होंने लिखा है–

> अरिस्तोफनेस की नाटिका से सुकरात के प्रति इस वर्ग के शत्रुभाव की तीव्रता का अनुमान हो सकता है। किसान सुकरात से तर्क विद्या सीखने गया था, अंत में वह समझ गया कि इस विद्या के सहारे उसका पुत्र उसे मारेगा। सुकरात नास्तिक है, उसे अपने अपराध का दंड मिलना चाहिए। किसान कहता है, 'मैं भी कैसा पागल था। सुकरात के बहकावे में आ गया कि देवता नहीं हैं।...इन्हें कचहरी अदालत ले जाने की बात सोचना बेकार था। मैं सीधे जाकर दुष्टों की पाठशाला में आग लगा देता हूं।' वह छत पर चढ़कर आग लगाता है। एक छात्र कहता है, 'तुम हमें जिंदा जला दोगे !' किसान कहता है, 'मैं ठीक यही करना चाहता हूं यदि मेरे औजारों ने दगा न की और यदि पहले ही गिरकर मैंने अपनी गर्दन न तोड़ ली।' सुकरात कहते है 'तुम यहां छत पर क्या कर रहे हो ?' किसान कहता है, 'मैं हवा पर चल रहा हूं और सूर्य का रहस्य भेद रहा हूं।' उस किसान के अनुसार तत्ववादी दार्शनिक नास्तिक थे, सुकरात नास्तिक थे।

इन्हें अदालत ले जाना बेकार है। सीधे इनके घर में आग लगानी चाहिए। धुएं में लोगों का दम घुटने लगता है, वे पाठशाला से भागने लगते हैं। किसान कहता है, 'किए का फल ही पा रहे हो। जो लोग देवताओं को ठेंगा दिखाते हैं, तर्क करते हैं, चंद्रमा के दूसरी ओर क्या है, वे इसकी कीमत चुकाएंगे।' इसके बाद सुकरात के लात मारता है। फिर लोगों से कहता है, 'टूट पड़ो इन पर, उठाओ पत्थर !' पत्थरों की बौछार सहते हुए सुकरात और उनके साथी भागते हैं। किसान चिल्लाता है, 'बदला लो ! देवताओं के अपमान का बदला लो ! इनकी करनी को याद करो ! बदला लो !'

इस पर रामविलास शर्मा ने लिखा है , 'कचहरी अदालत की जरूरत नहीं, पत्थर मारो और आग लगाओ, देवताओं के अपमान का बदला लो–अनेक युगों में अनेक प्रकार के प्रतिक्रियावादियों की ऐसी हरकतों से पाठक परिचित होंगे। विशेष रूप से अस्वाधीन और पिछड़े हुए देशों में संप्रदायवादी नेता प्रगतिशील विचारकों के विरुद्ध ऐसा उन्माद उभारते हैं।'

रामविलास शर्मा ने लिखा है, 'सुकरात तो धाय का काम करते थे, जो दूसरे के मन में है पर जिसे वह जानता नहीं है, उसे बाहर निकलवाते थे। ज्ञानी होने का दंभ उन्हें नहीं था, जिन्हें ऐसा दंभ था, उनसे जिरह करने की बीमारी उन्हें जरूर थी। इस बीमारी को देवप्रेरित अवश्य मानते थे। अंतःकरण की भूमिका इतनी ही थी। जहां जितना भी सत्य वह उद्घाटित करते थे, वहां उसका आधार साधारणजनों का सामान्य अनुभव ही होता था, किसी व्यक्ति का विशिष्ट अनुभव नहीं।'

इन दिनों अस्मिता साहित्य के कई रूप प्रचलन में हैं इन तमाम प्रवृत्तियों का बहुराष्ट्रीय बुर्जुआ विचारधारा से गहरा संबंध है। नई अस्मिता संस्कृति आम लोगों में 'निजी संतुष्टि' की भावना पैदा कर रही है। आम लोगों से कहा जा रहा है, 'निजी संतुष्टि' पर ध्यान दें। 'निजी संतुष्टि' की भावना ने नागरिक बोध और नागरिक चेतना को कमजोर बनाया है। 'निजी संतुष्टि' के नाम पर उपभोक्ता की स्वतंत्रता की बातें कही जा रही हैं।

'निजी संतुष्टि' पर आधारित अभिव्यक्ति की स्वतंत्रता पर साहित्य में इन दिनों आत्मकथाओं की बाढ़ आ गई है। 'निजी संतुष्टि' का सामाजिक मूल्यों के ताने-बाने के साथ गहरा अंतर्विरोध है। अनेक मामलों में आत्मकथाओं के विवरण और ब्यौरे नैतिक तौर पर अपमानजनक चीजों को पेश करते हैं। खासकर अभिव्यक्ति की

स्वतंत्रता और निजी संतुष्टि की धारणा की आड़ में व्यक्ति के एकाकी भावबोध क खूब बढ़ावा दिया जा रहा है। यह ग्लोबलाइजेशन का ग्लोबल फिनोमिना है। य ऐसे व्यक्ति की आत्मकथा है जो निजी तौर पर किसी विचार या विचारधारा से बंध नहीं है। इसके पास किसी विचार या विचारधारा की परंपरा नहीं है। इसका प्रत्ये चीज और व्यक्ति के साथ बिना शर्त संबंध है।

रामविलास शर्मा ने अपनी आत्मकथा *अपनी धरती अपने लोग* में व्यक्ति औ विचारधारा के अंतस्संबंध को उभारा है। लेखक की नागरिक चेतना और वर्गीय चेतन को उभारा है। लेकिन इन दिनों आने वाली स्त्री और दलित लेखकों की आत्मकथाओ में इसके विपरीत लक्षण देखने में आए हैं। वे ऐसे व्यक्ति का चित्रण करते हैं ज अंतर्वैयक्तिक (इंटरपर्सनल) संबंधों और नागरिक शिरकत के लिए किसी विचारधा से जुड़ा नहीं है। उस पर उसकी मास्टरी नहीं है।

इस पूरी प्रक्रिया में सार्वजनिक मनुष्य की अवधारणा का क्षय हुआ है। इस यह भी पता चलता है कि सार्वजनिक जीवन का क्षय हो रहा है। सार्वजनिक राजनीतिक स्पेस का क्षय हुआ है। वस्तुकरण और नौकरशाही की प्रवृत्ति बढ़ी है इसके अलावा सामाजिक बंधनों की कीमत पर आत्म-संतुष्टि, संवेदनात्मक अभिव्यक्ति और आत्म-क्षय की प्रवृत्ति बढ़ी है। यह सामाजिक नार्सीज्म है। इसमें दैनंदिन जीव की छोटी-छोटी आपातकालीन कथाएं हैं। इसमें सामाजिक प्रतिबद्धता और निज लगाव का अंतस्संबंध बड़े पैमाने पर टूटा है। अनेक स्थानों पर आत्मकथाओं में निज लगाव की बातों पर जोर है और सामाजिक वचनबद्धता की उपेक्षा की गई है।

यह नए किस्म का व्यक्तिवाद है जिसका लक्ष्य है भौतिक लाभ पाना और निज सफलता पाना। इसके पास छद्म प्रतिबद्धता है जो अन्य के सरोकार से बेखबर है कहीं-कहीं यह व्यक्तिवाद, सांस्कृतिक परंपरा, राजनीतिक संस्कृति और सामाजिक इतिहास के रूप में भी आया है।

कई आत्मकथाओं में ऐसी भाषा का इस्तेमाल हुआ है जिससे भाषा की मानवी क्षमता का क्षय हुआ है। भाषा का काम है मानवीय क्षमता में इजाफा करना। साहित और सामाजिक जीवन में गाली-गलौज की भाषा मानवीय क्षमता के क्षय का संके है। गाली-गलौज की भाषा या भाषा के असभ्य प्रयोग अंततः मानवीय क्षमता औ व्यक्ति की निजी क्षमता को विकृत करते हैं। इस तरह के भाषिक प्रयोग इस बा का संकेत हैं कि निजी जीवन का ह्रास हो रहा है।

अस्मिता साहित्य के तहत जो आत्मकथाएं आई हैं उनमें एक अन्य फिनोमिन

ो दिखाई दे रहा है और वह है निजी जीवन के सारतत्व और उसके ताने-बाने को ज़ीवादी-सामंती व्यवस्था खाए जा रही है। यहां अनेक मामलों में वह अपने को ामाजिक प्राणी के रूप में नहीं देखता। आत्मकथाओं में सेल्फ ऑब्सेशन और बाधित आत्ममोह मुख्य चिंता की बात है। लेखक अपने निजी आंसुओं, कर्म और ष्टों का अतिरंजित वर्णन कर रहे हैं। इससे उन्हें 'सांस्कृतिक शांति' मिलती है। से समीक्षा में 'कल्चरल कूलिंग' या 'सांस्कृतिक शांति' कहते हैं।

'सांस्कृतिक शांति' के फ्रेमवर्क में जब चीजें पेश की जाती हैं तो वे दलित और त्री दोनों का ही अपहरण करती हैं। वे आत्मकथाओं में ऐसा समाज रच रहे हैं जो पने ही घेरे में बंद है। सेल्फ ऑब्सेशन और बाजार निर्मित अस्मिता के तत्वों को पने अंदर समेटे है। यहां एक तरह मानवीय व्यवहार का निजीकरण मिलेगा। यह ामयिक सांस्कृतिक अवस्था का लक्षण है। यहां निजी जीवन के अ-राजनीतिक और यक्तिगत विवरण और ब्यौरे छाए हुए हैं। इन कथाओं में सार्वजनिक और निजी के ंतर की दीवार भी धराशायी हो गई है। आत्मकथाओं में जो राजनीति आ रही है वह हरी राजनीतिक मसलों के संदर्भ में आ रही है। पहले निजी मसलों और राजनीति ा संबंध मिलता है। खासकर रामविलास शर्मा की आत्मकथा में यह फिनोमिना जर आता है। लेकिन इन दिनों आने वाली आत्मकथाओं में निजी को राजनीति से लग एक भिन्न सामाजिक केटेगरी में रख दिया गया है। इस चक्कर में संस्कृति ौर राजनीति के बीच में फांक पैदा हो गई है। इसके कारण लेखक का निजी जीवन लग और राजनीतिक प्रसंग अलग नजर आते हैं।

आत्मकथा लेखन में एक और फिनोमिना नजर आता है वह है 'सांस्थानिक यक्तिवाद'। इसमें व्यक्ति अपनी आत्मकथा का आख्यान रचते हुए निज के द्वारा य की गई परिभाषाओं को पुनर्परिभाषित कर रहे हैं। इस तरह की प्रस्तुतियां लित लेखकों ने खूब लिखी हैं। यह आज के भूमंडलीकरण का प्रतिगामी बुनियादी क्षण है।

इस धारणा के मानने वाले कहते हैं मौजूदा कनेक्टिवटी के दौर में मनुष्य अपनी र-बार यात्रा करता है। नए सिरे से काम करता है। पुनर्पाठ करता है। व्यक्तिगत दतों और अस्मिताओं की रोशनी में राज्य को देखता है। समाज को देखता है और ाने की कोशिश करता है कि यह विश्व किस दिशा में जा रहा है। यह पद्धति मविलास शर्मा की आत्मकथा में भी इस्तेमाल की गई है। इस पद्धति का प्रयोग रते हुए लेखक परंपरा से आधुनिकता की ओर प्रयाण करता नजर आता है।

आत्म-निर्माण की प्रक्रिया नजर आती है लेकिन सांस्कृतिक वैविध्य या क्षेत्री सांस्कृतिक भिन्नताएं नजर नहीं आतीं।

पश्चिम और भारत में आत्मकथा लेखन में एक अंतर है, पश्चिम में आत्मकथ लेखक को इतिहास बहुत कम परेशान करता है। लेखक आसानी से अपने व इतिहास से मुक्त होकर लिखता है। लेकिन भारत में ऐसा नहीं है। भारत आत्मकथा या जीवनी में इतिहास आसानी से पीछा नहीं छोड़ता। पश्चिम के लेख की अस्मिता इतिहास से अपने को अलग कर लेती है। भारत में लेखक की अस्मित इतिहास से अपने को अलग नहीं कर पाती। परंपरागत समाज में व्यक्ति के पा न्यूनतम स्वायत्तता भी नहीं होती। जबकि आधुनिक धर्मनिरपेक्ष समाज उसे पू स्वायत्तता देता है।

पश्चिम में लेखक को परंपरा और सामाजिक इतिहास के ज्ञान के आधार प समझने में मुश्किल से मदद मिलती है। जबकि भारत में उसके बिना समझन मुश्किल है। मसलन, रामविलास शर्मा की आत्मकथा या उनके द्वारा लिखी *निरात की साहित्य साधना* में 1857 और परंपराएं व्यक्तित्व निर्माण के प्रमुख तत्वों में हैं इसी तरह ओमप्रकाश बाल्मीकि की आत्मकथा में जातिप्रथा ऐतिहासिकता के सा दाखिल होती है।

आधुनिकता के आने के साथ आधुनिकीकरण की अपार संभावनाएं पैदा होत हैं। व्यक्तिवादी ढंग से विकास के अवसर पैदा होते हैं। आधुनिक संगठनों का उद होता है। ये संगठन व्यक्ति के आत्म को नए सिरे से निर्मित करते हैं। उसके जीव में अभिव्यंजित होते हैं। इनमें खासतौर पर शिक्षा और राजनीति के संगठनों के द्वा व्यक्तित्व के नए रूपों के निर्माण में खासतौर पर मदद मिलती है। इनसे विग जीवन की अनिश्चितता और असुरक्षा से मुक्ति मिलती है। आत्मनिर्भर व्यक्तित का निर्माण होता है। इसी क्रम में कॅरियर, परिवार, मित्र, कार्यक्षेत्र, प्रेम आदि व अंतर्विरोधों को हल करने में मदद मिलती है। यानी व्यक्ति एक नए किस्म व आधुनिक व्यक्तिवाद के जरिए अपना विकास करता है। इससे आत्मसंचालि संस्कृति और आत्मनिर्धारित आत्मकथा के रूपों का निर्माण होता है।

एक मर्तबा फ्रांसीसी लेखक जॉन पाल सार्त्र ने कहा था कि बुर्जुआ की तर जन्म लेना ही काफी नहीं है बल्कि बुर्जुआजी की तरह जीना भी आवश्यक है। इस नजरिए को आधार बनाकर रामविलास शर्मा और ओमप्रकाश बाल्मीकि अपन आत्मकथाओं में यह दर्शाने की कोशिश करते हैं कि उनका व्यक्तित्व सेल्फमेड है

वे यह भी दर्शाते हैं कि उन्होंने अपना ही नहीं, अपने परिवार, मित्र और संबंधियों के भी निर्माण में मदद की है। साथ ही, यह भी संदेश देते हैं कि व्यक्तित्व निर्माण के प्रमाण समाज और आत्मकथा में चारों ओर पारदर्शी रूप में फैले हैं। इन दोनों लेखकों की आत्मकथाओं में जीवन के बारे में पुरानी निश्चितता नष्ट होती है और ये दोनों ही लेखक नए किस्म की निश्चित जिंदगी जीने के विकल्पों की ओर मुखातिब होते हैं।

रामविलास शर्मा और ओमप्रकाश बाल्मीकि की आत्मकथा वस्तुतः आत्मनिर्माण या सेल्फमेड व्यक्ति की आत्मकथा है। इस तरह की आत्मकथा में एक जोखिम है, इसमें जो चीजें चुनी जा रही हैं उनमें जोखिम भी है। मसलन रामविलास शर्मा कम्युनिस्ट पार्टी के होल टाइमर थे। लेकिन भयानक असुविधाओं का सामना करना पड़ा। फलतः उन्हें होल टाइमरशिप छोड़नी पड़ी।

लेखक जो कॅरियर या जीवनशैली चुनना चाहता है वह वैसा नहीं बन पाता। अतः जिस आत्मकथा को वह सेल्फमेड रूप में पेश करना चाहता है उसी आत्मकथा में वह ब्रेकडाउन जीवनी को भी पेश करता है। ब्रेकडाउन जीवनी के अनेक पहलुओं को बड़ी खूबी के साथ रामविलास शर्मा ने *निराला की साहित्य साधना* में भी दरशाया है। निराला के सपने किस कदर टूटते हैं और वे जो बनना चाहते हैं वह नहीं बन पाते। जैसे जीना चाहते हैं वैसे जी नहीं पाते। जीवनी लेखन की यह पद्धति पूरी तरह उत्तर-आधुनिक पद्धति है। मसलन निराला चाहते थे कि महिषादल का राजा उनको गोद ले और वे राजकुमार की तरह जिंदगी व्यतीत करें। यह नहीं हो पाता और यह उनके जीवन की बड़ी पीड़ा बनती है।

लेखकद्वय (रामविलास शर्मा-ओमप्रकाश बाल्मीकि) की आत्मकथाओं में परिवार बना रहता है और इन दोनों के व्यक्तित्व निर्माण में परिवार की भूमिका साफ नजर आती है। आधुनिक समाज में व्यक्तित्व निर्माण में राज्य की बड़ी भूमिका होती है लेकिन इन लेखकों के व्यक्तित्व निर्माण में परिवार की बड़ी भूमिका सामने आती है। दूसरा बड़ा संस्थान है शिक्षा व्यवस्था। शिक्षा की इनके व्यक्तित्व निर्माण में महत्वपूर्ण भूमिका नजर आती है। वहीं निराला का परिवार बिखर जाता है और परिवार उनके विकास में बहुत बड़ी बाधा बन जाता है। ठीक यही पहलू नामवर सिंह की आत्मकथा के अंशों में है। वहां परिवार नदारद है। परिवार के नाम पर विस्तारित परिवार के लोग भूमिका में नजर आते हैं। यही स्थिति अनेक लेखिकाओं की आत्मकथाओं में भी नजर आती है।

निराला, नामवर सिंह, मन्नू भंडारी आदि की जीवनी-आत्मकथाओं में सामाजिक परिस्थितियां, खासकर पारिवारिक परिस्थितियां ऐसी हैं जो इन व्यक्तियों को दंडित करती हैं। इन सभी लेखकों का व्यक्तिवाद इनको आगे ठेलता है और इसके कारण इनके सामाजिक अंतर्विरोध और भी गहराने लगते हैं।

रामविलास शर्मा, नामवर सिंह, ओमप्रकाश बाल्मीकि, मन्नू भंडारी आदि की आत्मकथाओं में व्यक्त तथ्य इस बात को पुष्ट करते हैं कि इन लेखकों के जीवन में व्यक्तिवादी दबाव इनको भविष्य की ओर ठेलते रहे हैं। व्यक्तिवादीकरण एक अपरिहार्य अवस्था है। इससे बचा नहीं जा सकता। लेखक के नाते ये लोग उसे नियोजित करके पेश करते हैं। ये अपने व्यक्तिवाद का विभिन्न बदली परिस्थितियों में इस्तेमाल करते हैं।

इन लोगों ने निजी तौर पर व्यक्तिवाद की आलोचना की लेकिन व्यक्तिवादीकरण इनकी मजबूरी है। यहीं पर इस प्रवृत्ति की बिडंबना सामने आती है। इस क्रम में जहां एक ओर वे अपनी जीवनी बनाते हैं, साथ ही, अपने आसपास नेटवर्क भी बनाते हैं। यह नेटवर्क शिक्षा संस्थान, राजनीतिक दल, सांस्कृतिक संगठन आदि से बन रहा है। मसलन, रामविलास शर्मा, ओमप्रकाश बाल्मीकि, निराला आदि की आत्मकथा-जीवनी में परिवार और गांव के सामुदायिक जीवन या कॉमरेडशिप वाले दौर की अनिश्चितता सामने आती है। यह अनिश्चितता इनके आख्यान का सबसे बड़ा संसाधन है।

इन लेखकों के यहां एक चीज साझा है कि वे आधुनिक जीवन जीना चाहते हैं लेकिन आधुनिक जीवन जीना इनके लिए असंभव हो जाता है। ये रुटीन के बाहर रहकर जीना चाहते हैं लेकिन दैनंदिन रुटीन जीवन इनको अपनी ओर खींचता है। रुटीन चीजें इनके विचार और कर्म दोनों को प्रभावित करती हैं।

'रुटीन' की अमूमन आत्मकथा-जीवनी पढ़ते हुए हम उपेक्षा करते हैं। दैनंदिन रुटीन को व्यक्ति किस तरह आत्मसात करता है और आगे बढ़ता है, इन सब बातों की ओर हमारा ध्यान ही नहीं जाता। 'रुटीन' के कारण व्यक्ति में सामुदायिक आदतों-संस्कारों आदि का निर्माण होता है। मसलन प्रगतिशीलों में रहना, उनकी बातें करना, उनकी आदतों और व्यवहार को जीवन में उतारना आदि रुटीन सामूहिक आदतें हैं, इन्हें हम लेखक के प्रतिवादी कर्म के रूप में देखते हैं।

सामयिक भूमंडलीकरण के ग्लोबल फिनोमिना के अंग के रूप में आत्मकथाओं में नए किस्म का व्यक्तिवाद नजर आ रहा है। यहां लेखक नए रूप में अपनी खोज करता है। वह लिखता है अपने अतीत को बताने के लिए, लेकिन बताता है अपने

व्यक्तित्व के रूपांतरण को। वह यह भी दरशाता है कि वह ग्लोबल परिवर्तनों के साथ खुद भी बदल रहा है। लेखक अपनी जीवनी को नया रूप देने और दिशा देने में सक्षम है। यह ऐसा लेखक है जो अपने सांस्कृतिक प्रतीकों की स्वयं खोज करता है। नए भूमंडलीकरण में व्यक्ति की अस्मिता और सांस्कृतिक रूपों का वह सर्जक है।

दलितों की आत्मकथाओं में जीवनशैली का खूब चित्रण मिलता है। इसके विपरीत रामविलास शर्मा के यहां जीवनशैली के चित्रण पर जोर नहीं है। जीवनशैली वाला तत्व ग्लोबलाइजेशन का हिस्सा है। दलित की जीवनशैली के साथ एक बागी व्यक्तित्व सामने आता है। लाइफ स्टाइल और रिवेल या बागी ये दोनों भूमंडलीकरण के फिनोमिना हैं। वे ऐसे व्यक्ति का चित्रण करते हैं जिसे यथास्थितिवाद पसंद नहीं है।

यथास्थितिवाद का बागी तेवरों के साथ निषेध करने वाले तत्व मासकल्चर में खूब मिलेंगे। जिस तरह मासकल्चर को बागी हीरो पसंद आते हैं, उनके संवादों को हम उद्धृत करते हैं। ठीक वैसे ही दलित साहित्य और स्त्री साहित्य में भी बागी लेखक को पसंद किया जाता है। उनके चुभते संवाद पसंद आते हैं। उनका अविश्वास पसंद आता है। उनका इन चीजों का महिमामंडन पसंद आता है। इस तरह की प्रस्तुतियों की खूबी है कि आप उनकी उपेक्षा नहीं कर सकते। चूंकि ये बदले हुए समय की तस्वीरें हैं, इनमें चीजें बदलती नजर आती हैं। वे अपनी अस्मिता को खोजते हैं, नया रूप देते हैं। ये तस्वीरें प्रेरक का काम भी करती हैं।

दलित आत्मकथाओं में मासकल्चर के बागी नायकों की तरह एक तरह का सांस्कृतिक अंतर्विरोध अंतर्ग्रथित है। वे सब कुछ अभी चाहते हैं। इनमें समाज, जाति, जीवनशैली आदि को तत्काल बदलने की आकांक्षा जमकर व्यक्त हुई है। वे अपने पाठक को 'ट्रांसफार्म' और 'इंप्रूव' करने की ओर ध्यान खींचते हैं।

आत्मकथाओं की हाल ही में जो बाढ़ आई है उसका एक और मकसद है सेल्फ थेरेपी करना। यह उपभोक्तावाद से जुड़ा फिनोमिना है। इसमें अस्मिता की इंस्टेंट इमेजों का खूब प्रक्षेपण हो रहा है। इस तरह की अस्मिता की एक ही मुश्किल है कि इसमें प्रभावित करने की क्षमता नहीं है। यह मीडिया में चल रहे अस्मिता के इंस्टेंट फ्लो से प्रभावित है, इसमें तत्काल संप्रेषित करने और तत्काल परिणाम पाने की मंशा काम कर रही है। ये आत्मकथाएं मासकल्चर के फॉर्मूलों के आधार पर लिखी जा रही हैं।

मासकल्चर का फॉर्मूला है कि आप अपने अंदर कुछ भी इन्वेंट कर सकते हैं।

इस काम से आपको कोई नहीं रोक सकता। सिर्फ तुमको चुनना है कि क्या इन्वेंट करना चाहते हो। जिस तरह माउस का बटन दबाते ही आप शिफ्ट कर जाते हैं। उसी तरह अस्मिता पर लिखी एक किताब से दूसरी किताब की ओर शिफ्ट कर जाते हैं। इसमें आपकी कोई विचारधारात्मक प्रतिबद्धता नहीं होती।

इन आत्मकथाओं में एक खास किस्म की जीवनशैली की ओर रुझान नजर आ रहा है और उसकी ब्रॉण्डिंग भी हो रही है। दलित अस्मिता का आधुनिक जीवनशैली में रूपांतरण उसके व्यक्तित्व के छोटे-छोटे विवरण और ब्यौरों से भरा है। इन सभी आत्मकथाओं में व्यक्तित्व की लोचदार इमेज सामने आ रही है। इस इमेज का दलित की उपलब्धि और संभावनाओं के आधार पर निर्णय नहीं किया जा सकता। बल्कि इन आत्मकथाओं के बारे में हमें व्यक्तित्व के रूपांतरण और लोच के आधार पर देखना चाहिए।

दलित आत्मकथाओं में दलित को शोषण और जाति उत्पीड़न के वैविध्यपूर्ण चित्रों के जरिए सजाने की कोशिश की जा रही है। इनमें चार फिनोमिना हैं। पहला फिनोमिना है नकारात्मक-सकारात्मक चीजों का। दूसरा है, अलगाव और स्वाधीनता का। इसका सांस्कृतिक महत्व है। इसके अलावा इकसार सामाजिक संदर्भ बार-बार सामने आया है। इसके कारण सामाजिक संदर्भ अप्रासंगिक हो गया है। सामाजिक संदर्भ को परंपरा और जातिप्रथा के इकसार या स्टीरियोटाइप संदर्भ ने अपदस्थ कर दिया है। सामाजिक संदर्भ की विभिन्न सीमारेखाओं को इनके जरिए अप्रासंगिक बनाया गया है।

दलित आत्मकथाओं में भूमंडलीकरण की तीन संवृत्तियां नजर आती हैं। प्रथम, परंपरा को कम करके देखा गया है। खासकर परंपरागत जीवनशैली की उपेक्षा की गई है। इसी क्रम में वि-परंपरावाद का विकास हुआ है। पहले से चली आ रही चीजें अब दलित आत्मकथाओं में सुरक्षाबोध पैदा नहीं करतीं।

दूसरी संवृत्ति है, व्यक्ति की सामाजिक रेखाएं और परंपराएं टूट रही हैं। मसलन, शादी एक संस्थान है जो आत्मकथाओं में टूट रहा है या शादी पर पर्दा पड़ा है। तीसरा फिनोमिना है, व्यक्ति के जीवन में बदलाव आ रहे हैं, उनकी व्याख्या विचारधारात्मक आधार पर होनी चाहिए।

व्यक्ति में आए बदलाव इन दिनों जितने ज्यादा आज नजर आ रहे हैं, उतने पहले नजर नहीं आते थे। इसका प्रधान कारण है नव्य आर्थिक उदारीकरण। इसने निजीकरण की प्रक्रिया तेज की है। फलतः आत्मकथाओं में निजी जीवन के दैनंदिन

पहलू सामने आए हैं। निजी गुस्सा, भय, असंतोष, संशय और अविश्वास, सामाजिक अव्यवस्था और हिंसाचार के विवरण और ब्यौरे भी चले आए हैं।

दलित आत्मकथाओं के विवरण यह भी बताते हैं कि भारत में सामाजिक असमानता कम हो रही है। यह कम होती असमानता उनमें ज्यादा दिख रही है जो दलित वर्ग की निम्न अवस्था से रूपांतरित होते हुए मध्यवर्ग या निम्न-मध्यवर्ग में आ गए हैं। इस क्रम में ये लोग अपने वर्ग से भिन्न वर्ग में रूपांतरित हो गए हैं।

इन दिनों आत्मकथा विधा का दायरा लगातार विकसित हो रहा है। रामविलास शर्मा ने निराला के निजी पत्रों को शामिल करके पत्रों को साहित्य में शामिल करा दिया लेकिन इसके दायरे में यात्रा संस्मरण, निजी डायरी और भाषण भी आते हैं। इस प्रसंग में मुख्य सवाल यह है कि हिंदी में आत्मकथा को जनप्रिय होने में इतना समय क्यों लगा ? अंग्रेजी में आत्मकथा लंबे समय से विधा के रूप में लोकप्रिय रही है। हिंदी में यह 1990 के बाद ही लोकप्रिय हो पाई है और उस पर विभिन्न कोणों से बहसें हो रही हैं। इन बहसों में विधा और अंतर्वस्तु को जोड़कर नहीं देखा जा रहा। अधिकांश समय अंतर्वस्तु की विवेचना में ही आलोचकगण व्यस्त हैं।

यह भी देखने में आया है कि हिंदी में अनूदित होकर विदेशी लेखकों की आत्मकथाएं आ रही हैं और ये आत्मकथाएं बड़ी मात्रा में बिक रही हैं। आत्मकथा का पाठक वर्ग तैयार करने में इन अनूदित किताबों की बड़ी भूमिका है। हिंदी के साहित्यकारों की आत्मकथा और जीवनियां सिर्फ साहित्य के विद्यार्थियों के एक छोटे समूह में बिकती हैं। लेकिन अनूदित आत्मकथा की किताबें व्यापक जनसमूह में अपना पाठक वर्ग तैयार करने में सफल रही हैं।

आत्मकथा या जीवनी को हमें अस्मिता साहित्य की कोटि में रखकर विचार करना चाहिए। अभी तक हम इसे अस्मिता के दायरे में रखकर नहीं सोच रहे। किस दलित लेखक की आत्मकथा को हम अस्मिता के आधार पर देखने को तैयार हो जाते हैं लेकिन किसी गैर-दलित लेखक की आत्मकथा को अस्मिता के आधार पर देखने में असमर्थ रहे हैं। मसलन ओमप्रकाश बाल्मीकि और रामविलास शर्मा की आत्मकथाएं अस्मिता की केटेगरी में रखकर पढ़ी जानी चाहिए।

आत्मकथा या जीवनी मूलतः अस्मिता साहित्य है। इसके साथ ही जनजाति, अनुसूचित जाति, लिंग और वर्ग का साहित्य अस्मिता साहित्य है। किसी आदिवासी या स्त्री या दलित लेखकों की आत्मकथाओं में साझा सांस्कृतिक रूप, साझा सामाजिक परिस्थितियां और संघर्ष के साझा मुद्दों के दर्शन होते हैं। ये मुद्दे

हैं—छूत-अछूत, शिक्षा में भेदभाव, श्रमविभाजन में भेदभाव, कृषिशोषण, जमीन के अधिकार, ऊंच-नीच के सवाल, वर्ण और जातिप्रथा, सेक्स, शारीरिक शोषण, पति-पत्नी में असमानता, स्त्री की अधिकारहीनता, मातहत भाव बोध आदि। इन सभी में एक साझा तत्व है कि ये सभी स्वयं की पहचान को बनाने के लिए संघर्ष करती नजर आती हैं।

इनमें दूसरा साझा तत्व है कि लेखक जैसा महसूस करता है वैसा लिखता है। अन्य क्या महसूस करते हैं उस पर उसकी नजर नहीं है। कहानी-उपन्यास लिखते समय लेखक अन्य कैसे सोचता है इसके बारे में भी सोचता है लेकिन आत्मकथा में खासकर दलित और स्त्री की आत्मकथा में वह अपनी भाषा में ही सोचता है। निजी और सामाजिक जीवन के अछूते पक्षों को बताते समय उसकी नजर स्वयं पर होती है। वह स्वयं कैसे देखता है उसका ही चित्रण करता है। ऐसा करके लेखक दो काम करता है, जहां वह अपनी बात कहता है वहीं पाठक के सामने यह स्थितियां पैदा करता है कि वह अन्य के साथ उसकी तुलना करे। अन्य हो सकता है समान हो, भिन्न हो या उसके साथ अंतर्विरोध हों।

एक और फिनोमिना है जिस पर ध्यान देना चाहिए कि आत्मकथाओं में अभी हम लेखक या लेखिकाओं की आत्मकथाओं पर ही ध्यान दे रहे हैं, लेकिन जो लेखक और लेखिका नहीं हैं, सामान्य लोग हैं उनकी आत्मकथा की ओर हम ध्यान नहीं दे रहे।

आत्मकथा मूलतः लेखक की सांस्कृतिक क्षति पूर्ति करती है। आत्मकथा के बहाने लेखक-लेखिका ने अपने सामाजिक जीवन में जो सांस्कृतिक क्षति उठाई है उसको वे हासिल करती हैं। वे उन बाधाओं की ओर ध्यान खींचते हैं जिनके कारण उनका विकास बाधित हुआ। मसलन, दलितों या स्त्रियों या आदिवासी के जीवन में जिन बातों को छिपाया गया, जिस शोषण को छिपाया गया, जिस उत्पीड़न को छिपाया गया उससे उनकी सांस्कृतिक क्षति हुई और वे अपनी आत्मकथा लिखकर इस सांस्कृतिक नुकसान की भरपाई करते हैं।

आज जिस तरह आत्मकथा को सम्मान की नजर से देखा जाता है वह एक तरह से इन लेखकों की सांस्कृतिक क्षति की सामाजिक स्वीकृति है। उनका जो सांस्कृतिक स्थान समाज में छीना गया था उसे वे इसके जरिए हासिल करते हैं। वे अदृश्य थे और अदृश्य होना उनकी क्षति थी, आत्मकथा उनको दृश्य बनाती है, उनकी उपस्थिति का एहसास कराती है और इस तरह वे अपना खोया हुआ स्थान हासिल करते हैं।

दलित या स्त्री या आदिवासी का दिखना स्वयं में बड़ी सांस्कृतिक उपलब्धि है। इसके अलावा आत्मकथा से साहित्य की प्रचलित विधागत मान्यताएं भी टूटती हैं। मसलन लिंग, भाषा, जातिवाद, धर्म आदि के पूर्वग्रह टूटते हैं।

आत्मकथा में व्यक्ति के विवरण ही नहीं होते बल्कि उसमें इस धरती या भूगोल का भी ब्यौरा चला आता है। मसलन एक आदिवासी या दलित जब आत्मकथा लिखता है तो उसके लेखन में निजी जीवन के साथ उसका स्थानीय संसार भी चला आता है। जमीन या कृषि संबंध भी चले आते हैं। हमें देखना चाहिए कि जमीन और घर से लेखक का क्या संबंध है ? आत्मकथा में समय (टाइम) भी चला आता है। यह भी अंदाजा लगा सकते हैं कि उसके कानूनी अधिकार क्या हैं ?

स्त्री और दलित आत्मकथाओं से यह भी पता चलता है कि ये लोग अपने अतीत से कैसे मुक्त हो रहे हैं। इनका अतीत में जाना तीन काम करता है, पहला, स्त्री और दलित के अतीत के यथार्थ को सामने लाता है, दूसरा, इस यथार्थ से मुक्त करता है, तीसरा, वे जिन चीजों को सबसे ज्यादा प्रतीकात्मक रूप में व्यक्त करते हैं वह है श्रम। श्रम के विविध रूपों के चित्रण के जरिए वे श्रम को जीवन रेखा (लाइफ लाइन) के रूप में चित्रित करते हैं। साथ ही, लाइफ लाइन के अन्य रूप हैं खेत, कसाईघर, घरेलू काम, बच्चे पालना आदि। इनका चित्रण अंततः प्रतीकात्मक रूप में साहित्य में लाइफ लाइन की अभिव्यक्ति है। इसमें जीवन के प्राचीन रूपों से लेकर मध्यकालीन रूपों को सहज ही देखा जा सकता है। इसके कारण आत्मकथा में प्रामाणिकता आती है।

आदिवासी, स्त्री और दलित की आत्मकथाओं में अनेक स्थानों पर इस तरह की लोकल भाषा मिलती है जो आम जीवन में सुनाई नहीं देती, लेकिन आत्मकथा में है, वह उनके जीवन में भी है। वहां ऐसे भाषिक प्रयोग मिल जाएंगे जो सामान्य भाषा में इस्तेमाल नहीं किए जाते। इनका विशिष्ट अर्थ है जो दलित या स्त्री के संदर्भ में ही इस्तेमाल किया जाता है। गिली देलुत्ज एवं फेलिक्स गुइतारी ने इसे 'मीनार लैंग्वेज' यानी वर्चस्ववादी भाषा कहा है। इन दोनों आलोचकों ने काफ्का की भाषा के संदर्भ में इस अवधारणा की *काफ्का : टुवर्ड ए मीनार लिटरेचर* (1975) में चर्चा की है। यह ऐसी भाषा है जो इंडियन की अस्मिता के वर्चस्ववादी रूप को सामने लाती है। इसके आमफहम अर्थ को सामान्य जीवन में खोजना मुश्किल है। फलतः यह मुख्यधारा के विमर्श को पटरी से उतार देती है।

स्त्री, दलित और आदिवासी अल्पसंख्यक हैं और इसी नाते वे हाशिए पर हैं।

ये लोग जब आत्मकथा लिखते हैं तो वे हाशिए की संस्कृति बनाते हैं। आमतौर पर हाशिए के लोगों को गैर-महत्वपूर्ण माना जाता है। यह बार-बार कहा गया है कि हाशिए के लोगों का साहित्य मुख्यधारा के साहित्य की कोटि में नहीं आता। साहित्य की कोटि में स्त्री साहित्य और दलित साहित्य नहीं आता। यह ऐसा साहित्य है जिसका अपना क्षेत्र नहीं था, साहित्य में कोई स्थान नहीं था, समाज में कोई स्थान नहीं था। लेकिन यह सीधे राजनीतिक साहित्य है। सवाल यह नहीं है कि स्त्री साहित्य या दलित साहित्य को साहित्य में जगह मिली या नहीं ? सवाल यह है कि यह साहित्य पाठक को साहित्य और राजनीति के बारे में सोचने के लिए मजबूर करता है या नहीं? दलित और स्त्री साहित्य की भाषा इसी अर्थ में प्रचलित वर्चस्ववादी भाषा से भिन्न होती है। भिन्न भाषा में ही वे भिन्न संसार पेश करते हैं। इसे वैकल्पिक भाषा भी कह सकते हैं इसकी समूची रणनीति इस बात से तय होगी कि लेखक, स्त्री और दलित के यथार्थ का कितनी गहराई में जाकर चित्रण करना चाहता है।

रामविलास शर्मा ने *घर की बात* किताब संपादित की है उसमें उनके परिवार के लोगों के बयान हैं। इसे आत्मकथा की कोटि में नहीं रख सकते। इसका प्रधान कारण है कि आत्मकथा वस्तुतः साझा लेखन नहीं है। आत्मकथा व्यक्तिगत लेखन है। एकल लेखन है। आत्मकथा के अनेक रूप मिलते हैं जो भिन्न भी हैं, जैसे आत्मकथा, आत्मकथात्मक आख्यान, जीवन इतिहास, जीवनी, जीवन परिचय, आत्मकथ्य, इतिहास, स्थानीय इतिहास, वाचिक इतिहास, जनजातीय आत्मकथा और उपन्यास। ये सभी विधा रूप स्वतंत्र हैं और किसी न किसी रूप में जुड़े हुए भी हैं। क्योंकि इन सबमें साझा तत्व है निजी जीवनानुभव। इनमें जो भेद है वो प्रच्छन्न और अंतर्वस्तु के स्तर पर है।

मसलन किसी लेखक की आत्मकथा लिखने के लिए लेखन, भाषण और वाचिक संस्मरणों, जीवनानुभवों का महत्व है। इसमें जीवन के आरंभिक छोटे पक्ष से लेकर बड़े पहलुओं तक सारा संसार फैला हुआ है। एक सवर्ण लेखक की आत्मकथा में व्यक्तिगत जीवन विशिष्ट रूप में आता है, लेकिन स्त्री और दलित की आत्मकथा में निजी अनुभव विशिष्ट हैं और सामुदायिक भी हैं। इसमें वाचिक पृष्ठभूमि और तथ्यों की बड़ी भूमिका होती है। आत्मकथा को लेखक स्वयं लिखता है, जीवनी को अन्य कोई लिखता है। फलतः इनके उत्पादन और श्रवण में अंतर भी है। आत्मकथा क्या है यह इस बात पर निर्भर करता है कि आपकी आत्मकथा की अवधारणा क्या है ? किस तरह उसे परिभाषित करते हैं ?

प्रसिद्ध समाजशास्त्री मादाम द स्तेल के शब्दों में आत्मकथा में फ्रेगमेंटेड यथार्थ विमर्श है। लेकिन रामविलास शर्मा ने आत्मकथा लिखते समय इस नियम का पालन नहीं किया बल्कि जीवनी लेखन के नियमों और संस्मरणशैली का पालन किया है। आत्मकथा में निष्कर्षों से बचा जाता है और पाठ खुला रहता है लेकिन *अपनी धरती अपने लोग* में वे ऐसा नहीं करते। जीवनकथा में लेखक के लिए तथ्य और सत्य की क्रमबद्ध प्रस्तुति महत्वपूर्ण होती है, जबकि आत्मकथा के लिए यह महत्वपूर्ण नहीं है। रामविलास शर्मा अपनी आत्मकथा में कहे हुए को लेकर बेहद सजग हैं, वे समस्त चीजों को एक ही नजरिए से पेश करते हैं। चीजों को एक ही नजरिए से पेश करना आत्मकथा का तत्व है।

एक शिक्षक और एक कम्युनिस्ट के रूप में रामविलास शर्मा के जो अनुभव रहे हैं उनको आत्मकथा में बहुत कम स्थान मिला है। इसका प्रधान कारण है कि एक शिक्षक के बहुत सारे व्यक्तिगत आचरण और अनुभव को कॉलेज-विश्वविद्यालय के लोग शेयर करते हैं अतः उनको बताने की आवश्यकता नहीं पड़ती। दूसरी बात यह भी है अकादमिक जीवन में आम पाठकों की कम दिलचस्पी रहती है, इसलिए भी कम लिखा है।

रामविलास शर्मा ने अपनी आत्मकथा लिखते समय यह बताने की कोशिश की है कि उनके व्यक्तित्व का निर्माण कैसे हुआ? साथ ही, प्रगतिशील साहित्य और संस्कृति का हिंदी में सृजन कैसे हुआ ? हिंदी साहित्य और हिंदीजाति के विकास की प्रक्रिया क्या है ? ये तीन बातें हैं जिनको वे आत्मकथा के बहाने संप्रेषित करना चाहते हैं। इसमें संस्मरण बिखरे पड़े हैं। वे संस्मरण की शैली में लिखते हैं और सजगता के साथ क्रमबद्धता बनाए रखते हैं।

हिंदीसमाज, हिंदीजाति और रामविलास शर्मा का 1857 के प्रथम स्वाधीनता संग्राम से गहरा संबंध सामने आता है। 1857 का संदर्भ प्रमुख है जिसका वे व्यापक इस्तेमाल करते हैं। खासकर अवध का इलाका इन सबकी धुरी है। अवध की संस्कृति और उसका नॉस्टेल्जिया बार-बार क्रांति तक के विचार और यूटोपिया को अपदस्थ कर देता है।

आत्मकथा में अनेक लोग हैं जो लेखक के जीवन की सफलताएं पढ़ना चाहते हैं। उनकी सफलताएं एक लेखक की सफलताओं के रूप में आती हैं। इसमें लेखन, साहित्य और राजनीति के व्यापक अनुभवों को पेश किया जाता है। रामविलास शर्मा ने इसी परिप्रेक्ष्य में व्यक्तित्व निर्माण में सफलताओं की कम और कला, राजनीति,

दर्शन आदि की बड़ी भूमिका का व्यापक स्तर पर जिक्र किया है। साथ ही एक मार्क्सवादी के स्वप्न व्यक्त हुए हैं। लेखक के रूप में एक आंदोलनकारी लेखक, एक ऐसा लेखक जो विवाद पैदा करे, आलोचना के नए प्रश्नों को उठाए और अपनी जाति पर गर्व करे।

रामविलास शर्मा की आत्मकथा पढ़कर यह लगता है कि वे मिलते थे सबसे लेकिन प्रभावित वे अपने मन से होते थे। वे अन्य को प्रभावित करते थे। उनकी आत्मकथा में यह तत्व उभरकर कम आया है कि वे किससे प्रभावित हुए अथवा उन पर प्रच्छन्नतः किसका प्रभाव था।

रामविलास शर्मा ने अपनी आत्मकथा को 'टाइप' के आधार पर लिखा है। यह इकरंगा टाइप है। रेनेसां के सद्‌गुणों से युक्त व्यक्तित्व इसमें उभरकर सामने आता है। उन्होंने अपने लेखन के जरिए बताया कि हिंदी नवजागरण का साम्राज्यवाद के साथ अंतर्विरोध था। हिंदी में प्रतिवादी साहित्य का आरंभ नवजागरण से होता है। यह प्रतिवादी स्वर जितना नवजागरण में नहीं है उससे ज्यादा रामविलास शर्मा के व्यक्तित्व में है। आलोचना में उन्होंने नवजागरण को प्रतिवादी नजरिए से देखने की परंपरा डाली।

रामविलास शर्मा की आत्मकथा और नवजागरण विमर्श में गहरा संबंध है। मसलन, हिंदी नवजागरण का आरंभ 1857 के प्रथम स्वाधीनता संग्राम से होता है और आत्मकथा में भी 1857 का संदर्भ लाकर वे अपने को इसी परंपरा से जोड़ते हैं। निराला पर जीवनी लिखते समय भी वे यही पद्धति अपनाते हैं। यानी सन् 1857 का संग्राम किसी न किसी रूप में उनके आत्मकथा और जीवनी-लेखन में संदर्भ के रूप में प्रस्थान बिंदु बना रहता है। इसका समग्र मॉडल पुंसवादी है।

पुंसवादी मॉडल अपनाते हुए रामविलास शर्मा ने स्वयं को निष्पाप, निष्कलंक और भूलों से रहित मर्द के रूप में पेश किया है। इसमें निजी कम है और सामाजिक ज्यादा है और सब कुछ व्यवस्थित और सुनिश्चित दिशा में पाठक को ले जाने वाला है। तकरीबन इसी शैली में नामवर सिंह ने भी लिखा है। इन दोनों में आत्म की वैधता की पुष्टि का भाव प्रबल है। इन दोनों से सवाल किया जाना चाहिए कि उनके जीवन में किसी स्त्री का प्रभाव पड़ा या नहीं ? उसके विवरण और ब्यौरे कहां हैं ? क्या मर्द लेखक के लिए स्त्री सिर्फ जन्म देने, ब्याह करने अथवा बेटी मात्र के संदर्भ के रूप में जिंदा है ? आश्चर्य की बात है इन दोनों के यहां मैं, पत्नी और बेटी पर भी न्यूनतम लिखा गया है। आत्मकथा से औरत की एक सिरे से अनुपस्थिति सामाजिक सत्य

के साथ पर्दादारी है।

आत्म की अभिव्यक्ति के लिए आत्मकथा लिखी जाती है और अंत में आत्म पर ही सवाल खड़े करती है। इसे ही पाल दे मान ने 'डिफेसमेंट' की संज्ञा दी है। यह व्यक्ति विशेष के सरोकारों का 'डिफेसमेंट' है। लेकिन रामविलास शर्मा की आत्मकथा में ऐसा कुछ भी नहीं घटता बल्कि सब कुछ नियोजित, तर्कपूर्ण और वैध दिशा में घटित होता है। हिंदी समाज में 'आत्मगोपन' का महत्व है। 'आत्मगोपन' और 'गोपन' से समूचा समाज घिरा हुआ है। यह भाव रामविलास शर्मा और नामवर सिंह तोड़ नहीं पाए हैं।

निराला की साहित्य साधना तीन खंडों में है। पहले खंड में व्यक्तित्व विवेचन है। दूसरे में उनकी विचारधारा और कला का विवेचन है और तीसरे खंड में उनके जीवन और साहित्य से संबंधित सामग्री और पत्र हैं। प्रकाशन वर्ष है सन् 1969। रामविलास शर्मा ने पहले खंड में लिखा है, 'यह पुस्तक मुख्यतः उनके साहित्य की आलोचना नहीं है। निराला के पारिवारिक, सामाजिक परिवेश से, उस युग की सांस्कृतिक परिस्थितियों से, उनके जीवन के बाह्य रूपों के साथ उनके अंतर्जगत से पाठकों को परिचित कराना मेरा उद्देश्य है।'

समूची जीवनी धारावाहिक रूप में विकसित होती है और रामविलास शर्मा ने बड़े ही कौशल के साथ व्यक्तिगत को सामाजिक और सामाजिक को व्यक्तिगत में रूपांतरित होते हुए दिखाया है। लेखक के अंतर्मन और सामाजिक अभिव्यक्ति के रूपों में सामंजस्य बिठाने की कोशिश की है। इस क्रम में वे निराला को निज जगत से बाहर निकालते हैं। देसी ठाट, अनुभूतियां, गुण-अवगुण, मनोदशा, वातावरण, जनसमुदाय के बीच में रखकर निराला के व्यक्तित्व का वर्णन करते हैं।

निराला की जीवनी को पाठक आराम से नहीं पढ़ सकता। यह जीवनी विचलित, उद्वेलित और उत्तेजित करती है। इसमें समाज, राजनीति, आचरण और मूल्य आदि के क्षेत्र में चल रहे संघर्षों और अंतर्विरोधों का चित्रण है। इससे निराला का भी अंतर्विरोधी व्यक्तित्व उभरकर सामने आया है। साथ ही, स्वयं रामविलास शर्मा का व्यक्तित्व और नजरिया भी इसमें घुल-मिलकर सामने आया है। इसमें 'मंशा' की अवधारणा का इस्तेमाल किया गया है और 'ईमानदार मंशा' पर ध्यान दिया है। इसके अलावा निराला के 'प्रेरक' तत्वों को भी रेखांकित किया है।

रामविलास शर्मा ने जीवनी के प्रधान चारों तत्वों–स्वायत्तता, आत्मानुभूति, प्रामाणिकता और व्यक्तित्वांतरण का इस्तेमाल किया है। यह किताब आख्यान शैली

में लिखी है। इस क्रम में निराला के बारे में प्रचलित किस्से, कहानियों और वृत्तांतों का व्यापक रूप में इस्तेमाल किया है। इससे उनके जीवन में पाठक की दिलचस्पी बनी रहती है। असल में किसी के बहाने व्यक्तित्व को प्रस्तुत करने की कला रोमेंटिक आत्म उद्घाटन की कला है। फलतः निराला के इर्द-गिर्द का वैविध्य भी जीवनी में चला आया है।

जीवनीकार जब किसी व्यक्ति का उद्घाटन किसी घटना अथवा अन्य के बहाने करता है तो जीवनीकार स्वयं को घटना से दूर कर लेता है, साथ ही, लेखक की वस्तुगत भूमिका को भी सामने लाता है। इस क्रम में लेखक के व्यक्तित्व निर्माण में 'चंद' लोगों की भूमिका और उसके चारों ओर के वैविध्यमय संसार को पेश करते हुए विभिन्न साहित्य संबंधी अवधारणाओं, सामाजिक व्यवस्था और आंदोलनों की सटीक व्याख्या पेश करता है इससे अनेक धारणाएं बनती हैं। जब व्यक्तित्व विवेचन के बहाने अवधारणाओं का निर्माण किया जाता है तो जाने-अनजाने परिस्थितियों और अवधारणाओं की सीमाएं भी व्यक्त हो जाती हैं। यह भी तय हो जाता है कि आप सच बोल रहे हैं। फलतः आप कल्पना से सत्य को अलगाने में सफल हो जाते हैं।

रामविलास शर्मा ने निराला पर लिखते समय व्यक्तिवाद और मानवतावाद को कॉमनसेंस के आधार पर उभारा है। इसके कारण वे निराला की जीवनी को अंतहीन विस्तार देते हैं। कॉमनसेंस के आधार पर जीवनी लिखी जाएगी तो उसे अंतहीन विस्तार दिया जा सकता है।

निराला की साहित्य साधना का आरंभ 1857 के जिक्र के साथ होता है। उस समय बैसवाड़ा के लोग कैसे थे, उस इलाके के लोगों का स्वभाव कैसा था, निराला के पूर्वज कैसे थे, कैसे ये लोग माइग्रेट करके पश्चिम बंगाल आए, निराला का जन्म कैसे हुआ और किस तरह उनके बहाने बंगाल, भारत, बैसवाड़ा, हिंद साहित्य, समाजवादी चेतना, किसान आंदोलन, स्वाधीनता आंदोलन, गांधी, नेहरू, निराला के आसपास के लोग, रिश्तेदार-नातेदार, छायावाद, निराला के समकालीन छायावादी कवि, प्रगतिवाद, कविता का शिल्प, सौंदर्य, स्थापत्य, कहानी कला, वेदांत, अवचेतन आदि अनेक विषयों को विस्तार के साथ व्याख्यायित किया है।

व्यक्तित्व विवेचन का यह अंतहीन रूप है जो व्यक्तित्व विवेचन को असहज बनाता है। इस क्रम में निराला का व्यक्तित्व विवेचन कम और अन्य चीजों का विवेचन ज्यादा हुआ है। इससे यह भी पता चलता है कि जीवनीकार की निराला के व्यक्तित्व से ज्यादा अन्य चीजों के बारे में दिलचस्पी है। रामविलास शर्मा ने यह भी

बताने की कोशिश की है वे संबंधित विषयों के प्रामाणिक जानकार हैं। उन्हें निराला के बारे में प्रामाणिक और वस्तुगत जानकारी है। इस समूची प्रक्रिया में निराला की जीवनी के अंशों पर कम और उनके वातावरण संबंधित विवादों और साहित्य संबंधी नजरिए पर ज्यादा ध्यान गया है। निराला के युग विवेचन को ज्यादा स्थान मिला है। निराला के जीवन के निजी ब्यौरे कम स्थान घेरते हैं और अन्य के ब्यौरे और विवरण ज्यादा स्थान घेरते हैं। अनेक स्थानों पर रामविलास शर्मा स्वयं की समझ को सही और निराला की समझ को गलत ठहराते हैं।

निराला पर लिखते समय वे घटनाओं का वर्णन करते जाते हैं, घटनाओं के वर्णन के दौरान उनके द्वारा जो विवरण या ब्यौरे दिए गए हैं वे लेखक के ऐतिहासिक क्षण, उससे जुड़े व्यक्तियों, विवाद, किंवदंतियों आदि के सहारे निराला का आख्यान निर्मित करते हैं। इस क्रम में अनेक स्थानों पर रामविलास शर्मा अपने नजरिए का इजहार करने लगते हैं। वे स्वयं समस्या को किस तरह देखते हैं उसको प्रस्तुत करते हैं।

निराला की साहित्य साधना के बहाने रामविलास शर्मा ने निराला की खोज के साथ अपने नजरिए की खोज की है। वह जो पद्धति अपनाते हैं वह दो रूपों में सामने आती है, इसमें एक ओर निराला हैं और वे हैं, तो दूसरी ओर अन्य लोग हैं। अनेक स्थानों पर निराला और अन्य एक साथ हैं और वे दूसरी ओर तथा अनेक स्थानों पर वे और अन्य लोग एक ओर हैं और निराला दूसरी ओर हैं। आमतौर पर यह सारी प्रक्रिया किसी न किसी मसले पर विवाद के दौरान घटित होती है।

रामविलास शर्मा ने निराला के व्यक्तित्व विवेचन के दौरान उन्हें हमेशा ऐतिहासिकता के पैमाने से बांधकर रखा है। वह निराला का ऐतिहासिक पैराडाइम से विचलन नहीं होने देते। निराला के आत्म को ऐतिहासिकता के खूंटे से बांधकर रखते हैं। इसके कारण कई जगहों पर चीजों की पुनरावृत्ति हुई है।

निराला की बातों को रामविलास शर्मा जब उद्धृत करते हैं तो निराला के पक्ष को मजबूत करने के इरादे से ऐसा करते हैं, साथ ही, जो लोग निराला पर हमला कर रहे थे उनकी काट पेश करते हैं। इस प्रक्रिया में पुरानी घटनाओं और साहित्यिक-राजनीतिक प्रवृत्तियों की नई व्याख्याओं को जन्म देते हैं।

रामविलास शर्मा ने रैनेसां का जो महाख्यान निर्मित किया है उसमें दो चीजें प्रमुख हैं, पहला है, 'अनुमानाधारित ज्ञान' और दूसरा है, 'तर्क की एकता'। अनुमानाधारित ज्ञान के आधार पर निर्मित हिंदी जाति का सारा तर्कशास्त्र रचा है।

यह उत्तर-आधुनिक तर्कप्रणाली है। उत्तर-आधुनिक तर्कप्रणाली अनुमानाधारित ज्ञान पर आधारित है। वे अपने अनुमानों को स्थापित करने के लिए हिंदी जाति के महाख्यान को निर्मित करते हैं। इस चक्कर में वे उसे 'सत्य' बनाकर पेश करते हैं। हिंदी जाति का स्वायत्त विमर्श निर्मित करते हैं। इसमें 1960 के आसपास पैदा हुई भाषावार राज्यों के गठन की राजनीतिक तात्कालिकता अभिव्यंजित होती है। इसमें हिंदी जाति की वैधता सिद्ध करने का भावबोध भी काम कर रहा है जो अनेक नए विवादास्पद संदर्भों को खोलता है। इस क्रम में रामविलास शर्मा भाषा और समाज, हिंदीभाषा-भाषी क्षेत्र की बोलियों और भाषाओं के बारे में एक सुंदर काल्पनिक भाषायी खेल तैयार करते हैं और इस भाषा खेल के जरिए हिंदी जाति की धारणा को वैध ठहराने की कोशिश करते हैं। वे भाषा के साथ वस्तुओं, संस्कृति आदि को जोड़कर पेश करते हैं। भाषा के साथ ऑब्जेक्ट को पेश करने का यह उत्तर-आधुनिक तरीका है, इसे बहुत सारे लोग मार्क्सवादी तरीका समझने की भूल करते हैं।

रामविलास शर्मा इसके बहाने राज्यों के गठन के बारे में अनेक ऐसी बातें भी उठाते हैं जो अव्यावहारिक हैं। उनके हिंदी विमर्श ने असल में हिंदी में 'स्पेकुलेटिव' आदर्शवाद की नींव रखी जिस पर खड़े होकर हिंदी के अधिकांश आलोचकों ने जो कुछ भी लिखा वह अंततः उत्तर-आधुनिक विमर्श की कोटि में आता है।

मजेदार बात है कि रामविलास शर्मा और उनके अनुयायी यह मानने को तैयार नहीं हैं कि वे उत्तर-आधुनिक हो गए हैं या हिंदी जाति का विमर्श उत्तर-आधुनिक विमर्श है। उलटे रामविलास शर्मा और उनके अनुयायियों ने उत्तर-आधुनिकता पर अतार्किक हमले किए हैं। असल में आलोचकों का एक समूह हिंदी जाति के विमर्श के नाम पर आलोचना में अपनी जगह बनाने का प्रयास करता रहा है। इस क्रम में रामविलास शर्मा यांत्रिक ढंग से स्टालिन की भाषा पर आधारित जाति और जातीयता की अवधारणा का अनुकरण करते हैं और हिंदी जाति के प्रकल्प को एक मार्क्सवादी प्रकल्प के रूप में पेश करते हैं जो कम से कम और कुछ हो, मार्क्सवादी प्रकल्प नहीं है। यह विशुद्ध भाववादी प्रकल्प है। इस क्रम में रामविलास शर्मा ने जो पद्धति अपनाई है वह बेहद खतरनाक और आकर्षक है। वे भाषा और विचार के अंतस्संबंध को तो मानते हैं लेकिन विचार और उसके तर्कशास्त्र के विकास की ऐतिहासिकता को नहीं देखते। मसलन जाति का विचार या चेतना बंगाल में जैसी है वैसी ही हिंदीभाषी क्षेत्र में नहीं है। अथवा यों भी कह सकते हैं कि विचार के सामाजिक आधार के साथ उसे जोड़कर ही नहीं देखते। समाजवाद का अर्थ सारे देश के लिए एक ही

नहीं, सारे विश्व के लिए किताबी तौर पर एक है, लेकिन वास्तव अर्थों में विचार और यथार्थ के बीच के अंतस्संबंध को देखना चाहिए।

मसलन कोई विचार कब आता है, किस प्रक्रिया में आता है, किन सामाजिक वर्गों और किस संदर्भ में अपना विकास करता है। एक ही विचार विभिन्न संदर्भ में अपनी सत्ता और महत्ता एक जैसी नहीं बनाए रख सकता। वे विचार के साथ जुड़े ऐतिहासिक-सांस्कृतिक भेद पैदा करने वाले कारकों का नोटिस ही नहीं लेते। वे हेगेल की तरह महज 'तर्क' (रीजन) का सहारा लेते हैं और हिंदी जाति को सिद्ध करते हैं। यहां तक कि भाषाभेद में भी ऐतिहासिक-सांस्कृतिक कारणों के कारण भेद या अंतर आता है उसे भी नहीं देखते और हर चीज 'तर्क' से सिद्ध करते हैं। इस चक्कर में हिंदी जाति के विचार को महाविचार, महाख्यान और साहित्य की महाप्रस्तुति बना देते हैं। उसे एब्सोल्यूट की हद तक विकसित करते हैं और बाकी काम उनके भक्तों ने कर दिया है यानी हिंदी जाति का विचार परम विचार बन जाता है। इसमें सभी किस्म के कल्पनाजीवी हिंदीसाधक शामिल हो सकते हैं।

हिंदी में वाम से लेकर दक्षिण तक 'संस्कृति' एक विषय के रूप में बड़ा परिदृश्य घेरे हुए है। व्यक्ति को समग्र संस्कृति के आवयविक रूप में देखा गया है। इसी क्रम में हिंदी संस्कृति के विशिष्ट रूपों और अधिकारों की ओर भी ध्यान खींचने की कोशिश की गई है। फलतः वाम से लेकर हिंदुत्व तक संस्कृति एक राजनीतिक विचारधारा की शक्ल अख्तियार कर लेती है। हिंदुत्ववादी हिंदू संस्कृति के श्रेष्ठत्व पर जोर दे रहे हैं तो वाम विचारक जातीय संस्कृति पर जोर दे रहे हैं और उदारवादी लेखक, सांस्कृतिक बहुलतावाद पर जोर दे रहे हैं।

सांस्कृतिक बहुलतावाद को वाम से लेकर दक्षिण तक सभी रंगत के लेखक मानते हैं और अपनी-अपनी संस्कृति का जयगान करते हैं। बहुलतावादी संस्कृति के नजरिए से एकमत लोग यह भी कह रहे हैं कि जहां तक कोई भी संस्कृति अपने क्षेत्र में सक्रिय रहती है उसकी स्वायत्तता की रक्षा की जानी चाहिए। इस प्रक्रिया में जो इमिग्रेंट हैं उनसे कहा जा रहा है कि वे इलाके की संस्कृति में घुल-मिल जाएं। अपनी संस्कृति को भूल जाएं अथवा लौटकर अपनी जन्मभूमि की ओर चले जाएं। मूल बात यह है संस्कृति की इस राजनीति में किसी न किसी रूप में राष्ट्रवाद या राष्ट्रीयता शामिल रहती है। मजेदार बात यह है कि देशज या जातीय संस्कृति पर जोर देने के कारण जाने-अनजाने हम संस्कृतिवाद की कैद में चले गए हैं।

संस्कृति के राजनीति के केंद्र में आने के कारण हिंदू संस्कृति बनाम

बहुलतावादी संस्कृति, बहुलतावाद बनाम अभिव्यक्ति की स्वतंत्रता, इस्लामिक संस्कृति बनाम बोलने-लिखने की आजादी, मराठी बनाम हिंदीभाषी आदि के सवाल विवाद में आते रहे हैं। मकबूल फिदा हुसैन और सलमान रुश्दी के संदर्भ में चली बहसों में यह भी कहा गया है कि अभिव्यक्ति की आजादी से ज्यादा महत्वपूर्ण है हिंदू संस्कृति और इस्लामिक संस्कृति। इस क्रम में संस्कृति और धर्म को स्थानीय और अभिव्यक्ति की आजादी को विजातीय अवधारणा कहा गया। इस तरह की धारणाओं को सत्ता का भी सहयोग मिला है। यहां तक कि उन लोगों को कानूनी संरक्षण तक दिया गया है। इसके समानांतर वामदलों ने स्थानीयतावादी संस्कृति के पल्लवन के नाम पर सबसे पिछड़ी मान्यताओं और मूल्यों को स्थापित करने या स्वीकृत करने की मांग की है। हिंदी संस्कृति और हिंदी जातीयता इसी अर्थ में एक खतरनाक प्रस्थान बिंदु है।

वाम के सांस्कृतिक दबाव का आलम यह है कि कलकत्ता का नाम बदलकर कोलकाता कर दिया गया। यह मूलतः संस्कृतिवाद है। इसका ही एक अन्य रूप है जिसके तहत तस्लीमा नसरीन को पश्चिम बंगाल से तत्कालीन राज्य सरकार ने निकाल दिया। बाद में कांग्रेस ने उसे दिल्ली से भगा दिया। दुःख की बात यह है कि सलमान रुश्दी के *सैटेनिक वर्सेज* से लेकर तस्लीमा के निष्कासन तक मोटे तौर पर वाम और उदार दोनों ही किस्म के राजनीतिक दलों की नीति को संस्कृति हांक रही है। यह मूलतः संस्कृतिवाद है और संस्कृतिवाद सामाजिक विभाजन को और भी बढ़ाता है।

इसी तरह जब आप हिंदी जाति की बात करते हैं और उसकी पहचान स्थापित करने की कोशिश करते हैं तो इससे मूलतः राज्य विभाजन की वैचारिक प्रक्रियाओं को मदद मिलती है। हिंदी में हिंदी जाति, हिंदी संस्कृति और हिंदी जातीयता की बहस जितनी ज्यादा हुई उसने हिंदीभाषी राज्यों में विभाजन को वैचारिक मदद प्रदान की है। विभाजन का आधार बनाया है। यह भी कह सकते हैं इस बहस का बाई-प्रोडक्ट है सामाजिक विभाजन और हिंदी राज्यों का विभाजन।

हिंदी जाति की धारणा मूलतः एक प्रतिक्रियावादी अवधारणा है। हिंदी समीक्षकों का बड़ा हिस्सा इसकी प्रगतिशील व्याख्याएं करता रहा है। हिंदी में इस धारणा का सांस्कृतिक श्रेष्ठत्व को स्थापित करने के भावबोध के साथ इस्तेमाल होता रहा है। संस्कृति का आधार जब राष्ट्रीयता, राष्ट्रवाद और धर्म को बनाएंगे तो इससे विभाजन बढ़ेगा और ये तीनों एक-दूसरे के साथ अंतर्क्रियाएं करते हैं। मसलन जो हिंदी जाति

के पक्षधर हैं वे जाति (नेशनलिटी) के श्रेष्ठत्व पर जोर देते हैं।

जातीयता का श्रेष्ठत्व सबसे खतरनाक राजनीतिक तत्व है। हिंदी जाति के विचार को रामविलास शर्मा साहित्य के सुपीरियर विचार के रूप में प्रचारित करते हैं। सतह पर हिंदी जाति का विचार बड़ा ही हार्मलेस लगता है लेकिन बुनियादी तौर पर बेहद खतरनाक और विभाजनकारी विचार है। नेशनलटी को आधार बनाकर जब भी बात की जाएगी उसकी वैचारिक परिणति संस्कृतिवाद और सामाजिक विभाजन की ओर ले जाएगी। यह एक खास भाषा (खड़ीबोली हिंदी) की उन्नति, क्षमता, सामाजिक दायरे और श्रेष्ठत्व के दर्प में डूबा विचार है। यह आधुनिक राजनीति को एंटीथीसिस है। साहित्य में इस विचार में सभी को अपने अंदर समाहित कर लेने और खड़ीबोली ।हदी के मातहत कर लेने का विचार काम करता रहा है। हिंदी जाति के विचार के तहत हमारी समीक्षा के एक बड़े हिस्से ने रैनेसां से लेकर सार्वभौमवाद तक के सभी विषयों को समाहित करके आधुनिक विमर्श में एक विलक्षण अवरोध पैदा किया है जिसमें से तब ही निकल सकते हैं जब हिंदी जाति और हिंदी संस्कृति को मानें। इनको माने बिना कोई आलोचना नहीं लिखी जा रही। इससे आलोचना में लोकतंत्र खत्म हो गया है। आलोचना में हिंदी जाति और हिंदी संस्कृति की बात करने वाले श्रेष्ठ और इससे बाहर के लोग निकृष्ट मान लिए गए हैं।

हिंदी जाति और हिंदी संस्कृति की अवधारणा का मूलतः स्त्री, दलित और भाषायी वैविध्य और समानता का विरोध है। इसमें वर्चस्व का भाव है। हाशिए के लोगों और विषयों के लिए इसमें कोई जगह नहीं है। यह अचानक नहीं है कि हिंदी जाति की अवधारणा पर जिन लोगों ने सबसे ज्यादा काम किया है उन्होंने स्त्री साहित्य और दलित साहित्य की अवधारणाओं के प्रति दोयम दर्जे का व्यवहार किया है या उसकी उपेक्षा की है। हिंदी जाति के पक्षधरों के द्वारा बार-बार हिंदी जाति की मुक्ति में ही सामाजिक मुक्ति को खोजने की कोशिश की गई है। सभी सांस्कृतिक समस्याओं के समाधान उसमें खोजने की कोशिश की गई है। इस प्रक्रिया में साहित्य पर खड़ी बोली हिंदी के साथ हिंदी भाषी क्षेत्र की अन्य भाषाओं और बोलियों के समान व्यवहार के सवाल हाशिए पर भी नजर नहीं आते। हिंदी भाषी क्षेत्र की बोलियों, भाषाओं का खड़ीबोली हिंदी के साथ अंतर्विरोध तेज हुआ है। हिंदीभाषी प्रांतों का विभाजन हुआ है और इसके कारण नए प्रांतों में खड़ीबोली हिंदी की जगह स्थानीय भाषा और बोलियों को प्राथमिकता दी जा रही है। नए बने राज्यों उत्तराखंड, झारखंड और छत्तीसगढ़ में प्रधान सरकारी भाषा के रूप में खड़ी बोली की जगह लोकल भाषाओं

को वरीयता मिली है।

दूसरी ओर हिंदी जाति और हिंदी संस्कृति के नाम पर संस्कृति के पुराने और पिछड़े रूपों को बनाए रखने की कोशिशें भी हुई हैं। इसके लिए परंपरा और पुरानी संस्कृति की प्रामाणिकता को खासतौर पर उभारा गया है। यह अजीब संयोग है कि वाम समीक्षकों के एक समूह ने विगत 40-45 सालों में हिंदी जाति और हिंदी संस्कृति को उभारा, वहीं दूसरी ओर समाज की सबसे प्रतिक्रियावादी विचारधारा के रूप में हिंदुत्ववादी और जातिवादी राजनीति और संस्कृति का उभार पैदा हुआ। वामपंथी हिंदी जातिधर्मी आलोचकों ने हिंदी जाति की अवधारणा से हिंदुत्व और जातिवाद को धोने की भरसक कोशिश की लेकिन वे असफल रहे। इसका प्रधान कारण है कि वे समझने में असमर्थ रहे कि हिंदी जाति और हिंदी संस्कृति जिस विचारधारा के आधार पर खड़ी है वह आधार हिंदुत्व और जातिवादी राजनीति का भी है। वे एक ही सिक्के के दो पहलू हैं। दोनों ने अपने-अपने तरीके से संस्कृति के अंधलोकवाद की हिमायत की है। दोनों ही अपनी सांस्कृतिक श्रेष्ठता का दावा करते हैं। दोनों में लोकतंत्र और समानता के लिए कोई जगह नहीं है। दोनों ही भाषायी और सांस्कृतिक समानता के विरोधी हैं। दोनों ही अपने राजनीतिक वैचारिक बंधनों में बंधे हैं और दोनों में विकास की कोई संभावना नहीं है। दोनों ने जिस तरह की राजनीति, संस्कृति, धर्म, विचारधारा आदि की हिमायत की है उसके कारण इनकी कोई प्रासंगिकता नहीं है। ये चीजें वोट की राजनीति के कारण उठती रही हैं।

हिंदी जाति और हिदी संस्कृति के सवालों को आलोचना में जिन लोगों ने प्रतिष्ठित किया है वे आलोचना में राजनीतिक विचारधारात्मक वैविध्य या यों कहें वैविध्यपूर्ण समीक्षा के विषय पेश करने में असमर्थ रहे हैं। मसलन रैनेसां पर जितना लिखा गया है उतना अन्य किसी विषय पर नहीं लिखा गया। नवजागरण, हिंदी जाति, हिंदी संस्कृति, हिंदी जातीयता, सांप्रदायिकता, क्षेत्रवाद आदि एक ही विषयक्षेत्र है जिस पर अधिकांश आलोचना लिखी गई है। इस समूची प्रक्रिया में विभिन्न किस्म की राजनीतिक अवधारणाओं और यूटोपियाओं की ओर कभी ध्यान ही नहीं गया।

हिंदी जाति और हिंदी संस्कृतिपंथी आलोचकों की सबसे बड़ी कमजोरी यह है कि वे अन्य साहित्यरूपों और साहित्यांदोलनों के बारे में आज तक कोई नया विवेचन पेश नहीं कर पाए हैं। कुंजी और नोट्स मार्का विवेचनों के जरिए हमने अन्य प्रवृत्तियों को सिलटाने की कोशिश की है। मसलन प्रयोगवाद से लेकर स्त्री साहित्य, दलित साहित्य से लेकर दलित राजनीति तक का सारा क्षेत्र अछूता पड़ा है। इन सभी क्षेत्रों

के बारे में वामपंथी आलोचना चुप है।

हम अगर गंभीरता से सोचें तो आज हमारे सामने संस्कृति और साहित्य के गंभीर सवाल आ खड़े हुए हैं लेकिन हमारे पास उनका कोई संतोषजनक विश्लेषण तक नहीं है। साहित्यिक-राजनीतिक समस्याओं का समाधान हिंदी जाति और हिंदी संस्कृति के फ्रेमवर्क में खोजने की कोशिशें की जा रही है। हिंदी जाति की अवधारणा हमारी सामयिक राजनीतिक, सांस्कृतिक समस्याओं का समाधान पेश नहीं करती बल्कि यह तो आलोचना की पलायनवादी प्रवृत्ति की अभिव्यक्ति है।

हिंदी जाति और हिंदी संस्कृति वस्तुतः फेक या कृत्रिम धारणा है। इसका वास्तव जगत से कोई संबंध नहीं है। यह एक ऐसे यूटोपिया पर आधारित है जिसका भौतिक आधार नहीं है। यह एक ऐसी आइडेंटिटी की हिमायत करती है जो विभाजनकारी है। यह संस्कृति को क्षेत्रविशेष से जोड़कर देखती है।

संस्कृति को राजनीतिक क्षेत्र के साथ बांधकर नहीं देखा जा सकता। इसके आधार पर हिंदी जाति और हिंदी भाषा-भाषी राज्यों के बीच के अंतस्संबंध पर अतिरिक्त जोर दिया गया। उन्हें हिंदी संस्कृति की वायवीय अवधारणा से बांधने की असफल कोशिश की गई है। हिंदी को एक सांस्कृतिक अस्मिता के रूप में प्रतिष्ठित किया गया। इस क्रम में देश के विभिन्न इलाकों में जातिवाद, क्षेत्रवाद और धर्म के नाम पर सामाजिक समूहों को संगठित करने के प्रयासों की अनदेखी की गई। संस्कृति के नाम पर संगठित हो रहे समूहों की अनदेखी की गई।

वाम आलोचना ने बहुलतावादी संस्कृतिवाद को खूब हवा दी है और रामविलास शर्मा भी हवा देने वालों में प्रमुख हैं। ब्रिटिश दार्शनिक ब्रायन बेरी ने लिखा है कि बहुलतावादी संस्कृतिवाद ने खास सामाजिक हितों के प्रसार को हवा दी है। यह एक तरह सामाजिक विभाजन की 'फूट डालो और राज करो' की यथास्थितिवादी राजनीति है। यह वंचितों को और भी वंचित बनाने वाली राजनीति है। यह वंचितों की साझा समस्याओं जैसे बेकारी, गरीब, निम्नस्तरीय जीवनशैली, रोटी, कपड़ा, मकान, शिक्षा, स्वास्थ्य, चिकित्सा आदि से ध्यान हटाती है।

हम गंभीरता से विचार करें और सोचें कि राज्यों के विभाजन या पुनर्गटन की मांग क्या सचमुच में यथार्थवादी मांग है ? क्या इस तरह की मांगें समाज की बुनियादी साझा समस्याओं के समाधान की ओर ले जाती हैं ? आखिरकार इन दिनों ही राज्यों के विभाजन या पुनर्गठन की मांगों पर ध्यान क्यों दिया जा रहा है ? इसी तरह इन दिनों जातियों की दशा सुधारने या दलितों और अल्पसंख्यकों की दशा

सुधारने के कार्यक्रमों पर ढिंढोरची की तरह हल्ला क्यों बोला जा रहा है। यह सारा खेल बहुलतावादी संस्कृतिवाद के फ्रेमवर्क में चल रहा है। वोटरों को भी इन्हीं आधारों पर वाम से लेकर दक्षिणपंथी दलों तक भरमाने की कोशिश कर रहे हैं।

देश में इन दिनों वंचितों और अभावग्रस्तों को धर्म, संस्कृति और अस्मिता के सवालों के आधार पर संगठित किया जा रहा है। जाहिरा तौर पर इससे सामाजिक विभाजन और बढ़ेगा और ठोस राजनीतिक सवालों की अनदेखी भी बढ़ेगी।

हिंदी में संस्कृतिवाद का रूप है हिंदी जाति और हिंदी संस्कृति। इसके प्रचारक खास किस्म के सरलीकरण से काम लेते रहे हैं। पहली बात इन दो धारणाओं के संदर्भ में यह कि ये दोनों धारणाएं सार्वभौम मानवाधिकारों को नहीं मानतीं। सार्वभौम मानवाधिकार की धारणा मानने का अर्थ है संस्कृति विशेष की हिमायत को छोड़ना होगा। क्योंकि सार्वभौम मानवाधिकार की धारणा वस्तुतः संस्कृति विशेष के आधार से परे ले जाती है। हिंदी वाला किंतु हिंदी जाति और हिंदी संस्कृति को त्यागने के लिए तैयार नहीं है। यह अचानक नहीं है कि रामविलास शर्मा ने हिंदी जाति और हिंदी संस्कृति पर खूब लिखा है कि लेकिन सार्वभौम मानवाधिकारों की धारणा को वे नहीं उठाते और यह सारी दुनिया में वामपंथी बुद्धिजीवियों की समस्या है।

हिंदी जाति और हिंदी संस्कृति की अवधारणा के नाम पर प्रचलित संस्कृतिवाद और मार्क्सवाद में एक चीज साझा है। दोनों का मानना है वंचित-पीड़ित हमेशा सही होते हैं। इस आधार पर वे कहते हैं कि वंचित-पीड़ित को अपने दमन-उत्पीड़न से मुक्त होने का अधिकार है। अतः इनकी सांस्कृतिक मान्यताएं भी सही हैं। वे कभी ठंडे दिमाग से यह सोचने की कोशिश नहीं करते कि वे जिन सांस्कृतिक मान्यताओं को उठा रहे हैं वे सही और न्यायपूर्ण हैं ? वे जिन सांस्कृतिक रूपों को मानते हैं वे क्या सही हैं ? इस तरह वे 'मजदूर वर्ग' को 'वंचित', 'उत्पीड़ित' या 'दलित' के नाम से अपदस्थ करना चाहते हैं। मुक्ति या मूलगामी सामाजिक परिवर्तन को संस्कृतिवाद, हिंद जाति और हिंद संस्कृति के जरिए अपदस्थ करना चाहते हैं। यह असल में मार्क्सवाद का एकदम विलोम है, यह वाम राजनीति का भी विलोम है।

हिंदी जाति और हिंदी संस्कृति के प्रचारक एक ओर अधिनायकवादी राजनीति का विरोध करते हैं वहीं दूसरी ओर साम्राज्यवाद विरोध और वि-उपनिवेशीकरण की तेजी से वकालत करते हैं। यह फिनोमिना रामविलास शर्मा के लेखन में भी है। लंबे समय से इस थ्योरी के आधार पर लिखा जा रहा है। संकट उसके बाद आरंभ होता है जब फंडामेंटलिस्ट हिंदुत्ववादी और इस्लामिस्ट भी इसी एजेंडे पर सक्रिय होते हैं।

वे भी साम्राज्यवादविरोधी वि-उपनिवेशीकरण को अपना लक्ष्य बनाते हैं। दोनों में साझा तत्व है संस्कृति। दोनों संस्कृति के आधार पर ही विरोध करते हैं। रोचक बात यह है वाम ने बहुलतावादी संस्कृतिवाद को तरजीह दी और फंडामेंटलिस्टों ने संस्कृति विशेष को तरजीह दी।

इन दोनों के नजरिए में वाम के यहां संस्कृति ज्यादा है, जबकि फंडामेंटलिस्टों के यहां संस्कृति कम है। ये दोनों ही व्यक्ति को इस आधार पर अस्मिता प्रदान करते हैं। इसके आधार पर व्यक्ति के अधिकारों को परिभाषित करते हैं और उन अधिकारों के संरक्षण के बारे में बात करते हैं। मजेदार पहलू यह है कि फंडामेंटलिस्टों के लिए संस्कृति निर्धारक तत्व है , जबकि वाम के लिए संस्कृति निर्धारक नहीं, आर्थिक-सामाजिक कारण निर्धारक तत्व हैं। वाम के लिए संस्कृति फालतू चीज है। वाम के लिए सांस्कृतिक संगठन गौण और वर्गीय संगठन प्रधान हैं।

अस्मिता, भीमराव आंबेडकर और रामविलास शर्मा

रामविलास शर्मा के लेखन में अस्मिता विमर्श को मार्क्सवादी नजरिए से देखा गया है। वे वर्गीय नजरिए से जातिप्रथा पर विचार करते हैं। आमतौर पर अस्मिता साहित्य पर जब भी बात होती है तो उस पर हमें बार-बार बाबा साहेब के विचारों का स्मरण आता है। दलित लेखक अपने तरीके से दलित अस्मिता की रक्षा के नाम बाबा साहेब के विचारों का प्रयोग करते हैं। दलित लेखकों ने जिन सवालों को उठाया है उन पर बड़ी ही शिद्दत के साथ विचार करने की आवश्यकता है। आंबेडकर-ज्योतिबा फुले का महान योगदान है कि उन्होंने दलित को सामाजिक विमर्श और सामाजिक मुक्ति का प्रधान विषय बनाया।

अस्मिता विमर्श का एक छोर महाराष्ट्र के दलित आंदोलन और उसकी सांस्कृतिक प्रक्रियाओं से जुड़ा है, दूसरा छोर यू.पी-बिहार की दलित राजनीति और सांस्कृतिक प्रक्रिया से जुड़ा है। अस्मिता विमर्श का तीसरा आयाम मासमीडिया और मासकल्चर के राष्ट्रव्यापी उभार से जुड़ा है। इन तीनों आयामों को मद्देनजर रखते हुए अस्मिता की राजनीति और अस्मिता साहित्य पर बहस करने की जरूरत है।

अस्मिता के सवाल आधुनिक युग की देन हैं। आधुनिक युग के पहले अस्मिता की धारणा का जन्म नहीं होता। आधुनिक काल आने के साथ व्यक्तिगत को सामाजिक करने और अपने अतीत को जानने-खोजने का जो सिलसिला आरंभ हुआ उसने अस्मिता विमर्श को संभव बनाया।

अस्मिता राजनीति में विगत 150 सालों में व्यापक परिवर्तन हुए हैं। खासकर नव्य आर्थिक उदारीकरण और उपग्रह मीडिया प्रसारण आने के बाद परिवर्तनों का सिलसिला तेज हुआ है। खासकर उत्तर-आधुनिकतावाद आने के साथ सारी दुनिया में उत्तर-आधुनिक अस्मिता की धारणा का तो बवंडर ही चल निकला। मसलन

अस्मिता निर्माण के उपरकरणों के रूप में मोबाइल, आई पॉड, मर्दानगी आदि पर जमकर चर्चाएं हुई हैं।

उत्तर-आधुनिकता के साथ आई अस्मिता ने सेल्फ (निज) के तरल, विखंडित, विशृंखलित, अ-केंद्रित, अवसादमय, वर्णसंकर, रूपों को जन्म दिया। उत्तर-आधुनिक अस्मिता का अर्थ है तर्क, सत्य, प्रगति और सार्वभौम स्वतंत्रता वाले आधुनिक आख्यान का अंत। इन दिनों अस्मिता के छोटे-छोटे आख्यान केंद्र में आ गए हैं। स्त्री से लेकर दलित तक, भाषा से लेकर संस्कृति तक, सांप्रदायिकता, पृथकतावाद, राष्ट्रवाद आदि तक अस्मिता की राजनीति का विमर्श फैला हुआ है।

आखिरकार आधुनिक युग में अछूत कैसे जीएंगे हम नहीं जानते थे। हम कबीर को जानते थे, रैदास को जानते थे। ये हमारे लिए कवि थे। साहित्यकार थे। संत थे। किंतु ये अछूत थे और इसके कारण इनका संसार भिन्न किस्म का था यह सब हम नहीं जानते थे। अछूत की खोज आधुनिक युग की महानतम सामाजिक उपलब्धि है।

अछूत के उद्‌घाटन के बाद पहली बार देश के विचारकों को पता चला वे भारत को कितना कम जानते हैं। *भारत एक खोज* को अछूत की खोज ने ढंक दिया। आज *भारत एक खोज* सिर्फ किताब है, सीरियल है, एक प्रधानमंत्री के द्वारा लिखी मूल्यवान किताब है। इस किताब में भी अछूत गायब है। उसका इतिहास और अस्तित्व गायब है। आंबेडकर ने भारत को सभ्यता की मीनारों पर चढ़कर नहीं देखा बल्कि शूद्र के आधार पर देखा। शूद्र के नजरिए से भारत के इतिहास को देखा, शूद्र की संस्कृतिहीन अवस्था के आधार पर खड़े होकर देखा। इसी अर्थ में आंबेडकर की अछूत की खोज आधुनिक भारत की सबसे मूल्यवान खोज है।

भारत एक खोज से सभ्यता विमर्श सामने आया, अछूत खोज ने परंपरा और इतिहास की असभ्य और बर्बरता की परतों को खोला। आंबेडकर इस अर्थ में सचमुच में बाबा साहेब हैं कि उन्होंने भारत के आधुनिक एजेंडे के रूप में अछूत को प्रतिष्ठित किया। आधुनिक युग की सबसे जटिल समस्या के रूप में अछूत समस्या को पेश किया।

आधुनिक काल में किसी के लिए स्वाधीनता, किसी के लिए समाज सुधार, किसी के लिए औद्योगिक विकास, किसी के लिए क्रांति और साम्यवादी समाज से जुड़ी समस्याएं प्रधान समस्या थीं किंतु आंबेडकर ने इन सबसे अलग अछूत सनस्या को प्रधान समस्या बनाया।

अछूत समस्या पर बातें करने, पोजीशन लेने का अर्थ था अपने बंद विचारधारात्मक कैदघरों से बाहर आना। जो कुछ सोचा और समझा था उसे त्यागना। अछूत और उसकी समस्याओं पर संघर्ष का अर्थ है पहले के तयशुदा विचारधारात्मक आधार को त्यागना और अपने को नए रूप में तैयार करना। अछूत समस्या से संघर्ष किसी क्रांति के लिए किए गए संघर्ष से भी ज्यादा दुष्कर है। आधुनिक काल में क्रांति संभव है, आधुनिकता संभव है, औद्योगिक क्रांति संभव है किंतु आधुनिक काल में अछूत समस्या का समाधान तब ही संभव है जब मानवाधिकार के प्रकल्प को आधार बनाया जाए।

बाबा साहेब भीमराव आंबेडकर के बारे में रामविलास शर्मा ने जिस नजरिए से विचार किया है उसके आधार पर अस्मिता की राजनीति को समझने में हमें मदद मिल सकती है। इस प्रसंग में रामविलास शर्मा की *गांधी, आंबेडकर, लोहिया और इतिहास की समस्याएं* (2000) किताब बेहद महत्वपूर्ण है।

सामंतवाद, साम्राज्यवाद, क्रांति, आधुनिकता, औद्योगिक क्रांति इन सबका आधार मानवाधिकार नहीं है। बल्कि किसी न किसी रूप में इनमें मानवाधिकारों का हनन होता है। अछूत समस्या मानवीय समस्या है इसके खिलाफ संघर्ष करने का अर्थ है स्वयं के खिलाफ संघर्ष करना और इससे हमारा बौद्धिक वर्ग, राजनीतिज्ञ और मध्य वर्ग भागता रहा है। ये वर्ग किसी भी चीज के लिए संघर्ष कर सकते हैं किंतु अछूत समस्या के लिए संघर्ष नहीं कर सकते। अछूत समस्या अब भी मध्य वर्ग और पूंजीपति वर्ग के चिंतन को स्पर्श नहीं करती। अछूत समस्या को वे महज घटना के रूप में दर्शकीय भाव से देखते हैं। अछूत समस्या न तो घटना है और न परिघटना और न संवृत्ति ही है बल्कि मानवीय समस्या है मानवाधिकार की समस्या है। मानवाधिकारों के विकास की समस्या है। हमारे समाज में मानवाधिकारों के विकास को लेकर जितनी जाग्रति पैदा होगी अछूत समस्या उतनी ही कम होती जाएगी। जिस समाज में मानवाधिकारों का अभाव होगा वहां पर अछूत समस्या, बहिष्कार की समस्या उतनी प्रबल रूप में नजर आएगी।

रामविलास शर्मा ने लिखा है, 'भारत में वर्ग हैं, जाति-बिरादरी हैं। दोनों यथार्थ हैं। परंतु वर्ग ऐसा यथार्थ है जो जीवंत है, जो आगे बढ़ रहा है और जाति-बिरादरी ऐसा यथार्थ है जो मर रहा है और पिछड़ रहा है। आंबेडकर ने कहा था : 'जब परिवर्तन आरंभ होता है, तब सदा पुराने और नए के बीच संघर्ष होता है।' नए का समर्थन न किया जाए तो यह खतरा बना रहता है कि वह इस संघर्ष में निरस्त कर दिया जाएगा।'

रामविलास शर्मा ने आंबेडकर की विश्वदृष्टि की खोज करते हुए रेखांकित किया कि उनके दृष्टिकोण का आधार वर्ग है। मजदूर वर्ग है, न कि जाति। उन्होंने लिखा है, 'यदि इस समय अभ्युदयशील वर्गों का समर्थन न किया गया, जाति-बिरादरी का समर्थन किया गया तो यह संभव है, जाति-बिरादरी बनी रहें और वर्गों की भूमिका पीछे छूट जाए। जाति-बिरादरी के भेद वर्गों के संगठन और वर्ग संघर्ष द्वारा ही संभव किए जा सकते हैं। आंबेडकर ने कहा था, 'मजदूर वर्ग को मार्गदर्शक की भूमिका निभानी चाहिए।' उन्होंने यह भी कहा था : 'मजदूरों को केवल अपने संघ कायम करने से संतोष नहीं करना चाहिए, उन्हें घोषित करना चाहिए कि उनका उद्देश्य शासन-तंत्र पर अधिकार करना है'। दुखद बात यह है कि आंबेडकर की वर्गीय दृष्टि के बजाय अस्मिता की राजनीति करने वालों ने जाति और वर्ण के बारे में लिखी बातों को अपना लिया है और बाकी सारी बातों को त्याग दिया है।

भारतीय समाज में शूद्र सिर्फ अछूत नहीं है बल्कि गुमशुदा भी है। हम उसे कम से कम जानते हैं। हम उसे देखकर भी अनदेखा करते हैं। उसका कम से कम वर्णन करते हैं। अछूतों के जीवन के व्यापक ब्यौरे तब ही आए जब हमें आधुनिक काल में ज्योतिबा फुले और आंबेडकर जैसे प्रतिभाशाली विचारक मिले। यह सोचने वाली चीज है कि आंबेडकर ने जाति व्यवस्था के मर्म का उद्घाटन करते हुए जितने विस्तार के साथ अछूतों की पीड़ा को सामने रखा और उससे मुक्त होने के लिए सामाजिक-राजनीतिक प्रयास आरंभ किए वैसे प्रयास पहले कभी नहीं हुए।

आधुनिक काल के पहले शूद्र हैं किंतु अनुपस्थित और अदृश्य हैं। जाति व्यवस्था है किंतु जाति व्यवस्था के अनुभव गायब हैं। जाति सिर्फ मनोवैज्ञानिक चीज नहीं है। उसका ठोस आर्थिक आधार है। जाति के ठोस आर्थिक आधार को बदले बगैर जाति की संरचनाओं को बदलना संभव नहीं है। संत और भक्त कवियों के यहां जाति एक मनोदशा के रूप में दाखिल होती है। मनोदशा के धरातल पर ही ईश्वर सबका था और सब ईश्वर के थे। भक्ति में भेदभाव नहीं था। भक्ति का सर्वोच्च रूप वह था जो मनसा भक्ति से जुड़ा था। वास्तविकता इसके एकदम विपरीत थी। ईश्वर और धर्म की सत्ता के वर्चस्व के कारण भेद और वैषम्य के सभी समाधान मनोदशा के धरातल पर ही तलाशे गए। मन में ही सामाजिक समस्याओं के समाधान तलाशे गए। सामाजिक यथार्थ से भक्त कवियों का लगाव एकदम नहीं था। यही वजह है कि वे जातिभेद के सामाजिक रूपों को देखने में असमर्थ रहे। इस कमजोरी के बावजूद भक्त कवियों ने जातिभेद के खिलाफ मनोदशा के स्तर पर संघर्ष करके कम से कम

सामंजस्य का वातावरण तो बनाया। यह दीगर बात है कि सामंजस्य के पीछे वर्चस्वशाली वर्गों की हजम कर जाने की मंशा काम कर रही थी। उल्लेखनीय है सामंजस्य की बात तब उठती है जब अंतर्विरोध हों, टकराव हो, तनाव हो, वरना सामंजस्य पर इतना जोर क्यों ?

अनेक विचारक वर्णभेद को नस्लभेद के रूप में चित्रित करते हैं। इस चित्रण को बड़े ही चलताऊ ढंग से साहित्य में इस्तेमाल किया जा रहा है। आंबेडकर के नजरिए की पहली विशेषता है कि वे वर्णव्यवस्था को नस्लभेद के पैमाने से नहीं देखते। दूसरी महत्वपूर्ण बात यह कि आंबेडकर की चिंतन-प्रक्रिया स्थिर या जड़ नहीं थी, वे लगातार अपने विचारों का विकास करते हैं। विचारों की विकासशील प्रक्रिया के दौरान ही हमें उस विकासशील सत्य के भी दर्शन होंगे जो वे बताना चाहते थे। आंबेडकर के विचारों को निरंतरता या गतिशीलता के आधार पर पढ़ना चाहिए। आमतौर पर हम यह मानते हैं कि आर्य एक जाति थी, नस्ल थी। आंबेडकर ने इस धारणा का खंडन किया है। आर्य एक समुदाय था। आंबेडकर ने लिखा : 'आर्य एक जनसमुदाय का नाम है। जो चीज उन्हें आपस में बंधे हुए थी, वह एक विशेष संस्कृति, जो आर्य संस्कृति कहलाती थी, को सुरक्षित रखने में उनकी दिलचस्पी थी। जो भी आर्य संस्कृति स्वीकार करता था, वह आर्य था। आर्य नाम की कोई नस्ल नहीं थी।' आंबेडकर ने यह भी लिखा है कि 'आर्यों में रंग संबंधी द्वेषभाव था जिससे उनकी समाज व्यवस्था निर्धारित हुई, यह बात निहायत बेसिर-पैर की है। यदि कोई ऐसा जनसमुदाय था जिसमें रंग संबंधी द्वेषभाव का अभाव था तो वह आर्यों का समुदाय था और ऐसा इसलिए कि उनमें कोई ऐसा रंग प्रधान नहीं था जिससे वे अलग पहचाने जाते।'

भीमराव आंबेडकर ने इस धारणा का भी खंडन किया है कि दस्यु लोग अनार्य थे। वे यह भी नहीं मानते कि आर्य भारत के बाहर से आए थे। वे यह भी मानते हैं कि शूद्र भी आर्य हुआ करते थे।

भीमराव आंबेडकर ने सन् 1946 में *शूद्र कौन थे ?* (*हू वर द शूद्राज*) नामक किताब लिखी। इस किताब में पश्चिमी विद्वानों की तमाम धारणाओं का उन्होंने खंडन किया। 'आंबेडकर ने इन विद्वानों की 7 मुख्य स्थापनाएं प्रस्तुत की हैं : 1. जिन लोगों ने वैदिक साहित्य रचा था, वे आर्य नस्ल के थे। 2. यह आर्य नस्ल बाहर से आई थी और उसने भारत पर आक्रमण किया था। 3. भारत के निवासी दास और दस्यु के रूप में जाने जाते थे और ये आर्यों से नस्ल के विचार से भिन्न थे।

4. आर्य श्वेत नस्ल के थे, दास और दस्यु काली नस्ल के थे। 5. आर्यों ने दासों और दस्युओं पर विजय प्राप्त की। 6. दास और दस्यु विजित होने के बाद दास बना लिए गए और शूद्र कहलाए। 7. आर्यों में रंगभेद की भावना थी और इसलिए उन्होंने चातुर्वर्ण्य का निर्माण किया। इसके द्वारा उन्होंने श्वेत नस्ल को काली नस्ल से, यथा दासों और दस्युओं से अलग किया। आगे आंबेडकर ने इन सातों स्थापनाओं का खंडन किया।' इन सभी मतों का इन दिनों प्राच्यवादी पश्चिमी विचारक खूब प्रचार कर रहे हैं। इन विचारों से हिंदी लेखकों का एक तबका भी प्रभावित है।

रामविलास शर्मा ने सवाल उठाया है कि शूद्र अनार्य नहीं थे तो वे कौन थे ? इस प्रश्न के उत्तर में उन्होंने आंबेडकर के विचारों का निचोड़ पेश करते हुए लिखा है, 'इस प्रश्न के उत्तर में आंबेडकर की तीन स्थापनाएं हैं : (1) शूद्र आर्य थे। (2) शूद्र क्षत्रिय थे। (3) क्षत्रियों में शूद्र ऐसे महत्वपूर्ण वर्ग के थे कि प्राचीन आर्य समुदायों के कुछ सबसे प्रसिद्ध और शक्तिशाली राजा शूद्र हुए थे।'

रामविलास शर्मा ने आंबेडकर का मूल्यांकन करते हुए अनेक महत्वपूर्ण धारणाएं दी हैं। ये अवधारणाएं अनेक मामलों में आंबेडकर के चिंतन से भिन्न मार्क्सवादी नजरिए को व्यक्त करती हैं। रामविलास शर्मा ने लिखा है, 'आंबेडकर के विचार से हिंदुओं का जो साहित्य पवित्र या धार्मिक कहलाता है, वह प्रायः सबका सब ब्राह्मणों का रचा हुआ है। ब्राह्मण विद्वान उसका आदर करें, यह स्वाभाविक है। उसी तरह अब्राह्मण विद्वान उसके प्रति आदर प्रकट न करें, यह भी स्वाभाविक है। यहां ब्राह्मण और अब्राह्मण का भेद करने के बदले पुरोहित और अपुरोहित का भेद करना उचित होगा। बहुत से ब्राह्मणों ने पुरोहित वर्ग के विरुद्ध साहित्य रचा है। इसके सिवा प्राचीन साहित्य का कुछ अंश क्षत्रियों का रचा हुआ भी है। और जो सबसे पवित्र ग्रंथ *ऋग्वेद* है, उसे रचने वाले सामंती व्यवस्था के ब्राह्मण थे, इसका कोई प्रमाण नहीं है। ब्राह्मण और क्षत्रिय जब अवकाशभोगी वर्ग बनते हैं, तब उत्पादन से उनका संबंध टूट जाता है। अपने से भिन्न श्रमिक वर्ग के बिना वे अवकाश में जीवन बिता नहीं सकते। *ऋग्वेद* में शूद्र शब्द केवल एक बार पुरुषसूक्त में आया है और वह सूक्त बाद में जोड़ा गया है, यह बहुत से लोगों की मान्यता है। यदि *ऋग्वेद* में शूद्र नहीं हैं तो उसमें ब्राह्मण और क्षत्रिय भी नहीं हैं।'

रामविलास शर्मा ने इस धारणा का भी खंडन किया है कि साहित्य का उद्भव किसी धार्मिक पाठ से हुआ है। वे मानते हैं कि साहित्य का उद्भव लौकिक या सेक्युलर होता है। इस मिथ का भी खंडन किया है कि प्राचीन काल में ब्राह्मणों की

प्रधानता थी। उनका मानना है कि 'भारतीय समाज में पहले क्षत्रियों की प्रधानता थी, ब्राह्मणों की नहीं, यह उस साहित्य से प्रमाणित होता है जिसे ब्राह्मणों का रचा हुआ माना जाता है।'

रामविलास शर्मा ने यह भी लिखा है कि *रामायण, महाभारत* के नायक क्षत्रिय माने गए हैं। किसी भी प्राचीन महाकाव्य का नायक ब्राह्मण नहीं है। यही नहीं, *महाभारत* में धर्म और ज्ञान का उपदेश देने वाले अब्राह्मण ही हैं। युधिष्ठिर को धर्म और राजनीति की बातें भीष्म समझाते हैं और अर्जुन को दर्शन और धर्म का ज्ञान कृष्ण देते हैं। *महाभारत* में एक प्रसिद्ध ब्राह्मण है द्रोणाचार्य। वह राजकुमारों को धनुर्विद्या सिखाते हैं और युद्ध में सेनापति का कार्य करते हैं। इन कथाओं में शस्त्रयुक्त क्षत्रिय और शस्त्रविहीन ब्राह्मण वर्गों का अस्तित्व नहीं है।'

बाबा साहेब भीमराव आंबेडकर ने शूद्रों के बारे में प्रचलित मतों का खंडन करते हुए लिखा, 'शूद्रों के लिए कहा जाता है कि वे अनार्य थे, आर्यों के शत्रु थे। आर्यों ने उन्हें जीता था और दास बना लिया। ऐसा था तो *यजुर्वेद* और *अथर्ववेद* के ऋषि शूद्रों के लिए गौरव की कामना क्यों करते हैं ? शूद्रों का अनुग्रह पाने की इच्छा प्रकट क्यों करते हैं ? शूद्रों के लिए कहा जाता है कि उन्हें वेदों के अध्ययन का अधिकार नहीं है। ऐसा था तो शूद्र सुदास *ऋग्वेद* के मंत्रों के रचनाकार कैसे हुए ? शूद्रों के लिए कहा जाता है, उन्हें यज्ञ करने का अधिकार नहीं है। ऐसा था तो सुदास ने अश्वमेध कैसे किया ? *शतपथ ब्राह्मण* शूद्र को यज्ञकर्ता के रूप में कैसे प्रस्तुत करता है ? और उसे कैसे संबोधन करना चाहिए, इसके लिए शब्द भी बताता है। शूद्रों के लिए कहा जाता है कि उन्हें उपनयन संस्कार का अधिकार नहीं है। यदि आरंभ में ऐसा था तो इस बारे में विवाद क्यों उठा ? बदरि और संस्कार गणपति क्यों कहते हैं कि उसे उपनयन का अधिकार है? शूद्र के लिए कहा जाता है कि वह संपत्ति संग्रह नहीं कर सकता। ऐसा था तो *मैत्रायणी* और *कठ संहिताओं* में धनी और समृद्ध शूद्रों उल्लेख कैसे है ? शूद्र के लिए कहा जाता है कि वह राज्य का पदाधिकारी नहीं हो सकता। ऐसा था तो *महाभारत* के राजाओं के मंत्री शूद्र थे, ऐसा क्यों कहा गया? शूद्र के लिए कहा जाता है कि सेवक के रूप में तीनों वर्णों की सेवा करना उसका काम है। यदि ऐसा था तो शूद्र राजा कैसे हुए जैसा कि सुदास के उदाहरण से, तथा सायण द्वारा दिए गए अन्य उदाहरणों से मालूम होता है।'

आधुनिक काल आने के बाद पहली बार ईश्वर की विदाई होती है। धर्म के वैचारिक आवरण के बाहर पहली बार मनुष्य झांकता है। उसे सारी दुनिया और अपनी

परंपराएं, सामाजिक यथार्थ वास्तव रूप में दिखाई देता है और उसकी वास्तव रूप में ही अभिव्यक्ति भी करता है। आधुनिक काल में दुःख पहले गद्य में अभिव्यक्त होता है। मध्यकाल में दुःख पद्य में अभिव्यक्त होता है। दुःख और अंतर्विरोध की अभिव्यक्ति गद्य में हुई या पद्य में इससे भी दुःख के संप्रेषण की स्थिति का अंदाजा लगाया जा सकता है। मध्यकाल में मनुष्य अपने दुःख और पिछड़ेपन के लिए भाग्य को दोष देता था, पुर्वजन्म के कर्मों को दोष देता था, ईश्वर की कृपा को दोषी ठहराता था। किंतु आधुनिक युग में मनुष्य को पहली बार अपने दुख और कष्ट के कारण के तौर पर शिक्षा का अभाव सबसे बड़ी चीज नजर आती है। यही वजह है कि शूद्रों में सामाजिक समानता, उन्नति के मंत्र के तौर पर शिक्षा को प्राथमिक महत्व पहली बार ज्योतिबा फुले ने दिया। सन् 1848 में पुणे में फुले ने एक पाठशाला खोली, यह शूद्रों की पहली पाठशाला थी। भारत के ढाई हजार साल के इतिहास में शूद्रों की यह पहली पाठशाला थी। असल में पाठशाला तो प्रतीक मात्र है उस आने वाले तूफान का जो ज्योतिबा फुले महसूस कर रहे थे।

सन् 1848 में शूद्रों की शिक्षा का आरंभ करके कितना बड़ा क्रांतिकारी कार्य किया था यह बात आज कोई नहीं समझ सकता। उस समय शूद्रों को पढ़ाने के लिए शिक्षक नहीं मिलते थे अतः ज्योतिबा फुले ने अपनी अशिक्षित पत्नी को सुशिक्षित कर अध्यापिका बना दिया। इस उदाहरण में अनेक अर्थ छिपे हैं। पहला अर्थ यह कि शूद्रों के साथ अतीत में सब कुछ अच्छा नहीं होता रहा है। भारत का अतीत जाति सामंजस्य के बजाय जातीय घृणा के आधार पर टिका हुआ था। जातीय घृणा के कारण शूद्रों के लिए स्वतंत्र शिक्षा की व्यवस्था करनी पड़ी। दूसरा अर्थ यह संप्रेषित होता है कि शूद्र सामाजिक तौर पर अति पिछड़े थे। तीसरा अर्थ यह कि भारत में शूद्रों के पठन-पाठन की परंपरा ही नहीं थी। सामंजस्य और भक्ति के नाम पर सामाजिक भेदों से जुड़ी सभी चीजों को छिपाया हुआ था। यही वजह है कि शूद्रों के लिए शिक्षा की व्यवस्था की शुरुआत की गई तो चारों ओर जबर्दस्त हंगामा हुआ।

आधुनिक काल में पहली बार शूद्रों को यह बात समझाने में ज्योतिबा फुले को सफलता मिली कि मनुष्य के अस्तित्व की पहचान शिक्षा से होती है। शिक्षा के अभाव में मनुष्य पशु समान होता है। शूद्रों के लिए शिक्षा का अर्थ वही नहीं था जो सवर्णों के लिए था। शूद्रों के लिए शिक्षा अस्तित्वरक्षा, स्वाभिमान, आत्मनिर्भरता और आत्मोद्धार के साथ अस्मिता की स्थापना का उपकरण भी थी। यही वजह है कि

शिक्षा का शूद्रों में जितना प्रसार हुआ है अस्मिता की राजनीति का भी उतना ही प्रसार हुआ है।

ज्योतिबा फुले-आंबेडकर के द्वारा शुरू की गई अस्मिता की राजनीति विदेश से लाई गई चीज नहीं है। साम्राज्यवादी साजिश का अंग नहीं है बल्कि यह तो भारत के संतुलित विकास के परिप्रेक्ष्य के गर्भ से उपजी राजनीति है। इसका आयातित अस्मिता की मौजूदा राजनीति के साथ तुलना करना सही नहीं होगा। शूद्रों की शिक्षा का लक्ष्य था, सामाजिक भेदभाव को खत्म करना, मानवाधिकारों के प्रति सचेतनता पैदा करना और समानता को व्यापक मूल्य के रूप में स्थापित करना।

आंबेडकर ने अछूत के रूप में जिन जातियों को रखा उनका चयन अंग्रेजों ने किया था। सन् 1935 के कानून में उन जातियों की सूची बना दी गई जिनको अनुसूचित जातियां कहा जाता है। इस तरह के वर्गीकरण पर रामविलास शर्मा ने लिखा है, 'अछूत हमेशा अछूत बने रहें, यह स्थिति अंग्रेज पक्की कर रहे थे।' अछूत प्रथा से हिंदुओं को आर्थिक लाभ था और यह धर्म पर आधारित थी। आंबेडकर का मानना था कि हिंदू सामाजिक गठन की विशेषता है और वह अन्य सभी जन समुदायों से हिंदुओं को अलग करती है।

अछूत समस्या हमारे देश में कई हजार सालों से है। किंतु इसके खिलाफ कभी सामाजिक आंदोलन नहीं हुए। आखिरकार क्या कारण है कि भारत में विगत ढाई हजार सालों में कभी क्रांति नहीं हुई ? क्या अछूत समस्या को खत्म किए बगैर क्रांति संभव है ? क्या वजह है कि आधुनिक काल में ही अछूत समस्या के खिलाफ सामाजिक आंदोलन संभव हो पाया ? इससे भी बड़ा सवाल यह है कि क्या भारत में जातिभेद खत्म हो सकता है ? इन सभी सवालों का एक-दूसरे के साथ गहरा संबंध है।

भारत में जाति व्यवस्था के खिलाफ क्रांति अथवा सामाजिक क्रांति न हो पाने के तीन प्रधान कारण हैं , पहला, अंधविश्वासों में आस्था, दूसरा, पूर्वजन्म और पुनर्जन्म की धारणा में विश्वास और तीसरा, कर्मफल के सिद्धांत के प्रति विश्वास। इन तीन विचारधारात्मक बाधाओं के कारण भारत में सामाजिक क्रांति नहीं हो पाई। अंधविश्वासों में आस्था के कारण हमने कभी, जातिभेद क्यों है ? गरीब गरीब क्यों है और अमीर अमीर क्यों है ? क्या पीपल के पेड़ को पूजने से मनोकामना पूरी होती है ? क्या साहित्य में जो रूढ़ियां चलन में हैं वे वास्तव में भी हैं ? इत्यादि चीजों को यथार्थ में कभी परखा नहीं। हम यही मानकर चलते रहे हैं कि मनुष्य गरीब इसलिए

है कि पहले जन्म में कभी बुरे कर्म किए थे। उसका ही फल है कि इस जन्म में गरीब है। अमीर इसलिए अमीर है कि वह पहले जन्म में पुण्य करके आया है।

अच्छे कर्म करोगे अच्छे घर में जन्म लोगे, बुरे कर्म करोगे नीच कुल में जन्म होगा। निचली जाति में उन्हीं लोगों का जन्म होता है जिन्होंने पहले बुरे कर्म किए थे। निचली जातियों को नरक के प्रतीक के रूप में चित्रित किया गया और एक नए किस्म के प्रचार अभियान की शुरुआत हुई। इससे जातिभेद को वैधता मिली कर्मफल के सिद्धांत की सबसे बड़ी किताब है *श्रीमद्भगवतगीता* इसके आधार पर कर्मफल के सिद्धांत को खूब प्रचारित किया गया। कर्म किए जा फल की चिंता मत कर। उल्लेखनीय है *गीता* को आदर्श दार्शनिक किताब के रूप में तिलक से लेकर गांधी तक सभी ने प्रधान दर्जा दिया था। *गीता* आज भी मध्य वर्ग की आदर्श किताब है।

उल्लेखनीय है कि बाबा साहेब आंबेडकर ने जातिप्रथा को इन तीनों विचारधारात्मक बाधाओं के दायरे बाहर निकालकर पेश किया। संभवतः बाबा साहेब अकेले बड़े स्वाधीनता सेनानी थे जिनकी कर्मफल के सिद्धांत, पुनर्जन्म और अंधविश्वासों में आस्था नहीं थी। यदि इन तीनों चीजों में आस्था रही होती तो अछूत समस्या को राष्ट्रीय समस्या बनाना संभव ही न होता। कहने का तात्पर्य यह है अछूत समस्या से मुक्ति के लिए, जातिप्रथा से मुक्ति के लिए चार प्रमुख कार्य किए जाने चाहिए।

पहला—अंधविश्वासों के खिलाफ जंग।

दूसरा—पुनर्जन्म की धारणा के खिलाफ जनजागरण।

तीसरा—कर्मफल के सिद्धांत के खिलाफ सचेतनता।

चौथा—अछूत जातियों के साथ रोटी-बेटी के संबंध और पक्की दोस्ती।

ये चारों कार्यभार एक-दूसरे से अविच्छिन्न रूप से जुड़े हैं। इनमें से किसी एक को भी त्यागना संभव नहीं है। कहने का तात्पर्य यह है शिक्षा, नौकरी अथवा आरक्षण मात्र से अछूत समस्या का समाधान संभव नहीं है। अछूत समस्या को खत्म करने के लिए आम लोगों में खासकर दलितों में विज्ञानसम्मत चेतना का प्रसार करना बेहद जरूरी है। विज्ञानसम्मत चेतना के अभाव में दलित हमेशा दलित रहेगा। उसकी दलित चेतना से मुक्ति नहीं होगी। जातिभेद कभी खत्म नहीं होगा। हमें इस तथ्य पर ध्यान देना चाहिए कि हमारी शिक्षा हमें कितना विज्ञानसम्मत विवेक देती है ? सच यही है कि हमारी शिक्षा में कूपमंडूकता कूट-कूटकर भरी पड़ी है। पैंतीस साल

के शासन के बावजूद पश्चिम बंगाल की शिक्षा व्यवस्था में से कूपमंडूकता को पूरी तरह विदा नहीं कर पाए हैं।

दूसरी महत्वपूर्ण बात यह है कि जातिप्रथा एक तरह का पुराने किस्म का सामाजिक अलगाव है। जातिप्रथा को आज नष्ट करने के लिए सामाजिक अलगाव को नष्ट करना बेहद जरूरी है। सामाजिक अलगाव आज के दौर में व्यापक शक्ल में सामने आया है। हम एक-दूसरे के दुःख-सुख में साझीदार नहीं बनते। कभी एक-दूसरे के बारे में खबर-सुध नहीं लेते। यही सामाजिक अलगाव पहले जातियों में भी था। खासकर निचली कही जाने वाली जातियों के प्रति सामाजिक अलगाव यकायक पैदा नहीं हुआ बल्कि इसे पैदा होने में सैकड़ों साल लगे। सामाजिक अलगाव को अब हमने वैधता प्रदान कर दी है। सामाजिक अलगाव को हम स्वाभाविक मानने लगे हैं, नए युग की विशेषता मानने लगे हैं। नए आधुनिक जीवन संबंधों की अनिवार्य परिणति मानने लगे हैं। सामाजिक अलगाव की अवस्था में जातिभेद और जातिघृणा बढ़ेगी क्योंकि सामाजिक अलगाव से जातिघृणा को ऊर्जा मिलती है। यह अचानक नहीं है कि सन् 1970 के बाद के वर्षों में पूंजीवादी विकास जितना तेज गति से हुआ है, सामाजिक अलगाव में भी इजाफा हुआ है। जाति संगठनों में भी इजाफा हुआ है। जातिघृणा और जाति संघर्ष बढ़े हैं। जातिघृणा, जातिसंघर्ष और जातिगत तनाव तब ही पैदा होते हैं जब हम अलगाव की अवस्था में होते हैं।

सामाजिक अलगाव पूंजीवादी विकास की स्वाभाविक परिणति है, इसका सचेत रूप से प्रतिवाद किया जाना चाहिए। अचेत रूप से सामाजिक अलगाव को स्वीकार लेने का अर्थ है आपसी अलगाव में इजाफा। अलगाव खत्म होगा तो संगठन की महत्ता भी समझ में आती है। सामाजिक शिरकत, सामाजिक साझेदारी, व्यक्तिगत और सामाजिक भावनात्मक विनिमय और आर्थिक सहयोग ये चीजें जितनी बढ़ेंगी उतनी ही भेद की दीवार गिरेगी।

हमें सोचना चाहिए आरक्षण किया, संविधान में संरक्षण दिया, तमाम किस्म के कानून बनाए, सभी दल इन कानूनों के प्रति वचनबद्ध हैं, इसके बावजूद जाति उत्पीड़न थमने का नाम नहीं ले रहा। एससी, एसटी का अलगाव कम नहीं हो रहा। उनकी असुरक्षा की भावना कम नहीं हो रही। इस प्रसंग में पश्चिम बंगाल के उदाहरण से समझाना चाहूंगा। यहां पर जातियां हैं। जातिभेद भी है। किंतु निचले स्तर पर कम्युनिस्ट पार्टियों के संगठनों का तंत्र इस कदर फैला हुआ है कि आप उसकी परिधि

के बाहर जा नहीं सकते। यह तंत्र सामाजिक संपर्क, सामाजिक संबंध और आपसी भाईचारा बनाए रखने और विनिमय का काम करता है। इसका सुफल यह निकला है कि आम लोगों में अभी शिरकत और सहयोग का भाव बचा हुआ है। वे एक-दूसरे के सुख-दुःख में सहयोग करते हैं। यही वजह है पश्चिम बंगाल में जातिगत तनाव और जाति संघर्ष नहीं हैं।

जबकि सच यह है आरक्षण यहां कम लागू हुआ है। राजनीति में दलितों का नहीं सवर्णों का बोलबाला है। इसके बावजूद जातिसंघर्ष नहीं हैं। यथासंभव निचली जातियों को जमीन का हिस्सा भी मिला है। संगठन के कारण उनकी आवाज सुनी भी जाती है। इसके कारण उत्पीड़न करने की हिम्मत नहीं होती। आंबेडकर ने स्वयं संगठन को महत्ता दी थी, संगठन के तौर पर आदर्श सांगठनिक संरचना कम्युनिस्टों के पास है। मुश्किल यहां से शुरू होती है। कम्युनिस्ट कतारें अब भी उपरोक्त तीन विचारधारात्मक बाधाओं को नष्ट नहीं कर पाई हैं। अब भी कम्युनिस्ट कतारों में अंधविश्वासों में आस्था रखने वाले, पुनर्जन्म में विश्वास करने वाले, कर्मफत के सिद्धांत में विश्वास करने वाले बचे हुए हैं। किंतु इनकी संख्या में तुलनात्मक तौर पर गिरावट आई है।

किंतु एक चीज जरूर हुई है कि जातिभेद का जितना प्रत्यक्ष तांडव देश के अन्य इलाकों में नजर आता है वैसा यहां नजर नहीं आता। इसका प्रधान कारण है सामाजिक रूप से कम्युनिस्ट संगठनों का सामाजिक संरचनाओं में घुला-मिला रहना। आंबेडकर के इस विचार को कि जातिप्रथा नष्ट करने के लिए जरूरी है कि शूद्रों और गैर-शूद्रों में रोटी-बेटी के संबंध हों, यही चीज कमोबेश पश्चिम बंगाल में लागू करने में वामपंथियों को सफलता मिली है। इस अर्थ में वे इस राज्य में सामाजिक क्रांति में एकदम आगे जा पाए हैं। दूसरी बात यह है कि दलितों पर उत्पीड़न की घटनाएं इस राज्य में कम से कम होती हैं। यदि कभी दलित उत्पीड़न की कोई घटना प्रकाश में आती है तो प्रशासन से लेकर राजनीतिक स्तर तक, यहां तक कि मध्यवर्गीय कतारों में भी उसके खिलाफ तीव्र प्रतिक्रिया होती है। यह इस बात का संकेत है कि सामाजिक संवेदनशीलता अभी बची हुई है। अन्य राज्यों में स्थिति बेहद खराब है।

जिस राज्य में दलित मुख्यमंत्री हो, दलित पार्टी का शासन हो, वहां दलित उत्पीड़न की घटनाएं रोजमर्रा की बात हो गई हैं। इन घटनाओं के प्रति आम जनता में संवेदनशीलता कहीं पर भी नजर नहीं आती। क्योंकि उन राज्यों में सामाजिक

अलगाव को कम करने का कोई भी प्रयास राजनीतिक दल नहीं करते बल्कि राजनीतिक लाभ और क्षुद्र सांगठनिक लाभ हेतु सामाजिक अलगाव का इस्तेमाल करते हैं।

एक वाक्य में कहें तो उत्तर प्रदेश, बिहार आदि राज्यों में जातिदलों ने सामाजिक अलगाव को अपनी राजनीतिक पूंजी में तब्दील कर दिया है। वे सामाजिक अलगाव का निहित स्वार्थी लक्ष्यों को अर्जित करने के लिए दुरुपयोग कर रहे हैं। इससे जातिसंघर्ष बढ़े हैं। सामाजिक असुरक्षा बढ़ी है। सामाजिक अस्थिरता बढ़ी है। अछूत समस्या बढ़ी है। अछूत समस्या को खत्म करने के लिए सामाजिक अलगाव को खत्म करना बेहद जरूरी है। सामाजिक अलगाव का राजनीतिक दुरुपयोग बंद करना जरूरी है।

दलित का राजनीतिक दुरुपयोग सामाजिक टकराव और तनावों को बनाए रखता है और विगत साठ सालों में हमारे विभिन्न राजनीतिक दलों ने दलित समस्या के समाधान के नाम पर यही किया है। उनके लिए दलित मनुष्य नहीं है बल्कि वोट है। एक अमूर्त पहचान है। बेजान चीज है। सत्ता का स्रोत है। यही दलित की आयरनी भी है। अब हम दलित को मनुष्य के तौर पर नहीं वोट बैंक के तौर पर जानते हैं। आरक्षण के नाम से जानते हैं। वोट बैंक और आरक्षण में दलित की पहचान का रूपांतरण दलित को वर्चुअल बना देता है। दलित का वर्चुअल बनना मूलतः मध्यकाल में लौटना है। वर्चुअल बनने के बाद दलित और भी दुर्लभ हो गया है। हमें दलित को वर्चुअल होने से बचाना होगा। दलित के वर्चुअल बनने का अर्थ है वह है भी और नहीं भी। वर्चुअल दलित मायावती जैसे नेताओं की पूंजी है। ये दोनों एक-दूसरे के चौखटे में फिट बैठते हैं। मायावती के यहां दलित वर्चुअल है। ठोस हाड़-मांस का इनसान नहीं है। यही वजह है दलित की किसी भी समस्या को ठोस रूप में मायावती अपने चुनावी घोषणापत्र में व्यक्त नहीं करती बल्कि यह कहना सही होगा कि मायावती स्वयं वर्चुअल है। उसने कोई भी ठोस चुनावी घोषणापत्र भी जारी नहीं किया। यही हाल दलितों के मसीहा लालू-मुलायम का है। ये दलितों के हैं और दलितों के नहीं भी हैं। दलित इनके यहां वर्चुअल है और दलित के लिए ये वर्चुअल हैं। कहने का तात्पर्य यह है दलित को वर्चुअल होने से बचाना होगा। दलित के वर्चुअल होने का अर्थ है दलित का लोप। यह एक तरह बेहद त्रासद और भयावह है।

आधुनिक रीतिवाद के प्रतिवाद में

रामविलास शर्मा की जन्मशती के मौके पर इस 'संवाद' के बहाने हमें हिंदी आलोचना पर नए सिरे से विचार करने का मौका मिला है। फलतः नई-पुरानी सभी धारणाओं को नए पैराडाइम के आधार पर देखा जाना चाहिए। रामविलासजी को याद करने का अर्थ उनकी मान्यताएं दोहराना या उनकी जीरोक्स कॉपी पेश करना या धारणाओं का स्तवन मात्र करना नहीं है। इसे साहित्य में आधुनिक रीतिवाद कहते हैं, और रामविलास शर्मा को रीतिवादी रुझानों से सख्त नफरत थी। आलोचना की पहली समस्या है कि उसे आधुनिक रीतिवाद या स्टीरियोटाइप से बचाया जाए। दुर्भाग्य की बात है कि जिनके कंधों पर विकल्प खोजने की जिम्मेदारी है, वे ही साहित्य में आधुनिक रीतिवाद के पुरोधा बने हुए हैं। इनकी मुश्किल यह है कि वे नए मसलों और अवधारणाओं पर सोचने के लिए तैयार नजर नहीं आते।

आधुनिक आलोचना में रीतिवाद के प्रभाववश ही अब प्रगतिशीलों के लिखे पर कोई विवाद नहीं होता। वे मिलते हैं तो पूछते हैं कैसे हो, क्या लिख रहे हो, कहां जा रहे हो, कौन क्या कर रहा है, किसे इनाम मिला, फलां-फलां लेखक क्या कर रहा है, या इसी तरह के व्यक्तिगत और गैर-साहित्यिक सवालों पर संवाद ज्यादा होता है। इसके कारण आलोचना खत्म हो गई है। संवाद की स्वतंत्रता खत्म हो गई है। वे सामाजिक सरोकारों और व्यक्तिगत सहृदयता से जुड़े सरोकारों पर बातें नहीं करते। पहले वे यह काम करते थे। लेकिन इधर यह काम बंद हो गया है। अब लेखक आपस में जो भी बात करते हैं वह मजबूरी में की गई हलकी-फुलकी चर्चा है। उसे संवाद कहना सही नहीं होगा।

ये लोग इसे आलोचना का पतन नहीं, उत्थान मानते हैं। अपने पतन को स्वीकार करने के लिए तैयार नहीं हैं। तथाकथित साहित्यिक सक्रियता के नाम पर अब

उत्सवधर्मी गोष्ठियां या साहित्यिक आयोजन हो रहे हैं। यह मीडिया रीतिवाद है। इन आयोजनों में भी हम व्यक्तिगत अस्तित्व और सम्मान बचाने की खातिर शामिल होते हैं। आलोचना से लेकर सभा मंचों पर दिए गए वक्तव्यों तक हमने अपने को छोटी-छोटी बातों की वैधता को सिद्ध करने के विभ्रम में बांध दिया है। भाषणों में हम आलोचनात्मक नजरिए से पेश नहीं आते सिर्फ सहमति के नजरिए को व्यक्त करते हैं।

सहमति और समीक्षा के नाम पर कूपमंडूकता का पालन-पोषण हो रहा है। कूपमंडूकता के आधार पर आलोचकगण संस्कृति से लेकर साहित्य तक सभी क्षेत्रों में सांस्कृतिक मृगतृष्णा में भटक रहे हैं। उनके लेखन में वैचारिक गरमाहट खत्म हो गई है। आलोचना में विचारधारा के शिखर गिर रहे हैं। उनकी जगह साहित्यिक मिलन-मंडलियों ने ले ली है। रामविलास शर्मा ठीक इसी बिंदु पर हमें प्रेरणा देते हैं। वे साहित्य को मित्रमंडलियों और साहित्य के सामयिक जन-संपर्क अभियान के खिलाफ औजार की तरह इस्तेमाल करते रहे हैं। इस क्रम में उन्होंने जो चीज हमें सौंपी है वह है लेखन। लेखन ही महान है, मित्रमंडलियां और साहित्यिक रीतिवाद नहीं।

एक अन्य फिनोमिना नजर आ रहा है, लेखकों में भीड़तंत्र की मनोदशा आ गई है। एक जमाना था लेखकों में दिमाग की कद्र थी। आज लेखकों में दिमाग की कद्र नहीं होती, इनाम और पद की कद्र होती है। दिमाग की कद्र सिर्फ भीड़ नहीं करती। भीड़ पागलों की हद तक दिमाग से घृणा करती है। भीड़ में जिस तरह लोग एक-दूसरे के पीछे खड़े होते हैं, चल रहे होते हैं। ऐसी अवस्था में आप अपने सामने वाले की पीठ से आगे कुछ भी नहीं देख पाते। आज स्थिति यह है कि हर कोई अपने पीछे वाले की आंखों में उदाहरण बनने लायक होकर गर्व महसूस कर रहा है।

साहित्य में इन दिनों वार्तालाप नहीं होता बल्कि हम खामोश पार्टनर की तरह उनमें हिस्सा लेते हैं। हम गोष्ठियों में बोलने के लिए बोलते हैं जबकि कायदे से एक अच्छा वक्ता अपने को बदलने के लिए बोलता है। वक्ता के लिए बोलना अपने को बदलना है। एक अच्छा संवाद वह है जो श्रोता के खालीपन को अपने शब्दों से भर दे। प्रभावी संवाद वह है जो वार्तालाप पैदा करे, चुप्पी को तोड़े, अनालाप को खत्म करे। संवाद वह है जो श्रोता को नई भाषा और नई समझ दे।

हमारी गोष्ठियों और आपसी बातचीत में एक अन्य पहलू भी है कि वहां संवाद के नाम पर सद्भावनापूर्ण बातचीत वस्तुतः प्रार्थना है।

हिंदी की वक्तृता शैली का यह कौशल है कि अधिकांश वक्ता अनुत्पादक की तरह बोलते हैं। यह ऐसा वक्ता है जिसे किसी की आवाज सुनाई नहीं देती और न यह सामाजिक चुप्पियों की सुनता है। वह विचारधारा और नए की उत्तेजना से अपने को वैसे ही बचाता है जैसे कोई अपने को कामोत्तेजना से बचाता है और सोचता है कि कहीं मेरा कौमार्य भंग न हो जाए। वह अन्य को न तो देखता है और न सुनता, न समझता और न समझाता, वह तो सिर्फ अपने आप को सुनता और सुनाता है। अन्य के प्रति वह हमेशा अबोध बना रहता है। वह एक स्पेस में अपने ही शब्दों की आवाज सुनता रहता है। अपने लिखे में ही गुम रहता है। इस तरह के भावबोध की अमूमन अभिव्यक्ति का तरीका है—मैंने यह लिखा था, मैंने फलां जगह यह कहा था, मैंने पहले यह सोचा था, देखो मेरी बात कितनी सही है। इस तरह लेखक सिर्फ अपने ही शब्दों को सुनता रहता है। यह अनालाप है संवाद नहीं है।

हम यहां रामविलास शर्मा पर संवाद के लिए एकत्रित हुए हैं। 'संवाद' क्यों करना चाहते हैं ? साहित्य पर 'संवाद' क्यों करना चाहते हैं ? साहित्य पर जब 'संवाद' करते हैं तो क्या हम खुले मन से बातें करते हैं ? साहित्य की खोज करते हुए या साहित्य के सवालों पर बहस करते हुए हम अपनी मंशाओं को छोड़ देते हैं? साहित्य पर 'संवाद' करते समय हम कठमुल्ले, रीतिवादी या रूढ़िवादी ढंग से बातें करते हैं या पलायनवादी ढंग से बात करते हैं ? मूल सवाल यह है कि साहित्य पर कैसे 'संवाद' करें ?

यहां पर हम एक आलोचक-लेखक के ऊपर संवाद करने एकत्रित हुए हैं। खासकर आलोचना पर संवाद करने के लिए एकत्रित हुए हैं। आलोचना पर 'संवाद' करके हम क्या हासिल करना चाहते हैं ? क्या इससे हम मन को संतोष देना चाहते हैं ? क्या इससे रामविलास शर्मा के समग्र लेखन का लेखा-जोखा हासिल करना चाहते हैं ?

रामविलास शर्मा ने अपनी आलोचना के जरिए हिंदी आलोचना और इतिहास के अकादमिक जगत को बुनियादी तौर पर बदलने में महत्वपूर्ण भूमिका अदा की है। इसके लिए जरूरी है कि कुछ बुनियादी सवालों की ओर ध्यान दें।

समाज में अनेक बातें हैं जिनका हम अकादमिक स्तर, पर खासकर हिंदी विभागों में, अध्ययन नहीं करना चाहते फिर साहित्य का अकादमिक स्तर पर अध्ययन क्यों करना चाहते हैं ? साहित्य को ही अकादमिक स्तर अध्ययन करने का रुतबा क्यों हासिल है ?

मूल सवाल यह है कि हिंदी साहित्य या साहित्य का अकादमिक स्तर पर अध्ययन क्यों करना चाहते हैं और इस अध्ययन के जरिए क्या निकालना चाहते हैं ? पहला सच तो यह है कि साहित्य का अध्ययन अब अकादमिक संस्थाओं तक सीमित होकर रह गया है। हिंदी का अकादमिक सांस्थानिक रूप निश्चय कर रहा है कि साहित्य क्या है और उसे कैसे पढ़ें और पढ़ाएं । इसका प्रकाशन पर भी असर पड़ा है।

विज्ञान में खासकर प्रकृति विज्ञान ने अकादमिक जगत में वैज्ञानिक खोजों के प्रकाशन की नींव डाली और उसके साथ ही यह माना गया कि अकादमिक जगत में वही महत्वपूर्ण है जो प्रकाशित होता है। यदि साहित्य में कुछ करना है तो प्रकाशित करो। प्रकृति विज्ञान की खोजों के प्रकाशन ने साहित्य में भी वैज्ञानिक ढंग से लिखने और खोज करने की भावना पैदा की। वैज्ञानिक परिणामों को उसकी खास पारिभाषिक शब्दावली में लिखने की परंपरा आरंभ हुई तो साहित्य में भी पारिभाषिक शब्दावली और अकादमिक शैली या साहित्यिक शैली में लिखने की परंपरा आरंभ हुई। लेकिन इससे सामान्य पाठक डरता है। इससे साहित्य के अकादमिक अध्ययन को वैधता मिली। साहित्य के अकादमिक अध्ययन-अध्यापन से साहित्य कितना लाभान्वित हुआ है और उसकी कितनी क्षति हुई है इसकी ओर हमने कभी ध्यान ही नहीं दिया।

साहित्य पर 'संवाद' का अर्थ है उसके सांस्थानिक-अकादमिक फ्रेमवर्क के आधार पर संवाद करना। यह संवाद स्वयं में समस्यामूलक है। साहित्य के सांस्थानिक 'संवाद' में साहित्य के आधुनिकीकरण की भावना काम करती है। किस तरह साहित्य को आधुनिक वैज्ञानिक नजरिए से पढ़ें, पढ़ाएं और लिखें। इस क्रम में विज्ञान हमारे अकादमिक साहित्य विमर्श पर ध्यान खींचता है।

रामविलास शर्मा के अकादमिक लेखन में राजनीतिक प्रासंगिकता का नजरिया हावी है। कालांतर में प्रगतिशील आलोचना का अधिकांश लेखन इसके दायरे में ही विकसित हुआ है। इस क्रम में मार्क्सवाद से लेकर आधुनिकतावाद और उत्तर-आधुनिकतावाद के सभी रूपों जैसे स्त्री साहित्य, दलित साहित्य आदि पर जितनी भी बहसें हुई हैं उनके केंद्र में राजनीतिक प्रासंगिकता का तत्व हावी है। इस क्रम में कार्ल मार्क्स से लेकर फ्रॉयड तक सबकी आधी-अधूरी व्याख्याएं सामने आई हैं। देरिदा से लेकर ल्योतार तक, रोलां बार्थ से लेकर लांका तक सबके चिंतन का अंश रूप ही सामने आया है। इन विषयों पर संवाद कम से कम हुआ है।

संवाद करना हो तो हमें औरत से सीखना चाहिए। स्त्री की संवाद शैली

महानतापंथी संवाद शैली का अंत है। स्त्री की खूबी है कि वह हमेशा अतीत से अनुप्राणित होती है, किसी भी हाल में उसका वर्तमान नहीं होता। इसीलिए वह समझ से अर्थ को बचाती है, वह शब्दों को दुरुपयोग से बचाती है, और अपना दुरुपयोग किए जाने से इनकार करती है। वह सुरक्षा करती है न केवल दैनंदिन जीवननिधि की, बल्कि रात की और सबसे अच्छे की। वह वार्तालाप को तुच्छता से बचाती है। महानता का उसका कोई दावा नहीं होता बल्कि महानता का अंत हो जाता है जब उसके साथ मुठभेड़ होती है।

रामविलास शर्मा की लेखन पद्धति में स्त्री संवाद के उपरोक्त गुण कूट-कूटकर भरे हैं। उन्होंने हिंदी साहित्य के दुरुपयोग और गलत व्याख्याओं के खिलाफ बेहद तीखे ढंग से लिखा है। स्त्री की तरह उन्हें बार-बार अतीत अनुप्राणित करता है। उनको एक बार पढ़ने के बाद अपने पुराने विचारों पर कायम नहीं रह सकते। उनका सबसे बड़ा योगदान है हिंदी साहित्य के इतिहास में पाठ, अवधारणाओं, साहित्यांदोलनों की कु-व्याख्याओं का अंत। एक स्त्री जिस तरह पालती-पोसती है ठीक वैसे ही रामविलास शर्मा अपनी धारणाओं और व्याख्याओं को पालते-पोसते हैं, उनकी देखभाल करते हैं, उन पर होने वाले हमलों का प्रतिकार करते हैं।

बुद्धिजीवी—सामान्यतौर पर बुद्धिजीवी की अवधारणा में वे सभी लोग आते हैं जो दिमागी श्रम करते हैं लेकिन यह कोई वर्ग नहीं है। रामविलास शर्मा ने इस प्रसंग में कई स्थानों पर अपने नजरिए को व्यक्त किया है। यह धारणा बड़ी विवादास्पद है। लेकिन यह बुद्धिजीवी की अवधारणा पर नए सिरे से विचार करने की संभावनाओं के मार्ग खोलती है।

रामविलास शर्मा ने 1953-54 के आसपास लिखे लेख 'जन-आंदोलन और बुद्धिजीवी वर्ग' में लिखा है, 'बुद्धिजीवी मध्य वर्ग के होते हैं या पूंजीवादी वर्ग के या सर्वहारा वर्ग के। जब हम किसी को 'पेटी बुर्जुआ इंटलेक्चुअल' (मध्यवर्गी बुद्धिजीवी) कहते हैं तो हमारा मतलब उसकी मध्यवर्गी जहनियत से होता है। जब हम किसी को सर्वहारा या सोशलिस्ट कहते हैं तो हमारा मतलब होता है कि उसने सर्वहारा वर्ग और समाजवाद की जहनियत को अपना लिया है। सामाजिक दृष्टि से कार्ल मार्क्स और एंगेल्स पूंजीवादी बुद्धिजीवियों में से थे। *क्या करें* में लेनिन ने लिखा है, 'अपनी सामाजिक स्थिति के हिसाब से आधुनिक समाजवाद के जन्मदाता खुद पूंजीवादी बुद्धिजीवी वर्ग के थे। वे वैज्ञानिक समाजवाद के जन्मदाता थे, इसलिए उन्हें सोशलिस्ट बुद्धिजीवी या सर्वहारा बुद्धिजीवी कहना उचित होगा।'

रामविलास शर्मा ने इस लेख में इस बात पर जोर दिया है कि 'मजदूर वर्ग का साथ देकर ही बुद्धिजीवी अपने चिंतन को उपयोगी बना सकता है। और सब रास्ते उसे पतन और गुलामी की तरफ ही ले जाएंगे।' शर्माजी का इस तरह का नजरिया बुद्धिजीवियों की एकांगी भूमिका को देखता है। साथ अलोकतांत्रिक और सर्वसत्तावादी राजनीति का आधार बनाता है।

इसी निबंध में उन्होंने एक अन्य विवादास्पद बात कही है, लिखा है, 'इसलिए यह भरम दूर करना चाहिए कि बुद्धिजीवी समाज के आर्थिक ढांचे से ऊपर उठकर अपनी सिद्धांत-रचना या साहित्य-रचना या कला की रचना कर सकते हैं। वे अपने साहित्य और कला से सामाजिक परिस्थितियों पर तभी जबर्दस्त असर डाल सकते हैं जब वे इन परिस्थितियों को समझें और उनके बदलते हुए रूप को अपनी रचनाओं में जगह दें।'

इस पूरे निबंध में रामविलास शर्मा ने लेनिन के बुद्धिजीवियों के प्रति रवैये से जुड़े अनेक उद्धरण दिए हैं। इस क्रम में वे मध्यवर्गीय जहनियत को लेकर लेनिन की मान्यताओं को बार-बार उद्धृत करते हैं। इस क्रम में वे सोवियत संघ में क्रांति की प्रक्रिया के दौरान चली बहसों को भारत में और खासकर हिंदी लेखकों के बीच ले आते हैं और उनके आधार पर यहां के बुद्धिजीवियों की आलोचना करते हैं। लेनिन ने समाजवादी समाज के प्रसंग में बुद्धिजीवियों की भूमिका पर लिखा है। भारत में समाजवाद नहीं है बल्कि लोकतंत्र है। लोकतंत्र में लेखकों और आम जनता को व्यापक अधिकार मिले हुए हैं। ये अधिकार समाजवाद में नहीं थे। अभिव्यक्ति की आजादी का हक, विचारों की स्वतंत्रता का हक, विचारगत वैविध्य का हक, कुछ भी लिखने-बोलने की आजादी, प्रकाशन की आजादी आदि। ये सारी आजादियां समाजवाद में नहीं थीं।

इस प्रसंग में उल्लेखनीय है कि काउत्स्की का मानना था कि मजदूर संगठनों को राज संगठनों का रूप न लेना चाहिए। वे सत्ता और वर्गीय संगठनों, जनसंगठनों आदि में अंतर रखने के पक्ष में थे। लेनिन चाहते थे कि सर्वहारा की सत्ता के साथ एकीकृत होकर जनसंगठन काम करें। इसके कारण कालांतर में सत्ता और कम्युनिस्ट पार्टी का भेद खत्म हो गया। राष्ट्रपति वही होता था जो पार्टी महासचिव होता था। इस प्रक्रिया के कारण कम्युनिस्ट पार्टी ने राज्य की पहचान के साथ अपनी पहचान को एकमेव कर दिया। सत्ता को कम्युनिस्ट पार्टी का पर्याय बना दिया और कम्युनिस्ट पार्टी को समाज का पर्याय बना दिया। अंततः कम्युनिस्ट पार्टी ने अपने

विरोधियों को ठिकाने लगाने के लिए सत्ता का व्यापक दुरुपयोग किया। गैर कम्युनिस्टों की हत्याएं की गईं, उन्हें यंत्रणाएं दी गईं। घोषित कर दिया गया कि समाज में एक ही किस्म का नजरिया प्रचलन में रहेगा और एक ही किस्म की जहनियत स्वीकार्य है। अन्य के लिए कोई जगह नहीं है। इस तरह के तजुर्बे अन्यत्र भी देखे गए हैं।

रामविलास शर्मा के इस निबंध की सबसे बड़ी कमजोरी है कि इसमें भारत के लोकतंत्र के परिप्रेक्ष्य में सोचने का प्रयास ही नहीं किया है। सवाल यह है क्या सोवियत संघ के संदर्भों के आधार पर भारत के बुद्धिजीवियों की भूमिका को परिभाषित करना सही होगा ? यहीं पर हमारे विमर्श की अनेक विडंबनाएं छिपी हैं। यही वह बिंदु है जहां पर रामविलास शर्मा के यहां मार्क्सवादी फंडामेंटलिज्म दाखिल होता है। यह संकीर्णतावादी और विभाजनकारी है। यह मार्क्सवाद की यांत्रिक समझ पर आधारित है।

साहित्य में मीडिया गॉसिप का असर

साहित्य अध्ययन के अधिकांश प्रयास मांग-पूर्ति, विधेयवादी और आत्मकथावादी नजरिए से प्रभावित हैं। मांग-पूर्ति के आधार पर साहित्य के विद्यार्थियों की आवश्यकताओं को ध्यान में रखकर खूब लिखा गया और इस तरह के उपयोगितावादी साहित्य और समीक्षा की किताबों से बाजार भरा पड़ा है। हमने कभी न तो विस्तार से मार्क्सवादी समीक्षा पर बहस की और न कभी आधुनिकतावाद, रूसी रूपवाद, चिह्नशास्त्र या मनोशास्त्र पर बहस की। हम साहित्य को कार्य-कारण संबंधों और आलोचक के निजी जीवन के अनुभवों के दायरों के आधार पर विकसित करते रहे हैं। मसलन आलोचकों ने उन विषयों पर ज्यादा लिखा है जो उसे पसंद हैं या जो उसकी वैचारिक विचरण स्थली रहे हैं या जिन क्षेत्रों और विषयों पर वह आंदोलन करता रहा है। इस समूची प्रक्रिया में मूल जोर है हिंदी के पिछड़े माहौल को आधुनिक बनाने पर।

विधेयवादी नजरिए से साहित्य मीमांसा की पद्धति के आधार पर जीवन, इतिहास, मनोविज्ञान, लेखन आदि के बीच के अंतस्संबंध स्थापित किया गया। कृति और उसके संदर्भ या वातावरण को विस्तार दिया गया। तमाम किस्म के गैर जरूरी तथ्यों को उभारा गया। समाजशास्त्रीय संकुचन और बेवकूफियों का सहारा लिया गया। बिना जाने-समझे विदेशी धारणाओं को अतार्किक लोकल धारणाओं के जरिए

चुनौती देने की भौंडी कोशिशें की गईं।

साहित्य में 'वाद' से 'वाद' की ओर यात्रा नहीं हो सकती। जो लोग ऐसा कर रहे हैं वे साहित्य के स्वाभाविक रुझानों को समझ नहीं पा रहे हैं। हमें मूल्यांकन के लिए ऐतिहासिक नजरिए की आवश्यकता है। साथ ही, साहित्य सैद्धांतिकी के विभिन्न स्कूलों की भी आवश्यकता है। हमें शोध भी चाहिए और व्याख्या, सैद्धांतिक समीक्षा और समीक्षाओं की भी जरूरत है। लेकिन यह काम पाठ के आधार पर होना चाहिए।

हिंदी समीक्षा का आम रिवाज है यहां चर्चा गंभीर समस्याओं से आरंभ होती है और समाहार व्यक्तिगत फजीहत अथवा निजी अनुभववाद या सतही अप्रासंगिक बातों में जाकर होता है। प्रगतिवाद से लेकर दलित साहित्य तक की बहस के केंद्र में इस फिनोमिना को सहज ही देखा जा सकता है। आपस में किसी भी आलोचक पर बात करने का भी हम सबका यही तरीका है। हम आलोचक की कृति से आरंभ करते हैं और फिर कृति को छोड़कर उसके जीवन के आधारहीन पहलुओं में रस लेने लगते हैं। इससे साहित्य कम गॉसिप ज्यादा पैदा होता है। यह एक तरह आलोचना और साहित्य दोनों को पूर्व-आधुनिक युग में ले जाने वाली हरकत है। यह साहित्य में मीडिया गॉसिप का सीधा प्रभाव है।

हिंदी में अनेक समीक्षक बिना जाने-समझे नई अवधारणाओं का मनमाने और चलताऊ ढंग से इस्तेमाल करते हैं। इससे साहित्यालोचना का स्तर गिरा है। फलतः आलोचना हमेशा शून्य से आरंभ होकर शून्य पर ही खत्म होती है। इन लोगों ने आलोचना को मेनीपुलेशन की चीज बना दिया है।

टेरी इगिलटन के शब्दों में कहें तो साहित्य को शब्दों का लोकतंत्र होना चाहिए। इसमें आलोचना रमण करे। आलोचना को पारिभाषिक शब्दावली और जॉर्गन से मुक्ति दिलाई जाए, साहित्य समीक्षा को अपने अकादमिक सहधर्मियों का सम्मान करना चाहिए, साथ ही, संभावित जनता या पाठक वर्ग का भी सम्मान करना चाहिए। हमें साहित्य विभागों के दायरे को व्यापक बनाने की जरूरत है। इसकी प्राथमिक शर्त है कि अच्छा लिखा जाए।

'घटना' या लेखन-साहित्य से लेकर राजनीति तक, इतिहास से लेकर पुराकथाओं तक हर चीज सामान्य हो गई है। किसी भी घटना, संवृत्ति आदि का आभामंडल खत्म हो गया है। पहले हर चीजें प्रतीकों में थीं, उसका आभामंडल भी था। इसके कारण उसमें कुछ काल तक बने रहने का भाव भी था। इसकी जगह पहचान या अस्मिता ने ले ली है।

आज जब किसी लेखक की कृति आती है तो हम उस पर इवेंट की तरह घटना की तरह बातें करते हैं। पहले कृति के आने पर इतिहास में उसके स्थान को लेकर चिंताएं हुआ करती थीं, आज उससे भिन्न सोचते हैं। कृति के इतिहास में स्थान पर सोचते थे तो उसके संदर्भ और कारणों पर भी गंभीरता से विचार करते थे। लेकिन विगत 50-60 सालों में इतिहास के परिप्रेक्ष्य में देखने की प्रक्रिया संकुचित होती चली गई है। फलतः किसी भी कृति या संवृत्ति के कारकों की खोज का काम भी तदर्थभाव से करने लगे हैं। कृति को हमने घटना की तरह देखना कब से आरंभ किया, हमें नहीं मालूम लेकिन आज कृति को घटना की तरह देखने की दृष्टि पूरी तरह प्रभुत्व बनाए हुए है। हाल ही में प्रलेसं के 75वें जन्मदिन के समारोह या कॉरपोरेट घरानों द्वारा आयोजित जयपुर साहित्य मेला मूलतः घटना के रूप में आए हैं। घटना के रूप में जब हम किसी चीज को देखते हैं तो भावी दृश्यों के बारे में जो अनुमान लगाए गए हैं उसके परे नहीं जाते। उसका प्रभाव रीयल टाइम में ही देख सकते हैं। कृति का आना या कार्यक्रम विशेष का होना स्वयं में ऐतिहासिक घटना है। यही वह बिंदु है जिसको साहित्य में असली अर्थ में इतिहास का अंत या तर्क का अंत या इतिहास का तर्क कहते हैं। उल्लेखनीय है रामविलास शर्मा ने अपने को साहित्य के सार्वजनिक जीवन से अलग कर लिया था, वे कहीं पर भी नहीं जाते थे। इसके पीछे कहीं न कहीं साहित्य के घटना बनने की प्रक्रिया को वे भांप गए थे और उसकी निरर्थकता भी समझ गए थे। साहित्य को जब घटना बना देते हैं तो उसके कई परिणाम हो सकते हैं। यह संभव है इतिहास गायब हो जाए। इतिहास के गायब होने का अर्थ है नकारात्मक श्रम का अंत, राजनीतिक तर्क का अंत, किसी घटना की इज्जत का अंत।

इसके समानांतर यह संवृत्ति भी दिखाई देती है कि इतिहास में इजाफा हो रहा है। खूब किताबें लिखी जा रही हैं, हर क्षेत्र में भीड़ जमा हो गई है। हर बार नई किताब की मांग हो रही है, नए लेखक की मांग हो रही है। नई घटना की मांग बढ़ गई है। जो भी किताब आ रही है वह बहुत जल्दी बाजार से गायब होती जा रही है। जिस मसले पर बहस हो रही है वह भी जल्दी गायब होते जा रहे हैं। आलोचना में बाजार में 'सेल सेल' की और प्रमोशन की भाषा अपना ली है। समाजवाद के पराभव के ऐतिहासिक कारण थे लेकिन उन कारणों पर चर्चा करने के बजाय इस पराभव को भी इवेंट की तरह इतिहास का अंत के नाम से हजम कर लिया।

साहित्य से लेकर जीवन तक हम एडवांस में पलायन कर रहे हैं। इसके चलते

सबसे अच्छा है पुरानी बहसों को उठाना, अब हम हर पुरानी चीज को उठा रहे हैं, अतीत की बहसों को उठा रहे हैं और अतीत की बहसों को जितने बड़े पैमाने पर रामविलास शर्मा ने उठाया है वह अपने आप में चौंकाने वाला है। वे बड़े ही मजे में अतीत की पुरानी बहसों को उठाते रहे हैं और हम पढ़ते रहे हैं। यह बीमारी खाली रामविलास शर्मा तक ही नहीं फैली है बल्कि नामवर सिंह, पुरुषोत्तम अग्रवाल आदि भी इसकी चपेट में आ गए हैं। वे भी पुराने पाठों और बहसों को लेकर आए हैं। नामवर सिंह की चार साल पुराने लेख-भाषणों की चार किताबें आ गईं, पुरुषोत्तम अग्रवाल की कबीर पर किताब आ गई। यह साहित्य के अंत करने का होम्योपैथी मार्ग है। रामविलास शर्मा ने अतीत के विमर्शों पर जो किताबें लिखीं उन पर न्यूनतम चर्चा तक नहीं हुई।

किताबों के आने पर हम थोड़ा उत्सवधर्मी हो जाते हैं। लेकिन असली उत्सव तो तब है जब आपकी किताब का पाठक उपयोग करें। खरीदें और पढ़ें। इन दिनों दो तरह से हम चीजों को भूल रहे हैं। एक है धीरे से भूलना। दूसरा है हिंसा के जरिए भूलना। हिंसा के माध्यम से भूलने का अर्थ है कि दृश्य स्पेस को विज्ञापन के हवाले कर देना। मीडिया के हवाले कर देना। ऐतिहासिक स्पेस तैयार करने के बजाय मीडिया में स्पेस तैयार करना। मसलन हमने हिंदी के अधिकांश आलोचकों ने लिखकर, रिसर्च करके अपने हिंदी विभागों में साहित्य का ऐतिहासिक स्पेस तैयार नहीं किया। सारे देश के हिंदी विभागों के शिक्षकों ने मिलकर जो काम नहीं किया वह काम अकेले रामविलास शर्मा ने किया। साहित्य की किताब की ऐतिहासिक जगह है साहित्य के विभाग। उन पर कोई ध्यान नहीं दिया गया। इसके विपरीत उत्सव, समारोह, मीडिया कवरेज आदि पर ध्यान दिया गया। इस रणनीति से तात्कालिक लाभ होता है। दीर्घकालिक क्षति होती है। इस तरह की प्रस्तुतियों में बार-बार आने से लेखक के अंदर यह भ्रम पैदा होता है कि वह साहित्य के लिए बहुत कुछ कर रहा है। प्रसिद्ध मार्क्सवादी जीन बौद्रिलार्द ने इसे हिंसाचार की संज्ञा दी है। मीडिया इमेजों के जरिए, मीडिया बयानों के जरिए हम अपने को सजाने, संवारने लगे हैं, जिसकी मीडिया में जितनी ज्यादा प्रस्तुति वह उतना ही बड़ा आलोचक-साहित्यकार, असल में यह स्मृति के साथ हिंसाचार है।

मीडिया प्रस्तुतियों से जब इमेज बनती है तो वह दर्शक या पाठक की आदिम चेतना के संदर्भों को जगाती है। इससे मिथ बनाने में मदद मिलती है। इससे रीयल इवेंट यानी सामाजिक परिवर्तन से लेखक की दूरी बनती है। यही वजह है कि क्रांति

अब साहित्य का प्रधान एजेंडा नहीं है। इन दिनों हमारी पूरी व्यवस्था नकारात्मक कल्पनाओं में विश्राम कर रही है, हमने इतिहास लेखन बंद कर दिया है। हम साहित्य लिख रहे हैं और उसका मीडिया इवेंट बना रहे हैं। इतिहास को विश्राम दे दिया गया है। अब हम क्रांति के सवालों पर बात नहीं कर रहे बल्कि उनकी जगह मानवाधिकार हनन के सवालों ने ले ली है।

साहित्य में सामयिक यथार्थ पर कम लिखा जा रहा है। अतीत पर ज्यादा लिखा जा रहा है। इतिहास की खोज करते-करते हम अतीत में जा रहे हैं। पुराने मूल्य, पुरानी संस्कृति, सभ्यता आदि की गुफाओं में जा रहे हैं। अतीत की गुफाओं में घूमते-घूमते हम खुद गुफावासी हो गए हैं। इतिहास भी गुफावासी हो गया है। दूसरी ओर हर चीज को सतह पर देखने की उत्तेजना ने द्वंद्ववादी नजरिए से देखने से वंचित कर दिया है। साहित्य में बड़े पैमाने पर ऐसे विचार पेश किए जा रहे हैं जो अप्रासंगिक हैं। बोगस विचारधाराओं का जमकर प्रचार हो रहा है। मृत अवधारणाओं को पेश किया जा रहा है। यह एक तरह ऐतिहासिक और बौद्धिक कचरा है। यह औद्योगिक कचरे से भी ज्यादा खतरनाक है। इस कचरे की सफाई करने की जरूरत है, इससे धर्मनिरपेक्ष बेवकूफियों से भी निजात मिलेगी।

साहित्य की आज परिभाषा बदल गई है। बदली हुई परिभाषा के कारण रामविलास शर्मा के साहित्यलेखन (कविता, निबंध, आलोचना, भाषा आदि) और गैर-साहित्य लेखन (इतिहास, राजनीति, दर्शन आदि) में अंतर खत्म हो गया है। एक जमाना था साहित्य में विधाओं के नाम पर वर्गीकरण बना। यह लंबे समय से चला आ रहा है। लेकिन अब साहित्य को विधाओं में बांटकर नहीं पढ़ा जा सकता। पढ़ेंगे तो ज्यादा दूर तक मदद नहीं मिलेगी। कंप्यूटर युग आने के साथ साहित्य का पैराडाइम बदला है। आधुनिक साहित्य की समस्त धारणाएं प्रेस क्रांति के आधार पर बनी हैं। यह आधार बुनियादी तौर पर बदल चुका है। आज कंप्यूटर जीवन की चालक शक्ति है और संचार की धुरी है। हमें गंभीरता के साथ उन तमाम धारणाओं पर पुनर्विचार करना चाहिए जो कंप्यूटर युग के पहले की हैं और साहित्य, समाजविज्ञान आदि में प्रचलित हैं।

साहित्य की नई परिभाषा साहित्य को विधाओं में वर्गीकृत करके नहीं देखती बल्कि लेखन के रूप में देखती है। पहले साहित्य में गैर-साहित्यिक रचनाओं को महत्त्वपूर्ण नहीं माना जाता था। लेकिन इस नजरिए से अपने को अलग करते हुए रामविलास शर्मा ने साहित्य और गैर-साहित्य लेखन के भेद को अस्वीकार किया और

महावीर प्रसाद द्विवेदी और हिंदी नवजागरण नामक किताब में विस्तार के साथ द्विवेदी युग का विवेचन किया। इस किताब में वह सामग्री भी पर्याप्त मात्रा में शामिल की गई है जो गैर-साहित्यिक है। साहित्य में साहित्यिक और गैर-साहित्यिक के भेद की समाप्ति एक नया प्रस्थान बिंदु है। मसलन, भारतेंदुयुग, नवजागरण या प्रेमचंद युग पर लिखी किताबों में वे विज्ञान, ज्योतिष, राजनीति, अर्थनीति आदि के साहित्य लेखन के साथ अंतर को बनाए रखते हैं। लेकिन *महावीर प्रसाद द्विवेदी और हिंदी नवजागरण* (1977) किताब में यह भेद खत्म हो जाता है। यानी साहित्य की अवधारणा में बुनियादी बदलाव के बिंदु के रूप में सन् 1977 को रख सकते हैं। यह साल कई मायनों में महत्वपूर्ण है। इस साल आपातकाल खत्म होता है। लोकतंत्र के प्रति आम जनता की जागरूकता और प्रतिबद्धता में इजाफा होता है। नई तकनीकी क्रांति के कंप्यूटर युग का बुनियादी आधार उल्लेखनीय है, अंतरिक्ष में आर्यभट्ट उपग्रह छोड़े जाने के साथ रखा जाता है। कंप्यूटर क्रांति कहीं पर भी उपग्रह क्रांति के बिना नहीं हुई है। आपातकाल में आर्यभट्ट उपग्रह का सफल प्रक्षेपण भारत के लिए बुनियादी परिवर्तन की अनंत संभावनाएं लेकर आया।

रामविलास शर्मा ने *महावीर प्रसाद द्विवेदी और हिंदी नवजागरण* में साहित्य की क्रांतिकारी भूमिका के ऊपर रोशनी डालते हुए महावीर प्रसाद द्विवेदी के जरिए लिखा, 'आंख उठाकर जरा और देशों तथा और जातियों की ओर तो देखिए। आप देखेंगे कि साहित्य ने वहां की सामाजिक और राजकीय स्थितियों में कैसे-कैसे परिवर्तन कर डाले हैं; साहित्य ही ने वहां समाज की दशा कुछ की कुछ कर दी है; शासन प्रबंध में बड़े उथल-पुथल कर डाले हैं; यहां तक कि अनुदार धार्मिक भावों को भी जड़ से उखाड़ फेंका है। साहित्य में जो शक्ति छिपी रहती है वह तोप, तलवार और बंब के गोलों में भी नहीं पाई जाती। यूरोप में हानिकारिणी धार्मिक रूढ़ियों का उत्पाटन और उन्नयन किसने किया है? पदाक्रांत इटली का मस्तक किसने ऊंचा उठाया है ? साहित्य ने, साहित्य ने, साहित्य ने। जिस साहित्य में इतनी शक्ति है, जो साहित्य मुर्दों को भी जिंदा करने वाली संजीवनी औषधि का आकर है, जो साहित्य पतितों को उठाने वाला और उत्थितों के मस्तक को ऊंचा करने वाला है। उसके उत्पादन और संवर्धन की चेष्टा जो जाति नहीं करती वह अज्ञानांधकार के गर्त में पड़ी रहकर किसी दिन अपना अस्तित्व ही खो बैठती है। अतएव समर्थ होकर भी जो मनुष्य इतने महत्वशाली साहित्य की सेवा और अभिवृद्धि नहीं करता अथवा उससे अनुराग नहीं रखता वह समाजद्रोही है, देशद्रोही, वह जातिद्रोही है, किंबहुना वह आत्मद्रोही और

आत्महंता भी है।' इस उद्धरण को लिखने के बाद रामविलास शर्मा ने आधुनिक रीतिवाद पर बड़ी ही मारक टिप्पणी की है, लिखा है, 'हिंदी में आत्महंता लोगों की कमी नहीं है। हम देश और जाति के अंग हैं। देश-विरोधी, जाति-विरोधी दृष्टि का अर्थ है आत्मद्रोही, आत्महंता दृष्टि। वे तमाम लोग जो समाज से कटकर व्यक्तित्व-विकास की साधना में लगे हैं, वे क्रमशः व्यक्तित्व-शून्यता की ओर बढ़ते गए हैं। उनका साहित्य रूढ़ियों की आवृत्ति मात्र होकर रह गया है; वे रूढ़ियां कहीं नई हैं, कहीं पुरानी; कहीं देशी हैं, कहीं विदेशी।'

रामविलास शर्मा के नजरिए की खूबी यह है कि वे साहित्य को जातीय साहित्य की अवधारणा तक सीमित करके नहीं देखते। वे साहित्य की बृहत्तर भूमिका में जाति साहित्य को भी शामिल करते हैं। हिंदी में यह रूढ़िवाद चल रहा है कि जब भी साहित्य की बात होती है तो अनेक आलोचक जातीय साहित्य को साहित्य की परम चौकी मानकर बातें करते हैं। वे जाति साहित्य की अवधारणा के बाहर बृहत्तर साहित्य की भूमिका की अनदेखी करते हैं।

रामविलास शर्मा के अनुसार साहित्य की बुनियादी प्रकृति है कि उसे किसी भी किस्म की रूढ़ियां पसंद नहीं हैं। साहित्य स्वभावतः रूढ़ियों का विरोधी होता है। उन्होंने लिखा है, 'जाति या समाज गतिरुद्ध, रूढ़िबद्ध, जड़ इकाई नहीं है। वह परिवर्तनशील, विकासमान, अवरोध पैदा करने वाली, और अवरोधों को हटानेवाली इकाई है। यूरोप की हानिकारक धार्मिक रूढ़ियां समाज की ही देन थीं। पोप की प्रभुता उसे समाज से ही प्राप्त हुई थी, फ्रांस का अभिजात शासक वर्ग फ्रांसीसी जाति का ही अंग था। किंतु पोप की प्रभुता, धार्मिक रूढ़ियां, फ्रांसीसी अभिजात वर्ग की प्रभुसत्ता समाज के विकास-पथ में जबर्दस्त रुकावटें बन गई थीं। समाज के अन्य अंगों ने इन अवरोधों को दूर किया। इस संघर्ष में साहित्य तटस्थ नहीं रहता। या तो वह रूढ़िवादियों का साथ देता है या रूढ़ि-विरोधियों का। जो साहित्य गतिरुद्ध, प्रतिक्रियावादी, प्रगति-विरोधी वर्गों का साथ देता है, वह स्वयं अशक्त और निर्जीव हो जाता है। इसके विपरीत जो साहित्य सामाजिक परिवर्तन करने वाले क्रांतिकारी वर्गों का साथ देता है, उनका मार्गर्शन करता है, उन्हें संगठित होने में, दृढ़तापूर्वक अपना संघर्ष चलाने में सहायता देता है, वह समर्थ और जीवंत होता, वह साहित्य के जातीय स्वरूप की रक्षा करते हुए उसे विकसित करता है।' यहां पर रामविलास शर्मा ने साहित्य की बृहत्तर धारणा के अंग के रूप में जातीय साहित्य को रखकर देखा है।

उपग्रह क्रांति अनेक पुरानी धारणाओं-मान्यताओं और व्यवस्थाओं, खासकर उन व्यवस्थाओं के लिए चुनौती है जो बुर्जुआ व्यवस्था की संगति में अपना विकास नहीं करतीं। उन समाजों के लिए चुनौती है जो लोकतांत्रिक नहीं हैं। इसमें इजारेदार भाव भी है।

विचारणीय सवाल यह है कि सोवियत संघ में सबसे पहले उपग्रह क्रांति हुई, लेकिन ऐसे क्यों हुआ कि संचार क्रांति अमेरिका में हुई ? सोवियत संघ ने उपग्रह क्रांति को राष्ट्र की सेवा, सुरक्षा संसाधनों के विकास तक सीमित रखा। उसे आम जनता में नहीं पहुंचाया। संभवतः रूसी शासक और वैज्ञानिक जानते थे कि उपग्रह क्रांति का यदि संचार क्रांति में रूपांतरण कर दिया जाए तो समाजवादी व्यवस्था ढह जाएगी। यह संयोग है कि समाजवाद के पतन में उपग्रह क्रांति की केंद्रीय भूमिका रही है।

उपग्रह क्रांति के दौर में सारी विधाएं, मीडियम, समाजविज्ञान आदि ज्ञान-विज्ञान की तमाम शाखाओं में कनवर्जन की प्रक्रिया तेज हो जाती है। हमारी दैनंदिन जिंदगी जितनी कंप्यूटर और उपग्रह नियंत्रित हो जाती है, हम उतने ही पुरानी चीजों से मुक्त होते चले जाते हैं। इसका साहित्य पर असर पड़ा है। अब साहित्य और गैर-साहित्य का भेद खत्म हो गया है। मीडिया और मासमडिया का अंतर खत्म हो गया है। विधाओं का अंतर खत्म हो गया है। अब सब कुछ लेखन है और सब कुछ कम्युनिकेशन है।

हिंदी में साहित्य पदबंध 19वीं सदी में प्रयोग में आता है। उसके पहले काव्य था, नाटक था। लेकिन 'साहित्य' पदबंध नहीं था। काव्य और नाटक दोनों ही आज साहित्य के अंग हैं। 19वीं सदी में प्रेस के आने के बाद साहित्य की धारणा आई। साहित्य में नई विधाएं आईं।

रामविलास शर्मा के आलोचना में दाखिल होने के साथ बुनियादी तौर पर लोकसाहित्य, जो पहले साहित्य का हिस्सा था लेकिन नए युग के साथ वह साहित्य से बाहर निकाल दिया गया था, लेकिन 1857 के संग्राम के मूल्यांकन के संदर्भ में उन्होंने लोकसाहित्य को पुनः साहित्य में प्रतिष्ठित किया। इसके पहले राहुल सांकृत्यायन यह काम कर चुके थे।

'साहित्य' पदबंध के विकास के लिए साक्षरता, प्रेस और स्वायत्तता जरूरी है। साक्षरता का जितना विकास होगा साहित्य के विकास की उतनी ही संभावनाएं हैं। मध्यकाल में लेखक राजदरबार पर आश्रित था। लेकिन नए जमाने में लेखक वह

माना गया जो लिखता था, चाहे वह कुछ भी लिखे। हर किस्म के लेखन को साहित्य में शामिल कर लिया गया। प्रेस और नए पूंजीवादी उत्पादन संबंधों के आने साथ लेखक को राजाश्रय से मुक्ति मिली। लेखक में निजता का बोध पैदा हुआ। स्वाभिमान पैदा हुआ। प्रकाशन का व्यावसायिक वातावरण पैदा हुआ।

रामविलास शर्मा का बड़ा योगदान है कि वे व्यापारिक पूंजीवाद और पूंजीवाद के साथ जोड़कर मध्यकाल और आधुनिक काल के साहित्य को देखते हैं। उनके पहले 'पूंजीवादी व्यवस्था' या 'व्यापारिक पूंजीवाद' पदबंध का साहित्य समीक्षा में इस्तेमाल नहीं होता था। साहित्य समीक्षा में मार्क्सवादी केटेगरी में विस्तार से सोचने, लिखने और वर्गीकृत करने की परंपरा आरंभ हुई। उसके पहले साहित्य समीक्षा अवर्गीय गैर-मार्क्सवादी कोटियों में सोचती थी। इसी तरह मासमीडिया में प्रकाशित सामग्री को साहित्य मानते हैं। साथ ही, साहित्य में प्रचलित विधाओं के परे जाकर साहित्य की व्यापक केटेगरी में रखकर सोचते हैं।

सवाल यह है कि मार्क्सवाद की आधुनिक केटेगरी में सोचने से आलोचना ठोस और प्रामाणिक बनी या वायवीय बनी ? मार्क्सवादी कोटियों में लिखने का पहला परिणाम यह निकला कि साहित्य और श्रम के बीच में अलगाव खत्म हुआ। सौंदर्य और श्रम के बीच का अलगाव खत्म हुआ। श्रम और श्रमिक वर्गों के साथ संबंध और गैर-श्रमिक वर्गों के साथ संबंध के आधार पर लेखक और साहित्य की भूमिका को नए सिरे से परिभाषित किया गया। श्रम के मानवीय और सर्जनात्मक पहलुओं की खोज का काम नए सिरे से आरंभ हुआ। श्रम और श्रमिक केटेगरी में आने वाले लोग कल तक हाशिए पर भी नहीं गिने जाते थे। रामविलास शर्मा की समीक्षादृष्टि ने उन्हें सांस्कृतिक महत्ता और सत्ता के सर्वोत्तम शिखर पर आरूढ़ कर दिया। इससे साहित्य के रहस्यमय क्षेत्रों को ठोस रूप में वर्गीय सामाजिक कोटियों में देखने का सिलसिला आरंभ हुआ।

इसके अलावा साहित्यिक विधाओं और लेखकों को ऐतिहासिक परिप्रेक्ष्य में ठोस वैज्ञानिक केटेगरी में रखकर विश्लेषित करने की परंपरा आरंभ हुई। उल्लेखनीय है आचार्य रामचंद्र शुक्ल के *हिंदी साहित्य का इतिहास* और हजारी प्रसाद द्विवेदी की *हिंदी साहित्य की भूमिका* में आधुनिक समाजशास्त्रीय शब्दावली में सोचने की परंपरा आरंभ हो चुकी थी, लेकिन इन दोनों के यहां अवर्गीय कोटियों के पदबंधों का प्रयोग ज्यादा मिलता है। नए पदबंध मिलते हैं लेकिन उनकी वर्गीय अर्थ संरचनाएं नहीं मिलतीं। रामविलास शर्मा का यह सबसे बड़ा योगदान है कि उन्होंने समीक्षाशास्त्र

में नई वर्गीय शब्दावली का प्रयोग आरंभ किया और पदबंधों में निहित वर्गीय अर्थों को जनप्रिय बनाया।

रामविलास शर्मा का दूसरा बड़ा योगदान है साहित्य और स्वाधीनता संग्राम, खासकर सन् 1857 के संग्राम के साथ साहित्य के अंतस्संबंध को स्थापित किया। कालांतर में स्वाधीनता संग्राम और साम्राज्यवाद विरोधी जनसंघर्षों के साथ साहित्य के अंतस्संबंध को स्थापित किया।

प्रगतिशील साहित्य की अवधारणा और उसकी भूमिका पर रामविलास शर्मा ने लिखा, 'प्रगतिशील साहित्य जनता की तरफदारी करने वाला साहित्य है...जनता की जातीय संस्कृति और रक्षा के विकास के लिए संघर्ष उसकी स्वाधीनता और जनवादी अधिकारों के लिए संघर्ष का अभिन्न अंग है।'

रामविलास शर्मा का मानना है, 'साहित्य आर्थिक परिस्थितियों से नियमित होता है लेकिन उनका सीधा प्रतिबिंब नहीं है। उसकी अपनी सापेक्ष स्वाधीनता है। साहित्य में सभी तत्व समान रूप से परिवर्तनशील नहीं हैं; इंद्रियबोध की अपेक्षा भाव और भावों की अपेक्षा विचार अधिक परिवर्तनशील हैं। युग बदलने पर जहां विचारों में अधिक परिवर्तन होता है, वहां इंद्रियबोध और भाव-जगत् में अपेक्षाकृत स्थायित्व रहता है। यही कारण है कि युग बदल जाने पर भी उसका साहित्य हमें अच्छा लगता है। यही कारण इस बात का भी है कि पुराने साहित्य की सभी बातें समान रूप से अच्छी नहीं लगतीं। सबसे ज्यादा मतभेद खड़ा होता है, विचारों को लेकर, उसके बाद भावों को, और सबसे पीछे और सबसे कम इंद्रियबोध को लेकर। हमारी साहित्यिक रुचि स्थिर न होकर विकासमान है; पुराना साहित्य अच्छा लगता है लेकिन उसी तरह नहीं जैसे पुराने लोगों को अच्छा लगा था। इसलिए मनुष्य अपनी नई रुचि के अनुसार नए साहित्य का भी सृजन करता है।'

यहां पर रामविलास शर्मा ने मार्क्सवादी आलोचना दृष्टि के आधार, आधार-अधिरचना के अंतस्संबंधों को खोजते हुए अधिरचना की महत्वपूर्ण और निर्णायक विचारधारात्मक भूमिका और आधार से अधिरचना की स्वायत्त भूमिका को रेखांकित किया है। लेकिन थ्योरी में वे कई स्थानों पर मार्क्स-एंगेल्स के आधार-अधिरचना वाले नजरिए का अतिक्रमण नहीं कर पाते। आधार-अधिरचना में उन्होंने एक समीक्षक के नाते अधिरचना पर खास जोर दिया। इस तरह के प्रयोग करते हुए वे दो किस्म के संकट में फंसते हैं। पहला संकट है समाज व्यवस्था और साहित्य के अंतस्संबंध का। इसमें वे यांत्रिक भौतिकवादी पद्धति के शिकार होते हैं। दूसरा संकट है अधिरचना में सिर्फ

साहित्य को विचारधारा मानना। *आस्था और सौंदर्य* नामक किताब में यह संकट दिखाई देता है। रामविलास शर्मा ललित कलाओं की विचारधारात्मक भूमिका नहीं देख पाते। यह स्थिति उनके *भारतीय साहित्य की भूमिका* में शामिल संगीत संबंधी निबंध में देखी जा सकती है।

रामविलास शर्मा ने समीक्षा को 'सेतु' (मेडीएशन) के रूप में इस्तेमाल किया है। साहित्य और पाठक के बीच में समीक्षा 'सेतु' है। इस सेतु से गुजरे बिना साहित्य के मर्म को पकड़ना मुश्किल है। मेडीएशन के रूप में आलोचना का इस्तेमाल करते हुए आलोचना को उन्होंने प्रोडक्टिव बनाया है। नए अर्थ की सृष्टि का केंद्र बनाया है। इस क्रम में उन्होंने साहित्य और समाज में चले आ रहे विनिमय के रूपों को उजागर किया है।

साहित्य में कोई भी प्रवृत्ति अपने चरम पर कैसे पहुंची, उसे नए ढंग से खोला है। मसलन, सगुण हो या निर्गुण काव्यधारा, भारतेंदु युग हो या छायावाद, इन सबके बारे में उन्होंने लेनिन के सूत्र का खयाल करते हुए विचार किया है। मेडीएशन में लेनिन ने 'विपरीतों की एकता' सूत्र को आधार बनाया था। रामविलास शर्मा प्रत्येक प्रवृत्ति या लेखक पर विचार करते समय विपरीत प्रवृत्तियों को, उनके अंतर्विरोधों को एक ही लेखक या युग में खोजते हैं और फिर उनके अंतर्विरोधी तत्वों की एकता को उभारते हैं। साथ ही, अंतर्विरोध के गर्भ से किस तरह रूपांतरण हो रहा है, इस ओर ध्यान खींचते हैं। उसके तर्क को रेखांकित करते हैं।

रामविलास शर्मा का तीसरा बड़ा योगदान है कि लेखक, प्रवृत्ति और युग के बारे में विचारधारा की केटेगरी के आधार पर सोचने की परंपरा का जन्म होता है। पहले विचारधारा की केटेगरी में बांधकर हिंदी आलोचक कम सोचते थे।

चौथा बड़ा योगदान है कि वे आलोचनात्मक नजरिए से सब समय काम लेते हैं। उनके लेखन में साहित्य से लेकर राजनीति तक सभी विषयों पर जो भी लिखा मिलता है उसमें आलोचनात्मक एप्रोच बराबर बनी रहती है। इस एप्रोच के एक सिरे पर मार्क्सवाद-समाजवाद है, और दूसरे सिरे पर हिंदी जाति है। इन दो की संगति-असंगति के आधार पर अच्छी चीजों को स्वीकार कर लेते हैं और बुरी चीजों को तुरंत खारिज कर देते हैं। समसामयिक दौर में मार्क्सवाद को लेकर जो संदेह और संशय पैदा हुआ और साम्राज्यवाद के प्रति जो अपील पैदा हुई इससे वे एकदम प्रभावित नहीं होते। वे समाजवादी व्यवस्था के पराभव से निराश भी नहीं होते। लेकिन एक परिवर्तन आता है वे समाजवाद के यूटोपिया का प्रचार नहीं करते। प्रगतिशील

बुद्धिजीवियों में जो एक जमाने में आकर्षण था उससे अपने को अलग करते हैं। वे साहित्य और राजनीति के सवालों पर खुले नजरिए से विचार करते हैं। प्रत्येक अवधारणा या समस्या की वैचारिक जड़ों में जाने की कोशिश करते हैं।

साहित्य पर मार्क्सवादी कठमुल्लों की तरह आधार-अधिरचना के मॉडल के आधार पर विचार नहीं करते बल्कि इस मॉडल का अतिक्रमण भी करते हैं। वे एक नए मॉडल को विकसित करते हैं, वे साहित्य में प्रामाणिक तत्व कौन से हैं और छद्मचेतना के तत्व कौन से हैं इनके आधार पर विवेचन करते हैं। साहित्य से लेकर राजनीति तक सभी विषयों पर बार-बार विचारधारा के सवालों पर लौटते हैं। विचारधारा को जिस तरह इन दिनों आलोचना ने तिलांजलि दी हुई है उसने साहित्य की सबसे ज्यादा क्षति की है। रामविलास शर्मा ने बार-बार समाजवाद, साम्राज्यवाद, प्रगतिशील साहित्य, छायावाद, नई कविता, सांप्रदायिकता, बुर्जुआ वर्ग, संस्कृति, मध्य वर्ग, मजदूर वर्ग, किसान, हिंदी जाति, जातीय साहित्य, भारतीय साहित्य आदि सभी विषयों के विचारधारात्मक नजरिए के मूल्यांकन को प्राथमिकता दी है।

साहित्य से लेकर राजनीति तक, मासमीडिया से लेकर दर्शन तक, सभी विषयों में विचारधारा की खोज पर मुख्य रूप से जोर दिया है। विचारधारा के आधार पर चीजों को परखने के कारण वे संबंधित विषय का विचारधारा में संकुचन नहीं करते। वे रेखांकित करते हैं कि विचारधारा आज बेहद जरूरी है। उल्लेखनीय है आजाद भारत में साहित्य से लेकर मीडिया तक विचारधारा का क्रमशः अवमूल्यन हुआ है। खासकर मार्क्सवादी विचारधारा को अपराधी घोषित कर दिया गया है। यही वह संदर्भ है जहां रामविलास शर्मा की शक्ति हमें नजर आती है।

रामविलास शर्मा बार-बार परंपरा या पुराने साहित्य की ओर लौटते हैं। इसके बहाने वे बताना चाहते हैं कि पुराना पूरी तरह खारिज करने लायक नहीं है बल्कि बुर्जुआ कलाओं या साहित्य रूपों की तुलना में गैर-बुर्जुआ साहित्य रूपों की महत्ता को पेश करते हैं। आजादी के बाद रामविलास शर्मा अपने को सक्रिय क्रांतिकारी राजनीति और लेखक संघ की गतिविधियों से अलग कर लेते हैं।

द्वितीय विश्वयुद्ध में फासिज्म की पराजय, भारत विभाजन, और भारत में लोकतंत्र की स्थापना ने उनके मन में भारत में क्रांति की आशा को ही खत्म कर दिया। इस क्रम में क्रांति अब एक वैकल्पिक सिस्टम के रूप में नहीं रह गई। वे निजी तौर पर तेलंगाना आंदोलन की असफलता के बाद बदली हुई परिस्थितियों में अपने को कम्युनिस्ट पार्टी से अलग करते हैं। लोकतंत्र के आने का अर्थ यह भी

था कि अब क्रांति नहीं हो सकती। इस मान्यता ने उनको गहरे प्रभावित किया।

लोकतंत्र के आने से क्रांति की विदाई होती है। इस बात को आज भी अनेक लोग नहीं मानते। लोकतंत्र की सामान्य विशेषता है कि वह बुनियादी सामाजिक-राजनीतिक परिवर्तन और बुर्जुआ समाज के परिवर्तन की संभावनाएं हमेशा के लिए खत्म कर देता है। समाजवाद के जिन आदर्शों के आधार पर विचारक समाज बदलने का सपना देख रहे थे उस सपने का अंत हो जाता है। लोकतंत्र में सामाजिक व्यवस्था परिवर्तन के सपने साकार नहीं होते।

रामविलास शर्मा की किताबों में बड़े पैमाने पर विभिन्न किताबों के उद्धरण मिलते हैं। ये उद्धरण अनेक किस्म की उलझन पैदा करते हैं और अनेक लोग हैं जो उनकी इस पद्धति की आलोचना भी करते हैं। सवाल यह है कि वे ऐसा क्यों करते हैं ? असल में प्रामाणिक लेखन के लिए उद्धरण जरूरी हैं, दूसरी बात यह कि एक मार्क्सवादी अन्य के ज्ञान की उपेक्षा नहीं करता, उसका छद्म इस्तेमाल नहीं करता। उद्धरणों का व्यापक प्रयोग मार्क्सवादी पद्धति की विशेषता है। यह प्रामाणिक लेखन का हिस्सा है। प्रसिद्ध मार्क्सवादी वाल्टर बेंजामिन ने इस प्रसंग में जो बात कही है वह अक्षरशः रामविलास शर्मा पर लागू होती है।

'साहित्य आलोचना का कार्यक्रम' निबंध में वाल्टर बेंजामिन ने लिखा है, 'अच्छी आलोचना अधिकतम दो तत्वों से बनती है : उद्धरण और आलोचनात्मक लेपन। खूब अच्छी आलोचना लेपन और उद्धरण दोनों के मेल से बनाई जा सकती है। लेकिन जिससे हर हाल में प्लेग की तरह बचना है वह है विषयवस्तु के सारांश का पुनर्कथन। इसके विपरीत ऐसी आलोचना विकसित करनी चाहिए जिसमें केवल उद्धरण हो।'

नकली आलोचना—रामविलास शर्मा की आलोचना की महत्ता तब अच्छे ढंग से समझ में आएगी जब हम नकली आलोचना के वातावरण को तोड़ें। आज हिंदी में नकली आलोचना खूब लिखी जा रही है।

इसका पहला लक्षण है, आलोचक बिना जाने-समझे नवीनतम अवधारणाओं पर फैशन की तरह लिख रहे हैं।

दूसरा, राजनीतिक रणनीतियों और साहित्यिक रणनीतियों में पूरी तरह अलगाव। आलोचनात्मक विचार हमारे राजनीतिक सत्य और तथ्य से पूरी तरह कट गया है।

तीसरा, वैयक्तिक पसंद-नापसंद के आधार पर पक्षधर लेखन। आलोचना में वैयक्तिक पसंद-नापसंद के आधार पर खूब लिखा जा रहा है। माओवाद से लेकर नव्य-आर्थिक उदारीकरण पर जमकर अतिवादी ढंग से नकली आलोचना लिखी जा

रही है। इससे भारत की सटीक राजनीतिक तस्वीर नहीं आंकी जा सकती।

चौथा, आलोचना में पत्रकारिता की समीक्षा शैली का आगमन। इसके आधार पर व्यापक पैमाने पर पुस्तक समीक्षाएं लिखी जा रही हैं। पत्रकारिता शैली में लिखी आलोचनाएं या टीवी से प्रसारित पुस्तक समीक्षा वस्तुतः नकली आलोचना का ही एक रूप हैं। इस शैली ने आलोचना की छद्म मुद्राओं को जन्म दिया है। साहित्यिक पत्रिकाओं में पुस्तक समीक्षा या समीक्षा के नाम पर ऐसा लिखा जा रहा है कि 'यह मेरी निजी धारणा है'। आलोचना में निजी धारणा जैसी कोई चीज नहीं होती। आलोचना नेकनीयती का लेखन भी नहीं है।

पांचवां, साहित्यिक पत्रिकाओं में प्रकाशित समीक्षा में सचेत रूप से आलोचना और राजनीति के अंतस्संबंध का विच्छेद। इस आलोचना में किसी भी किस्म की राजनीतिक प्रतिबद्धता नहीं है। यह आलोचना मनमौजी प्रतिक्रिया और तयशुदा रूप में लिखी जा रही है। इसमें प्रतिरोधी शक्ति नहीं है। फलतः आलोचना में प्रतिरोधहीनता चरम पर पहुंच गई है।

छठा, समीक्षक द्वारा प्रकाशक के दायित्व का निर्वहन। मसलन प्रमुख समीक्षकों द्वारा पसंदीदा प्रकाशक की किताबों की भूरि-भूरि प्रशंसा। प्रकाशक की सेवा में लिखी या बोली गई इस तरह की समीक्षा को इन दिनों वस्तुगत समीक्षा कहा जा रहा है, असल में यह रीतिवाद है। इस तरह की समीक्षा वस्तुतः मार्केटिंग रणनीति का हिस्सा। इसमें समीक्षक वस्तुतः बिचौलिए की भूमिका अदा करता है। प्रकाशक से प्रतिबद्धता वैसे ही है जैसे आलोचक की किसी लेखक संघ या राजनीतिक दल से प्रतिबद्धता होती है और वह उसके विचारों के प्रचार के लिए लिखता है।

सातवां, राजनीतिक कार्यक्रम के आधार पर आलोचना लेखन। इस तरह की समीक्षा अवसरवादी समीक्षा है जबकि यह क्रांतिकारी समीक्षा होने का दावा करती है। इस तरह की समीक्षा ने आलोचना के बुनियादी लक्ष्य को ही तिलांजलि दे दी है। इस समीक्षा ने राजनीतिक अंतर्वस्तु विवेचन को ही समीक्षा बना दिया है। वे कृति में बाह्य संबंधों को तो देखते हैं लेकिन आंतरिक संबंधों को उद्‌घाटित नहीं कर पाते।

वाल्टर बेंजामिन के शब्दों में, 'किसी कृति की भीतरी दुनिया देखने का अर्थ है उन तरीकों का हवाला देना, जहां कलाकृति का सत्य और भौतिक दुनिया का सत्य एक-दूसरे में प्रवेश करते हैं' यानी आलोचना का काम है कृति में निहित सत्य के साथ एकाकार होना। बेंजामिन कहते हैं, 'कृति का वह आंतरिक इलाका, जहां सत्य

का अंश और भौतिक अंश आपरा में मिलते हैं' यही वह स्थान है जहां सौंदर्य के सारे संदेह गायब हो जाते हैं।

वाल्टर बेंजामिन के शब्दों में आलोचना के लिए सबसे महत्वपूर्ण है 'कोमल स्पर्श, वह दुलार जिसके साथ वह रचना अपनी जड़ों समेत निकाली जाती है, क्योंकि यही वह चीज है जो ज्ञान की मिट्टी को उन्नत बनाती है। बाकी सब कुछ अपने आप होता जाएगा। क्योंकि रचना के गुण ही सर्वोत्तम अर्थों में आलोचना के नाम के हकदार हैं।'

आठवां, आलोचना के नाम पर प्रशंसा की बौछार करना। प्रशंसा सबसे अधिक रचनाकार को ही संदिग्ध बना देती है। आलोचक, अमूमन प्रशंसक या भांड की तरह वाहियात पुस्तकों की खूब प्रशंसा करते हैं। वे गंभीर पुस्तकों के साथ कोई भिन्न व्यवहार नहीं करते।

नौवां, आस्थाओं के आधार समीक्षा लेखन। यह ऐसी समीक्षा है जो जीवनसत्य से एकदम कटी हुई है। ये ऐसी आस्थाएं हैं जो चुक गई हैं, इनसे सामयिक यथार्थ पकड़ में नहीं आता। साहित्यिक गतिविधियों का एक बड़ा अंश इनसे संचालित है और यह पूरी तरह जीवनरहित और रिचुअल्स है।

साहित्यिक गतिविधियां साहित्यिक माहौल नहीं बनाती और न ही बिगाड़ती हैं, इनसे साहित्य का प्रभाव भी नहीं पड़ता। साहित्य का महत्वपूर्ण प्रभाव, सिर्फ लेखन और कर्म, कर्म और लेखन की नियमित अदला-बदली से ही संभव है।

आलोचना के महत्व पर बेंजामिन के शब्दों में कहें तो 'समाज के विशालकाय अस्तित्व में, मत-निर्धारण का वही महत्व है जो एक भारी मशीन के लिए तेल का होता है। कोई भी टरबाइन के सिर पर चढ़कर उसे तेल से नहीं नहलाता बल्कि उन छोटे-छोटे तकुओं और छिपे हुए जोड़ों पर, जो सिर्फ उसे ही पता होते हैं, तेल की बूंदें टपकाता है।'

रामविलास शर्मा : व्यक्तिवाद, निजी और सार्वजनिक परिवेश की तलाश

रामविलास शर्मा किस तरह का सार्वजनिक परिवेश पेश करते हैं यह देखने के लिए उनकी प्रसिद्ध कृति *इतिहास दर्शन* (1995) देखें तो पता चलेगा कि वे प्राचीन यूनानी विचारकों की किन चीजों को आज भी प्रासंगिक मानते हैं और किस तरह के सार्वजनिक परिवेश की हिमायत करते हैं। मसलन सुकरात से आरंभ करते हैं और पहला ही उपशीर्षक देते हैं 'समाज व्यवस्था से दर्शनशास्त्र की टक्कर'। सुकरात पर आरोप था कि वह अपने विचारों से नौजवानों को गुमराह करते हैं। इसीलिए उनको प्राणदंड दिया गया था। सुकरात को जिस समय यह सजा दी गई वे सत्तर साल की उम्र पार कर चुके थे। जैसाकि उन्होंने न्यायकर्ताओं की सभा में कहा था कि अभियोग लगाने वाले कुछ दिन सब्र करते तो वह वैसे ही विदा हो जाते। पर सुकरात के रूप में उन्हें ऐसा खतरा दिख रहा था कि वे सब्र करने को तैयार नहीं थे। वे कौन लोग थे जो सुकरात की जान लेने पर तुले हुए थे ? सुकरात ऐसा क्या कहते थे जिससे इन लोगों की समझ में नौजवान गुमराह हुए जा रहे थे ? गुमराह हुए जा रहे थे तो ऐसा कौन सा संकट पैदा हो गया था कि उनकी जान लिए बिना काम न चलता?

सुकरात के विचारों की ओर नौजवान इसलिए आकर्षित होते थे कि वे धार्मिक रूढ़िवाद को चुनौती देते थे। सुकरात पर अभियोग था कि वह नौजवानों को भ्रष्ट करते हैं। जिन देवताओं को नगरवासी मानते हैं, उन्हें नहीं मानते, उनके बदले वे अन्य देवताओं पर विश्वास करते हैं। सुकरात ने इन आरोपों को निराधार बताया।

सुकरात की खूबी क्या थी ? वे देवताओं के बारे में मनुष्यों की परंपरागत धारणाओं को चुनौती दे रहे थे। ये धारणाएं उनके लिए उपयोगी थीं जो अवकाशभोगी थे, जो दूसरों के अंधविश्वासों से लाभ उठाकर उनका श्रम हड़प जाते थे। असल में

सुकरात की विशेषता थी कि वे प्रचलित विश्वासों के प्रति शंका प्रकट करते थे।

यूनान में जमींदारों और सूदखोरों का मानना था कि लोग सामाजिक नियमों को विधान मानकर उनके अनुसार काम करते रहें, क्या न्याय है, क्या अन्याय है, कौन से नियम न्यायपूर्ण हैं, कौन-से अन्यायपूर्ण, इसके बारे में जांच-पड़ताल न करें। लेकिन सुकरात ने यही काम आरंभ किया था। सुकरात देवकथाओं पर आंखें बंद करके विश्वास नहीं करते थे बल्कि नए सिरे से अनुसंधान करते थे।

सुकरात हर चीज पर शंका करते थे, सवाल खड़े करते थे। इसी तरह का यूनान में शिक्षकों का एक समूह भी था जिसे सोफिस्तेस या अंग्रेजी में सोफिस्ट कहते थे। ये लोग फीस लेकर धनी परिवारों के युवाओं को शिक्षा देते थे। विशेष रूप से उन्हें तर्क विद्या सिखाते थे। सुकरात को फीस लेकर शिक्षा देना पसंद न था; इससे भी अधिक महत्वपूर्ण यह कि तर्क-वितर्क कौशल की अपेक्षा वह मनुष्य का सदाचारी और सच्चरित्र होना अधिक आवश्यक मानते थे। सोफिस्टों की खूबी थी कि उन्होंने लोगों की तर्क-बुद्धि जगाई थी, प्रचलित मान्यताओं को परखना सिखाया था। वे व्यापक सांस्कृतिक आंदोलन के सूत्रधार थे। सुकरात इन्हीं की परंपरा में आते थे। इनके प्रयासों के कारण स्वतंत्र चिंतन और व्यक्तिगत विवेक के जरिए आप्त वाक्यों को अपदस्थ कर दिया गया। तर्क विद्या में सुकरात ने सोफिस्टों से आगे जाकर मानक बनाए हैं।

रामविलास शर्मा ने लिखा है, 'यूनान के दर्शनकार, सोफिस्ट और सुकरात ये तीनों एक ही सांस्कृतिक आंदोलन का अंग हैं। इन तीनों की साझा विशेषता है संसार के बारे में प्रचलित धारणाओं को चुनौती देना। सुकरात की एक अन्य विशेषता थी कि वे हर चीज की व्याख्या करते थे। सोफिस्ट की खूबी थी कि वे नैतिक और राजनीतिक प्रश्नों की चर्चा करके चुप हो जाते थे वहीं सुकरात का उद्देश्य था लोगों को सुधारना।'

रामविलास शर्मा ने लिखा है, 'सुकरात लोगों को सुधारने पर तुले हुए थे, संपत्तिशाली लोग सुधरने को तैयार न थे। सुकरात जनता के बीच बाजार हाट में उनकी आलोचना करते थे। अब तक के तर्कशास्त्री न्याय, शासनतंत्र आदि की व्याख्या करके संतुष्ट हो जाते थे, सुकरात लोगों को सुधारना चाहते थे। व्यवस्था को बदले बिना लोगों को सुधारा न जा सकता था। सरकार बदलने से काम चलने वाला न था। जमींदारी गुट का शासन हो, लोकतंत्र हो, सुकरात की टक्कर दोनों से थी क्योंकि उनकी आलोचना का लक्ष्य संपत्तिशाली वर्गों वाली समाज व्यवस्था थी।'

रामविलास शर्मा ने लिखा है कि 'सुकरात धाय के पुत्र थे। वह अपनी तर्क विद्या की तुलना धाय के कौशल से करते थे। धाय स्वयं बच्चा नहीं जनती, बच्चा जनने में दूसरों की सहायता करती है। सुकरात कहते थे, ज्ञान के मामले में मैं बांझ हूं, देवता मुझे धाय का काम करने को बाध्य करते हैं, उसने मुझे कभी बच्चा जनने नहीं दिया। अर्थात् सुकरात के पास कोई विचारों का खजाना नहीं है; वह तो दूसरों के दिमाग से निकलवाते हैं। सुकरात का मानना था कि दवा खिलाकर, मंत्र पढ़कर धाय गर्भवती के पेट में दर्द पैदा करती है जिससे प्रजनन संभव होता है। सुकरात के लिए कहा जा सकता था कि वह लोगों को अज्ञान का एहसास कराके इसी तरह उनके मन में दर्द पैदा करते थे। यूनान में धाय युवकों और युवतियों में उपयुक्त जोड़े ढूंढ़कर उनका विवाह संबंध भी निश्चित कराती थी। सुकरात का कहना था, 'मैं तो आदमी को परखने के बाद उसे ज्ञानी के पास ले जाकर छोड़ देता हूं।'

सुकरात की विशेषता थी वे सामान्य जीवन के उदाहरणों के जरिए अपनी बात समझाते थे। उनकी बातचीत में हमेशा मोचियों, लद्दू गधों, लुहारों, चमड़ा बनाने वालों आदि का जिक्र रहता था। रामविलास शर्मा ने लिखा है कि वह बहस के दौरान ज्ञान की परख निगाह से करते थे। सुकरात आमतौर पर अपने बयानों में कारीगरों के अनुभवों का इस्तेमाल करते थे। यही वजह है कि उनसे जो भी बात करता था कारीगरों से स्वतः ही तादात्म्य स्थापित कर लेता था। गोर्गिअस की शब्दावली 'तुम्हारे कारीगरों में' इसी तादात्म्य की झलक है। सुकरात ने इसी झलक को उजागर करते हुए, थेमिस्तोक्लेस के बारे में, हमें बताया गया है; जहां तक पेरिक्लेस का संबंध है, 'जब वह मध्य प्राचीर के बारे में हमें सलाह दे रहे थे, तब मैंने स्वयं उन्हें सुना था।' सुकरात या तो कारीगरों के साथ खुद काम कर रहे थे या जहां काम हो रहा था, वहां खड़े सब कुछ देख सुन रहे थे।

सुकरात की वक्तृत्व कला की खूबियों पर रामविलास शर्मा ने विस्तार से प्रकाश डाला है। सुकरात की वक्तृत्व कला के बारे में सवाल किया है कि वक्तृत्व कला का संबंध किससे है ? वक्तृत्व कला लोगों को प्रभावित करने की कला है।

गोर्गिअस अपनी कला के प्रति आश्वस्त होकर कहते हैं, 'वक्तृत्व कला में जो व्यक्ति कुशल है, वह सभा को प्रभावित करके स्वयं को किसी भी पेशे के लिए नियुक्त करा सकता है; वह किसी भी प्रश्न पर, किसी के भी विरुद्ध, इस ढंग से बोल सकता है कि बहुमत उसके पक्ष में हो जाए। सुकरात के लिए यह सिद्ध करना कठिन नहीं है कि वह बहुमत अज्ञानियों का होगा। इन्हें प्रभावित करने की कला

मूल्यवान हो तो किसी चीज का वास्तविक ज्ञान प्राप्त करना आवश्यक न होगा; लोगों को प्रभावित कर लेना काफी होगा कि तुम्हारे पास इतना ज्ञान है ? सुकरात के अनुसार वक्तृत्व कला लोगों को खुश करने की कला है। बावर्ची ऐसा खाना पका सकता है जिससे खाने वाला खुश हो जाए पर वह उसके उपयुक्त है या अनुपयुक्त, यह तो वैद्य बता सकता है, बावर्ची नहीं।'

रामविलास शर्मा ने सुकरात के बहाने आधुनिक भारत के लिए उपयुक्त सार्वजनिक जीवन की परिकल्पना को रेखांकित किया है। इसके बहाने वे हमारे देश के सार्वजनिक परिवेश को पुनर्परिभाषित करते हैं। उन्होंने लिखा है, 'सुकरात यदि लोकतंत्र के शासकों से संतुष्ट नहीं थे तो वे निरंकुश शासकों से और भी क्षुब्ध थे। वक्तृत्व कला के पक्ष में एक और बात कही गई थी कि जिसके पास यह कला होती है, वह निरंकुश शासकों जैसा शक्तिशाली होता है। इस सिलसिले में मखदूनिया के शासक आर्खिलाऑस का उदाहरण दिया जाता था। उसने वैध उत्तराधिकारी को मारकर राज्य पर अधिकार किया था। गद्दी पर बैठने के बाद उसने एथेंस के अनेक संभ्रांत नागरिकों को आमंत्रित किया। और लोग गए, सुकरात ने उसके यहां जाने से इनकार कर दिया। सुकरात का कहना था, सदाचारी का जीवन अच्छा है, भले ही उसमें कष्ट सहना पड़े। जिस व्यक्ति में दुर्गुण हों और वह उनसे मुक्त न हो सके, उसका जीवन सबसे खराब मानना चाहिए।'

आधुनिक काल में फासिस्ट, भ्रष्ट, अपराधकर्मी और आततायी शासकों और व्यक्तियों के पक्ष में तरह-तरह के तर्क दिए जाते हैं और उनका बड़े सलीके से मीडिया से लेकर साहित्य तक प्रचार किया जाता है। इन सबकी बड़ी तीखी आलोचना सुकरात के लेखन में मिलती है। सुकरात का मानना था भला और सदाचारी आदमी सुखी होता है, दुष्ट और अन्यायी नहीं।

सुकरात के नजरिए की विशेषता थी कि वे वंशगत श्रेष्ठता और उसके आधार पर प्रशंसा को एकदम पसंद नहीं करते थे। अभिजात वंश के लोगों में यह बीमारी है कि वंशगत आधार पर प्रशंसा करते हैं और चाहते हैं कि इसी आधार पर लोग उनकी प्रशंसा करें। भारत में यह बीमारी जातिगत आधार पर प्रशंसा में रूपांतरित हो गई है। जातिगत महापुरुषों या पुरखों के आधार पर प्रशंसा करते हैं। सुकरात को यह सब नापसंद था। ऐसी प्रशंसा को सुकरात संकुचित दृष्टिकोण मानते थे।

फंडामेंटलिस्ट जिस तरह इन दिनों आक्रामक हुए हैं उसके खिलाफ रामविलास शर्मा में आक्रोश रहा है। फंडामेंटलिज्म किस तरह का वातावरण बनाता है, और हमें

क्या करना चाहिए। इसकी ओर रामविलास शर्मा ने सुकरात के बहाने ध्यान खींचा है। पुराने अभिजात और नए अभिजात वर्ग का फंडामेंटलिज्म से याराना है। यह पूरा वाकया बेहद सुंदर है। लिखा है–

> 'अरिस्तोफनेस की नाटिका से सुकरात के प्रति इस वर्ग के शत्रुभाव की तीव्रता का अनुमान हो सकता है। किसान सुकरात से तर्क विद्या सीखने गया था, अंत में वह समझ गया कि इस विद्या के सहारे उसका पुत्र उसे मारेगा। सुकरात नास्तिक है, उसे अपने अपराध का दंड मिलना चाहिए। किसान कहता है, 'मैं भी कैसा पागल था। सुकरात के बहकावे में आ गया कि देवता नहीं हैं। ... इन्हें कचहरी अदालत ले जाने की बात सोचना बेकार था। मैं सीधे जाकर दुष्टों की पाठशाला में आग लगा देता हूं।' वह छत पर चढ़कर आग लगाता है। एक छात्र कहता है, 'तुम हमें जिंदा जला दोगे!' किसान कहता है, 'मैं ठीक यही करना चाहता हूं यदि मेरे औजारों ने दगा न की और यदि पहले ही गिरकर मैंने अपनी गर्दन न तोड़ ली।' सुकरात कहते हैं, 'तुम यहां छत पर क्या कर रहे हो?' किसान कहता है, 'मैं हवा पर चल रहा हूं और सूर्य का रहस्य भेद रहा हूं।' उस किसान के अनुसार तत्ववादी दार्शनिक नास्तिक थे, सुकरात नास्तिक थे। इन्हें अदालत ले जाना बेकार है। सीधे इनके घर में आग लगानी चाहिए। धुएं में लोगों का दम घुटने लगता है, वे पाठशाला से भागने लगते हैं। किसान कहता है, 'किए का फल ही पा रहे हो। जो लोग देवताओं को ठेंगा दिखाते हैं, तर्क करते हैं, चंद्रमा के दूसरी ओर क्या है, वे इसकी कीमत चुकाएंगे।' इसके बाद सुकरात के लात मारता है। फिर लोगों से कहता है, 'टूट पड़ो इन पर, उठाओ पत्थर !' पत्थरों की बौछार सहते हुए सुकरात और उनके साथी भागते हैं। किसान चिल्लाता है, 'बदला लो ! देवताओं के अपमान का बदला लो ! इनकी करनी को याद करो ! बदला लो !'

इस पर रामविलास शर्मा ने लिखा है, 'कचहरी अदालत की जरूरत नहीं, पत्थर मारो और आग लगाओ, देवताओं के अपमान का बदला लो–अनेक युगों में अनेक प्रकार के प्रतिक्रियावादियों की ऐसी हरकतों से पाठक परिचित होंगे। विशेष रूप से नवस्वाधीन और पिछड़े हुए देशों में संप्रदायवादी नेता प्रगतिशील विचारकों के विरुद्ध ऐसा उन्माद उभारते हैं।'

रामविलास शर्मा ने लिखा है, 'सुकरात तो धाय का काम करते थे, जो दूसरे के

मन में है पर जिसे वह जानता नहीं है, उसे बाहर निलवाते थे। ज्ञानी होने का दंभ उन्हें नहीं था, जिन्हें ऐसा दंभ था, उनसे जिरह करने की बीमारी उन्हें जरूर थी। इस बीमारी को देवप्रेरित अवश्य मानते थे। अंतःकरण की भूमिका इतनी ही थी। जहां जितना भी सत्य वह उद्घाटित करते थे, वहां उसका आधार साधारणजनों का सामान्य अनुभव ही होता था, किसी व्यक्ति का विशिष्ट अनुभव नहीं।'

साहित्य के नए सवाल और रामविलास शर्मा

'आधुनिक हिंदी साहित्य के निर्माताओं की उपेक्षा का अर्थ है, अपने साहित्य के भविष्य की उपेक्षा।'

मार्क्सवाद की प्रासंगिकता

रामविलास शर्मा के शताब्दी वर्ष के मौके पर उनको गैर-मार्क्सवादी सिद्ध करने के व्यापक प्रयास होते रहे हैं। इन प्रयासों में हिंदी के प्रगतिशील आलोचकों की बड़ी भूमिक्रा है। प्रगतिशील आलोचकों का यह समूह विगत 30 सालों से रामविलास शर्मा को गैर-मार्क्सवादी सिद्ध करने में लगा है। मजेदार बात यह है कि ये लोग विभिन्न तरीकों से मार्क्सवाद को तिलांजलि देकर तमाम किस्म के बुर्जुआ वितंडावाद में शामिल होते रहे हैं। वीपी सिंह से लेकर अटलबिहारी वाजपेयी के साथ कदमताल करते इनको देखा गया है और ये ही लोग इन दिनों मनमोहन सरकार के भी परम कृपापात्र हैं। रामविलास शर्मा पर सुनियोजित वैचारिक हमले कराने में प्रगतिशीलों के इस गुट की बड़ी भूमिका रही है। इस घटिया मानसिकता का आदर्श नमूना है हाल ही में आया *उद्भावना* पत्रिका के रामविलास शर्मा महाविशेषांक में नामी आलोचकों नामवर सिंह, नंदकिशोर नवल, विश्वनाथ त्रिपाठी आदि के साक्षात्कार।

जो लोग मार्क्सवाद से नफरत करते हैं या मार्क्सवाद को नहीं जानते वे ही रामविलास शर्मा पर ज्यादा बोलते या लिखते रहे हैं। रामविलास शर्मा का मूल्यांकन करने के लिए मार्क्सवाद की बुनियादी सैद्धांतिक बहसों और समाजवादी देशों में समाजवादी व्यवस्था के निर्माण और पतन की संतुलित वैज्ञानिक समझ का होना बहुत जरूरी है। इसके बिना रामविलास को समझना मुश्किल है। जिन लोगों की मार्क्सवाद में आस्था नहीं है वे रामविलास शर्मा के सर्जनात्मक लेखन और मार्क्सवाद

के सैद्धांतिक लेखन को समझ ही नहीं सकते।

रामविलास शर्मा ने मार्क्सवाद को विश्वदृष्टिकोण के रूप में विकसित किया और समसामयिक समाज और सामाजिक विकास के इतिहास को विश्लेषित करने के लिए मार्क्सवाद की प्रासंगिकता पर ऐसे समय में जोर दे दिया जिस समय सारी दुनिया में मार्क्सवाद से लोग विमुख हो रहे थे और बार-बार यही कहा जा रहा था कि मार्क्सवाद फेल हो गया है।

खासकर समाजवादी सोवियत संघ में समाजवादी समाजों के पराभव के बाद सन् 1990 से सारी दुनिया में लोग तेजी से मार्क्सवाद से दूर जा रहे थे; ऐसे दौर में उनकी मार्क्सवाद की महत्वपूर्ण और प्रासंगिक व्याख्याओं से लैस कई किताबें आईं। वे अकेले लेखक हैं जो भारत में पूंजी की ऐतिहासिक अवस्थाओं जैसे व्यापारिक पूंजीवाद, औपनिवेशिक पूंजीवाद, औद्योगिक पूंजीवाद, इजारेदार पूंजीवाद, वित्तीय पूंजीवाद, साम्राज्यवादी पूंजी, बहुराष्ट्रीय निगमों की पूंजी आदि के भारतीय संदर्भों की विस्तार के साथ पड़ताल करते हैं। इस पड़ताल के जरिए वे एक ही बात पर जोर देते हैं कि मार्क्स ने पूंजी के विकास की विभिन्न अवस्थाओं पर जो कुछ भी लिखा था वह आज भी भारतीय संदर्भ में प्रासंगिक है। यह प्रासंगिकता ऐसे समय में स्थापित करते हैं जब सारी दुनिया में मार्क्सवाद के अंत की मीडिया में दुंदुभि बज रही थी। वे यह भी रेखांकित करते हैं कि मार्क्स ने लिखा था सिस्टम बदलता रहता है और उसकी चुनौतियां भी बदलती रहती हैं। अतः पूंजीवादी सिस्टम में आए बदलावों को समझने की जरूरत है।

मार्क्सवाद मूलतः पूंजीवाद की गंभीर मीमांसा पेश करता है। 'मार्क्सवाद के अंत' और 'नव्य उदारवाद की जय' के जो सपने देख रहे थे वे मात्र 20 साल में ही मार्क्सवादी चिंतन की ओर फिर से लौट रहे हैं। नव्य उदारतावाद का ग्लोबल मॉडल पिट चुका है। सारी पूंजीवादी दुनिया गंभीर आर्थिक मंदी में कैद है और उससे निकलने का कोई रास्ता नजर नहीं आ रहा। यही वह बिंदु है जहां पर मार्क्सवाद की नए सिरे से प्रासंगिकता तलाश की जा रही है। कला, साहित्य, संस्कृति, सभ्यता विमर्श आदि में मार्क्सवाद कितना मददगार साबित हो सकता है इसे रामविलास शर्मा ने विस्तार के साथ पेश किया है। मार्क्सवाद की प्रासंगिकता को स्थापित करने वाली रामविलास शर्मा की महत्वपूर्ण किताबें हैं—*भारत में अंग्रेजीराज और मार्क्सवाद* (दो खंडों में, 1982), *मार्क्सवाद और प्रगतिशील साहित्य* (1984), *मार्क्स, त्रॉत्स्की और एशियाई समाज* (1986), *मार्क्स और पिछड़े हुए समाज* (1986), *सन् सत्तावन की*

राज्य क्रांति और मार्क्सवाद (1990), *स्वाधीनता संग्राम और बदलते परिप्रेक्ष्य* (1992), *भारतीय इतिहास और ऐतिहासिक भौतिकवाद* (1992), *शेली और मार्क्स* (1992), *आज की दुनिया और लेनिन* (1992)।

पाठ के अंदर और बाहर

रामविलास शर्मा हिंदी आलोचना के आज निर्विवाद शिखर पुरुष हैं। उनको यह दर्जा तिकड़म, जोड़-तोड़, कुर्सी, संगठन विशेष की मदद आदि गैर-साहित्यिक कारणों से नहीं मिला। उन्होंने यह दर्जा अपने लेखन से अर्जित किया है। उनके लेखन की सही रीडिंग करना अभी बाकी है। खासकर उनके साहित्य संबंधी मूल्यांकन का गंभीर विश्लेषण अभी तक नहीं हुआ है। मुश्किल यह है कि रामविलास शर्मा ने जिस दौर में समालोचना का महत्वपूर्ण काम किया उस दौर में आलोचना का क्षय हो रहा था। आलोचना एक गंभीर विमर्श के बजाय सैलीब्रेटी इवेंट में रूपांतरित हो रही थी। जिनको आलोचना लिखनी थी वे उसे इवेंट बना रहे थे। मीडिया और गोष्ठियों की बाइट्स बना रहे थे। आलोचना के प्रति इस नजरिए को पैदा करने में *दूसरी परंपरा* और उसके नायक और अनुयायियों की बड़ी भूमिका है।

हिंदी में *दूसरी परंपरा* के नाम से जो आलोचना स्कूल पैदा हुआ वह मूलतः इवेंट स्कूल है, आलोचना के प्रायोजकों का स्कूल है। ये लोग आलोचना नहीं लिखते , आलोचना का प्रबंधन करते हैं, इवेंट बनाते हैं। इस प्रवृत्ति के पुरस्कर्ता बने हैं नामवर सिंह और उनके भक्तगण। रामविलास शर्मा का सबसे बड़ा योगदान यह है कि उन्होंने आलोचना को उसकी गरिमा दी। इवेंट, बाइट्स और परंपरा के आडंबर से बाहर निकाला।

रामविलास शर्मा को पढ़ते हुए अवधारणाओं की सही समझ का होना जरूरी है। उनका महत्वपूर्ण योगदान यह है कि उन्होंने हिंदी के पाठकों को गंभीर आलोचना का पाठक बनाया। आलोचना लिखना और उसके पाठक तैयार करना यह काम अकेले उन्होंने किया। उन्होंने अपनी किताबों के जरिए हिंदी साहित्य के पठन-पाठन के समूचे स्वरूप को सीधे प्रभावित किया। इस क्रम में उन्होंने आलोचना की नई भाषा रची। यह ऐसी भाषा है जो जनप्रिय हिंदी के करीब आती है। यह काव्यशास्त्र या रामचंद्र शुक्ल या हजारी प्रसाद द्विवेदी की साहित्यिक भाषा से एकदम भिन्न है।

साहित्य को महान बनाने और महानता की आड़ में आम जनता को अलभ्य बनाने का भाव साहित्यालोचकों के एक वर्ग में काम करता रहा है। रामविलास शर्मा

ने सरल हिंदी में आलोचना लिखकर साहित्य को सुलभ बनाया, मार्क्सवाद को सुलभ बनाया। एक जमाना था साहित्यिक भाषा का आम बोलचाल की भाषा से कोई नाता नहीं था। रामविलास शर्मा ने साहित्यिक भाषा को बोलचाल की आमफहम भाषा में रूपांतरित किया। संप्रेषणीय आलोचना की भाषा के मानक बनाए। इस क्रम से साहित्यिकता के प्रचलित मानकों को एक सिरे से धराशायी किया।

रामविलास शर्मा का हिंदी आलोचना में दूसरा बड़ा योगदान है कि उन्होंने साहित्य समीक्षा के प्रचलित मानकों और धारणाओं को बदला। वे जिस क्षेत्र में आलोचना करते हैं उसके केंद्रबिंदु को ही बदल देते हैं। मसलन, रामविलास शर्मा के पहले इतिहास-दृष्टि के केंद्र में रामचंद्र शुक्ल के यहां तुलसीदास हैं और आचार्य हजारी प्रसाद द्विवेदी के केंद्र में कबीरदास हैं। रामविलास शर्मा इन दोनों ही केंद्र बिंदुओं के बजाय 'सामाजिक व्यवस्था' और 'वर्गों' की भूमिका को केंद्र में ले आते हैं। आप उनके नजरिए से सहमत-असहमत हो सकते हैं लेकिन उन्होंने जो देखने का नया अवधारणात्मक आधार बनाया उससे बचकर नहीं निकल सकते। इतिहास-दृष्टि को 'व्यवस्था' और 'वर्ग' की कोटि के पैमाने पर निर्मित करो, यह नया पैराडाइम विकसित किया। इतिहास के लिए ऐतिहासिक भौतिकवाद को महत्वपूर्ण माना। लिखा, 'ऐतिहासिक भौतिकवाद के ज्ञान से समाज में व्यापक परिवर्तन किए जा सकते हैं और नई समाज-व्यवस्था का निर्माण किया जा सकता है। इस पैराडाइम के आने के बाद से साहित्य के मूलगामी परिवर्तनों को आसानी से देखने में मदद मिली। इस क्रम में उन्होंने पाठ की 'नई रीडिंग' और 'व्याख्या' के सिलसिले को तेज गति प्रदान की। इस क्रम में साहित्य की भाषा का प्रचलित मानक टूटा। आलोचना की भाषा को बोलचाल की भाषा के करीब लाने में मदद मिली।

रामविलास शर्मा की दो सबसे जनप्रिय अवधारणाएं, वह हैं—'हिंदी जाति' और 'नवजागरण'। आमतौर पर आलोचक इन दोनों अवधारणाओं के पक्ष-विपक्ष में बोलते-लिखते नजर आते हैं। असल में रामविलास शर्मा ने इन दोनों अवधारणाओं का एक रणनीति के रूप में इस्तेमाल किया है। वे साहित्य में बने-बनाए 'केंद्र' को अपदस्थ करने की रणनीति के रूप में इस्तेमाल करते हैं। इससे साहित्य में 'केंद्र' को अपदस्थ करने में मदद मिली है। पहले साहित्य में 'केंद्र' होता था और उसके इर्द-गिर्द आलोचना खड़ी नजर आती थी।

रामविलास शर्मा ने वैदिक काल से लेकर आधुनिक काल तक प्रचलित 'केंद्र' को इन दो अवधारणाओं के आधार पर अपदस्थ किया है। इसके चलते आज साहित्य

में एक नहीं, अनेक केंद्र हैं। मजेदार बात यह है कि वे इन दोनों अवधारणाओं के जरिए हाशिए के सवालों को केंद्र में ले आते हैं और केंद्र के सवालों को गौण बना देते हैं। इस पद्धति के कारण मूल्यांकन में कोई एक आधिकारिक केंद्र नहीं रह जाता। मूल्यांकन बदलता रहता है। आलोचना अस्थिर और परिवर्तनीय हो जाती है। रामविलास शर्मा के लेखन का सौंदर्य वहीं पर ज्यादा खिला है जहां पर वे आलोचना को अस्थिर करते हैं, बदलते हैं। साहित्यिक रूढ़ियों को वे जब निशाना बनाते हैं और अंतर्विरोधों को उद्‌घाटित करते हैं तो बाह्य जगत की सक्रिय संवेदनाओं और मूल्यों को रेखांकित करते हैं और बताते हैं कि 'नए को देखो।' 'रूढ़ि पर हमला करो नए की खोज करो।' इस लक्ष्य को ध्यान में रखकर उन्होंने 'अंतर्विरोध' की अवधारणा का इस्तेमाल किया है। वैज्ञानिक जिज्ञासाओं को व्यक्त किया है। आरंभ में 'नया' कमजोर और क्षीण नजर आता है लेकिन आलोचना को नई ऊर्जा उसी से मिलती है। साहित्य के नए सवाल इसी से पैदा होते हैं। मसलन 'हिंदी जाति' की उन्होंने जब अवधारणा पेश की थी तो उस समय इस पर कोई नहीं बोल रहा था लेकिन कालांतर में इस धारणा ने हिंदी के हर लेखक को स्पर्श किया। कहने का आशय यह है कि 'अंतर्विरोध' के आधार पर रूढ़ियों पर किया गया हमला हमेशा जिस नए को पैदा करता है उसे कालांतर में आलोचना के साझा विमर्श के विषय के रूप में महसूस किया जा सकता है। 'अंतर्विरोध' में जाने का एक परिणाम यह भी निकलता है कि आलोचना का 'स्थायी' भाव टूटता है। साथ ही, इसके कारण बार-बार 'अंतर्विरोध' नजर आते हैं। इससे परिवर्तन की धीमी गति को महसूस कर सकते हैं, साथ ही, 'रूपांतरण' देख सकते हैं।

महावीर प्रसाद द्विवेदी ने भारतेंदु युग के सभी प्रमुख लेखकों पर लिखा है और उसका रामविलास शर्मा ने विस्तार से जिक्र भी किया है। इस समूचे विमर्श में रामविलास शर्मा ने जिस पद्धति का इस्तेमाल किया है उसे समझने की जरूरत है। द्विवेदीजी अपनी पद्धति में अंश का संपूर्ण से संबंध बनाते हैं। व्यक्ति का अन्य से संबंध बनाते हैं। इसके जरिए वे व्यक्ति के निजी और अन्य से जुड़े पहलुओं को सामने लाते हैं। वे लेखकों के व्यक्तित्व में उन पक्षों की खोज करते हैं जो आधुनिक मनुष्य की पहचान बनाने में सहायक हैं।

'नवजागरण' पदबंध का रामविलास शर्मा ने जिस तरह व्यापक तौर पर इस्तेमाल किया है उसको लेकर भी तरह-तरह के विवाद हैं। कुछ लोग कहते हैं वे नवजागरण को वेदों तक खींचकर ले गए, कुछ कहते हैं वे नवजागरण को छायावाद तक लाते

हैं प्रगतिवाद तक क्यों नहीं लाते। लेकिन 'नवजागरण' पदबंध को लेकर उनका विशेष मोह है और उस पदबंध के प्रयोग की खास मंशाएं हैं जिनको कायदे से समझने की जरूरत है। सवाल यह है कि वे 'नवजागरण' पदबंध का इतना व्यापक इस्तेमाल क्यों करते हैं ?

'नवजागरण' पदबंध का वे समाजविज्ञान की डिक्शनरी में परिभाषित अर्थ के रूप में इस्तेमाल नहीं करते। 'नवजागरण' का इस्तेमाल वे 'सीमाओं के अतिक्रमण' के लिए करते हैं। जहां वे नए को देखते हैं, पुराने की सीमाओं को टूटते देखते, रूढ़ियों को टूटते देखते हैं, नए मूल्यों के उदय को देखते हैं वहां पर वे 'नवजागरण' पदबंध का प्रयोग करते हैं। नवजागरण असल में 'रूपांतरण' की अवस्था को देखने की कोटि है। वे इस पदबंध का इस्तेमाल समाजविज्ञान में वर्णित नवजागरण के लक्षणों के साथ करते हैं लेकिन असलियत में वहां तक ठहरते नहीं हैं। उनके लिए 'नवजागरण' के परिप्रेक्ष्य में चीजों को देखने का अर्थ है 'रूपांतरण' के पैराडाइम में रखकर देखना। मसलन, एक खास किस्म के संस्कार आदतें, धर्म, धार्मिक मान्यताएं, रूढ़ियां आदि किस तरह रूपांतरित हो रही हैं और वे जहां पर रूपांतरित होती नजर आती हैं वहां पर वे नवजागरण पदबंध का इस्तेमाल करते हैं। नवजागरण की रोशनी में देखने का अर्थ है रूपांतरण की रोशनी में चीजों को रखकर देखना। वे नवजागरण का शाब्दिक अर्थ में इस्तेमाल कम करते हैं रूपांतरण के पैराडाइम के रूप में इस्तेमाल ज्यादा करते हैं। मसलन, धर्म के अनुदार पक्ष कहां बदल रहे हैं, शुचिता, पवित्रता और धर्मनिरपेक्षता आदि कहां और किस तरह आ रही है और बदल रही है।

सामाजिक और शिक्षा में रूपांतरण किस तरह के हो रहे हैं। इसके लिए बार बार वे प्रमाण देते हैं, संदर्भ बताते हैं। संदर्भ बताने की पद्धति उनको पुराने प्रामाणिक शास्त्रकारों से जोड़ती है। जहां उनको प्रमाण अपर्याप्त लगते हैं वहां वे उनकी सीमाओं के परे भी जाते हैं। 'नवजागरण' पदबंध के बहाने वे बार-बार रहस्यों को खोलने का काम करते हैं। वे चीजें जो आलोचना में कही नहीं गई या रहस्य बनी हुई थीं उनको उद्घाटित करते हैं। इस प्रक्रिया में वे आलोचना के जरिए ज्ञानक्रांति करते हैं। हिंदी में नए को सामने लाने में उनकी इसी पद्धति ने मदद की है। मजेदार बात यह है वे आरंभ करते हैं नवजागरण के नाम से लेकिन मूल्यांकन को केंद्रित करते हैं उपविषयों पर, स्थानीय पाठ पर, एकल पाठ पर, एक लेखक के ऊपर केंद्रित करते हैं। इन उपविषयों में नए-पुराने साहित्य के सवाल, सामाजिक, दार्शनिक, राजनीतिक और सैद्धांतिक सवालों पर भी आज की प्रासंगिकता के नजरिए से विचार किया गया

है। वे 'नवजागरण' की कोटि का इस्तेमाल हिंदी का वर्चस्व स्थापित करने के लिए नहीं करते बल्कि 'नवजागरण' की कोटि का खुली सार्वभौम कोटि के रूप में इस्तेमाल करते हैं। यह सांस्कृतिक श्रेष्ठत्व स्थापित करने वाली कोटि नहीं है। यह हिंदी के सांस्कृतिक उन्माद की अभिव्यक्ति नहीं है। यह सार्वभौम कोटि है। 'नवजागरण' की कोटि में सोचने का अर्थ है सार्वभौम अवधारणाओं में सोचना।

'सार्वभौम' के आधार पर सोचने का आधार है संस्कृति। वे जब भी किसी भी युग में प्रवेश करते हैं संस्कृति के रूपों की चर्चा करते हैं। साथ ही कायिक गठन में जो अंतर हैं उनका जिक्र करते हैं। लेकिन संस्कृति उनके यहां निर्धारक तत्व है। यह मानवीय व्यवहार को निर्धारित करने वाला बुनियादी तत्व है। इसे पुष्ट करने के लिए वे अन्यान्य देशों की सामाजिक व्यवस्था और वर्गसंबंधों के साथ तुलना करते हुए भारत की सामाजिक व्यवस्था और वर्गसंबंधों की प्रकृति को भी विश्लेषित करते हैं। इस तरह वे व्यवस्था और वर्गसंबंधों पर ग्लोबल समझ पेश करते हैं। यह काम वे सभी युगों के साहित्य को विश्लेषित करते हुए करते हैं। वे मध्यकाल से लेकर आधुनिक काल तक के सभी लेखकों का सार्वभौम पैमाने के आधार पर ही मूल्यांकन करते हैं। सार्वभौम पैमाने का इस्तेमाल करते हुए हिंदी लेखकों की देसज साहित्यिक, भाषायी, सांस्कृतिक और व्यवस्थागत विशेषताएं सामने रखते हैं। इससे मूल्यांकन में लोकल का विभ्रम खड़ा करते हैं लेकिन यह मूलतः सार्वभौम की अवधारगा का ही पैमाना है। सार्वभौम आधार पर पेश करने के चक्कर में रामविलास शर्मा भूल जाते हैं कि हमेशा और हर जगह सार्वभौम पेश करने में जोखिम भी है। सार्वभौम तत्व नहीं हो सकता है। सार्वभौम सांस्कृतिक तत्व की जब भी चर्चा की जाए तो यह देखा जाना चाहिए कि संस्कृति का क्या सबके बीच में समान रूप से विनिमय हो रहा है ? साथ ही जटिल सामाजिक संरचनाएं क्या संस्कृतियों के बीच में समान गति से संचार कर रही हैं ? सार्वभौम के पैमाने पर देखने के कारण व्यक्तिगत कारकों की अनदेखी होती है, साथ ही, उनकी प्रतीकात्मक सीमाएं भी सामने नहीं आ पातीं। जबकि सच यह है कि प्रत्येक युग में और प्रत्येक व्यवस्था में कुछ क्षेत्रीय और व्यक्तिगत विशेषताएं होती हैं और इनको सार्वभौम नहीं बनाया जा सकता।

रामविलास शर्मा ने अपने समस्त साहित्य और भाषा संबंधी लेखन को सार्वभौम के फ्रेमवर्क में पेश करने के चक्कर में एक ही देश में विभिन्न संस्कृतियों के बीच में 'तुलना' की अवधारणा का सहारा लिया है और उसके आधार पर 'कोटि' बनाने की कोशिश की है। इसके लिए उन्होंने व्यक्ति (लेखक), समाज और भाषा इन तीन

तत्वों को मिलाकर विश्लेषण किया है। कहीं-कहीं पर वे इन तीनों तत्वों की प्राथमिकताओं में अंतर भी करते हैं।

रामविलास शर्मा ने लिखा है, 'मैं भाषाओं की समानता, उनका व्यवहार करने वाले मानव समुदायों की समानता के सिद्धांत में विश्वास करता हूं। साथ ही मानता हूं कि यह समानता कभी पूर्ण और निरपेक्ष नहीं होती।'

सार्वभौम की अवधारणा के आधार पर भाषा परिवारों पर विचार करते हुए वे एक अन्य दिलचस्प बात कहते हैं और यह बात उनका मूल्यांकन करते हुए हमेशा याद रखी जानी चाहिए। उन्होंने लिखा है, 'इस पुस्तक में कोई भी स्थापना चाहे जितने आत्मविश्वास से प्रस्तुत की गई हो, आप अपनी ओर से उसके आगे-पीछे 'संभव' या 'शायद' जोड़ लें। मेरा प्रयत्न यह है कि प्रत्येक स्थापना के विरोध में जो तर्क दिया जा सके उस पर विचार करने के बाद अपनी स्थापना प्रस्तुत करूं।' इस नजरिए से देखेंगे तो आपको रामविलास शर्मा न तो स्टालिन युग की देन नजर आएंगे और न ही संकीर्णतावादी। नंदकिशोर नवल का उनके बारे में कहना है कि 'उनकी आलोचना से यह ध्वनि निकलती है कि मुझसे असहमत होने का साहस मत करो।' नंदकिशोर नवल के लगाए सारे आरोप गलत और बेबुनियाद हैं। असल में हिंदी में नवल टाइप अधिकांश आलोचकों ने उनके लिखे को पढ़ा ही नहीं है।

रामविलास शर्मा के बारे में मेरे सामने नामवर सिंह, विश्वनाथ त्रिपाठी और नंदकिशोर नवल के हाल में प्रकाशित साक्षात्कार हैं, ये *उद्‌भावना* पत्रिका के रामविलास शर्मा पर केंद्रित महाविशेषांक में छपे हैं। ये साक्षात्कार कई नई समस्याओं की ओर ध्यान खींचते हैं, इन साक्षात्कारों से यह भी पता चलता है कि पुरानी पीढ़ी के समीक्षकों की रामविलास शर्मा के बारे में धारणा क्या है ? इन तीनों समीक्षकों की पहली चिंता है रामचंद्र शुक्ल के बाद दूसरे स्थान पर कौन सा आलोचक आता है? यानी आलोचना अब भी इतिहास में स्थान तय करने के काम को प्राथमिक मानकर चल रही है। नामवर सिंह ने कहा, 'कोई कुछ भी कहे लेकिन सच्चाई यह है कि बड़े आलोचकों में रामचंद्र शुक्ल के बाद हजारी प्रसाद द्विवेदी का नाम है, आचार्य द्विवेदी के बाद कोई बड़ा नाम है तो रामविलास शर्मा का है।' नामवर सिंह के अनुसार बाकी सब आलोचक 'इत्यादि' हैं।

सवाल उठता है क्या आलोचकों का कोई इस तरह क्रम बनाना ठीक होगा ? यदि मान भी लिया जाए कि क्रम जरूरी है तो क्रम का पैमाना क्या होगा ? इन तीनों आलोचकों ने आलोचनाक्रम के पैमाने पर कहीं नहीं लिखा है, यदि लिखा भी हो तो

मैं कम से कम नहीं जानता। कायदे से आलोचनाक्रम के पैमाने पर कायदे से बहस होनी जरूरी है। ये तीनों अच्छी तरह जानते हैं कि आलोचना में क्रम निर्धारण करना बेहद मुश्किल और जोखिम भरा काम है। तुलना करना भी वैज्ञानिक दृष्टिकोण नहीं कहा जा सकता। हजारी प्रसाद द्विवेदी और रामविलास शर्मा में कोई तुलना संभव नहीं है। रामचंद्र शुक्ल और हजारी प्रसाद द्विवेदी दोनों इतिहासकार-आलोचक हैं। जबकि रामविलास शर्मा आलोचक हैं। आधुनिक आलोचना में रामविलास शर्मा सबसे आगे हैं। उनके बराबर किसी भी आलोचक ने काम नहीं किया। खासकर 1857 से लेकर छायावाद तक उनका मूल्यांकन अतुलनीय है। वैसा काम न तो शुक्लजी ने किया, न द्विवेदीजी ने और न अन्य समीक्षकों ने। रामचंद्र शुक्ल और हजारी प्रसाद द्विवेदी ने मध्यकाल को लेकर व्यापक काम किया है। रामविलास शर्मा ने इन दोनों की तुलना में बहुत कम मौलिक लिखा है। इस बात को रखने का प्रधान कारण है इतिहासक्रम या आलोचनाक्रम की परिपाटी का निषेध करना। आलोचना क्रम में कौन पहले नंबर पर है और कौन दूसरे नंबर पर है, यह पद्धति असल में भेदभाव वाली पद्धति है। आलोचना में भेदभाव असल में सामाजिक जीवन के बारे में हमारे भेददृष्टि को ही व्यक्त करता है। सामाजिक जीवन में हम समानता के आधार पर देखने की मांग करते हैं लेकिन आलोचना में क्रम बनाते हैं। आलोचना में क्रम बनाना भेदभावपूर्ण नजरिए को प्रतिष्ठित करना है। आलोचना में रामचंद्र शुक्ल हों या रामविलास हों या बतर्ज नामवर सिंह अन्य आलोचक हों वे सब समान हैं। आलोचना में क्रम का अंत होना चाहिए। आलोचना में क्रम की मांग आलोचना में समानता के नजरिए का निषेध है। आलोचना में क्रम वे ही बना रहे हैं जो साहित्य में संकीर्णतावाद के लिए जिम्मेदार हैं। जो इतिहासकार-आलोचक का दावा करते हैं और जिन्होंने *दूसरी परंपरा* की खोज की है। आलोचना में क्रम असल में साहित्य का संकीर्णतावाद भी है। नई स्थितियों की मांग है आलोचक और आलोचना में सभी किस्म के भेदों को समाप्त किया जाए।

रामविलास शर्मा ने *महावीर प्रसाद द्विवेदी और हिंदी नवजागरण* किताब में इस भेदभाव को सबसे पहले नष्ट किया है। पुराने बने-बनाए आलोचक, लेखक, साहित्य के मानकों को पूरी तरह बदल दिया। वे उद्धरण देते समय यह नहीं देखते कि जिसको उद्धृत कर रहे हैं वह कितना बड़ा आलोचक है और उसका स्थान क्या है? नामवर सिंह आदि ने साहित्य में यह रिवाज चलाया है कि आलोचना में क्रम होता है और यह क्रम कौन सा होगा यह तय महान आलोचक ही करेगा।

उद्भावना को दिए साक्षात्कार में विश्वनाथ त्रिपाठी ने एक रोचक बात कही है, 'द्विवेदी जी ने शायद, मेरा यह अनुमान है कि डॉ. रामविलास शर्मा को कभी पढ़ा ही नहीं होगा।' नामवर सिंह ने अपने साक्षात्कार में चौंकाने वाली बात यह कही कि रामविलास शर्मा की लिखी किताब *भारत के प्राचीन भाषा परिवार और हिंदी* नामक 3 खंडों में प्रकाशित पुस्तक नहीं पढ़ी है। इसी में बिना पढ़े ही उन्होंने कहा 'ठीक-ठीक कहना चाहिए कि वह तकनीकी दृष्टि से भाषाविज्ञान की पुस्तक नहीं है।' सवाल यह है कि जब पुस्तक पढ़ी ही नहीं तो यह राय किस आधार पर बनी? यही वह बिंदु है जहां से सामयिक आलोचना की दृष्टि को हम आसानी से समझ सकते हैं। हिंदी में बहुत कुछ ऐसा लिखा और बोला जा रहा है जो न तो पढ़ा गया है और न सोचा गया है। बिना पढ़े बोलना, आलोचना करना, व्यक्तिविशेष की आलोचना करना, उसे खारिज करना या प्रतिष्ठित करना एक आम रिवाज हो गया है।

बिना पढ़े बोलना या लिखना हिंदी आलोचना की आज सबसे बड़ी बीमारी है जिसने आलोचना को क्षतिग्रस्त किया है। यही वह बिंदु है जहां पर रामविलास शर्मा से हम सब सीख सकते हैं। रामविलास शर्मा ने जो कुछ लिखा है, पढ़कर लिखा है, किताबों के उद्धरण देकर लिखा है, वह विचारों के स्रोत को छिपाते नहीं हैं। संभवतः *दूसरी परंपरा* का जिन लोगों ने निर्माण किया उन लोगों ने लेखन में विचारों के स्रोत छिपाने की परंपरा का श्रीगणेश किया। इस परंपरा ने आलोचक की उपेक्षा को भी प्रतिष्ठित किया। लेखक के लेखन की उपेक्षा करना, उसे न पढ़ना और उसके लिखे का जवाब न देना, वस्तुतः आलोचना से पलायन है और इन सबसे आलोचना के अंत का मार्ग प्रशस्त हुआ है। गौर से देखें तो पाएंगे कि रामविलास शर्मा ने रामचंद्र शुक्ल और हजारी प्रसाद द्विवेदी से भिन्न अपने विचारों के स्रोत को बार-बार उद्धृत किया है और लिखा है। रामविलासजी चिंतित थे कि हिंदी के आलोचक अपने विचारों के मूल स्रोत को छिपाते हैं। यह बीमारी सबसे ज्यादा हजारी प्रसाद द्विवेदी के लेखन में है और उसके बाद इसने *दूसरी परंपरा* के समस्त अनुयायियों को अपनी गिरफ्त में ले लिया। यह अचानक नहीं है कि नामवर सिंह कभी अपने विचारों के मूल स्रोत को नहीं बताते। आलोचना की इस कला को इन लोगों ने 'मौलिकता' का नाम दिया है। जबकि आलोचना में संदर्भ और स्रोत छिपाने की कला फासिज्म के लिए वैचारिक आधार प्रदान करती है। जॉर्ज लुकाच ने *दि डिस्ट्रक्शन ऑफ रीजन* नामक ग्रंथ में नीत्शे की आलोचना करते हुए लिखा है कि नीत्शे को यह बीमारी थी कि मार्क्स के

नाम से उलटा-सीधा लिखता-बोलता रहता था। वह कभी मार्क्स के नाम से जो विचार लिखता था उसका स्रोत नहीं बताता था, इस पर लुकाच ने लिखा कि स्रोत न बताना, गलत उद्धृत करना वस्तुतः फासिज्म की वैचारिक सेवा है।

रामविलास शर्मा को यह श्रेय जाता है कि वे जो कुछ लिखते हैं प्रमाण के साथ लिखते हैं, सही संदर्भ बताते हैं। उन्हें इस बात की परवाह नहीं है कि आप इससे नाराज हैं या खुश हैं। मूल बात यह कि आलोचना के लिए प्रमाण आवश्यक है। प्रमाण के बिना आलोचना अप्रामाणिक होती है।

उद्भावना पत्रिका को दिए अपने साक्षात्कार में नामवर सिंह ने लिखा है कि 'हमें और उन्हें लेकर कोई बहस नहीं है।' इसके बाद ही वे एक सवाल के जवाब में कहते हैं कि मैंने उनका *ऋग्वेद* पर किया गया काम नहीं पढ़ा। 'मैं अधिकारी नहीं हूं *ऋग्वेद* पर बोलने का। इसलिए इस पर मैं कोई टिप्पणी नहीं कर सकता। लेकिन जो विद्वान हैं उनका मानना है कि उन्होंने नाहक उस पर समय नष्ट किया।' यह आलोचना की कौन सी पद्धति है ? क्या इसी को आलोचना कहते हैं ? इन दिनों आलोचना में यही हो रहा है। किसी आलोचक से एक-दो वाक्य बुलवाओ और फिर उसे आलोचकीय प्रशंसा या आलोचना के नाम पर प्रचारित करो। नामवर सिंह ने विगत 40 सालों में इस तरह की आलोचना को खासतौर पर विकसित किया है। आशीर्वचन या आशुकथन आलोचना नहीं होते।

उद्भावना के रामविलास शर्मा केंद्रित महाविशेषांक में नंदकिशोर नवल का साक्षात्कार छपा है। नवल ने कहा, 'डॉ. रामविलास शर्मा संकीर्णतावादी-मार्क्सवादी आलोचक हैं और स्तालिन युग की देन हैं। इससे उनकी आलोचना से यह ध्वनि निकलती है कि मुझसे असहमत होने का साहस मत करो।' नवलजी का मानना है 'भारतेंदु हों या प्रेमचंद या निराला या मुक्तिबोध, उन्होंने जिस पर भी कलम चलाई है, हमेशा विकृति से काम लिया है। पंक्तियों को पूरे 'बंद' से मुक्त करके उनका मनमाना अर्थ करना यह आलोचना नहीं है। लेनिन के असंगति के सिद्धांत को उन्होंने सभी आलोचक कवियों और लेखकों पर लागू किया है, जबकि यह एक राजनीतिक सिद्धांत है, साहित्यिक नहीं। इस सिद्धांत को लागू करने का दुष्परिणाम यह हुआ कि निराला हों या मुक्तिबोध, वे डॉ. शर्मा द्वारा कभी पाठकों के सामने संपूर्ण रूप में नहीं लाए गए।' नवल ने यह भी कहा कि 'वे हिंदी की मार्क्सवादी आलोचना को हिंदी आलोचना का स्वाभाविक विकास नहीं मानते।' एक अन्य जगह नवल ने कहा, 'वे मेरे लिए बहुत ही अविस्मरणीय हो चुके हैं, सो उनके उद्धरणों और उनकी

व्याख्या पर विश्वास नहीं किया जा सकता।' अपने साक्षात्कार में नवल ने यह भी कहा 'डॉ. शर्मा ने एक बार मुझसे कहा था कि लोग मेरी बात ले लेते हैं लेकिन मेरा नाम नहीं लेते। उनकी पुस्तक *अंग्रेजी राज और मार्क्सवाद* रजनीपाम दत्त के *इंडिया टुडे* के गहरे प्रभाव में रचित है, लेकिन जहां तक मुझे याद है उसके लिए उन्होंने आर.पी. दत्त को कोई श्रेय नहीं दिया है।'

नंदकिशोर नवल ने जो कहा है उसमें आंशिक सत्य तक नहीं है। रजनी पामदत्त और रामविलास शर्मा का नजरिया और स्रोत सामग्री एकदम अलग है। दूसरी बात यह कि वे आलोचना और आलोचक को एक सिरे खारिज कर रहे हैं, पढ़ नहीं रहे हैं, अविश्वसनीय कह रहे हैं। सवाल यह है कि आलोचना का आखिरकार ये लोग किस तरह का रूप निर्मित कर रहे हैं ? यह आलोचना के क्षयिष्णु होने के लक्षण हैं। नवल ने सबसे 'मौलिक' बात यह कही, 'सच्चाई यह है कि उन्होंने हिंदी कविता की परंपरा को 'मेनीपुलेट' किया है।' आलोचना में काव्य परंपरा को पुनर्परिभाषित करना यदि 'मेनीपुलेशन' है तो इसे आलोचना-बोध का 'मेनीपुलेशन' कहना समीचीन होगा।

रामविलास शर्मा ने हिंदी में आधुनिक विषयों पर व्यापक रूप में लिखा है। उनके लिखे का हमारी वैचारिक बहसों को समझने और हिंदी के प्रगतिशील बुद्धिजीवी के मानसिक गठन और वैचारिक स्रोतों को समझने के लिए महत्व है। हिंदीभाषी प्रगतिशील बुद्धिजीवी को बनाने में उनके लेखन की महत्वपूर्ण भूमिका रही है। आज भी उनके लेखन के बारे में आलोचनात्मक बातों को प्रगतिशील खेमा आसानी से हजम नहीं कर पाता। इसके कारण प्रगतिशीलों में एक भक्त समुदाय भी पैदा हुआ है। रामविलास शर्मा के प्रति पूजाभाव पैदा हुआ है। यह समझने की जरूरत है कि रामविलास शर्मा ने विस्तार से हिंदीभाषी क्षेत्र पर लिखा लेकिन उसकी गंभीरता के साथ कभी समीक्षा नहीं की गई। रामविलास शर्मा के विचारों को निष्पन्न विचार मान लिया गया। अथवा उनके लिखे की उपेक्षा की गई। रामविलास शर्मा के विचारों की सामयिक आलोचना की जाती तो रामविलास शर्मा से हमें और भी बहुत कुछ मिल सकता था। एक अन्य समस्या है वह यह कि रामविलास शर्मा अपने विचारों में कोई कमी नहीं मानते थे। यदि कोई सैद्धांतिक कमी या विचलन उनके लेखन में सामने रखा जाता था तो वे उसको कभी दुरुस्त नहीं करते थे। उन्होंने अपने लिखे में अप्रासंगिक क्या है इसे रेखांकित नहीं किया। यानी अपने लिखे में उनको कभी अप्रासंगिक चीजें नजर नहीं आती थीं। यही स्थिति कमोबेश नामवर सिंह की भी है।

आलोचक को एक अवधि के बाद अपने विचारों की समीक्षा करनी चाहिए और अप्रासंगिक को रेखांकित करना चाहिए, उसे अस्वीकार भी करना चाहिए।

रामविलास शर्मा का मूल्यांकन करते समय हमें यह खयाल रखना होगा कि उनका साहित्य समीक्षा संबंधी काम मूल्यवान है। इसके अलावा मार्क्सवादी चिंतन में इस्तेमाल होने वाली अवधारणाएं मूल्यवान हैं। उनके चिंतन में सामाजिक इतिहास, राजनीति, पूंजीवाद, भूमंडलीकरण, फासिज्म, सांप्रदायिकता, जातीयता आदि को लेकर गहरी उलझनें हैं और अंतर्विरोध हैं। कहने का आशय यह कि साहित्य समीक्षक रामविलास शर्मा हमारे लिए ज्यादा प्रासंगिक हैं।

रामविलास शर्मा की आलोचना में सबसे मूल्यवान तत्व है अवधारणात्मक रूपांतरण। रामविलास शर्मा के नजरिए का सौंदर्य वहां पर कम दिखता है जहां वे ठहर जाते हैं, सौंदर्य वहां ज्यादा दिखता है जहां वे अवधारणात्मक रूपांतरण करते हैं। अपनी धारणाओं को बदलते हैं, अपनी अभिव्यक्ति के लिए पुरानी धारणा को बिना बताए छोड़ देते हैं, और नई धारणा को अपना लेते हैं। मजेदार बात है कि राजनीति, इतिहास, समाजविज्ञान संबंधी उनकी अवधारणाओं पर सबसे ज्यादा विवाद है। साहित्य समीक्षा पर कम विवाद है। आज मैं यह देखना चाहता हूं कि रामविलास शर्मा ने हिंदी समीक्षा को नया क्या दिया ?

रामविलास शर्मा ने साहित्य समीक्षा की अमूर्तनता खत्म की। समीक्षा में अमूर्तन और वायवीय के बजाय ठोस अवधारणों और सामाजिक संदर्भों में कृति, कृतिकार और साहित्य के सवालों पर लिखने-बोलने की परंपरा का निर्माण किया। इस क्रम में मार्क्सवाद की साहित्यिक धारणाओं का मूल्यांकन के उपकरण के रूप में संतुलित ढंग से सर्जनात्मक विकास किया।

उनके लेखन के पहले मार्क्सवादी समीक्षा के नाम पर जो लिखा जा रहा था वह अपठनीय और साहित्य समीक्षा के मार्क्सवादी मानकों से रहित था। मार्क्सवादी समीक्षा का अर्थ मजदूर-किसान, कम्युनिस्ट पार्टी और वर्ग की सत्ता का जयगान माना जाता था। इसे मार्क्सवादी कूपमंडूकता भी कह सकते हैं। इस कूपमंडूकता से राहुल, यशपाल, शिवदान सिंह चौहान आदि गहरे प्रभावित थे।

हिंदी समीक्षा को मार्क्सवादी साहित्य समीक्षा की सर्जनात्मक शक्ति से परिचित कराने में रामविलास शर्मा का बहुत बड़ा योगदान है। हिंदी में आस्थावान मार्क्सवादी अनेक हैं। सर्जनात्मक मार्क्सवादी कम हैं। सर्जनात्मक मार्क्सवाद को सृजित करने और उसके जरिए हिंदी में आलोचना के मार्क्सवादी मान बनाने में रामविलास शर्मा

ने जो काम किया है वह अब भी समग्रता में विश्लेषित नहीं हुआ है। हिंदी समीक्षकों का उनके समीक्षा लेखन से तदर्थ रिश्ता है, गंभीर रिश्ता नहीं है। ये लोग जब भी उन पर बातें करते हैं चलताऊ ढंग से करते हैं।

मेरे अनुसार रामविलास शर्मा के आलोचनात्मक क्षितिज को समझने के लिए उनकी दो किताबें महत्वपूर्ण प्रस्थान बिंदु हैं, पहली किताब है–*निराला की साहित्य साधना* और दूसरी किताब है *महावीर प्रसाद द्विवेदी और हिंदी नवजागरण*। इन दोनों किताबों पर हिंदी के अधिकतर आलोचकों ने न्यूनतम ध्यान दिया है। ये दोनों किताबें हिंदी आलोचना में आ रहे पैराडाइम शिफ्ट को भी रेखांकित करती हैं। यदि ये दो किताबें समीक्षकों और लेखकों के द्वारा ध्यान से पढ़ी जातीं तो शायद आलोचना में आज जो संशय, निष्क्रियता और अगतिशीलता नजर आ रही है, वह न होती। ये दो किताबें रामविलास शर्मा पर 'संकीर्णतावाद' के आरोप का भी खंडन करती हैं। साहित्य समीक्षा में 'संकीर्णतावाद' से कैसे निबटें इसका पैमाना हैं ये किताबें।

आमतौर पर रामविलास शर्मा पर 'संकीर्णतावाद' का आरोप लगाया जाता है। यह आरोप लगाने वाले भूल जाते हैं कि ये सारे आरोप 'प्रलेसं' के सांगठनिक काम और समीक्षा में घालमेल के कारण पैदा हुए हैं और यह उनके काम का बहुत छोटा अंश है।

भारतीय साहित्य की धारणा का तथाकथित भारतीयता या हिंदुत्व के साथ कोई संबंध नहीं है। पश्चिम के विचारक प्राच्यवादी नजरिए से और भारत के पुनरुत्थानवादी इसे भारतीयता के नजरिए से देखते हैं। *भारतीय साहित्य की भूमिका* नामक किताब को लिखने का मूल मकसद था देशी रूढ़िवादियों और पश्चिमी 'वैज्ञानिक' विचारकों से अलग हटकर भिन्न नजरिए से भारतीय साहित्य पर विचार करना। साथ ही, यह भी लिखा कि इस किताब में भारतीय साहित्य और उसकी सांस्कृतिक पृष्ठभूमि के कुछ पक्षों पर विचार किया गया है।

हिंदी में हजारी प्रसाद द्विवेदी ने सबसे पहले *हिंदी साहित्य की भूमिका* में हिंदी साहित्य को भारतीय साहित्य के परिप्रेक्ष्य में देखने की बात कही थी। हिंदी साहित्य को भारतीय साहित्य के परिप्रेक्ष्य में विश्लेषित किया था। डॉ. रामविलास शर्मा ने इससे आगे जाकर *भारतीय साहित्य की भूमिका* (1996) में इसे नए और व्यापक परिप्रेक्ष्य में रखकर विश्लेषित किया है। इसी किताब में रामविलासजी ने एक अन्य महत्वपूर्ण बात कही है। उसे यदि मान लिया जाए तो साहित्येतिहास का समूचा ढांचा ही बदल जाएगा। शर्माजी ने लिखा है, 'साहित्य का इतिहास हो, चाहे समाज का,

वर्णव्यवस्था की विघटनशीलता पर ध्यान दिए बिना उसका सही विवेचन नहीं हो सकता।' इसी परिप्रेक्ष्य में उन्होंने विनिमय, नगर सभ्यता और वर्णव्यवस्था इन तीनों को जोड़कर विश्लेषित करने पर जोर दिया। खासकर प्राचीन साहित्य के संदर्भ में यह पद्धति लागू की है। इसके अलावा उत्तर भारत और दक्षिण भारत में अंतस्संबंध भी स्थापित किया और लिखा, 'भारतीय साहित्य के विवेचन के लिए तमिल संस्कृति का ज्ञान आवश्यक है। इसी तरह तमिल संस्कृति के विवेचन के लिए उत्तर भारत की संस्कृति का ज्ञान आवश्यक है।'

आमतौर पर भारत के बारे में जब भी बातें होती हैं तो वर्णव्यवस्था और जातिप्रथा को प्रमुख विशेषता कहा जाता है लेकिन रामविलास शर्मा इस प्रसंग में एकदम भिन्न नजरिए से देखते हैं, उनका मानना है कि 'भारतीय समाज की विशेषता वर्णसंकरता है, वर्णव्यवस्था का पालन नहीं।' वित्त के चलन से वर्णव्यवस्था के विघटन को जोड़कर देखा जाना चाहिए। साथ ही यह भी लिखा, 'चाहे साहित्य इतिहास हो, चाहे समाज का, वर्णव्यवस्था की विघटनशीलता पर ध्यान दिए बिना उसका सही विवेचन नहीं हो सकता।'

वर्णव्यवस्था के तत्व का साहित्य के मूल्यांकन में इस्तेमाल करने का अर्थ है कि साहित्य के मूल्यांकन के प्रचलित मानकों के परे जाकर देखना। इससे समूचा इतिहास और उसकी प्राथमिकताएं बदल जाएंगी। दूसरी बात यह है वर्णसंकरता को यदि देखते हैं तो साहित्य में बहुसांस्कृतिकतावाद चला आएगा। ये दोनों ही तत्व उत्तर औपनिवेशिक साहित्यदृष्टि का हिस्सा हैं। यानी रामविलास शर्मा अपने विचारों के विकास के क्रम में मार्क्सवाद और उत्तर-औपनिवेशिकता के बीच संबंध बनाते हैं। इसके चलते वे कई नई समस्याओं की ओर ध्यान खींचते हैं और पुनर्व्याख्या पेश करते हैं। उनका यह पुनर्व्याख्या वाला पक्ष बेहद महत्वपूर्ण है।

कवि-कवि की अवधारणा के बहाने जिस तरह रामविलास शर्मा ने विचार किया है उसने उन धारणाओं को चुनौती दी है जो यह मान रहे थे कि 'लेखक का अंत' हो गया है। पुराने साहित्य में और खासकर *ऋग्वेद* में कवि की खोज का मकसद यह बताना है कि लेखक हर ओर है। लेखक का अंत नहीं हुआ है बल्कि लेखक सब ओर मौजूद है। इसके लिए एक नई पद्धति का इस्तेमाल करते हैं, वे भाषिक अर्थ के जरिए कवि का उद्घाटन करते हैं। इस क्रम में वे विलक्षण भाषिक आनंद की सृष्टि करते हैं। साथ ही ऋषि, देवता आदि के बारे में नए अर्थों की ओर इशारा करते हैं। यह काम पहले राहुल सांकृत्यायन कर चुके हैं। सवाल यह है कि वे ऐसा

क्यों करते हैं ? सवाल यह भी है कि रामविलास शर्मा ने *भारतीय साहित्य की भूमिका* का जो ढांचा प्रस्तावित किया है उसमें एक भाषा के साहित्य का दूसरी भाषा के साहित्य, एक संस्कृति का दूसरी संस्कृति में स्थानांतरण व्यक्त होता है। यह एक तरह से साहित्य की धारणा का अतिक्रमण है। यह वस्तुतः 'ट्रांस-लिटरेचर' या 'परा-साहित्य' की अवधारणा है।

इसी तरह भारतीय संस्कृति को मात्र संस्कृति के रूप में नहीं बल्कि परा-संस्कृति के रूप में चित्रित करते हैं। इस विवेचन में उन्होंने भाषायी स्वायत्तता को बनाए रखा है। उनके लिखे भारतीय साहित्य, खिचड़ी साहित्य नहीं हैं। भारतीय साहित्य की पहचान को वे स्थानीय भाषाओं-बोलियों के साहित्य की पहचान से जोड़ते हैं। उसे भारतीय साहित्य का आधार बनाते हैं। उनके लिए भारतीय साहित्य का अर्थ संस्कृत साहित्य या हिंदी साहित्य या अंग्रेजी साहित्य नहीं है। सत्य से मुठभेड़ करते हैं यथार्थ के आधार पर। एक जमाना था भारतीय साहित्य और भारतीय संस्कृति के साथ अवसरवादी संबंध हुआ करता था। लेकिन रामविलास शर्मा ने इसे हिंदी साहित्य के अध्ययन-अध्यापन से एक अनिवार्य संबंध के रूप में जोड़ा। यही हाल वर्णव्यवस्था का था। इससे भी मूल्यांकन में तदर्थ संबंध व्यक्त होता था लेकिन इस किताब में उन्होंने वर्णव्यवस्था को साहित्य के मूल्यांकन के प्रमुख आधारों में से एक आधार बनाने के साथ वर्णसंकर संस्कृति और सभ्यता को प्रमुखता दी। भारतीय संस्कृति और भारतीय साहित्य की इकसार इमेज बनाने के बजाय वैविध्यपूर्ण और बहुलतावादी परंपरा का उद्घाटन किया। इन सभी प्रसंगों में उन्होंने हजारी प्रसाद द्विवेदी के नजरिए का ही मूलतः विकास किया। हिंदी साहित्य को भारतीय साहित्य के साथ जोड़कर देखने का नजरिया सबसे पहले हजारीप्रसाद द्विवेदी ने पेश किया जिसकी लंबे समय तक भारत में उपेक्षा हुई, लेकिन कालांतर में भारतीय साहित्य की समूची बहस में उसकी प्रत्यक्ष-अप्रत्यक्ष छाप मिलती है। इसके अलावा वे भारतीय साहित्य की जड़ों की ओर जाते हैं। *ऋग्वेद* की ओर जाते हैं। इस प्रक्रिया में वे धर्म की जड़ों को उदारवादी-विवेकवादी परिप्रेक्ष्य में विश्लेषित करते हैं। यह मूल्यांकन सामान्य किस्म का कॉमनसेंस, प्राच्यवादी और हिंदुत्ववादी कठमुल्ला समझ से भिन्न है। वे वस्तुतः रेडीकल नजरिए से चीजों को देखते हैं। इस क्रम में वे पुराने की नए बोध के साथ व्याख्या करते हैं। मूलगामी तौर पर भिन्न नजरिए से विभिन्न अवधारणाओं को खोलते हैं। अवधारणाओं के प्रामाणिक अर्थ पेश करते हैं। उन पदबंधों को ऐतिहासिक नजरिए से खोलते हैं जिन्हें लंबे समय से साहित्य में अनुपयोगी मान

लिया गया था, खारिज कर दिया गया था। तकलीफदेह बात यह है आधुनिकता के विकास के साथ पुरानी ऐतिहासिक धारणाओं के साथ साहित्य समीक्षा का संबंध विच्छेद हो गया। इस टूटे संबंध की वे अपने तरीके से तलाश करते हैं। एक अन्य चीज जिसे रामविलास शर्मा ने किया है कि समीक्षा में गैर-जिम्मेदारी का जो भाव पैदा हुआ है उसे चुनौती दी है। छद्म आधारों पर जिन साहित्य मूल्यों को विकसित किया गया था उनको चुनौती दी है। वे अवधारणाओं की प्रचलित इमेजों को नए रूप में पेश करते हैं। इस क्रम में अवधारणा और यथार्थ के बीच बने विभ्रम को तोड़ते हैं। खासतौर पर पहले अध्याय में कवि की धारणा को खोजते हुए कवि, ऋषि, पुरोहित, देवता आदि को धार्मिकता, आस्था और अंधविश्वास के दायरे के बाहर ले जाते हैं। पुराने पाठ की मीमांसा में ये तत्व बड़े पैमाने पर भूमिका अदा करते रहे हैं। इन नामों के साथ जुड़ी पराविद्या का खंडन करते हैं। इन पदबंधों के यथार्थ अर्थ पेश करते हैं। इन पदबंधों के प्रयोग में छिपे आनंद की खोज करते हैं। एक ऐसी बात है कि इन पदबंधों की विखंडित रूप में, एक स्वतंत्र इकाई के रूप में पेश करते हैं और फिर उसे ऐतिहासिकता के साथ जोड़ते हैं। दर्शन और काव्य के पदबंधों को भाषिक संरचना बनाते हैं। उनकी भाषिक अर्थ संरचनाओं का विवेचन करते हैं। विभिन्न पदबंधों में निहित रूढ़िबद्ध समझ को चुनौती देते हैं, रूढ़िबद्ध अर्थ से मुक्त करते हैं। प्राचीन पदबंधों के साथ जुड़ी रूढ़िबद्ध धारणाओं में आज भी अनेक विचारक सोचते हैं फलतः उन्हें रामविलास शर्मा हिंदुत्ववादी-अतीतजीवी नजर आते हैं। अनेक ऐसे भी मार्क्सवादी हैं जो उनकी धारणों में व्याप्त अर्थ संरचनाओं पर गौर करने के बजाय उनके बारे में शव-साधना का आरोप लगाते रहे हैं। रामविलास शर्मा की खूबी है कि वे शब्दों के साथ जुड़े ईश्वर-बोध को नष्ट करते हैं। ईश्वर-बोध और शब्द में अंतर करते हैं और भाषा को सेक्युलर बनाते हैं। जो लोग मानते हैं कि भाषा में विभ्रम होते हैं, रामविलास शर्मा उनसे अपना अंतर करते हैं। पदबंधों को ईश्वर से मुक्त करते हुए वे अनालोचनात्मक और गैर-द्वंद्वात्मक नहीं होते। इस किताब के पहले अध्याय में वे जब यह कहते हैं, देवता कवि है तो एकदम नई चीज सामने आती है। पहली बात यह कि देवता को वे ईश्वर से मुक्त करते हैं। दूसरी बात यह कि देवता के साथ जुड़े विभ्रम से मुक्त करते हैं। तीसरी बात यह कि वे देवता को कवि के रूप में प्रतिष्ठित करके कवि के नए विभ्रम की सृष्टि करते हैं। कवि को यथार्थ से जोड़ते हैं यानी विभ्रम का पूरी तरह खात्मा करते हैं। पहले कहा देवता कवि है कवि वह है जो रचना लिखता है। मसलन वे बताते हैं इंद्र, वरुण, अग्नि आदि देवता

नहीं, कवि हैं। इसी तरह स्तुति कोई धार्मिक पाठ नहीं बल्कि काव्य है।

हिंदी में लेखक, कवि या साहित्यकार की अवधारणा पर ऐतिहासिक नजरिए से कभी विचार नहीं हुआ है। रामविलास शर्मा ने एक महत्वपूर्ण काम यह किया कि उन्होंने कवि की अवधारणा का नए ढंग से उद्घाटन किया है। '*ऋग्वेद* में कवि और काव्यशिल्प' नामक अध्याय में उन्होंने विस्तार के साथ कवि की अवधारणा को वेदों में खोजने का प्रयास किया है। इस प्रसंग में सबसे महत्वपूर्ण बात यह है कि वे कवि को एक ऐसे जमाने में खोज रहे हैं जब कवि की सत्ता का अवमूल्यन हो रहा था। यह किताब जब लिखी जा रही थी तो उस समय कवि की अस्मिता पर गहरा संकट था। साहित्य में 'कविता के अंत' और 'कवि की विदाई' की घोषणा हो चुकी थी। उत्तर-आधुनिक विचारकों ने कवि और कविता को एक नए अर्थ में पेश करना आरंभ कर दिया था और इसे नए वैज्ञानिक विमर्श की संज्ञा भी दे दी। मजेदार बात यह है कि रामविलास शर्मा के इस अध्याय का आरंभिक कथन ही बहुत महत्वपूर्ण है। उन्होंने लिखा है, '*ऋग्वेद* में कवि बहुत सम्मानसूचक शब्द है।'

वेदों में देवता, ऋषि पदबंध का कवि के लिए इस्तेमाल किया गया है। इंद्र, अग्नि, मरुत, रुद्र, वरुण आदि देवता कवि हैं। 'जो बुद्धिमान और ज्ञानी है, वह कवि है। मूलतः काव्य रचने वाला ही कवि है।' 'जो कवि रचे, वह काव्य है।' स्तुति या स्तोत्र काव्य का ही एक रूप है। जिन लोगों ने स्तुतियों की रचना की है वे भी कवि हैं। रामविलास शर्मा ने कविकर्म और ऋषिकर्म में अंतस्संबंध भी देखा है। कवि और ऋषि दोनों ही ज्ञानी हैं। दूसरी महत्वपूर्ण बात यह कि ऋषि और मनुष्य दो अलग-अलग पदबंधों का *ऋग्वेद* में प्रयोग मिलता है। अतः जो कवि है वह मनुष्य तो है लेकिन उसकी ज्ञानी और रचनाकार होने के नाते अलग पहचान है। मनुष्यों का यज्ञ से संबंध था ऋषियों का स्तुतियों से संबंध था। रामविलास शर्मा ने इसी प्रसंग में लिखा है कि 'स्तुतियों के बिना यज्ञ की कल्पना नहीं की जा सकती। यज्ञ, प्राचीन काल में, कवि गोष्ठियों की तरह हैं। उनमें प्रभुत्व कवियों का है, कर्मकांडियों, पुरोहितों का नहीं।'

इसी तरह 'विप्र' पदबंध का संबंध कवि से है। रामविलास शर्मा ने लिखा है 'असाधारण प्रतिभा के धनी, आंतरिक प्रेरणा से उच्चकोटि की रचनाएं प्रस्तुत करने वाले कवि विप्र थे। विप् का अर्थ है कांपना, स्पंदित होना। विप्र का अर्थ है भावाविष्ट, आंदोलित। *ऋग्वेद* में विप्, विप्र का संबंध कांपने से नहीं, भावावेश में काव्य रचने वाले से है।' मूल बात यह कि '*ऋग्वेद* में विप्र शब्द का व्यवहार कहीं भी वर्ण-विशेष के लिए नहीं होता।'

पदबंधों की इस तरह की शाब्दिक व्याख्याएं अंततः इन पदबंधों पर पड़े धर्म और परंपरा की चादर को हटाते हैं। साथ ही, यह भी रेखांकित करते हैं कि कोई विचार या पदबंध किस तरह वस्तु विशेष या पहचान विशेष में रूपांतरित हुआ है।

रामविलास शर्मा के वेदों के पुनर्पाठ पर अनेक लोगों को आपत्तियां रही हैं और इन लोगों ने यह भी कहा है कि वे पुनरुत्थानवाद की ओर लौट रहे हैं, कुछ ने तो उन पर आरएसएस की विचारधारा के करीब तक पहुंच जाने का आरोप लगा दिया। उल्लेखनीय है पुनरुत्थानवादी का वेदों से भावुक संबंध है। उसके लिए वेद के मंत्रों का मतलब है पूजा के मंत्र, यज्ञ के मंत्र। वे खाली वेद के मंत्रों को पंडित के मुंह से सुनकर धन्य हो जाते हैं। उन्हें रोमांच होने लगता है, वे श्रद्धा में झुक जाते हैं। इसके विपरीत वेदों के प्रति रामविलास शर्मा का नजरिया मार्क्सवादी है। वे वेदों को काव्य मानते हैं। ऋचाओं को कविता मानते हैं। ऋषियों को कवि मानते हैं। देवताओं को भगवान नहीं, कवि मानते हैं। उनके लिए वेद पूजा कराने की किताब नहीं है। बल्कि अतीत को जानने का शास्त्र है। ज्ञान का शास्त्र है। वे बताते हैं कि मनुष्यों का संबंध यज्ञ से था, ऋषियों का स्तुतियों से था। ऋषि काव्य रचता है। स्तुति काव्य का एक रूप है। कवि जो कुछ होना चाहते हैं वह सब देवों के रूप में कल्पित करते हैं। कवि, ऋषि, पुरोहित इनका साझा गुण है कि ये हमेशा आगे रहते हैं। वेदों में कवि कैसा है, इस पर लिखा है, कवि अतींद्रिय स्थिति को देखने वाला, विप्र या ज्ञानी, जनों के अग्रभाग में रहकर आगे जाने वाला, तेजस्वी, धैर्यवान, वश में रखने वाला और कवित्व से ज्ञान प्राप्त करने वाला होता है।

वेदों में दृश्य और श्रव्य दोनों का समान प्रयोग मिलता है। वेदों के रचयिता जो देखते हैं उस पर लिखते हैं, जो वाचिक परंपरा से अर्जित करते हैं उस पर भी लिखते हैं। गाथा, स्तोत्र, वाणी और सूक्त उसका एक रूप है। इनमें गाने और प्रशंसा करने पर जोर है। मसलन, स्तोम और स्तोत्र इन दोनों विधाओं में प्रशंसात्मक कविता होती थी, यही हाल श्लोक का है, इसमें ख्यातिसूचक या प्रशंसात्मक कविता लिखी जाती थी। गाथाओं में देवोपासना, देवताओं की प्रशंसा, राजाओं की वीरगाथाएं, विवाहगाथाएं और यज्ञगाथाओं का वर्णन मिलता है। इसी तरह सूक्त का अर्थ था अच्छे ढंग से कहना। विनय के पदों में इस विधारूप का व्यापक प्रयोग मिलता है। विनयपदों में पदों के भाव अंतिम पंक्तियों में खुलते हैं, वैसे ही कवि का मंतव्य अंतिम मंत्र या मंत्रों में खुलता है। इन सभी विधा रूपों में एक खास किस्म का विधागत वैविध्य है, साथ ही शैलीगत वैविध्य भी है। *ऋग्वेद* की वाक्यरचना में पहले कर्म, फिर क्रिया,

यह सामान्य वाक्यतंत्र है। कवि जब भी यह क्रम बदलता है तो उसका लक्ष्य होता है श्रोताओं का ध्यान खींचना। क्रिया से आरंभ होने वाले वाक्यों के बारे में दो बातें विशेष रूप से उल्लेखनीय हैं। पहली यह कि क्रिया द्वारा अभिव्यक्त कर्म पर कवि जोर देता है। दूसरी बात यह कि वह उस पुराने वाक्यतंत्र की ओर लौटता है जो संभवतः लोककथाओं में प्रचलित था। उल्लेखनीय है जातककथाएं बार-बार अस्ति से आरंभ होती हैं।

ऋग्वेद का विश्लेषण करते समय यह भी ध्यान रखें कि यह वाचिक युग का काव्य ही नहीं बल्कि गीतकाव्य है, यह ऐसा काव्य है जिसे सैकड़ों लोगों के सामने गाया जाता था। वेद की ऋचाओं के पाठ की शैली अलग-अलग थी। वैदिक काव्य को महज लिखे के आधार पर समझना मुश्किल है। वैदिक ऋषियों की पाठ की शैली क्या थी इसके बारे में रामविलास शर्मा ने कोई चर्चा नहीं की है।

वैदिक काव्य का भाषिक सौंदर्य उसकी भाषा में जितना है उससे सुंदर चीज उसकी प्रस्तुति में भी है। वेद की ऋचाओं का पाठ सुनने में बड़ा आनंद देता है और उसमें सामूहिक वाचनशैली के कारण ओज और सामूहिक सौंदर्यबोध का संचार होता है। मंत्रों की आवृत्ति भिन्न-भिन्न ढंग से हुआ करती थी। रामविलास शर्मा ने लिखा है, 'मंत्रों की आवृत्ति शब्दों और शब्दबंधों की आवृत्ति, ध्वनियों और ध्वनिबंधों की *ऋग्वेद* में आवृत्ति अनेक प्रकार की है। मूलतः वह वक्तृत्व कौशल का अंग है किंतु वह संरचना का उपकरण भी बनती है। मंत्रों को अंतर्गठित करने में ध्वनिबंधों की आवृत्ति कवियों के सचेत रचनाकौशल की विशेषता है।'

रामविलास शर्मा का मानना है कि 'ऋग्वेद की रचनाएं मौखिक लोकसाहित्य से भिन्न स्तर की हैं।' पहली बात यह कि ऋग्वेद जन की रचनाएं नहीं हैं ये बुद्धिजीवियों की रचनाएं हैं। वे जन से भिन्न थे। इनके पास श्रेष्ठजन का बोध था। इसके कारण वे अपनी रचनाओं में 'मैं' की शैली का जमकर प्रयोग करते हैं। व्यक्तिवाचक सर्वनाम का ज्यादा प्रयोग करते हैं। समूह में रहने और सामूहिक शैली में बोलने की कला से भिन्न है यह शैली। इन कवियों की विशेषता है कि वे अपने नाम, काम और असर इन तीनों से वाकिफ हैं। अधिकांश वैदिक ऋचाओं के रचयिताओं के नाम पाए जाते हैं। लोकसाहित्य का लेखक अपना नाम नहीं देता। दूसरी बात यह कि वाचन युग में लेखक का ऋचा के साथ नाम किस तरह जुड़ा रहे इसकी पद्धति इन ऋषियों ने निकाल ली थी। मैं की शैली में अपनी बात कहना मूलतः लेखक की पहचान के बोध से जुड़ी बात है। रामविलास शर्मा की यह बात

कि उस समय समाज में पुरोहित नहीं थे, यह धारणा विवादास्पद है। जो ऋषि है, वह पुरोहित भी है, कवि भी है। एक अर्थ में *ऋग्वेद* लोकसाहित्य हैं, ये ऋषियों की साझा संपत्ति हैं। आर्नल्ड हाउजर ने लिखा है, 'कोई गीत, लोकगीत केवल तभी बन पाता है जब वह साझा संपत्ति हो जाए।'

ऋग्वेद के कवि अपने को समूह, टोले, समुदाय, पीढ़ी या वर्ण आदि के प्रतिनिधि के रूप में अभिव्यक्त नहीं करते। वे व्यक्तिगत मैं शैली में अभिव्यक्त करते हैं।

रामविलास शर्मा ने एक विलक्षण वर्गीकरण किया है। उन्होंने वरुण और इंद्र के नाम से दो धाराएं बनाई हैं। लिखा है, '*ऋग्वेद* में वरुण और इंद्र से जुड़ी हुई दो धाराएं स्पष्ट दिखाई देती हैं। वरुण वाली धारा का संबंध नैतिक आचरण से है, इंद्र वाली धारा का योग से है। *ऋग्वेद* में प्रधानता इस दूसरी धारा की है। यह वर्गीकरण ठीक नहीं है। के. दामोदरन ने *भारतीय चिंतन परंपरा* में लिखा है कि वैदिक समाज वर्गों के उदय के पूर्व का समाज है। दामोदरन ने देवताओं की तीन मुख्य श्रेणियां बनाई हैं। ये हैं खगोलीय, वायु मंडलीय और भौमिक। द्युः, वरुण, मित्र, सविता, अश्विनी और अदिति पहली श्रेणी के देवता थे। इंद्र, वायु, रुद्र और परजन्य वायुमंडलीय देवता थे जिनमें सभी मानवीय गुण मौजूद थे, अग्नि, सोम और सरस्वती नदी भौमिक देवी-देवता थे।

रामविलास शर्मा के ऋग्वैदिककालीन मूल्यांकन की विशेषता है कि वे संरचनावादी नजरिए से कवि, विप्र, छंद, शैलीभेद आदि पर विचार करते हैं। *ऋग्वेद* की सामाजिक संरचनाओं या सामाजिक व्यवस्था को इन काव्यरूपों के साथ जोड़कर नहीं देखते। ऋग्वैदिक सामाजिक संरचनाओं की वे समाजनिरपेक्ष अलग से चर्चा करते हैं। इस प्रसंग में राहुल सांकृत्यायन ने *दर्शन-दिग्दर्शन* में जो लिखा है वह उल्लेखनीय है।

राहुल सांकृत्यायन के अनुसार—'वेदों में सबसे पुरानी *ऋग्वेद* मंत्र-संहिता है। *ऋग्वेद* के मंत्रकर्ता ऋषियों में सबसे पुराने विश्वामित्र, वसिष्ठ, भारद्वाज, गौतम (= दीर्घतमा), अत्रि आदि हैं। इनमें कितने ही विश्वामित्र, वसिष्ठ की भांति हैं समसामयिक परस्पर और कुछ में एक-दो पीढ़ियों का अंतर है। अंगिरा के पौत्र तथा बृहस्पति के पुत्र भारद्वाज का समय 1500 ई.पू. है। भारद्वाज उत्तर पंचाल (वर्तमान रुहेलखंड) के राजा दिवोदास के पुरोहित थे। विश्वामित्र दक्षिण-पंचाल (आगरा कमिश्नरी का अधिकांश भाग) से संबद्ध थे। वसिष्ठ का संबंध कुरु (मेरठ और अंबाला कमिश्नरी का अधिकांश भाग) राज के पुरोहित थे। सारा *ऋग्वेद* छह-सात पीढ़ियों के ऋषियों की कृति है।'

राहुल सांकृत्यायन ने यह भी लिखा है, '*ऋग्वेद* प्रधानतया कुरु, उत्तर-दक्षिण-पंचाल आजकल के पश्चिमी युक्त-प्रांत में बना, जो कि आर्यों के भारत में आगमन के बाद तीसरा बसेरा है—पहला बसेरा मंजिल काबुल और स्वात नदियों की उपत्यकाओं (अफगानिस्तान) में था, दूसरा सप्त-सिंधु (पंजाब) में, और तीसरा बसेरा पश्चिमी युक्त-प्रांत या गंगा-यमुना-रामगंगा की मैदानी उर्वर उपत्यकाओं में। इतना कहने से यह भी मालूम हो जाएगा कि क्यों प्रयाग और सरस्वती (घाघर) के बीच के प्रदेश को पीछे बहुत पुनीत, अधिकांश तीर्थों का, क्षेत्र तथा आर्यावर्त्त कहा गया।'

रामविलास शर्मा ने ऋग्वैदिक काव्य का मूल्यांकन करते हुए नई पीढ़ी-पुरानी पीढ़ी के नाम से एक विलक्षण वर्गीकरण किया है। शर्माजी ने लिखा, 'कवि उत्तम पुरुष एकवचन का प्रयोग करते हुए अपने गोत्र और परिवार की ओर से ही नहीं, अपनी पीढ़ी के समस्त कवियों की ओर से बोल सकता है।' इसमें 'पुराने कवि थे, नए कवि हैं। पुरानी कविता थी, नई कविता है। कवि यहां नए कवियों की ओर से बोल रहा है।'

इसी प्रसंग में राहुल सांकृत्यायन का मूल्यांकन ज्यादा तार्किक प्रतीत होता है। उनके अनुसार ऋग्वेद में सबसे पुराने विश्वामित्र, वसिष्ठ, भारद्वाज, गौतम, अत्रि आदि है। इनमें कितने ही समसामयिक परस्पर, और कुछ में एक दो पीढ़ियों का अंतर है। राहुलजी के अनुसार सारा वेद छह पीढ़ियों के ऋषियों की कृति है। यह वह दौर है जिस समय आर्यावर्त में प्रभुताशाली सामंतवादी राज्य कायम हो चुके थे। इस पहलू को रामविलास शर्मा ने छिपाया है जबकि राहुल सांकृत्यायन ने बताया है। रामविलास शर्मा ने जिसे नई कविता-पुरानी कविता कहा है वह असल में सैकड़ों सालों और कई पीढ़ियों के अंतराल में लिखी काव्य रचनाएं हैं। रामविलासजी ने इसे नवजागरण की घोषणा कहा है।

रामविलास शर्मा के अनुसार, 'भारत के सुदूर अतीत में यह नवजागरण की घोषणा है। ये कवि पुरानी देवकथाओं से प्रतीक ले रहे हैं उन्हें नया अर्थ दे रहे हैं। वे देवों की पृथक सत्ता मिटा रहे हैं, एक अद्वैत शक्ति की व्याप्ति प्रतिपादित कर रहे हैं।'

सवाल उठता है कि ऋग्वैदिक समाज में किस तरह का विचारधारात्मक संघर्ष था, किस तरह का श्रम-विभाजन था। दूसरी बात यह कि वरुण और इंद्र केंद्रित मंत्रों का वर्गीकरण क्यों है। रामविलास शर्मा के अनुसार, '*ऋग्वेद* में वरुण और इंद्र से जुड़ी हुई दो धाराएं स्पष्ट दिखाई देती हैं। वरुण वाली धारा का संबंध नैतिक आचरण से

है, इंद्र वाली धारा का योग से। *ऋग्वेद* में प्रधानता दूसरी धारा की है। यह संभव है इंद्र की अपेक्षा वरुण की उपासना अधिक प्राचीन हो।'

इस प्रसंग में एस.जी. सरदेसाई का मूल्यांकन उल्लेखनीय है। उन्होंने लिखा है, 'प्राचीन काल में देवता, समकालीन समाज के जीवन, क्रियाकलाप और आकांक्षाओं को प्रतिबिंबित करते हैं। यह कहना गलत नहीं होगा कि ऋत और ऋग्वैदिक समाज के बीच का अंतर, दो युगों के दो उल्लेखनीय देवताओं में प्रतिबिंबित हुआ। ऋत का रक्षक वरुण, गुण, न्याय और नैतिकता का मानवीकरण था। ऋग्वैदिक देवताओं में सबसे ज्यादा शक्तिशाली इंद्र था, जो वरुण के ठीक उलटा था। वह हिंसा, निष्ठुरता, अनैतिकता और विश्वासघात का मूर्तरूप था। जहां वरुण का प्यार और सम्मान का शासन था, वहां इंद्र, भय और आज्ञाकारिता से अपना नियंत्रण स्थापित करता था। ऐसे लोगों के लिए वरुण किस काम का हो सकता था, जिनका मुख्य धंधा ही 'शत्रु' पक्षीय कबीलों के गायों के झुंडों को लूटना और अपहरण करना हो? इस तरह के साहसिक कार्यों में तो इंद्र जैसा शासक ही सहायक हो सकता था।'

एस.जी. सरदेसाई के अनुसार, 'ऋत और ऋग्वैदिक–दोनों ही कालों में विचार और कार्य का विभाजन नहीं हुआ था, दोनों अलग-अलग नहीं थे। सोचने-विचारने का मतलब था काम करना और काम करने का मतलब था सोचना-विचारना। ज्ञान के अंतर्गत ज्ञान-प्रक्रिया भी सम्मिलित थी। यह सब इस तथ्य से पुष्ट है कि *ऋग्वेद* में बुद्धि-कौशल, ज्ञान और शरीर-कौशल के लिए एक ही शब्द का प्रयोग होता है। यानी वे समानार्थी थे। मसलन, 'धी' शब्द का अर्थ जहां बुद्धि-कौशल के लिए है वहीं हस्तकौशल प्रतिभा के लिए भी, जो कबीले की जरूरतों की पूर्ति हेतु रथ-निर्माण या अन्य वस्तुओं के संदर्भ में प्रयुक्त किया जाता था। एक ऋग्वैदिक ऋषि ने कहा है कि वह अपनी कविता वैसे ही रचता है जैसे एक रथ-शिल्पी रथ बनाता है। इसका यही मतलब है कि इस समय तक विचारकों और श्रमिकों का अलगाव नहीं हुआ था।'

ऋग्वेद पर बातें करते समय यह समस्या रहती है कि ये रचनाएं काव्य हैं या यज्ञ का साधन हैं, उपदेश हैं या संवाद हैं। अथवा यह भी समस्या आती है कि इनमें काव्यात्मक गद्य भी मिलता है। गाएं तो काव्य है वैसे पढ़ेंगे तो गद्य है। ऋचाओं की संरचना में आया यह बदलाव अनेक उलझनें पैदा करता है। इसे काव्यात्मक गद्य कहना क्या समीचीन होगा। वेदों की ऋचाओं को ऋषि लोग गाकर पाठ करते थे, यज्ञ-यागादि में इस्तेमाल करते थे। मूलतः यह ऐसी कविता है जो संप्रेषण के लिए

लिखी गई है। यह आदि संप्रेषण का रूप है। एक अच्छी काव्यभाषा वही होती है जो व्यावहारिक जीवन की भाषा होती है। व्यावहारिक जीवन की समस्याओं को संबोधित करे। व्यावहारिक जीवन को संबोधित करने के लिए जरूरी है कि उसमें लय हो, छंद हो, स्वायत्तता हो। लय में प्रस्तुति के कारण ही आदेशात्मकता को वह खत्म कर देती है। काव्य में आदेश नहीं आते। वह तमाम चीजों से संप्रेषित वस्तु को स्वायत्त बना देती है। उसकी काव्यात्मक लय गद्य के भाव को नष्ट कर देती है।

वाणी का आज अर्थ गद्य है, अभिव्यक्ति है। लेकिन वैदिक काल में वाणी का मतलब कविता था। रामविलास शर्मा ने लिखा है, वाणी की तरह कविता का एक प्रकार उक्थ था। इंद्र के लिए स्तोम उक्थं च, स्तोम और उक्थ दोनों रचे गए हैं। दोनों में कुछ भेद जरूर होगा, इसलिए उनका अलग-अलग उल्लेख है। यानी स्तोम और उक्थ दो तरह की कविता रची गईं। ये दोनों ही प्रशंसात्मक काव्यलेखन के प्रकार हैं। श्लोक, ख्यातिसूचक था। बाद में प्रशंसात्मक काव्य के लिए इस्तेमाल होने लगा। *ऋग्वेद* में गाथा, स्तोत्र, सूक्त, वाणी आदि अभिव्यक्ति के विभिन्न प्रकार थे जो मिलते हैं। गाथा में प्रशंसा करके प्रचार किया जाता था, इसमें देवता और मनुष्य के उल्लेखनीय कर्मों पर लिखा जाता था। देवोपासना में गाथाओं का इस्तेमाल किया जाता था। इसमें गाया जाने वाला और जनश्रुत दोनों ही शामिल रहता था। स्तोत्र में स्तुति करके देवताओं से मांगा जाता था। गाथा की शैली में लिखे काव्य में अनेक विषयों की चर्चा होती थी। इसी तरह ऋग्वेद को सूक्तों का संग्रह माना जाता है। सूक्त यानी अच्छी बात, अच्छे ढंग से कहने का काव्यरूप। सूक्त काव्यरूप है मुक्तक की तरह। सुसंबद्ध, सुगठित; कविता में जैसे बंद होते हैं, वैसे ही यहां मंत्र होते हैं। सूक्त के मंत्र एक-दूसरे से पृथक, स्वतंत्र, नहीं होते। वे अलग-अलग कर्मकांड में उपयोग के लिए रचे गए। सूक्त अधिकतर विनयपदों जैसे हैं। पदों के भाव जैसे अंतिम पदों में खुलते हैं, वैसे ही कवि का मंतव्य अंतिम मंत्र (या मंत्रों) से खुलता है।

ऋग्वेद की काव्यात्मक संरचना होने का प्रधान कारण है कि वे इसमें अन्य को दाखिल नहीं होने देना चाहते। काव्य में अभिव्यक्ति जब होगी तो अन्य शामिल नहीं हो सकता। गद्य में अभिव्यक्ति होगी तो अन्य कभी भी शामिल हो सकता है। काव्यभाषा में अभिव्यक्त होगी तो उसका दायरा बंधा होगा। संप्रेषण के दायरे में असीमित विषय शामिल नहीं हो सकते।

रामविलास शर्मा के लेखन की विशेषता है प्रत्येक बात को ऐतिहासिक नजरिए

से कहना। ऐतिहासिकता के बिना कोई भी प्रसंग या अवधारणा या प्रवृत्ति या मूल्य के बारे में चर्चा आरंभ नहीं करते। उनके इस नजरिए को तुलनात्मकता के आधार पर व्याख्यायित नहीं किया जा सकता। वे लिखते हुए किसी विराट उलझन भरे क्षेत्र में प्रवेश करते हैं, जहां पहले से ही तमाम विवाद और उलझनें मौजूद हैं और वे उसके बाद ऐतिहासिकता के तत्व के आधार पर विश्लेषण आरंभ कर देते हैं। वे कोई भी निष्कर्ष तुलना करके नहीं बल्कि ऐतिहासिकता की कसौटी पर कसकर निकालते हैं। संरचनावादियों की तरह क्रमबद्ध सिलसिला बनाकर काम नहीं करते। बे अपना ढांचा बनाते हैं। इस क्रम में वे रेखांकित करते हैं कि इतिहास को किसी आदेश या क्रम में बांधकर पेश नहीं किया जा सकता। यह पद्धति उनकी अनेक किताबों में साफ नजर आती है। मसलन, *भारतीय साहित्य की भूमिका* को ही लें। इस किताब का पूरा ढांचा क्रम बनाया नहीं है। वे वेदों में खाली ऋषियों और काव्यरूपों पर बात करते हैं। फिर आदिकाव्य पर चले जाते हैं और इसमें भी वे आदिकाव्य पर सिलसिलेबार ढंग से बात नहीं करते बल्कि इस काव्य की ऐतिहासिकता, कल्पना और यथार्थ के अंतर्विरोधों पर चले जाते हैं। फिर अगले अध्याय में नगर सभ्यता और वर्ण व्यवस्था, अगले में तमिलनाडु के नवजागरण, इसके बाद क्रमशः विद्यापति के युग, संगीत के इतिहास, विलियम्स जोंस और भारतीय संस्कृति, राजा रामोहन राय और बंगाल का नवजागरण और अंत में जातीय संस्कृति और साम्राज्यवाद पर विचार करते हैं। यह पूरा ढांचा संरचनावादी ढांचे में सोचने की पद्धति में फिट नहीं बैठता। रामविलासजी विभिन्न किताबों के जरिए बार-बार यह संदेश देते हैं कि मनोवैज्ञानिक-सांस्कृतिक-राजनीतिक कारकों को कभी पूरी तरह व्यवस्थित करके एकसूत्र में नहीं बांध सकते। हां, इनमें अंशतः व्यवस्था पैदा की जा सकती है। वे संरचना बनाते हैं लेकिन बड़े ही ढीले रूप में। वे किसी भी विषय पर बात करते समय उसके विभिन्न सूत्रों के साथ अंतस्संबंधों को रेखांकित करते हैं। इस प्रक्रिया और पद्धति के जरिए रामविलास शर्मा यह संदेश देना चाहते हैं, इतिहास को 'रेंडम' या 'व्यवस्थित' रूप में समझा नहीं जा सकता। इस क्रम में वे मार्क्सवादी पद्धति का भी अतिक्रमण करते हैं।

रामविलास शर्मा के नजरिए के कुछ लक्षण जां पॉल सार्त्र के पद्धतिशास्त्र से मिलते-जुलते हैं। सार्त्र की तरह उनके यहां अंतहीन खोज का सिलसिला मिलता है। वे इतिहास, राजनीति, प्राचीन साहित्य की उन तमाम चीजों को खोज करके बता रहे हैं जो पहले ही सामने आ चुकी हैं। खोजे हुए को खोजना यह सार्त्र की पद्धति थी।

इसका मार्क्सवाद से कोई संबंध नहीं है। मसलन, *भारतीय साहित्य की भूमिका* में दी गई अधिकांश सामग्री पहले से उपलब्ध है। वे उपलब्ध में से उपलब्ध कराते हैं। इस क्रम में खतरा है वास्तव के गुम हो जाने का। मसलन पहले अध्याय में *ऋग्वेद* के बारे में आधी-अधूरी समझ पेश करते हैं, उससे श्रीपाद दामोदर सातवलकर की समग्र समझ या खोज के गुम हो जाने या अधूरी समझ का खतरा पैदा हो जाता है। वे ऐतिहासिक क्षण में रची गई रचनाओं, विधाओं और शैलियों को मानवीय सर्जना कहकर पेश करते हैं। इस किताब का प्रत्येक अध्याय विषय के लिहाज से अधूरा है। इसका अर्थ है कि इतिहास की मुकम्मल समझ और संरचना नहीं होती। इतिहास निष्पन्न रूप में नहीं होता बल्कि खुला होता है।

रामविलास शर्मा का इतिहास या अतीत को देखना अतीत में जाते हुए वर्तमान में लौटता है। वे सिर्फ उन्हीं संभावनाओं को देखते हैं जिन्हें प्राप्त किया जा सकता है अथवा जो आज भी प्रासंगिक हैं। अतीत में भी वे प्रासंगिक तत्वों का मूल्यांकन करते हैं। वे जब किसी पुराने विधा रूप पर बातें करते हैं तो हमें देखना चाहिए कि वे उस विधा रूप को बंद या खुले, किस रूप में पेश करते हैं। यदि विधा रूप बंद है। निष्पन्न है विकासशील है ? यदि विधा रूप खुला है तो अतीत का वर्तमान भी खुला है। प्रासंगिक है। समय गतिशील रूप में सामने आता है। यदि इतिहास की विलक्षणता पर जोर देना है तो इसकी भविष्य में विकास की संभावनाएं नहीं हैं। समय स्थिर नजर आता है। जहां समय गतिशील है वहां पर परिवर्तन हो सकता है। जहां समय ठहरा हुआ है वहां चीजें अपरिवर्तनीय रहेंगी।

भारतीय साहित्य

भारतीय साहित्य की अवधारणा का कोई भी परिप्रेक्ष्य क्षेत्रीयतावादी परिप्रेक्ष्य या कुछ क्षेत्रीय भाषाओं के सहमेल से नहीं बनाया जा सकता। इस प्रसंग में किसी भी किस्म का कॉमनसेंस या साहित्यिक-सामाजिक-शाषायी सरलीकरण समस्यामूलक है। भारतीय साहित्य के बुनियादी तत्व क्या हैं ? क्या भाषा, राष्ट्रीयता या जातीयता, धर्म, परंपरा आदि के आधार पर भारतीय साहित्य की अवधारणा पर विचार करना सही होगा? क्या साहित्यिक प्रवृत्तियों और संवृत्तियों को आधार बनाकर विवेचन किया जाए ?

यह सच है कि साहित्य की अभिव्यक्ति भाषा में होती है। फलतः साहित्य और भाषा का स्वाभाविक संबंध बनता है। लेकिन महज इस संबंध के आधार पर

साहित्य का समुचित मूल्यांकन करना संभव नहीं है। खासकर भारतीय साहित्य की अवधारणा के बारे में तो एकल भाषिक आधार पर सही निर्णय संभव नहीं है। भारतीय साहित्य की अवधारणा एक-दो-तीन भाषाओं के आधार पर निर्मित करने से समग्र समझ नहीं बन पाएगी। बहुभाषिकता-बहुसांस्कृतिकता के बीच में लिंग, जाति, सामाजिक-राजनीतिक, व्यवस्थागत प्रक्रियाओं के गर्भ से भारतीय साहित्य की विभिन्न संवृत्तियों का निर्माण हो रहा है। भारत में एक ही भाषा-भाषी इलाके में साहित्य रूपों और विधाओं का विकास समान रूप में नहीं हुआ है। ऐसे में कोई भी सरलीकरण खतरा पैदा कर सकता है। भाषा तो एक दूरी के बाद बदल जाती है लेकिन साहित्य नहीं बदलता। यह भी धारणा है कि एक कोस के बाद भाषा बदल जाती है। यह भी संभव है कि एक भाषायी क्षेत्र में अन्य भाषा और बोलियों का भी प्रयोग हो रहा हो, जैसाकि हिंदीभाषी क्षेत्र में होता है। दूसरी बात यह है कि हिंदी साहित्य का जो भी परिप्रेक्ष्य बनेगा वह ग्लोबल होगा। हिंदीभाषी क्षेत्र के अलावा दक्षिण में हिंदी लिखने वाले और विदेशों में हिंदी लिखने वाले लेखकों का भिन्न परिप्रेक्ष्य ध्यान में रखना होगा।

साहित्य के इतिहास में साहित्यकारों की देशज परंपरा, स्थानीय परंपरा का महत्व होता है। साहित्य के उत्पादन में विभिन्न परंपराएं, विधाएं और साहित्यकार के बीच की अंतर्क्रियाओं की ओर ध्यान दिया जाना चाहिए। प्रत्येक पाठ अन्य भाषा और विधा रूप से जुड़ा हो सकता है। उस पर निर्भर होता है। वह इतिहास बोध और समुदाय विशेष से जुड़ा होता है। पाठ किस समय रचा गया, किस समय और कैसे पढ़ा जाता है, इसका आलोचना पर गहरा असर होता है, इससे पाठ में नए अर्थ की सृष्टि होती है।

शिशिरकुमार दास ने *ए हिस्ट्री ऑफ इंडियन लिटरेचर* (1991) में लिखा है कि राष्ट्रीय साहित्य का विचार वस्तुतः जनता और साहित्य के अंतस्संबंध की अंशतः स्वीकृति है। लेकिन इस जटिल संबंध को एकमात्र जातीयता या राजनीतिक अवधारणा के रूप में ही परिभाषित नहीं किया जा सकता है।

शिशिरकुमार दास ने लिखा है ग्रीक साहित्य वहां की जनता का साहित्य है। यह कोई राजनीतिक केटेगरी पर आधारित साहित्य नहीं है। इसी तरह संस्कृत साहित्य भारत की जनता का साहित्य है। साहित्य इसलिए कहते हैं क्योंकि उसमें साझेदारी का भाव है। उसे शेयर करते हैं। जब किसी भाषा में साहित्य लिखा जाता है तो राजनीतिक केटेगरी की बहुत कम और सामुदायिक अनुभूतियों की बड़ी भूमिका

होती है। संस्कृत साहित्य देश के विभिन्न क्षेत्रों में लिखा गया, विभिन्न भाषायी इलाकों में लिखा गया लेकिन वह किसी क्षेत्र विशेष या राजनीति विशेष या भाषा विशेष का साहित्य नहीं कहलाता बल्कि पूरे देश का साहित्य है।

साहित्य में आम लोगों की अस्मिता अभिव्यक्त होती है। लेकिन इसे राजनीति या अस्मिता की राजनीति के आधार पर नहीं परखा जा सकता क्योंकि उसमें आम लोगों की साझा अनुभूतियां व्यक्त होती हैं। यही वजह है कि साहित्य को विशेष स्थान देते हैं। इसी तरह मारीशस के हिंदी लेखक और भारत के हिंदी लेखक की साझा अनुभूतियां एक नहीं हैं, इसलिए एक भाषा का साहित्य होते हुए भी इसे एकीकृत रूप में देखना ठीक नहीं होगा। भारत, ब्रिटेन, अमेरिका और कनाडा के अंग्रेजी लेखकों की सामुदायिक अनुभूतियां अलग हैं फलतः इन देशों के अंग्रेजी साहित्य की परंपरा भी अलग है। कहने का अर्थ है भाषिक पहचान या जातीय पहचान के दायरे के बाहर आकर साहित्य और जनता के अंतस्संबंध का विश्लेषण किया जाना चाहिए। संस्कृत साहित्य को भारत की सभी राष्ट्रीयताएं अपना साहित्य मानती हैं। भक्ति आंदोलन के साहित्य को विभिन्न भाषाओं में अलग-अलग समय पैदा होने का मौका मिला, यही हाल प्रगतिशील आंदोलन के प्रभाववश लिखे गए प्रगतिशील साहित्य का है। उसकी भी भारतीय पहचान है। रामविलास शर्मा और उनकी धारणाओं के आधार पर हिंदी को जातीय साहित्य घोषित करने वालों की मुश्किलें यहीं पर हैं। वे हिंदी साहित्य को परिभाषित करने लिए राजनीतिक आधारों का इस्तेमाल करते हैं और राजनीतिक केटेगरी और साहित्य का सरलीकृत यांत्रिक संबंध बना लेते हैं।

फ्रिट्ज अर्नेस्ट ने लिखा है कि सचेत राष्ट्रीय एकता क्षेत्रीय, भाषायी और धार्मिक आधार के परे होती है। इन दिनों इस विचार को तिलांजलि दे दी गई है। अब तो एकल भाषा के रूप में स्विस साहित्य की बात की जा रही है, यह स्विस साहित्य की धारणा तो राजनीतिक है, यह सांस्कृतिक यथार्थ को व्यक्त नहीं करती।

इसी तरह जो लोग भारतीय साहित्य की बात करते हैं वे भूल जाते हैं कि भारत का नक्शा बदलता रहा है। भारत आज वह नहीं है जो पांच सौ साल पहले था। सम्राट अशोक और अकबर महान के जमाने में भारत एक जैसा नहीं था। ब्रिटिश शासन और आज का भारत एक नहीं है। कहने का अर्थ है भारत की भौगोलिक-राजनीतिक व्यवस्था बदलती रही है। भाषा और धर्म के मानने वालों की संख्या और भौगोलिक अवस्था भी बदलती रही है। शिशिरकुमार दास के शब्दों को उधार लेकर कहें तो

भारतीय साहित्य की अवधारणा राजनीतिक मंशाओं से प्रेरित है लेकिन इसके पक्ष में प्रमाण नहीं हैं (पृ. 3)।

शिशिरकुमार दास ने लिखा है विगत सौ साल से भारत और पश्चिम के विद्वान लगातार भारतीय साहित्य की अवधारणा पर विचार करते आ रहे हैं, लेकिन उनके विचार एक जैसे नहीं हैं। आमतौर पर पश्चिमी विद्वानों ने भारतीय साहित्य के मूल्यांकन के नाम पर संस्कृत साहित्य का ही विवेचन किया है। अन्य भारतीय भाषाओं का साहित्य इनकी चिंता के केंद्र में नहीं है। खासकर पश्चिम के प्राच्यविदों ने यह काम खूब किया है। जो लोग भारत में संस्कृत के अलावा अन्य भाषाओं के साहित्य को भी मानते हैं वे एक तरह से भाषा के रूप में संस्कृत का वर्चस्व मानकर चलते हैं। भारत की अन्य भाषाओं को संस्कृत के मातहत मानकर चलते हैं। इसमें भी वे एक बुद्धिजीवी, नैतिकता और सौंदर्यबोधीय परंपरा पर जोर देते हैं।

भारतीय साहित्य की अवधारणा को मानने वालों में ऐसे लोग भी हैं जो यह मानते हैं कि भारत की प्रत्येक भाषा के साहित्य निजी विशेषताएं हैं। इनमें कुछ समान लक्षण हैं तो अन्य अनेक लक्षण अलग हैं। कुछ लक्षण ऐसे भी हैं जो जातीय, क्षेत्रीय, भाषायी और धार्मिक सीमाओं का अतिक्रमण करते हैं।

शिशिरकुमार दास ने लिखा है कि भारत की एकता को ब्रिटिश शासन की देन समझना भूल है। यह कहना भी सही नहीं है कि यह एकता स्वाधीनता संग्राम की देन है। यह उस विचारधारा की भी देन नहीं है जो एक परंपरा को राष्ट्रीय और बाकी को क्षेत्रीय कहते हैं। भारत एक पुरानी सभ्यता है। यह सभ्यता जितनी पुरानी है उतनी ही पुरानी यहां की संस्कृति और आम लोगों की एकता है। भारतीय संस्कृति के निर्माण में अनेक प्रधान कारक रहे हैं। शिशिरकुमार दास का मानना है भारतवर्ष की अवधारणा कम्युनेलिटी या सामुदायिकता पर आधारित है। यही भारतीय साहित्य की अवधारणा का आधार है।

भारतीय साहित्य की अवधारणा का दूसरा प्रमुख आधार है भारतीय मनोदशा। शिशिरकुमार दास के अनुसार भारतीय मनोदशा या अनुभूतियों की अभिव्यक्ति है भारतीय साहित्य। यहां पर राजनीतिक कारक प्रमुख नहीं हैं बल्कि सामुदायिक अनुभूतियों की अभिव्यक्ति प्रमुख है। शिशिरकुमार दास का मानना है भारतीयजन की सामाजिक, धार्मिक और बौद्धिक गतिविधियों को एक धागे में बांधे रखने का काम साहित्य करता रहा है। इसके कारण साहित्य में वैविध्यपूर्ण सर्जनात्मक आकांक्षाओं की अभिव्यक्ति हुई है। भारतवर्ष का विचार वस्तुतः बहुभाषिकता का

स्वाभाविक परिणाम है। जिस तरह अन्य कला रूप जैसे संगीत, स्थापत्य, चित्रकला, मूर्तिकला आदि में वैविध्य की अभिव्यक्ति हुई है वैसे ही भारतीय साहित्य में भी भाषायी विविधता की अभिव्यक्ति हुई है। उल्लेखनीय है कि विभिन्न समुदायों में आर्थिक और सामाजिक भेद हैं, ये भेद साहित्य के लिए महत्वहीन हैं।

भारतीय साहित्य का तीसरा प्रधान कारक है दर्शन या विचारविशेष। विचारविशेष के आधार पर एकीकृत भारतीय साहित्य की अवधारणा बनी है। जिन लेखकों में दर्शन और विचार की एकता है वे सर्जनात्मक अभिव्यक्ति के लिए एक ही विधा में या स्वतंत्र रूप से एकाधिक भाषा का इस्तेमाल करते हैं। लेखक का बहुभाषिकता का आग्रह अमीर खुसरो, विद्यापति, कालिदास आदि सबमें है। इसी तरह जैन और बौद्ध साहित्य में विचारविशेष के आधार पर सर्जनात्मक अभिव्यक्ति हुई है। शिशिरकुमार दास ने लिखा है कि विगत दो हजार सालों में अनेक लेखक मिलते हैं जिन्होंने एकाधिक भाषा में लिखा है।

भाषा को प्रधान कारक मानेंगे तो यह निश्चित करने में असुविधा होगी कि आखिरकार एक ही लेखक ने एक ही किस्म की अनुभूतियों को एकाधिक भाषा में क्यों व्यक्त किया और ऐसे में उस भाषाभेद को व्याख्यायित करने में असुविधा होगी। इसके विपरीत यदि अनुभूति और कल्पनाशीलता को आधार बनाएंगे तो दो भाषा में लिखने के बावजूद उसे एक इकाई के रूप में देखने में आसानी होगी। सारी दुनिया में भाषा के आधार पर देखने को वैधता प्रदान की गई है लेकिन अनुभूति और कल्पना के आधार पर साहित्य और साहित्यकार को देखने को अभी स्वीकृति नहीं मिली है। किसी लेखक की व्यक्तिवादिता महज एक भाषा में व्यक्त नहीं होती बल्कि वह बहुभाषिकता में भी व्यक्त हो सकती है। यदि हम लेखक या कलाकार के विजन में भाषा, विषय और शैलीगत विविधता को स्वीकार कर लेते हैं तो साहित्य के बुनियादी आधार को रेखांकित कर सकते हैं। महत्वपूर्ण है लेखक का विजन। बाकी चीजें उसकी पूरक हैं। भाषा, राजनीतिक आंदोलन, राष्ट्रीयता, राष्ट्रवाद, लिंग, वर्णाश्रम व्यवस्था या जाति आदि महत्वपूर्ण नहीं हैं। इन तत्वों की लेखक के विजन में अभिव्यक्ति होती है लेकिन निर्णायक तत्व है लेखक का विजन।

भारतीय साहित्य की अवधारणा पर विचार करते समय चौथा कारक है लेखक के हृदय का विश्व पर कितना अधिकार है। उसका कितना अंश स्थायी आकार में व्यक्त हुआ है। साहित्य हो, भारतीय साहित्य हो, इसमें महत्वपूर्ण है मनुष्य का हृदय और मनुष्य का चरित्र। यह हृदय साहित्य में किस रूप में और कितना स्थान प्राप्त

करता है। मनुष्य की किस रूप में और कितनी विविधता के साथ लेखक सृष्टि करता है इसे देखा जाना चाहिए। इसके अलावा मनुष्य के वे कौन से पहलू हैं जिनको लेखक चिरस्थायी बनाना चाहता है।

इसी प्रसंग में रवींद्रनाथ टैगोर का उल्लेख करना समीचीन होगा। टैगोर के अनुसार, 'साहित्य जो कुछ हमें जनाना चाहता है पूरी तरह जनाता है, अर्थात स्थायी की रक्षा करके, अवांतर को छोड़कर, छोटे को छोटा करके, बड़े को बड़ा करके, दरार को भरकर, बिखरे हुए को जमा करके खड़ा कर देता है। प्रकृति के पक्षपातहीन प्राचुर्य में मन जो कुछ करना चाहता है साहित्य वही करता है। मन प्राकृतिक चीज को मानसिक बना लेता है, साहित्य उसी मानसिक चीज को साहित्यिक बना लेता है।'

शिशिरकुमार दास का मानना है भारतीय साहित्य कीं विशेषता है कि यहां एक नहीं, दर्जनों भाषाओं में साहित्य सैकड़ों सालों से लिखा जा रहा है। इनमें आपस में आदान-प्रदान भी होता रहा है। यही कारण है कि शिशिरकुमार दास ने भारतीय साहित्य को साहित्य का महासंघ नाम दिया है। इसमें भारतीय जनता का समग्र साहित्य शामिल है। अथवा यों कहें कि उसमें समस्त क्षेत्रीय और आंचलिक भाषा और बोलियों का साहित्य शामिल है। लेकिन इसे भाषाओं के समस्त साहित्य का कुल योग नहीं मान सकते। मसलन मैथिली, बांगला, तमिल, तेलुगु आदि विभिन्न भाषाओं के साहित्य को किसी पुस्तक या ग्रंथमाला में सजा भर देने से भारतीय साहित्य की अवधारणा नहीं बनती अपितु इस तरह के संकलन से विभिन्न भाषाओं के साहित्य अंतस्संबंध और उससे जुड़ी समस्याओं का खुलासा नहीं होता। यदि प्रत्येक भाषा का साहित्य सर्वतंत्र-स्वतंत्र है और अपनी एकांत साधना में व्यस्त है तो ऐसी अवस्था में भारतीय साहित्य की अवधारणा का कोई महत्व नहीं है। भारतीय साहित्य का महत्व तब है जब विभिन्न भाषाओं के बीच के अंतस्संबंध को रेखांकित किया जाए। साहित्य के इतिहासकार का काम यहां से आरंभ होता है।

भारतीय साहित्य का अर्थ किसी एक विषय या आंदोलन या प्रवृत्ति विशेष पर विभिन्न भाषाओं की रचनाओं का संकलन नहीं है। यह किसी एक भाषा विशेष का अध्ययन भी नहीं है। मसलन अनेक प्राच्यविदों ने ब्रिटिश शासन के दौरान संस्कृत साहित्य को भारतीय साहित्य का नाम दिया है। भारतीय साहित्य का मतलब संस्कृत साहित्य नहीं है। भारतीय साहित्य का अर्थ न तो किसी एक भाषा का साहित्य है जैसे 'संस्कृत' या 'अंग्रेजी' या 'हिंदी'। इसी तरह भारतीय साहित्य का अर्थ भाषाओं का संकलन मात्र नहीं है। भारतीय साहित्य का अर्थ 'राष्ट्रीय' और 'क्षेत्रीय' के नाम

पर भाषाओं का विभाजन नहीं है। और उसमें से फिर सुविधानुसार चयन करना भी नहीं है।

भारतीय साहित्य की अवधारणा के आधार के रूप में साहित्य और मनुष्य के अंतस्संबंध की धारणा बुनियाद है। बुनियाद में क्रमशः समाज फिर व्यक्तिमन और उसके ऊपर सामाजिक मन का स्वराज है। इसे विश्वमन भी कहते हैं, इसमें ही साहित्य रचा जाता है। इसमें रचनाकार की प्रतिभा और सामाजिक समझ की केंद्रीय भूमिका होती है।

भारतीय साहित्य की अवधारणा का भारतीय अंतर्मन से गहरा संबंध है। यह खाली भाषाओं और बोलियों के साहित्य का संकलन मात्र नहीं है। इसमें भारतीय मन की धड़कनें सुनी जा सकती हैं, भारतीय साहित्य को जानने के लिए भारतीय मन के लक्षणों का ज्ञान बेहद जरूरी है।

साहित्य का नया नजरिया

यह मिथ है कि रामविलास शर्मा पहली परंपरा में आते हैं। इसकी नींव आचार्य रामचंद्र शुक्ल ने रखी थी। दूसरी परंपरा हजारी प्रसाद द्विवेदी–नामवर सिंह की है। इस तरह के वर्गीकरण के कारण रामविलास शर्मा की धारणाओं में आए बदलाव को हम नहीं देख पाते। रामविलास शर्मा की साहित्य संबंधी अवधारणा वह नहीं है जो शुक्लजी या द्विवेदीजी की है। वे प्रगतिशील आंदोलन में बनी साहित्य की अवधारणा से भी आगे निकल आते हैं। उनके बदले नजरिए का नामवर सिंह और उनकी *दूसरी परंपरा* के साधकों और समूचे हिंदी जगत पर गहरा असर पड़ा है। इसका अभी तक मूल्यांकन नहीं हुआ है। रामविलास शर्मा की खूबी है कि वे साहित्य और आलोचना के क्षेत्र में मानकों को तोड़ते हैं और नए मानक बनाते हैं। वे इस मामले में तो संकीर्ण नहीं हैं।

रामविलास शर्मा अपने लेखन के जरिए बार-बार पूंजीवाद और साहित्य के अंतस्संबंध को परिभाषित करते हैं। पूंजीवाद की प्रक्रियाओं को समझने और हिंदी वालों को बताने की जो बेचैनी उनमें है वह शुक्लजी और द्विवेदीजी में नजर नहीं आती। इससे भी आगे बढ़कर वे 'समाज व्यवस्था और साहित्य' के अंतस्संबंध को महत्वपूर्ण मानते हैं। उनके आलोचनात्मक लेखन के आने से पहले तक 'समाज व्यवस्था' और 'पूंजीवाद' अंतर्धान रहे हैं, या चलताऊ ढंग से चर्चा हुई है। आधुनिक आलोचना के विकास के लिए आलोचना को 'समाज व्यवस्था' और 'पूंजीवाद' को

ध्यान में रखना होगा। मसलन, परंपरा को व्याख्यायित करते समय 'समाज व्यवस्था और साहित्य' के अंतस्संबंध पर ध्यान दो और आधुनिक काल के साहित्य का मूल्यांकन करते हुए 'पूंजीवाद और साहित्य' के अंतस्संबंध पर ध्यान दो।

आधुनिक आलोचना की अब भी यह सबसे बड़ी समस्या है कि अधिकतर आलोचक पूंजीवाद के बारे में कम से कम बातें करते हैं। रामविलास शर्मा के आलोचना ग्रंथों के आने के बाद लेखकों-आलोचकों का इस ओर ध्यान गया। रामविलास शर्मा की आलोचना की एक अन्य मूल्यवान चीज है गैर-मार्क्सवादी लेखकों का मूल्यांकन करना। जो लोग उन पर संकीर्णतावादी होने का आरोप लगाते हैं वे इस पहलू की उपेक्षा करते हैं। रामविलास शर्मा ने गैर-मार्क्सवादी लेखकों पर व्यापक लिखा है और मार्क्सवादी अवधारणाओं की यांत्रिकता से मुक्त होकर लिखा है। वे गैर-मार्क्सवादी लेखकों को मार्क्सवादी नजरिए से नहीं परखते बल्कि विकल्प का रास्ता अपनाते हैं। इस क्रम में वे नई अवधारणाओं और नए विवादों को जन्म देते हैं।

रामविलास शर्मा के पूंजीवाद और साम्राज्यवाद-विरोधी नजरिए पर शीतयुद्धीय राजनीति के विचारधारात्मक संघर्ष का गहरा असर है। वे शास्त्र का संबंध व्यवहार से जोड़ते हैं। वे व्यवहार की कसौटी पर जो शास्त्र खरा नहीं उतरता उसे नहीं मानते। इस आधार पर वे मार्क्सवाद की भी अनेक धारणाओं से अपने को अलगाते हैं। दूसरी बात यह कि वे शास्त्रीय समस्याओं से ज्यादा मूल्यवान व्यावहारिक समस्याओं को मानते हैं।

आधुनिक साहित्य की अवधारणा बनाते हुए रामविलास शर्मा जहां साम्राज्यवाद और पूंजीवाद को महत्वपूर्ण कोटि मानते हैं वहीं पर वे साहित्य को अकाल के साथ जोड़ते हैं। अकाल और साहित्य के अंतस्संबंध पर पहले कभी किसी का ध्यान ही नहीं गया। इस प्रसंग में उन्होंने अगस्त 1915 में *सरस्वती* में ईश्वरदास मारवाड़ी के 'भारतीय किसानों के उद्धार का उपाय' शीर्षक लेख का विस्तार से जिक्र किया है और लिखा है, 'अंग्रेजी राज में पड़ने वाले अकाल वह कड़ी हैं जो भारतेंदु-युग को द्विवेदी युग से जोड़ते हैं।' अकाल और साहित्य का अंतस्संबंध देखने का नजरिया भारतेंदु के यहां से आरंभ होता है। रामविलास शर्मा इसे पहली बार खोजकर सामने लाते हैं। भारतेंदु ने 18 मई 1874 की *कविवचन सुधा* में लिखा था, 'अब तो प्रति वर्ष कहीं न कहीं दुष्काल पड़ा ही रहता है, मुख्य करके अंग्रेजी राज में इसका घर है...जब अंग्रेज विलायत से आते हैं प्रायः कैसे दरिद्र होते हैं और जब हिंदुस्तान से

अपने विलायत को जाते हैं तो कुबेर बनकर जाते हैं।...इससे सिद्ध हुआ कि रोग और दुष्काल इन दोनों के मुख्य कारण अंग्रेज ही हैं।'

ईश्वरदास मारवाड़ी ने लिखा, 'अठारहवीं सदी के प्रारंभ से लेकर अंत तक चार दफे दुर्भिक्ष पड़ा। किंतु उन्नीसवीं सदी से दुर्भिक्ष का जोर बढ़ने लगा। 1800 से 1825 तक संपूर्ण ब्रिटिश भारत में दस लाख भारतवासी भूखों मरे। 1825 से 1850 तक 5 लाख और 1850 से 1875 तक 50 लाख मनुष्यों ने बिना अन्न अपने प्राण खोए। उन्नीसवीं सदी के अंतिम 25 वर्षों के दुर्भिक्षों का विचार करने से तो छाती फटती है। केवल इन 25 वर्षों में दुर्भिक्ष दैत्य ने भारत पर 28 बार अपनी कोपाग्नि प्रकट की और लगभग 4 करोड़ मनुष्यों को भस्मीभूत कर दिया। उन्नीसवीं सदी में सब मिलकर जितने मनुष्यों ने भूख से प्राण त्याग किए उन पर विचार करके कौन ऐसा पाषाण-हृदय होगा जिसके नेत्रों में आंसू न आ जाए ? संसार में युद्ध से बहुत नरहत्या होती है किंतु जितने मनुष्य अकाल के कारण भारत में, 100 वर्षों में मरे उतने संसार के सारे युद्धों में भी उन 100 वर्षों में न मरे।' रामविलास शर्मा ने लिखा है 'केवल 25 वर्षों में 4 करोड़ आदमियों ने भुखमरी से जान गंवाई।'

रामविलास शर्मा का मानना है कि आधुनिक दृष्टिकोण के लिए जरूरी है कि वह रूढ़ि विरोधी हो। स्टीरियोटाइप मुक्त हो। महावीर प्रसाद द्विवेदी के प्रसंग में वे साहित्यकार की एकदम नई भूमिका को परिभाषित करते हैं। इस किताब के आने तक साहित्यकार का काम विभिन्न विधाओं में लिखना हुआ करता था। लेकिन रामविलास शर्मा इससे आगे जाते हैं और उन्होंने लिखा है, 'जैसे समाजशास्त्र और इतिहास पर लिखते हुए द्विवेदीजी और उनके सहयोगियों ने वैज्ञानिक दृष्टिकोण अपनाया, वैसे ही साहित्य-संबंधी निबंधों और टिप्पणियों में उन्होंने रूढ़ि-विरोधी आधुनिक दृष्टिकोण अपनाया। जैसे वे विज्ञान-संबंधी लेखों द्वारा पुराने विचार बदलकर नई सामाजिक चेतना का प्रसार करना चाहते थे, वैसे ही साहित्य द्वारा वे जनता के पुराने संस्कार बदलकर उसका मानस नए सांचे में ढालना चाहते थे। कलात्मक साहित्य उनके लिए व्यापक शिक्षा-प्रसार का एक अंग था, उसकी अपनी विशेष समस्याएं थीं, विकास का अपना मार्ग था, पर उसका उद्देश्य समाजनिरपेक्ष कला की साधना नहीं था। द्विवेदीजी के आलोचनात्मक कार्य को उनके व्यापक शिक्षा-संबंधी कार्य के अभिन्न अंग के रूप में देखना चाहिए।'

इस किताब में रामविलास शर्मा ने हिंदी आलोचना की जातीय परंपरा की धारणा पर जोर दिया है। इस आलोचना की विशेषता है 'नए जीवन की चुनौती' को साहस

के साथ स्वीकार करना। जहां से भी ज्ञान मिले, वहां से उसे प्राप्त करें, जातीय जीवन बदलें, उसे नया आधुनिक रूप दें। बुद्धिवादी तार्किक दृष्टि से काम लें।

इसी प्रसंग में रामविलास शर्मा ने लिखा, 'साहित्य में जो रीतिवाद-विरोधी क्रांति शुरू हुई, उसका पहला चरण है द्विवेदी युग, और उसी का विकास छायावाद और प्रगतिवाद में होता है। ये तीनों युग एक-दूसरे से अभिन्न हैं, साथ ही; एक-दूसरे के पूरक भी हैं।'

समीक्षा में इन दिनों तारीफ बहुत छप रही है। कुछ लोग तो भक्तिभाव से लिख रहे हैं। कुछ समालोचक हैं जो आत्मप्रशंसा में लीन हैं। आलोचना के नाम पर तारीफ, भक्ति और आत्मप्रशंसा गैर-जरूरी हैं और इनकी आलोचना की जानी चाहिए। मजेदार बात यह है सन् 1977 में प्रकाशित किताब में रामविलास शर्मा ने महावीर प्रसाद द्विवेदी के बहाने इस पहलू की ओर ध्यान खींचकर संभवतः आलोचना के सामने संभावित खतरे की ओर संकेत किया था। वैसे भी रामविलास शर्मा की आलोचना में भविष्य की चिंताएं खूब झांकती हैं। वे जितने अतीत के प्रति क्रिटिकल हैं उतने ही भविष्य के प्रति भी क्रिटिकल हैं। प्रतापनारायण मिश्र की जिन बातों को वे पसंद करते हैं वे हैं धार्मिक रूढ़ियों और सामाजिक बंधनों से मुक्त उदार जीवन। धर्मांधता का निषेध।

हिंदी आलोचना में लंबे समय से एक आलोचक दल रहा है जो कामुकता और उससे जुड़े साहित्य के ज्ञान को बेकार की चीज समझता रहा है। बहुत सारे मास्टरनुमा आलोचक तो कामुकता पर बात करना पाप समझते हैं और इससे दूर रहने की सलाह भी देते हैं उनको ही संभवतः ध्यान में रखकर रामविलास शर्मा ने महावीर प्रसाद द्विवेदी और प्रताप नारायण मिश्र की साझा विशेषता का जिक्र किया है। लिखा है, 'द्विवेदीजी परमभक्त थे और कोक शास्त्र-विशेषज्ञ रह चुके थे। जब प्रतापनारायण मिश्र ने एक पादरी को समझाया कि संसार का प्रथम ग्रंथ कोकशास्त्र है, तब उस घटना का स्मरण करके द्विवेदीजी मन ही मन खूब हंसे होंगे। अपने गद्य में हंसी रोकते हुए वह उस घटना का उल्लेख करना नहीं भूले, 'प्रतापनारायण जी बाजारों में धर्मशिक्षा देने वाले पादरियों से बहुत उलझा करते थे और उनको खूब छकाते थे। उनकी तर्क-शक्ति खूब प्रबल थी। एक बार आप कह बैठे कि दुनिया की प्रथम पुस्तक कोकशास्त्र है! पादरी के प्रश्न पर आपने इस शास्त्र के सिद्धांतों का परिचय देकर बहुत से सामान्य धर्म, कर्म उसी के अंदर कह सुनाए। यह सब सुनकर पादरी साहब बहुत ही छके।' प्रताप नारायण मिश्र का मन तर्कशास्त्र, व्याकरण और हर तरह की

नियमबद्धता से मुक्त था। वे अपने लेख में कहावतें बहुत लिखते थे। संस्कृत के वाक्य भी व्याकरण विरुद्ध लिखते थे। कुछ ऐसा ही हाल तुलसीदास का था।'

रामविलास शर्मा ने लिखा है, 'प्रताप नारायण मिश्र अपने जमाने के हिप्पी थे। गोरा रंग, बड़ी नाक, सिर पर लंबे बाल, दाढ़ी बढ़ी हुई, कमर कुछ झुकी हुई, नहाने से परहेज–कहीं पढ़ा था कि कालाकांकर में उनके मित्र जबर्दस्ती उन्हें उठाकर–एक ने टांगें पकड़ीं, दूसरे ने सिर थामा, इस तरह गंगा में फेंक देते थे। पर नशे के नाम पर ज्यादा से ज्यादा भांग और कम से कम नास, इन्हीं से संतोष करते थे।'

साहित्य दर्शन और राजनीति

आपातकाल के बाद हिंदी साहित्य में साहित्य और दर्शन का संबंध टूटा है। साहित्य में राजनीतिक हस्तक्षेप बढ़ा है और राजनीतिक विषयों पर लेखन बढ़ा है। साहित्य और दर्शन के अंतस्संबंध के टूटने का दुष्परिणाम यह निकला है कि वैचारिक दायरों का अतिक्रमण करके साहित्य का मूल्यांकन नहीं हुआ। समसायिक साहित्यिक सवालों पर आलोचकों की नजर नहीं गई। साहित्यालोचना में उत्सवधर्मिता और तदर्थवाद पैदा हो गया। आलोचना के नाम पर स्टीरियोटाइप आलोचना खूब लिखी गई। जो स्टीरियोटाइप लिख रहे थे वे नई परिस्थितियों से अनजान बने रहे। नए सवालों और नई चुनौतियों के बारे में उनके पास कम से कम जानकारियां और विमर्श थे। इस समूची प्रक्रिया में साहित्य में ऐतिहासिक दृष्टिकोण का क्रमशः क्षय हुआ। ऐतिहासिक नजरिए से चीजों, वस्तुओं और घटनाओं को देखने के बजाय राजनीतिक हित-अहित के नजरिए से देखने की प्रवृत्ति बढ़ी। यही वह परिप्रेक्ष्य है जिसमें रामविलास शर्मा ने *महावीर प्रसाद द्विवेदी और हिंदी नवजागरण* (1977) नामक महत्वपूर्ण पुस्तक लिखी।

इस किताब के आने के पहले तक समसामयिक हिंदी आलोचना में साहित्य और दर्शन के अंतस्संबंध को न देखने की परंपरा पुख्ता आधार बना चुकी थी। सन् 1970-71 के बाद से साहित्य में राजनीतिक विषयों का ऐसा बोलबाला शुरू हुआ जिसके कारण साहित्य में अवसरवाद पैदा हुआ और राय बनाने में लेखक की भूमिका घटती चली गई।

रामविलास शर्मा ने लिखा, 'प्रेमचंद ने *कर्मभूमि* में लिखा था कि भारत में क्रांति नहीं, क्रांति के बाबा की बातें करो, समाज के नेता तुम्हें बोलने देंगे लेकिन जहां तुमने व्यवहार-क्षेत्र में पांव रखा, भारतीय समाज को सुधारने चले, वर्ण-व्यवस्था में हाथ

लगाया, ऊंच-नीच का भेद मिटाने की तरफ बढ़े, वहीं जोरों से विरोध शुरू हो जाएगा। दूसरे शब्दों में, सामंती व्यवस्था को बदलना सबसे मुश्किल काम है, सामाजिक कुरीतियों को मिटाना बहुत कठिन है, धार्मिक अंधविश्वासों को निर्मूल करना दुष्कर है। भारत में सामंती व्यवस्था बहुत पुरानी है, शायद दुनिया में सबसे ज्यादा पुरानी है, उतनी ही भारतीय जनता के मन में उसकी जड़ें गहरी हैं, उतना ही वह भीतर से जर्जर भी है और उसका विरोध उतना ही पुराना है जितना यह व्यवस्था पुरानी है। जैसे-जैसे इस व्यवस्था के अंतर्विरोध तीव्र होते गए, वैसे-वैसे इस पर आघात करने वाली विचारधारा भी अधिक प्रखर होती गई।' इसी पैराग्राफ में रामविलास शर्मा जिस विचारधारा की ओर ध्यान खींचते हैं वह है वेदांत की विचारधारा। सवाल यह है कि साहित्य में क्या वेदांत की विचारधारा का प्रभाव घटा है? वेदांती विचारधारा का विरोध करने वाली विचारधाराएं मजबूत हुई हैं? साहित्यकारों में निरीश्वरवाद की धारणा मजबूत हुई है ? धर्मनिरपेक्षता की अवधारणा के व्यापक प्रचार-प्रसार से निरीश्वरवाद कमजोर हुआ है ? पुरोहितवाद और धार्मिक कर्मकांडों का विरोध घटा है या बढ़ा है?

सामान्यतौर पर देखें तो नव्य-आर्थिक उदारीकरण की नीतियों के लागू किए जाने के बाद से सन् 1990-91 से भारत में धार्मिकता और फंडामेंटलिज्म बढ़ा है। युवा लेखकों में इन दोनों प्रवृत्तियों के खिलाफ सचेतनता बढ़ी है। लेकिन आम जनजीवन में इन प्रवृत्तियों का जनाधार बढ़ा है। लेखकों पर इन प्रवृत्तियों के हमले बढ़े हैं। धार्मिकता और फंडामेंटलिज्म के प्रभाव बढ़ने से साहित्यकारों में जोखिम उठाने की मानसिकता घटी है। अब अधिकांश आलोचक लिखते हैं लेकिन उनमें नए विचारों को उठाने का जोखिम नहीं है। बिना जोखिम उठाए आलोचना में नई समस्याओं पर विचार-विमर्श संभव नहीं है। विचारों के जोखिम के लिए नए और पुराने दोनों ही किस्म के साहित्य में प्रवेश करने की जरूरत है। विचारों के जोखिम के लिए समसामयिक लेखन में हस्तक्षेप जितना जरूरी है पुराने साहित्य का मूल्यांकन करना भी उतना ही जरूरी है। इस संदर्भ में रामविलास शर्मा से हम बहुत कुछ सीख सकते हैं। वे नए-पुराने दोनों ही किस्म के श्रेष्ठ साहित्य में प्रवेश करते हैं, उसका पुनर्मूल्यांकन करते हैं, और विचारों का जोखिम उठाते हैं। वे अनेक बने-बनाए मानकों को चुनौती देते हैं। इसी प्रसंग में वे एक नए पक्ष को उद्घाटित करते हैं वह है साहित्य में भौतिकवादी और वेदांती परंपराएं। भौतिकवादी दृष्टिकोण मानता है कि ज्ञान की कोई भी अवस्था पूर्ण नहीं होती। ज्ञान एक निरंतर विकासमान प्रक्रिया है। इसके विपरीत ऐसे भी आलोचक हैं जो ज्ञान को पूर्ण और निष्पन्न मानते हैं।

आलोचना के मानकों को निष्पन्न और पूर्ण मानते हैं। वे आलोचना को विकासमान रूप में नहीं देखते। जाहिर है जो आलोचना को निष्पन्न मानकर चलते हैं वे ही स्टीरियोटाइप आलोचना लिखते हैं। जो आलोचना ज्ञान बघारने के लिए लिखी जाती है वह बोगस है लेकिन जो आलोचना ज्ञान अर्जित करने या जिज्ञासा भाव से लिखी जाती है, जो आलोचना ग्रहण करने के भाव से लिखी जाती है उसमें विकास की संभावनाएं होती हैं और रामविलास शर्मा इस तरह की आलोचना की मांग करते हैं।

हिंदी में अनेक आलोचक हैं जो उनके बारे में बिना पढ़े लिखते रहे हैं। इनमें नामवर सिंह जैसे बड़े आलोचक का नाम भी शामिल है। नामवर सिंह ने रामविलास शर्मा को बिना पढ़े जो कुछ लिखा है उसकी कायदे से समीक्षा की जानी चाहिए। मसलन, *ऋग्वेद* की ओर रामविलास शर्मा क्यों गए ? क्या वे इसलिए गए कि उनका कोई प्रतिक्रियावादी एजेंडा था ? क्या वे *ऋग्वेद* को धार्मिक कृति मानते हैं ? क्या वे वेदों में धर्म, यज्ञ आदि की खोज करते हैं ? क्या उनका लक्ष्य यह सिद्ध करना है कि आर्य कहां से आए ? संभवतः रामविलास शर्मा का इनमें से कोई लक्ष्य नहीं है। *ऋग्वेद* उनके लिए क्लासिकल पाठ है और साहित्यिक कृति है। वे पुराने वैज्ञानिक दृष्टिकोण को खोजने के लिए वेद और उपनिषदों की ओर जाते हैं। उन्होंने लिखा है, '*ऋग्वेद* में चिंतन की अनेक धाराएं हैं। जिस धारा का संबंध दर्शन से है, उसमें प्रमुखता वैज्ञानिक दृष्टिकोण की है। वहां ज्ञान का दावा नहीं है, बल मनुष्य की जिज्ञासा पर है, ज्ञान अर्जित करने के प्रयास पर है।' वे इस मिथ को तोड़ते हैं कि देवता अमर हैं। रामविलास शर्मा ने लिखा है कि 'देवता अमर हैं पर जन्म उनका भी हुआ है।'

रामविलास शर्मा ने *ऋग्वेद* के बहाने आदिम युग में कवि के मन को जानने की कोशिश की है। *ऋग्वेद* के बहाने दर्शन के बुनियादी दृष्टिकोणों पर साल उठाते हैं। *ऋग्वेद* की आलोचना करते हुए लिखा है, 'सब भौतिक प्रपंचों से अधिक सूक्ष्म है मनुष्य का मन। ऐसा ज्ञानी कौन है जो बताए, यह दिव्य मन कहां से उत्पन्न हुआ है ?' यह भी लिखा, 'पुराने मंत्र दोहराने के बदले कवि निरंतर नए मंत्र रचते हैं और उनकी नवीनता का उल्लेख भी बार-बार करते हैं। स्तुति के शब्दों से महत्वपूर्ण है कवि के मन का भाव।' *ऋग्वेद* पढ़ते समय वे रेखांकित करते हैं कि किस मन से या मंशा से सवाल किया जाता है वह जानना जरूरी है। किस मन से नमस्कार करते हैं, किस मन से यज्ञ करते हैं, किस मन से पढ़ते हैं, किस मन से मूल्यांकन करते हैं आदि बातों को उन्होंने रेखांकित किया है। साहित्य में मन की मंशा का सवाल

बेहद महत्वपूर्ण सवाल है। *ऋग्वेद* में व्यक्त देवतंत्र के आवरण को हटा दें तो चीजें भिन्न नजर आएंगी। रामविलास शर्मा ने लिखा है, 'देवतंत्र का आवरण हटा दें तो प्रश्न यों बनता हैः पृथ्वी के रहस्यों को तो हम थोड़ा-बहुत समझ सकते हैं, पर सुदूर सौरमंडल के जो रहस्य हैं, उन्हें कैसे जानेंगे ?'

'संसार का निर्माण कैसे हुआ, कवियों में इस प्रश्न को जानने की प्रबल आकांक्षा है। वे जानते हैं कि इस प्रश्न का उत्तर पाना अत्यंत कठिन है।' ऋग्वैदिक कवि की पीड़ा को इस संसार को न जान पाने की पीड़ा मानते हैं। वह संसार को जान गया होता तो उसे पीड़ा नहीं होती।

पश्चिम की आलोचना में अरस्तू की ओर चलो की भावना हमेशा बलबती रही है। रामविलास शर्मा इस भावना से मुक्त हैं और वे अरस्तू के नजरिए से दुनिया के प्रपंचों को नहीं देखते। आलोचना में अरस्तू की परंपरा से भिन्न ऋग्वैदिक कवियों की परंपरा को खोजना निश्चित रूप से मूल्यवान है। रामविलास शर्मा ने लिखा है, 'अरस्तू यूनान के बहुत बड़े दार्शनिक थे। उनका विचार था कि आदिकाल से विश्व में कोई परिवर्तन नहीं हुआ। सूर्य, चंद्र, ग्रह, नक्षत्र आदि सदा से इसी प्रकार हैं। अरस्तू के लिए परिवर्तित वह होता है जो मरणशील है। सदा से सुनते आए हैं, आकाश के ग्रह नक्षत्र जैसे आज हैं, वैसे ही पहले भी थे। इसलिए वे अमर हैं। जो अमर हैं, उनमें परिवर्तन और विकास की परिकल्पना व्यर्थ है। *ऋग्वेद* में आकाश, वायु, सूर्य आदि उपास्य हैं परंतु इस उपासना भाव से आगे बढ़कर कवि उन्हें पदार्थ रूप में भी देखते हैं। यह पदार्थ गतिशील और विकासमान हैं। विश्व प्रपंच इन्हीं का समवाय है। संसार कोऔस के बाहर आया, यूनानियों की इस धारणा का संबंध उनकी पुराण कथाओं से है। अरस्तू तर्कशास्त्री हैं, यूनानी दर्शन के शिखर हैं। किंतु धर्मशास्त्र के नागपाश से उनका चिंतन मुक्त नहीं है। आकाश दिव्य है, उनमें स्थित ग्रह-नक्षत्र दिव्य हैं। वे दिव्य हैं, अतः परिवर्तन और विकास से परे हैं। मानना होगा, विकास-सिद्धांत के विचार से *ऋग्वेद* की तुलना में यूनानियों का सृष्टि संबंधी चिंतन बहुत पिछड़ा हुआ था।'

ऋग्वेद और दर्शन में जाते समय रामविलास शर्मा बाह्य जगत और अंतर्जगत के बीच अंतर नहीं देखते। यहां पर वे अद्वैतवादी हो जाते हैं। उन्होंने लिखा, 'सांख्य और न्याय-वैशेषिक का संबंध बाह्य जगत से है, जिस दर्शन का संबंध मूलतः मनुष्य के अंतर्जगत से है, वह योग है। यह अंतर्जगत बाह्य जगत से नितांत पृथक नहीं है। जो पिंड में है वही ब्रह्मांड में है। प्रकृति की शक्तियां देवरूप हैं, वैसे ही अंतर्जगत

की शक्तियां भी देवरूप हैं। यही नहीं जो देवता बाह्य जगत में हैं वही देवता अंतर्जगत में भी हैं और इनके प्रत्यक्ष और परोक्ष दो-दो रूप हैं।'

मार्क्सवादियों से भिन्न रामविलास शर्मा एकदम भिन्न धारणा व्यक्त करते हैं, उन्होंने लिखा है, 'प्रत्येक देवता प्रकाशमान है। उसका संबंध प्रकाश से है, इसीलिए वह देव है। मनुष्य जब अपने भीतर इस प्रकाश का अनुभव करता है, तब वह देव के समान हो जाता है। प्रत्येक देवता का मन आनंदमय रहता है। वह सोमपान करे चाहे न करे, उसका मन तो आनंदमय रहेगा ही।' यह बात उन मनुष्यों के बारे में कही जाएगी जो योगी और कवि हैं। योगी और कवि अपने प्रकाशबोध और मानसिक उल्लास के कारण ही साधारण मनुष्यों से भिन्न हैं। रामविलास शर्मा देवता और मनुष्य में अंतर नहीं मानते। लिखा है, 'मनुष्य की शायद ही कोई विशेषता हो जिसका उदात्त स्वरूप देवता में न हो।'

ऋग्वेद के कवि के लिए लेखन महत्वपूर्ण था या वाचन ? इस सवाल की खोज में यह पाया '*ऋग्वेद* में जितना जोर आंखों की क्रियाओं पर है, उतना कानों की क्रियाओं पर नहीं है।' मंत्र लेखक कवि थे और मंत्र जब तक लिखा न जाए तब तक दिखाई नहीं दे सकता। मंत्र दिखे इसके लिए उसका लिखना पहले जरूरी है।

भारत की ज्ञान परंपरा और यूनानी ज्ञान परंपरा में अंतर है। यह अंतर भारत के ज्ञानियों और बुद्धिजीवियों के विवेक को भी प्रभावित करता रहा है। '*ऋग्वेद* में एक भी मंत्र नहीं है जिसमें बताया गया हो कि भविष्य में ये घटनाएं होंगी। यूनान और पश्चिम एशिया के भविष्यवक्ताओं से नितांत भिन्न श्रेणी के कवि हैं *ऋग्वेद* के। जो हो चुका है, होता चला आया है और हो रहा है, उस पर ध्यान देते हैं। वे जिज्ञासु हैं, प्रश्न करते हैं, शंकाएं प्रकट करते हैं, जो हम कहें उसे आंख मूंद कर मान लो, ऐसा वे नहीं कहते। देवों को संबोधित करते हैं, उनकी स्तुति करते हैं, उनकी ओर से बोलने का दावा नहीं करते। मंत्र उन्हें देवों से प्राप्त हुए हैं, यह दावा नहीं करते। इसके विपरीत वे देवों से भिन्न, प्राचीन कवियों से भिन्न, अपनी स्वतंत्र रचनाकारिता पर जोर देते हैं। वे भावाविष्ट होते हैं, स्वतःस्फूर्त पदों की बात कहते हैं, पर वे रथकारों की तरह सचेत ढंग से पदों के निर्माण की बात भी कहते हैं। उनकी रचनाएं न धर्म (religion) की परिधि में आती हैं न विशुद्ध काव्यकला की। वे दार्शनिक कवि हैं और इस श्रेणी के कवि न तो यूनान में थे, न पश्चिमी एशिया में।'

ऋग्वेद के कवियों के बारे में रामविलास शर्मा ने लिखा, 'निस्संदेह, ऋग्वेद के कवि, सब नहीं तो अधिकांश, योगी हैं। उन्हें रहस्यवादी भी कह सकते हैं। पर वे

अपने स्वतंत्र अस्तित्व के प्रति अत्यंत सचेत हैं, अपनी हस्ती मिटाने वाले रहस्यवादियों में नहीं हैं।'

'*ऋग्वेद* में कवि शब्द सर्वत्र सम्मानसूचक है, उसी तरह उसमें ब्राह्मण शब्द सम्मानसूचक नहीं है। अनेक देवों को कवि कहा गया है, ब्रह्मन् भी कहा गया है, परंतु उनमें किसी को एक बार भी ब्राह्मण नहीं कहा गया है। कारण यह कि ब्राह्मण शब्द काव्य-रचना से हटकर कर्मकांड से जुड़ता गया था। काव्य रचना से कर्मकांड को जितना ही अधिक महत्वपूर्ण माना गया, उतना ही कवि की तुलना में कर्मकांडी ब्राह्मण को श्रेष्ठ माना गया। श्रेष्ठ और निकृष्ट का भेद स्वयं ब्राह्मणों में उत्पन्न हुआ।' '*ऋग्वेद* के कवि अपने प्राकृतिक-सामाजिक परिवेश में जो कुछ भला-बुरा देखते हैं, उसे आकाश अथवा पर्वतों में पहुंचा देते हैं।' 'कारीगर और किसान स्वाधीन हैं और कवि उनसे तादात्म्य स्थापित करता है। श्रम की इस स्थिति से देवों के प्रति कवियों का दृष्टिकोण निर्धारित होता है, जीवन और मृत्यु के प्रति उनकी धारणाएं भी इस स्थिति से निश्चित होती हैं।' रामविलास शर्मा ने लिखा है, 'मनुष्यों का स्वाधीन श्रम *ऋग्वेद* के कवियों की जीवनदृष्टि का आधार है। कर्म अपने लिए है, दूसरों के लिए नहीं है; इसलिए वे चाहते हैं, जब तक जिएं, कर्म करते रहें। और सौ वर्ष से कम कोई जीना नहीं चाहता।'

रामविलास शर्मा ने लिखा है, मनुष्यों के जैसे स्वभाव होते हैं, वैसे उनके धंधे होते हैं। *ऋग्वेद* जिस समाज में लिखा गया वहां पर श्रम विभाजन का क्या चरित्र था और उसका सर्जनात्मक प्रक्रिया से क्या संबंध है इस पर भी विचार करने की जरूरत है। रामविलास शर्मा ने लिखा है, 'गण संपत्ति वाले समाज की विशेषता है सामूहिक श्रम, व्यक्तिगत संपत्ति वाले समाज की विशेषता है कुटुंबगत श्रम। सामूहिक श्रम में पूरा गण, गोत्र या पूरा कुल शामिल होता है। जो एक काम करता है, वही दूसरा करता है।'

साहित्य में वेदांती होने का अर्थ है लकीर का फकीर होना। यह विचारधारा एकायामी सोच को निर्मित करती है, क्षेत्र विशेष पर वैचारिक नजरिए को सीमित रखती है। अन्य के मसले इसके लिए गैर-जरूरी हैं। साहित्य में इन दिनों जिस तरह स्टीरियोटाइप प्रस्तुतियों ने रचना से लेकर आलोचना तक वर्चस्व स्थापित किया है उसका परिणाम है कि सर्जनात्मकता और मौलिकता को ग्रहण लग गया है। वेदांती विचारधारा भारतीय परंपरा की सबसे असहिष्णु विचारधारा है। वेदांती होने का अर्थ है एकायामी होना और अन्य के प्रति असहिष्णु होना। श्रेष्ठता की बातें करना और

हीनता ग्रंथि को बनाए रखना। अनालोचनात्मक विवेक को वैज्ञानिक कहना। साहित्य में वेदांती विचारधारा पितृसत्ता की हिमायती है। यह भेदों को बनाए रखती है बल्कि यों कहें कि भेदों को भी अपडेट करती है। आलोचना के नाम पर लेखन में मनमानापन वेदांती नजरिए की खासियत है। मानवीय संबंधों को भौतिक संबंधों के रूप में न देखना। वेदांती नजरिए के कारण साहित्य में संबंधों का तयशुदा मानक ही मूलाधार है। जो पहले से तय चला आ रहा है उसे मानो। जो जैसा है उसे वैसा ही रहने दो। इसके कारण साहित्य में सामाजिक संबंधों की टूटन पर जितना भी लिखा गया है उसने संबंधों के टूटने को बुरे और संबंधों के बने रहने को अच्छे के रूप में चित्रित किया है। यानी संबंधों के चित्रण में 'अच्छे' और 'बुरे' की कोटि के आधार पर जमकर चित्रण हुआ है। अधिकांश आलोचक और लेखक सामाजिक संबंध को भौतिक संबंध के रूप में नहीं देखते। संबंधों का टूटना, परिवार का बिखरना, नैतिक ह्रास आदि को 'जैसी करनी वैसी भरनी' की अवधारणा के आधार पर जमकर चित्रित किया गया है। आलोचना में अवधारणाओं और सामाजिक संबंधों के मनमाने अर्थ पेश किए गए और इन मनमानी व्याख्याओं को खूब सैलीब्रेट भी किया गया। दलित साहित्य को लेकर जितनी भी बहसें हुई हैं वे जातिभेद को कम नहीं करतीं बल्कि जातिविद्वेष को बढ़ावा देने वाली साबित हुई हैं। इस क्रम में एक खास किस्म का विशिष्ट लेखकवर्ग पैदा हो गया है जो अपनी आलोचना को सुनने के लिए तैयार नहीं है। अपनी आलोचना को न सुनना और जो आलोचना करे उस पर हमले करना और समाज बहिष्कृत करार देना, यह वेदांती विचारधारा की विशेषता रही है।

हिंदी में वेदांती विचारधारा का ही असर है कि अधिकांश लेखक नास्तिक कहे जाने से डरते हैं या फिर वे नास्तिक नहीं हैं। आस्तिक होना अच्छी बात है और नास्तिक होना बुरी बात है। संस्कारी होना अच्छी बात है संस्कारों का विरोध करना बुरी बात है। संस्कारों के नए रूपों को उन लोगों ने भी पैदा किया जो प्रचलित संस्कारों का विरोध करते हैं। वेदांती विचारधारा नास्तिक नहीं होने देती। इस विचारधारा की खूबी है कि यह नए विचारों के गंभीर अध्ययन-मनन से विरत रखती है। इसे नए विचारों से नफरत है। आज आलोचना में जो यथास्थितिवाद है उसका प्रधान कारण है वेदांती विचारधारा का गहरा प्रभाव। वेदांती विचारधारा ने अविवेक की परंपरा को पुख्ता बनाया है।

हिंदी आलोचना और राजनीति में गहरा संबंध है। लेकिन दर्शन और नए

वैज्ञानिक विचारों के साथ उसका संबंध टूट चुका है। पश्चिमी देशों के बारे में एक खास किस्म का स्टीरियोटाइप प्रचलन में है।

साहित्य से लेकर समाज तक विभिन्न रंगत का फंडामेंटलिज्म बढ़ा है और इसमें धार्मिक फंडामेंटलिज्म से लेकर जाति फंडामेंटलिज्म तक शामिल है। ये सभी रंगत के फंडामेंटलिस्ट अपने लिए मानवाधिकारों की मांग कर रहे हैं और यह भी कह रहे हैं उनके मानवाधिकारों का दर्जा 'राष्ट्र-राज्य' के मानवाधिकारों से ऊपर है। इसी तर्क को केंद्र में रखकर मानवाधिकारों की मनमानी व्याख्याएं की जा रही हैं और सभी किस्म के पिछड़ेपन और अवैज्ञानिकता को बनाए रखने को मानवाधिकार रक्षा की लड़ाई का अंग बना दिया गया है।

मानवाधिकारों की कोई भी बहस जब 'राष्ट्र-राज्य' की संप्रभुता का अतिक्रमण करती है तो वह देश को और समाज को कमजोर करती है। व्यक्ति या समुदाय के मानवाधिकारों को 'राष्ट्र-राज्य' से ऊपर दर्जा देने की धारणा अमेरिकी धारणा है और इस धारणा की आड़ में अनेक देशों में नाटो की सेनाओं ने 'राष्ट्र-राज्य' की संप्रभुता पर सीधे हमला बोला है। 'राष्ट्र-राज्य' की संप्रभुता को वे लोग भी नहीं मान रहे हैं जो विभिन्न रूपों में धार्मिक फंडामेंटलिज्म का प्रचार कर रहे हैं। 'राष्ट्र-राज्य' से ऊपर व्यक्ति के मानवाधिकारों को देखने के कारण साहित्य में खासकर दलितों और स्त्रियों में एक वर्ग ऐसा भी पैदा हुआ है जो अहर्निश 'पीड़ित-पीड़ित' या 'वंचित-वंचित' या 'शोषित-शोषित' का पाठ कर रहा है। 'पीड़ित-पीड़ित' या 'वंचित-वंचित' का अहर्निश पाठ अंततः सामाजिक भेद और टकरावों को बढ़ाता है। इससे सामाजिक शांति या यों कहें कि साहित्य में नए विमर्श का जन्म नहीं होता। यह गैर-बराबरी बनाए रखता है। इससे समस्या की जड़ों में जाकर समाधान खोजने में मदद नहीं मिलती। साहित्य में 'पीड़ित-पीड़ित' का नारा फेक नारा है। खोखला नारा है। इसका मानवाधिकार रक्षा की सही समझ से कोई संबंध नहीं है। यह एक खास किस्म की राजनीतिक मंशा के तहत दिया गया नारा है। इस नारे का अंतर्राष्ट्रीय सिरा भी है जो शीतयुद्धोत्तर अमेरिकी राजनीतिक और सांस्कृतिक नीति से जुड़ा है।

'शोषित-शोषित' के नाम पर किया गया लेखन अंततः साहित्य और राजनीति फांक पैदा करता है। साहित्य को अ-राजनीतिक बनाता है। इस धारणा वाले लेखकों का मानना है कि सभी किस्म की राजनीति से दूर रहो, अपने वर्ग या समुदाय या जेंडर के शोषण पर लिखो। शोषण को राजनीतिरहित बनाओ। साहित्य में शोषण के उद्घाटन के नाम पर किए गए हस्तक्षेप ने साहित्यकार को संप्रभु और अकेला बनाया

है। इस समूची प्रक्रिया में कानूनी हस्तक्षेप को साहित्य में अपने समुदाय की बातों को मनवाने के लिए इस्तेमाल किया जा रहा है। साहित्यिक बहसों से लेकर सामाजिक बहसों तक कानून का रक्षा के उपकरण के रूप में इस्तेमाल करने का आदर्श उदाहरण है सन् 2013 जनवरी में जयपुर साहित्य महोत्सव के मौके पर उठा आशीष नंदी प्रकरण।

लेखकों और जनता के बीच में साहित्य के जरिए समाजीकरण की प्रक्रिया को बहस-मुबाहिसों के जरिए संपन्न किया जाता है। बहिष्कार, धिक्कार और कानूनी हस्तक्षेप के जरिए जो समाजीकरण हो रहा है वह वस्तुतः असमाजीकरण है और यह नए युग की अमेरिकी रणनीति का नया अस्त्र है। एक वर्ग यह मानकर चल रहा है कि कानूनी हस्तक्षेप से शोषण-उत्पीड़न को खत्म किया सकता है, अतः वे हमेशा कानूनी हस्तक्षेप को महत्वपूर्ण मानते हैं।

'शोषण-शोषण' के नारे, इर्द-गिर्द लिखा गया लेखन नव्य आर्थिक उदारवाद की भूमंडलीय शोषण नीति का अंग है। ग्लोबलाइजेशन के आने के साथ सारी दुनिया में पीड़ितों का ग्लोबल शास्त्र रचा गया है और यह शास्त्र पूंजी के ग्लोबल खेल का हिस्सा है। इसे पीड़ितों की विचारधारा के नाम पर सारी दुनिया में प्रचारित-प्रसारित किया गया है।

आधुनिक काल में पहली परंपरा में वे लेखक आते हैं जो 'साहित्य' को आधार बनाकर लिखते रहे हैं। दूसरी परंपरा में वे लेखक आते हैं जो अपने को प्रगतिशील और जनवादी समझते हैं। तीसरी परंपरा उन लेखकों की है जो स्त्री साहित्य और दलित साहित्य लिख रहे हैं और वे अपने को पहली दोनों परंपराओं में मिसफिट पाते हैं। साहित्य की यह तीसरी परंपरा बेहद जटिल और खतरों से भरी है। इसमें जो लेखक हैं वे बाह्य जीवन में कहते हैं वे निजी शोषण, वंचना और उत्पीड़न को अभिव्यक्ति देने के लिए लिख रहे हैं लेकिन वे इस क्रम में अपने लेखकीय अहं को यह कहकर व्यक्त करते हैं कि वे स्त्री लेखिका हैं, दलित लेखक हैं। उन्हें इस पर अहंकार है। इस चक्कर में वे नार्सिज्म की गिरफ्त में फंसते चले जा रहे हैं। आत्मप्रशंसा और आत्माभिव्यक्ति का जितना अतिरेक इस तीसरी परंपरा के लेखकों में मिलता है वैसा अन्यत्र दिखाई नहीं देता। इनके व्यक्तित्व में 'अहंकार' और 'मैं' का विलक्षण सम्मिश्रण दिखाई देता है। इस परंपरा के अनेक लेखकों के लेखन में इसके कारण उत्तेजक भाषा की अभिव्यक्ति भी हुई है। इनमें मर्दवाद भी अभिव्यंजित हुआ है जो स्वयं में उत्पीड़क तत्व है।

तीसरी परंपरा में बहुत कुछ ऐसा लिखा जा रहा है जिसमें लेखक-लेखिका अपनी कहानी स्वयं से ही कह रहे हैं। आत्मकथाओं का पूरा ढांचा इसी पर टिका है। इस तरह के आत्मकथा लेखन की धुरी है स्वयं की कहानी स्वयं के लिए। सवाल यह है कि क्या इस तरह के लेखन से साहित्य में इस समय जो गतिरोध है उसे दूर करने में मदद मिलेगी ? इस तरह के लेखन में कृत्रिम शोषण खूब महिमामंडित हो रहा है। अतीत के शोषण को अतिरंजित ढंग से पेश किया जा रहा है। आत्मकथाओं में आए हुए शोषण, उत्पीड़न आदि के विवरण और ब्यौरे मूलतः सकारात्मक सर्जनात्मक अभिव्यक्ति के फ्रेम में रखकर पेश नहीं किए जा रहे बल्कि नकारात्मक फ्रेम में रखकर पेश किए जा रहे हैं।

मसलन सवर्णों को आप शोषक और उत्पीड़क के रूप में ही चित्रित करते हैं तो यह नकारात्मक चित्रण है, सकारात्मक चित्रण वह है जिसमें सवर्ण को ज्यादा मानवीय बनाकर पेश करते हैं। जैसे प्रेमचंद ने 'कफन' कहानी में किया है। उन्होंने जमींदार की मानवीय इमेज पेश की है। स्त्री लेखन में भी दुष्ट और उत्पीड़क पति के बजाय अच्छे सहृदय और मित्ररूपी पति की परिकल्पना को चित्रित करने में असफल रहे हैं।

नकारात्मक अभिव्यक्ति साहित्य का विकास नहीं करती। समाज की नकारात्मक बीमारियों का इलाज ज्ञानात्मक स्तर पर सकारात्मक चित्रण के जरिए ही संभव है। यह बात रामविलास शर्मा बहुत बारीकी से पकड़ते हैं और परंपरा के सकारात्मक पक्षों को पेश करते हैं, वे आलोचना में नकारात्मक पक्षों की कम और सकारात्मक पक्षों की ज्यादा चर्चा करते हैं। मार्क्सवाद की कम और गैर-मार्क्सवादी विचारधाराओं के सकारात्मक पक्षों को ज्यादा उभारते हैं। यह काम उन्होंने भारतेंदु, प्रेमचंद, महावीर प्रसाद द्विवेदी और निराला पर केंद्रित किताबों में खूब किया है। यहां तक कि अपनी आत्मकथा में भी वे सकारात्मक बातें कहते हैं। स्लावोज जीजेक कहते हैं कि अल्पसंख्यकों को या हाशिए के लोगों को अपना अतीत लिखते समय ज्यादा सकारात्मक ढंग से लिखना चाहिए। इसमें उनका भावबोध उभरकर सामने आए।

रामविलास शर्मा ने महावीर प्रसाद द्विवेदी और *सरस्वती* पत्रिका में प्रकाशित सामग्री के विवेचन के जरिए आधुनिक मनुष्य के निर्माण और आधुनिक साहित्य-बोध के निर्माण के लिए भारत की विवेक परंपरा और विज्ञान परंपरा को आवश्यक मानते हुए उसके कुछ प्रमुख बिंदुओं को सामने रखा है। इस क्रम में हमारी परंपरा में कौन से तत्व हैं जो हमें आधुनिकता के मार्ग पर आगे बढ़ने में मदद कर सकते हैं, उनकी

विस्तृत चर्चा करते हैं। इसमें सबसे मूल्यवान है चार्वाक और बृहस्पति की भौतिकवादी परंपरा। प्राचीन परंपरा में मूल्यवान वह है जो बुद्धिसंगत ज्ञान के पक्ष में है। प्राच्यविदों के लेखन को आलोचनात्मक नजरिए से देखो। आधुनिक भावबोध के निर्माण में डार्विन के विकासवाद की सकारात्मक भूमिका रही है इसने वैज्ञानिक चेतना के निर्माण में महत्वपूर्ण भूमिका अदा की है। इस क्रम में ईश्वर, आत्मा, पुनर्जन्म, आस्था, नास्तिक-आस्तिक आदि विषयों पर भौतिकवादी दृष्टिकोण से देखने पर जोर दिया।

परवर्ती पूंजीवाद और साहित्येतिहास

हिंदी साहित्य का प्रचलित इतिहास अधूरा है। रामचंद्र शुक्ल का इतिहास हो या हजारी प्रसाद द्विवेदी का लिखा इतिहास हो। इन दोनों में अधूरापन साफ नजर आता है। इसके बाबजूद छात्रों को हम यही पढ़ाते हैं कि आचार्य रामचंद्र शुक्ल ने मुकम्मल इतिहास लिखा था। इतिहास के अधूरेपन का पहला प्रमाण है इसमें स्त्री और दलित साहित्य की अनुपस्थिति। दूसरा बड़ा कारण है अपडेटिंग की परंपरा का अभाव। हिंदी में इतिहास की अपडेटिंग क्यों बंद है, इसका कोई संतोषजनक उत्तर आलोचना के पास नहीं है। वैसे हमारे आलोचक यह समझाते हैं कि आलोचना में जो कुछ लिखा जा रहा है वह इतिहास का अंग है। इन सबसे पूछा जाना चाहिए कि आलोचना को इतिहास में बदल दें तो इतिहास कैसा लगेगा ? यह भी सवाल किया जाना चाहिए कि जब आलोचना लिखी जा रही है तो फिर इतिहास की अलग से क्या जरूरत है?

इसके अलावा जो इतिहास की अपडेटिंग कर सकते थे (रामविलास शर्मा, नामवर सिंह, नगेंद्र आदि) वे आलोचना लिखने और बोलने में व्यस्त रहे। इससे भी इतिहास की अपडेटिंग का काम पिछड़ गया। इतिहास की गंभीर उपेक्षा हुई है। हमने आलोचना से इतिहास की क्षतिपूर्ति करने की कोशिश की है लेकिन इससे इतिहास नहीं बनता। इतिहास और आलोचना दो अलग विधा रूप हैं और हमें इनकी स्वायत्तता की रक्षा करनी चाहिए। इतिहास और आलोचना में अंतस्संबंध है लेकिन इसमें एक की कीमत पर दूसरे की उपेक्षा नहीं की जा सकती। इतिहास को आलोचना में संकुचित नहीं किया जा सकता।

मसलन यह सवाल उठता है कि नामी समीक्षकों ने हिंदी साहित्य का इतिहास क्यों नहीं लिखा ? विश्वविद्यालय अनुदान आयोग की मदद से अनेक विश्वविद्यालयों को इतिहास लेखन के लिए लाखों रुपए की अनुदान राशि मिली है लेकिन इतिहास

सामने नहीं आया। इतिहास के नाम पर साहित्यिक थेगड़ियों का प्रकाशन हुआ है। हिंदी का सफेद हाथी केंद्रीय हिंदी संस्थान भी है, जिसका बजट करोड़ों में है। वहां से हिंदी साहित्य का अपडेटेड इतिहास क्यों नहीं आया ? साहित्य के इतिहासकारों के रूप में इन संस्थानों में कोई ख्यातिलब्ध इतिहासकार-शिक्षक क्यों नहीं है ? हिंदी के प्रोफेसर शोधकार्यों से चिढ़ते और भागते क्यों हैं ? वे इन संस्थानों में अच्छे रिसर्चरों की टीम पैदा क्यों नहीं कर पाए ? हिंदी में शोध प्रविधि पर एक भी लिखी किताब क्यों नहीं है ? विश्वविद्यालय शिक्षक अपने शोधार्थियों के शोध का कभी अपने लेखन में जिक्र और विवेचन क्यों नहीं करते ? नामी प्रोफेसरों ने अपने निर्देशन में हुई या अन्य के निर्देशन में हुई शोधों का कभी अपने आलोचना लेखन में जिक्र क्यों नहीं किया ? आदि सवाल हिंदी अध्यापन और इतिहास के प्रति हमारे नजरिए से जुड़े हैं।

सवाल यह है हम किस तरह के हिंदी विभाग बनाना चाहते हैं ? इससे तय होगा कि हम किस तरह का इतिहास पढ़ाना चाहते हैं। किस तरह की आलोचना लिखना चाहते हैं। हमें गंभीरता के साथ यह भी सोचना चाहिए कि हमारे आलोचकों ने आलोचना में अब तक कोई नई मौलिक धारणा का सृजन क्यों नहीं किया। समूची परंपरा ने विश्वसमीक्षा में कौन सी नई अवधारणा को जोड़ा है ? विश्व में आज भी भरत के *नाट्यशास्त्र* से लेकर *संस्कृत काव्यशास्त्र* के विभिन्न स्कूलों का किसी न किसी रूप में जिक्र मिलेगा। लेकिन आधुनिक हिंदी आलोचना का कहीं कोई नामोल्लेख नहीं मिलेगा। यानी आलोचना में मौलिक सैद्धांतिकी के सृजन में हमें सफलता क्यों नहीं मिली ? ये कुछ सवाल हैं जो हमें परेशान करते हैं। हमें गंभीरता के साथ आलोचनात्मक ढंग से इन सवालों पर विचार करना चाहिए।

शोध और इतिहास

हिंदी में शोध की उपेक्षा का प्रधान कारण है खोज के प्रति एडवेंचर का अभाव, नए के प्रति अनास्था, परजीवीपन, इतिहास और आलोचना का शोध के साथ अलगाव, शिक्षकों में स्वयं नए के प्रति खोज की मानसिकता का अभाव, वर्तमान समय को न जानने की प्रवृत्ति, स्वयं को बड़ा दिखाने की प्रवृत्ति और अन्य को छोटा दिखाने की मानसिकता। इन सबसे बड़ा कारण है शिक्षक-आलोचक का यह मानना कि सब कुछ महत्वपूर्ण तो पहले वाले इतिहासकार कह गए हैं, अब उसमें नया कुछ भी जोड़ा नहीं जा सकता।

रामचंद्र शुक्ल और हजारी प्रसाद द्विवेदी ने जो लिखा है वह पत्थर की लकीर है। नामवर ने जो कहा है वह स्वर्णाक्षर में लिखा जाने योग्य है। मुक्तिबोध ने जो लिख दिया है उसे प्रणाम करके स्वीकार करो। इन सबके अलावा जो लोग लिख रहे हैं उसमें नया कुछ भी नहीं है। इस तरह की मानसिकता हमारे साहित्यिक और अकादमिक परिदृश्य के पतन की द्योतक है।

सवाल उठता है रामचंद्र शुक्ल को पत्थर की लकीर या रूढ़ि क्यों बनाया गया? इस तरह के रूढ़िवाद को किसने जन्म दिया ? असल में यह एक खास किस्म का सामंतवाद है जो हिंदी में पैदा हुआ है। इसकी जड़ें बड़ी गहरी हैं। यह नए से डरता है, विचारों का जोखिम उठाने से डरता है। साहित्य सैद्धांतिकी से डरता है। अन्य से सीखने और स्वयं को उससे समृद्ध करने में अपनी हेटी समझता है। स्वयं दूसरों का चुराता है और उसे मौलिकता के नाम पर परोसता है। साहित्य को अनुशासन के रूप में पढ़ने-पढ़ाने में इसकी एकदम दिलचस्पी नहीं है।

आज वास्तविकता यह है कि ज्यादातर शिक्षक और समीक्षक आजीविका और थोथी प्रशंसा पाने के चक्कर में रहते हैं। वे किसी भी चीज को लेकर बेचैन नहीं होते। उनके अंदर कोई सवाल पैदा नहीं होते। एक नागरिक के नाते उनके अंदर वर्तमान की विभीषिकाओं को गहराई में जाकर जानने की इच्छा पैदा नहीं होती। वे पूरी तरह अतीत की रेती के टीले में सिर गड़ाए बैठे हैं। वे न तो कुछ सुनते और न कुछ देखते हैं। वे न तो कुछ सीखते और न कुछ सिखाते हैं। ऐसे ही शिक्षक-समीक्षक हमारे आराध्य बने हुए हैं। अन्नदाता हैं। नौकरी दिलाने वाले हैं। डिग्री दिलाने वाले हैं। ऐसे में हिंदी अनुसंधान का भविष्य और वर्तमान आशाविहीन नजर आता है तो कोई आश्चर्य नहीं है। क्योंकि जिन पर हमने आशाएं टिकाई हुई हैं, वे इस लायक नहीं हैं कि किसी को आशान्वित कर सकें। ऐसे शिक्षक-आलोचक बड़े पद हासिल कर सकते हैं। नौकरियां दिला सकते हैं। लेकिन हिंदी को ज्ञान-संपन्न नहीं कर सकते। हिंदी प्रोफेसरों की ज्ञान विपन्नता का ही यह दुष्परिणाम है कि आज हमारे पास हिंदी का सुसंगत रूप में लिखा मुकम्मल इतिहास तक उपलब्ध नहीं है। कल्पना कीजिए रामचंद्र शुक्ल और हजारी प्रसाद द्विवेदी ने आरंभिक कार्य न किया होता तो हम कितने गरीब होते ? इन दोनों इतिहासकारों की इतिहास कृतियां हिंदी के विद्यार्थियों को पढ़ाने के लिए तैयार की गई थीं।

हिंदी की सबसे बड़ी समस्या यह है कि शिक्षक और आलोचक अपने नियमित अभ्यास और ज्ञान विनिमय के अनुसंधान को अभी तक जरिया नहीं बना पाए हैं।

वे पढ़ाने और बोलने को प्रथम कोटि का काम मानते हैं और शोध को दूसरे दर्जे का काम मानते हैं। वे वादानुवाद के लिए तो किसी कृति पर चर्चा करेंगे किंतु उस कृति को इतिहास और आलोचना के इतिहास में शामिल करके विद्यार्थियों को लाभान्वित नहीं होने देते। इसका प्रधान कारण है हमारे हिंदी विभागों का वर्तमान की वास्तविकता के साथ एकदम संबंध विच्छेद। हिंदी विभागों के शिक्षकों और विद्यार्थियों को देखकर लगता नहीं है कि ये लोग इस युग के लोग हैं। वे जिस मासूमियत और अज्ञानता के साथ वर्तमान के साथ पेश आते हैं उसके कारण सारा माहौल और भी बिगड़ा है। विद्यार्थियों में मासूमियत और अज्ञानता को बनाए रखने में शिक्षकों की बड़ी भूमिका है। ये ऐसे शिक्षक हैं जो ज्ञान के आदान-प्रदान में एकदम विश्वास नहीं करते। वे ज्ञान को बांटने में नहीं, ज्ञान को चुराने में सिद्धहस्त हैं। कायदे से शिक्षक को पारदर्शी, निर्भीक और ज्ञानपिपासु होना चाहिए। किंतु हिंदी विभागों में मामला एकदम उलटा नजर आता है। हिंदी के शिक्षक भोंदू, आरामतलब, ज्ञान-विज्ञान की चिंताओं से दूर और दैनंदिन जीवन की जोड़-तोड़ में ही मशगूल रहते हैं। ऐसी अवस्था में हिंदी का शोध और शिक्षा का गतिरोध खत्म नहीं हो सकता। शिक्षकों ने हिंदी शोध के बारे में मिथ बनाए हैं और बड़े घटिया मिथ बनाए हैं, यह कहावत प्रचलन में है—रिसर्च यानी चार किताब पढ़कर पांचवीं किताब लिखना या फिर नकल। हमारे शिक्षकों ने कभी इस मिथ के खिलाफ मुहिम भी नहीं चलाई। बल्कि इस धारणा को तरह-तरह से पुष्ट करते रहते हैं। इसके विपरीत होता यह है कि यदि कोई शिक्षक निरंतर शोध कर रहा है या निरंतर लिख रहा है तो उसका उपहास उड़ाने में केरीकेचर बनाने में हमारे शिक्षक सबसे आगे होते हैं और कहते हुए मिलते हैं कि बड़ा कचरा लिख रहे हैं। हलका लिख रहे हैं। यानी हमारे शिक्षकों को निरंतर लिखने वाले से खास तरह की एलर्जी है। वे यह भी कहते मिल जाते हैं कि फलां का लिखा अभी तक इसलिए नहीं पढ़ा गया या विवेचित नहीं हुआ कि जब तक उनकी एक किताब पढ़कर खत्म भी नहीं हो पाती है तब तक दूसरी आ जाती है। इस तरह के अनपढ़ों के तर्क उसी समाज में स्वीकार किए जाते हैं जहां लिखना अच्छा नहीं माना जाता। जहां गंभीर लेखन के प्रति एलर्जी या उपेक्षा का भाव होता है वहीं पर ऐसी प्रतिक्रियाएं आती हैं।

हिंदी में देश में सबसे ज्यादा अनुसंधान होते हैं। आजादी के बाद से लेकर अब तक कई लाख शोध प्रबंध हिंदी में लिखे जा चुके हैं। एक अनुमान के अनुसार प्रतिवर्ष हिंदी में 7 हजार से ज्यादा थीसिस जमा होते हैं। हिंदी में शोध की दशा को

देखना हो तो हमें यह देखना चाहिए कि आलोचक वर्तमान के सवालों पर कितना समय खर्च कर रहे हैं। कितना लिख रहे हैं। रामविलास शर्मा, नगेंद्र, नामवर सिंह, विद्यानिवास मिश्र, मैनेजर पांडेय, शिवकुमार मिश्र, कुंवरपाल सिंह, चंद्रबलीसिंह, परमानंद श्रीवास्तव, नंदकिशोर नवल आदि की पीढ़ी के आलोचकों ने कितना वर्तमान पर लिखा और कितना अतीत पर लिखा ? इसका यदि हिसाब फैलाया जाएगा तो अतीत का पलड़ा ही भारी नजर आएगा। ऐसे में हिंदी के वर्तमान जगत की समस्याओं पर गौर कौन करेगा ? खासकर स्वातंत्र्योत्तर भारत की जटिलताओं का मूल्यांकन तो हमने कभी किया ही नहीं है। रामविलास शर्मा से लेकर नामवर सिंह तक के स्वातन्त्र्योत्तर भारत के बारे में अब तक के विवेचन से भारत कम से कम समझ में नहीं आता। हिंदी क्षेत्र और हिंदी साहित्य की जटिलताओं का आभास तक नहीं मिलता। हिंदी से जुड़े अधिकांश जटिल सवालों की हमारी समीक्षा ने उपेक्षा की है। किसी भी साहित्यिक और सांस्कृतिक बहस को मुकम्मल नहीं बना पाए हैं।

हिंदी में साहित्यिक बहसें विमर्श के एवं संवाद के लिए नहीं होतीं, बल्कि यह तो एक तरह का दंगल है, जिसमें डब्ल्यू डब्ल्यू फाइट चलती रहती है। हमने संवाद, विवाद और आलोचना के भी इच्छित मानक बना लिए हैं। इसे भी हम अनुशासन के रूप में नहीं चलाते। परंपरा के नाम पर जो विपुल सामग्री स्वातंत्र्योत्तर दौर में रची गई है वह भी इच्छित तरीके से। उसमें भी हमने शोध के अनुशासन का पालन नहीं किया है। इसने हमारे हिंदी के परजीवी शिक्षक को परंपरापूजक बना दिया है। हम भूल ही गए कि परंपरा पर इकहरे ढंग से विचार करने से एक खास किस्म का सांस्कृतिक माहौल बनता है जिसमें वर्तमान तो उपेक्षित होता ही है स्त्री और दलित भी उपेक्षित होते हैं। यही वजह है कि दलित और स्त्री को परंपरा से सख्त नफरत है। वे परंपरा के नाम पर किए गए किसी भी किस्म के प्रयास को स्वीकार नहीं करते बल्कि यह कहना ज्यादा सही होगा परंपरा का इन दोनों से सीधा अंतर्विरोध।

परंपरा का मूल्यांकन करते हुए हमने सरलीकरण और साधारणीकरण से काम लिया है। परंपरा की इच्छित इमेज बनाई है। परंपरा की जटिलताओं को खोलने के बजाय परंपरा के वकील की तरह आलोचना का विकास किया है। परंपरा की इच्छित इमेज बनाने का सबसे अच्छा उदाहरण है रामविलास शर्मा का लेखन। इसमें वाद-विवाद और संवाद के लिए कोई जगह नहीं है। कुछ-कुछ यह भाव है हम बता रहे हैं और तुम मानो।

मजेदार बात यह है कि परंपरा का मूल्यांकन करते हुए जो लेखक परंपरा के

पास गया वह परंपरा का ही होकर रह गया। परंपरा का मूल्यांकन करते हुए हमें बार-बार परंपरापूजक का बोध पैदा करने की कोशिश की गई। इसकी साहित्य में गंभीर प्रतिक्रिया हुई है लेखकों का एक तबका एक सिरे से परंपरा को अस्वीकार करता है। परंपरा पर बातें करना नहीं चाहता। खासकर प्रयोगवाद, नई कविता और आधुनिकतावादी साहित्यकार के लिए परंपरा गैर महत्व की चीज है।

परंपरा के बारे में हमारे यहां तीन तरह के नजरिए प्रचलन में हैं। पहला नजरिया परंपरावादियों का है जो परंपरा की पूजा करते हैं। परंपरा में सब कुछ को स्वीकार करते हैं। दूसरा नजरिया प्रगतिशील आलोचकों का है जो परंपरा में अपने अनुकूल की खोज करते हैं और बाकी पर पर्दा डालते हैं। तीसरा नजरिया आधुनिकतावादियों का है जो परंपरा को एक सिरे से खारिज करते हैं। इन तीनों ही दृष्टियों में अधूरापन है और स्टीरियोटाइप है। परंपरा को इकहरे, एकरेखीय क्रम में नहीं पढ़ा जाना चाहिए। परंपरा का समग्रता में जटिलता के साथ मूल्यांकन किया जाना चाहिए। परंपरा में त्यागने और चुनने का भाव उत्तर-आधुनिक भाव है। यह भाव प्रगतिशील आलोचकों में खूब पाया जाता है। परंपरा में किसी चीज को चुनकर आधुनिक नहीं बनाया जा सकता। नया नहीं बनाया जा सकता। परंपरा के पास हम इसलिए जाते हैं कि अपने वर्तमान को समझ सकें, वर्तमान की पृष्ठभूमि को जान सकें। हम यहां तक कैसे पहुंचे यह जान सकें। परंपरा के पास हम परंपरा को जिंदा करने के लिए नहीं जाते। परंपरा को यदि हम प्रासंगिक बनाएंगे तो परंपरा को जिंदा कर रहे होंगे।

परंपरा को प्रासंगिक नहीं बनाया जा सकता। परंपरा के जो लक्षण हमें आज किसी भी चीज में दिखाई दे रहे हैं तो वे मूलतः आधुनिक के लक्षण हैं, नए के लक्षण हैं। नया तब ही पैदा होता है जब पुराना नष्ट हो जाता है। परंपरा में निरंतरता होती है जो वर्तमान में समाहित होकर प्रवाहित होती है, वह आधुनिक का अंग है। वर्तमान का रूप है, उसका हिस्सा है।

साहित्य के लिए परंपरा का जो अर्थ है वही अर्थ 'दलित साहित्य' और 'स्त्री साहित्य' के लिए नहीं है। साहित्य की परंपरा इतिहास के साथ 'दलित साहित्य' और 'स्त्री साहित्य' का सीधा अंतर्विरोध है। यह अंतर्विरोध कैसे खत्म हो इस पर हमने कभी विचार नहीं किया। समग्रता में देखें तो 'परंपरा' वर्चस्वशाली ताकतों का हथियार रही है। वर्चस्व स्थापित करने का माध्यम रही है। यही वजह है कि वंचितों ने हमेशा परंपरा को चुनौती दी है। उसे अस्वीकार किया है। यही स्थिति कमोबेश इतिहास की भी है। वंचितों ने इतिहास को भी चुनौती दी है। परंपरा और इतिहास

के जितने भी मूल्यांकन हमारे सामने हैं वे दलित और स्त्री को सही नजरिए से देखने में मदद नहीं करते बल्कि इसके उलट सही नजरिए से देखने में बाधा देते हैं।

वर्चस्वशाली ताकतों की सेवा में साहित्य का इतिहास तब तक सेवा करता है जब तक उसे चुनौती नहीं मिलती। आजकल जमाना बदल चुका है। बदले जमाने की हवा वर्चस्वशाली ताकतों और उनके विचारकों के लिए सिरदर्द बन गई है। वंचितों के वैचारिक और सामाजिक दबाव का ही सुफल है कि आज आलोचना के किसी एक स्कूल के आधार पर मूल्यांकन करने के बजाय अंतर्विषयवर्ती समीक्षा पद्धति का ज्यादा से ज्यादा प्रयोग हो रहा है। हिंदी में इस पद्धति का चलन काफी धीमी गति से हो रहा है।

हिंदी अनुसंधान की सबसे बड़ी बाधा है उसका आलोचक और आलोचना से संबंध-विच्छेद। अनुसंधान और आलोचना में किसी भी किस्म का संपर्क, संबंध और संवाद ही नहीं है। आलोचक इस संवाद में अपनी हेटी समझता है। वह आलोचना को उत्तम कोटि का कर्म और अनुसंधान को दोयम दर्जे का कर्म मानता है। सवाल किया जाना चाहिए कि आलोचना महान कैसे हो गई और अनुसंधान निकृष्ट कोटि का कैसे हो गया? ये दोनों वर्गीकरण किसने किए ?

हिंदी में ऐसे समीक्षक हैं जिनको 'साहित्य सिद्धांत' से चिढ़ है। वे इस पदबंध के बजाय आलोचना पर ज्यादा जोर देते हैं। खासकर नामवर सिंह ने साहित्य सिद्धांत के खिलाफ कई बार बोला है। इस तरह की आलोचनाओं को मद्देनजर रखते हुए रेनेवेलेक-आस्टिन वारेन ने लिखा है, 'ठोस साहित्यिक कृतियों को अध्ययन का आधार बनाए बिना साहित्य-सिद्धांत गढ़ पाना असंभव है। बिना किसी आधार के मानदंड, श्रेणीभेद और विधाभेद नहीं हो सकता। लेकिन इसी तरह, बिना कुछ प्रश्नों, अवधारणाओं, संदर्भों और सामान्य नियमों के, साहित्यालोचन और इतिहास भी संभव नहीं हो सकता।'

एक अन्य सवाल यह है कि क्या हमारे समीक्षकों ने लेखकों का कभी मुकम्मल मूल्यांकन किया ? क्या कभी हमने ठोस रूप से साहित्यिक कृतियों पर बहस चलाई, पता किया जाना चाहिए कितनी कृतियां हैं जिन पर हिंदी में सुनियोजित और सुसंगत बहस चली है। एक दर्जन किताबें और लेखक भी नहीं हैं जिनका मुकम्मल मूल्यांकन किया गया हो।

हिंदी आलोचना की सबसे बड़ी बीमारी है इसमें तटस्थ विवेचन का विवेक नहीं है। हिंदी में साहित्येतिहास लेखन में मुख्यतः कृति के सामाजिक उद्देश्य और आशय

को आधार बनाकर इतिहास लिखा गया है। सवाल यह है कि कृति की सामाजिकता और लेखक के आशय में युग बदलने के साथ बदलाव आता है या नहीं ? इस बदली हुई सामाजिकता और आशय के साथ ऐतिहासिक नजरिए का किस तरह सामंजस्य बिठाएं यह मूल चिंता होनी चाहिए।

दूसरा बड़ा सवाल यह है क्या इतिहासदृष्टि अप्रासंगिक होती है या बदलती है? इतिहासदृष्टि का संबंध वर्तमान से होता है अतः रामचंद्र शुक्ल या हजारी प्रसाद द्विवेदी की इतिहासदृष्टि में परिवर्तित समय के अनुसार बदलाव करके पढ़ा जाना चाहिए। इसी तरह इन दोनों इतिहासकारों ने जब इतिहास लिखा था उस समय तक अनेक नए सवाल नहीं उठे थे। मसलन, स्त्री साहित्येतिहास और दलित साहित्येतिहास के सवाल नहीं उठे थे, लेकिन आज ये मुख्य सवाल हैं। इसी तरह अनेक नए विधा रूप जन्म ले चुके हैं जिनको इन इतिहासकारों ने कभी विधा की नजर से नहीं देखा था। मसलन चिट्ठी या पत्रों को ही लें। पत्र पहले विधा नहीं था लेकिन *निराला की साहित्य साधना* आने के बाद विधा बना गया है। इतिहास और आलोचना लिखते समय यह भी देखा गया है कि किसी कृति के मूल्यांकन में अंतर्वस्तु के मूल्यांकन पर खूब जोर रहा है लेकिन विधा के लक्षणों के साथ मिलकर कृति का मूल्यांकन कम किया गया है। इन दिनों हिंदी में आत्मकथाओं की बाढ़ आ गई है। प्राइवेसी या निजता, व्यक्तिवाद और लोकतंत्र के प्रति सजगता जितनी गहरी होती जाएगी आत्मकथाएं उतनी ज्यादा लिखी जाएंगी।

रामविलास शर्मा ने निराला पर लिखते समय व्यक्तिगत और सामाजिक के द्वंद्व का सुंदर चित्रण किया है। इसके लिए उन्होंने वैयक्तिकता को तरजीह दी है। उनके देशी ठाट, देशी अनुभूतियां, देशी गुण-अवगुण आदि को खूब उभारा है। चेतन-अवचेतन के सामाजिक खेलों का विवरण दिया है। साथ ही, लेखक को देशी जनसमुदाय के मध्य रखकर विश्लेषित किया है। निराला के व्यक्तिगत, सांस्कृतिक, पारिवारिक और राजनीतिक अंतर्विरोधों को रेखांकित किया है। इस कृति को आख्यान शैली में लिखा है। इसी क्रम में अन्य लेखकों और अन्य लोगों के आख्यान या कहानियां भी साथ में चली आई हैं। इस समूची पद्धति में वे लेखक के निजी और सार्वजनिक अधिकारों की रक्षा करते हैं।

निराला पर लिखने के लिए रामविलास शर्मा ने जिस पद्धतिशास्त्र का इस्तेमाल किया है वह क्या है ? वे लेखक के विचार, परिवेश, आत्मसम्मान, तथ्य और कल्पना मेल-बेमेल दोनों की तलाश करते हैं। इसके आधार पर ही निराला के अतीत में प्रवेश

करते हैं और उन्हें यथार्थ मनुष्य के रूप में चित्रित करते हैं। वे निराला के काल्पनिक और वास्तव जगत के द्वंद्वों का चित्रण करते हुए उन्हें वास्तव की प्रक्रियाओं में विकसित होते हुए दिखाते हैं। इस पद्धति के बहाने स्वयं रामविलास शर्मा का मन और संसार भी उसमें अभिव्यक्त हुआ है।

इस किताब में सबसे सुंदर पक्ष है निराला की मंशाओं का विवेचन। निराला की ईमानदार मंशाओं का विस्तार से रामविलास शर्मा ने खुलासा किया है। इस क्रम में ईमानदार मंशा और छद्म मंशा में अंतर करते हैं। ईमानदार मंशा पर जोर देने के कारण निराला के व्यक्तित्व के सकारात्मक पहलुओं का उद्‌घाटन करने में उन्हें सफलता मिली है। इस जीवनी में निराला के उन पहलुओं का उद्‌घाटन किया है जिसे सामान्य पाठक नहीं जानता। पाठक जब इस जीवनी को पढ़ेगा तो वह रामविलास शर्मा से भिन्न निराला की जीवनी को रचेगा। जीवनी को पढ़ते समय पाठक अपने ढंग से जीवनी को बनाता है। प्राथमिकताएं तय करता है। इसमें पाठक का संदर्भ नए तत्व के रूप में दाखिल होता है। रामविलास शर्मा ने इस कृति में जीवनी के चारों प्रमुख मानकों स्वायत्तता, आत्मानुभूति, प्रामाणिकता और व्यक्तित्वांतरण का पूरी तरह पालन किया है। इन मानकों के आधार निराला के सांस्कृतिक मूल्यों और उपलब्धियों को बुनियादी रूप से रेखांकित किया है।

परवर्ती पूंजीवाद में साहित्य

परवर्ती पूंजीवादी साहित्य फ्यूजन का साहित्य है। यह पूंजीवादी युग के साहित्य से मूलतः भिन्न है। सतह पर साहित्य का वर्तमान बदला रूप अधिकतर लोगों की समझ में नहीं आता। भाषिक प्रयोगों, आख्यान कला और मध्यकालीन प्रयोगों की और रुझान बढ़ा है। इन दिनों कुछ ऐसे लेखक भी हैं जो अब प्रगतिशील आंदोलन के प्रयोगों के आगे नहीं बढ़े हैं। इसमें कुछ ऐसे हैं जो अभी भी छायावादी भावबोध में जी रहे हैं। यही हाल कथा साहित्य का है। किसी को *कथासरित्सागर* की कहानियों का फार्मेट अच्छा लगता है तो कुछ के लिए प्रेमचंद का कथा रूप अपील करता है। कुछ ऐसे हैं जो राजेंद्र यादव के दीवाने हैं तो कुछ को उदय प्रकाश में जादुई यथार्थ के दर्शन हो रहे हैं। तात्पर्य यह है कि हिंदी में साहित्य के नाम पर प्राचीन से लेकर नवीन सब कुछ चल रहा है। यही हाल पॉपुलर कल्चर का है। उसमें भजन से लेकर भांगड़ा तक, पॉप संगीत से लेकर शास्त्रीय संगीत तक सबमें फ्यूजन चल रहा है। बगैर किसी सिद्धांत और मकसद के पुरानी से लेकर नई शैलियों और देशी-विदेशी

सिद्धांतों की खिचड़ी परोसी जा रही है।

अतीत की शैलियों से लेकर अत्याधुनिक शैलियों का मनमाना प्रयोग इस बात का संकेत है कि कलाओं में नियमरहित अतीत का संगम हो रहा है। शैलियों को संतुलित कर देने, एक ही धागे में पिरो देने की इस प्रवृत्ति ने खास किस्म का सर्वसंग्रहवाद पैदा किया है।

साहित्य पुनर्सृजन है। वह वास्तव के बजाय कल्पना का खेल है। लेकिन कथाकार उसे वास्तव के रूप में व्याख्यायित करने में लगे हैं। दूसरी ओर वास्तव घटनाओं का नकली रूप टीवी चैनलों से नाट्य रूपांतरण के जरिए आ रहा है। कुछ ऐसे विचारक भी हैं जो बता रहे हैं कि वेदों की ऋचाएं, लोकगीत, महाकाव्यों की कविताएं आदि सब कुछ सच था। वे उन्हें किसी न किसी वास्तव घटना से जोड़ रहे हैं और उनकी वैधता की तलाश कर रहे हैं।

यानी साहित्य सच है, सच के अलावा कुछ भी नहीं है। कलाओं में सच के पूजकों की ऐसी भीड़ पहले कभी नहीं देखी गई। वे बता रहे हैं कि सब कुछ उपभोग के लायक है। सब कुछ आत्मसात किया जा सकता है। 'सब कुछ कला और सब कुछ यथार्थ' के नारे के नाम पर अतीत से लेकर वर्तमान तक की विलक्षण खिचड़ी पक रही है और उसे हम अनालोचनात्मक ढंग से खा रहे हैं।

'सब कुछ कला है' के नारे के मानने वालों को साहित्य में कैसे प्रतिष्ठित किया जा रहा है और सबकी रचनाओं को एक पदबंध में कैसे बांधा जा सकता है इसका साहित्यिक खेल *नया ज्ञानोदय* के 'प्रेम' और 'बेवफाई' विशेषांकों को देखकर लग सकता है। संपादक महोदय ने उपरोक्त पदबंधों के आधार पर अतीत से लेकर वर्तमान तक की साहित्यिक रचनाओं को वर्गीकृत करके पेश किया है और अच्छे जनप्रिय अंक प्रकाशित किए हैं। इन विशेषांकों में शामिल रचनाओं को समझने के लिए किसी परिप्रेक्ष्य, ऐतिहासिक संदर्भ, कल्पना आदि के वैविध्य आदि को समझने की जरूरत नहीं है। यह तो 'प्रेम' और 'बेवफाई' का सर्वसंग्रह है।

विचार विशेष पर इस तरह के संग्रहों के प्रकाशन का हिंदी की साहित्यिक पत्रिकाओं में खूब चलन है। यह साहित्य में नए और पुराने का सर्वसंग्रहवाद है। इस तरह के सर्वसंग्रहवाद के पीछे इस तरह के संग्रहों को निकालने वालों की अपनी साहित्यिक समझ रही है जिसके आधार पर वे इस तरह के खिचड़ी साहित्य की साहित्यिक प्रासंगिकता पर रोशनी डालते हैं। उनके पास अपने सर्वसंग्रहवाद के लिए सुंदर तर्क हैं।

पुराने और नए को एक ही साहित्यिक परिप्रेक्ष्य में प्रस्तुत करने का साहित्य सिद्धांत पिटा हुआ उत्तर आधुनिक सिद्धांत है। इसके अलावा 'सब कुछ साहित्य है और यथार्थ है' और 'प्रत्येक चीज प्रासंगिक है', ये दोनों साहित्यिक नारे हमारे साहित्यिक क्षय को व्यंजित करते हैं। कलाबोध को नष्ट करते हैं। इन दो नारों के तहत प्रस्तुत सामग्री उपभोक्तावाद से संचालित है। इसका साहित्य से कम संबंध है।

उपभोक्तावाद के लिए सब कुछ जरूरी है। सब कुछ बिक सकता है। वहां कचरा और कूड़ा भी प्रासंगिक है। जिस तरह बाजार में रीसाइकिलिंग की गई वस्तुओं और प्लास्टिक के मालों की बाढ़ आई हुई है वैसे ही साहित्य में भी नए किस्म का रीतिवाद आ गया है। इसमें पुराने रीतिवाद के लक्षण भी शामिल हैं। रीतिवाद की विशेषता है सृजन के केंद्र में नकली यथार्थ और निर्मित साहित्य का आना। कहानी, उपन्यास से लेकर आत्मकथाओं तक निर्मित साहित्य की बाढ़ आई हुई है। साहित्य के बजाय निर्मित साहित्य ने अंधानुकरण को बढ़ावा दिया है। यह साहित्य का स्टीरियोटाइप है।

जिस तरह रीसाइकिल से बनी सामग्री का निजी जीवन छोटा होता है वैसे ही स्टीरियोटाइप साहित्य की भी उम्र कम होती है। वह स्मृति में टिकता नहीं है। साहित्यिक विवादों के केंद्र में जमा नहीं रहता। हमारे बीच में साहित्यिक प्रवृत्तियों की रीसाइकिलिंग हो रही है। साहित्यिक रीसाइकिलिंग में एक खास किस्म की मनोदशा या प्रवृत्ति या विचार को लेकर विशेषांक निकाले जा रहे हैं।

सर्वसंग्रह खूब बिकता है। वह वस्तु को उसके अतीत से विच्छिन्न कर देता है । उसे तात्कालिक खपत से जोड़ देता है। इसे साहित्य का उपयोगितावाद कहते हैं। यह 'टाइम पास' करने वाली साहित्य प्रवृत्ति है।

मीडिया मालों का आस्वाद लेते हुए हम आज कृत्रिम यथार्थ के अभ्यस्त हो गए हैं। यथार्थ और कृत्रिम यथार्थ का अंतर भूल गए हैं। साहित्य और गैर-साहित्य का भेद भूल गए हैं। सामयिक और ऐतिहासिक परिप्रेक्ष्य का अंतर करना भूल गए हैं। अब हम चीजों को अनालोचनात्मक या संशयवादी की तरह देखते हैं। स्वाभाविक और आलोचनात्मक ढंग से देखने और परखने की कला हमारे जीवन से चली गई है। हमें वास्तव घटना से ज्यादा निर्मित घटना अपील करती है। वास्तव की तुलना में कृत्रिम सुंदर लगने लगा है। वास्तव खबर नकली और नकली खबर वास्तव लगने लगी है। फ्रेडरिक जेम्सन के शब्दों में यह 'नए की असफलता और अतीत की कैद है।'

थीम पर केंद्रित साहित्यिक पत्रिकाओं के अंक इस बात की सूचना हैं कि हिंदी जगत गहरे अवसाद से गुजर रहा है। फ्रेडरिक जेम्सन के शब्दों में थीम पर केंद्रित होकर बातें तब ही होती हैं जब बहुराष्ट्रीय कंपनियों अथवा परवर्ती पूंजीवाद के प्रति समाज अवसाद में डूबा हुआ हो। जो अवसाद में डूबे हैं उनके लिए विशेषांक अपील कर रहे हैं। साथ ही, दार्शनिक तौर पर यह व्यक्ति को चर्चा के केंद्र से हटाने की कोशिश है। इसी अर्थ में यह उत्तर-आधुनिक साहित्यिक प्रयास है जिसमें व्यक्ति के अंत की घोषणा कर दी गई है।

साहित्य और साहित्यिक पत्रकारिता में थीम का महत्वपूर्ण होना स्वयं में समस्यामूलक है। हिंदी की अनेक साहित्यिक पत्रिकाओं ने फासीवाद, प्रेम, बेवफाई, सांप्रदायिकता, आतंकवाद, भूमंडलीकरण आदि पर विशेषांक निकाले हैं। इन सभी विशेषांकों का एक ही साझा संदेश है कि हम विषय के बारे में, अपने बारे में कितना जानते हैं। इससे थीम केंद्र में आई है और व्यक्ति का स्थानांतरण हुआ है। थीम के हिमायती भूल गए हैं कि साहित्य का थीम के आधार पर प्रसार नहीं होता। इससे अनुकरण, पैरोडी और साहित्यानुकरण होता है।

एक पत्रिका ने युवा रचनाकार विशेषांक निकाला तो बाकी पत्रिकाएं अनुकरण करके युवा लेखन पर विशेषांक निकाल रही हैं। किसी ने स्त्री या दलित पर विशेषांक निकाला तो बाकी पत्रिकाएं उससे बेहतर विशेषांक निकाल रही हैं। इस विशेषांक संस्कृति ने थीम को प्रतिष्ठित किया है, विषय और व्यक्ति को अपदस्थ किया है। साहित्य में इस बहाने व्यक्ति का बहिष्कार हुआ है। विषय का अंत हुआ है।

पहले साहित्य और साहित्यिक पत्रिकाओं में लेखक के विजडम और मासकल्चर के रूपों पर जोर था। इन दिनों साहित्य में आकर्षक, इकसार और रूढ़िबद्ध विषयों का महिमामंडन चल रहा है।

मसलन यदि किसी दलित ने एक खास अंदाज में अपनी आत्मकथा में कुछ खास पक्षों को उठाया है तो हठात दलित आत्मकथाओं में मिलते-जुलते चित्रों की बाढ़ आ गई है। दलित और स्त्री आत्मकथाओं में एक खास किस्म का अंधानुकरण साफतौर पर देख सकते हैं। एक जमाना था साहित्य में विषय की विशिष्टता थी। विशिष्टता की जगह इन दिनों अंधानुकरण हो रहा है।

विषय से लेकर समस्या के ट्रीटमेंट तक इकसारता के कारण साहित्य से व्यक्ति की विदाई और विशिष्टता का अंत हो गया है। पहले पाठ का संबंध ऑब्जेक्ट के साथ था। इन दिनों ऑब्जेक्ट की जगह फैशन ने ले ली है, थीम ने ले ली है। इन

दिनों साहित्य थीम से थीम की ओर बढ़ रहा है। थीम से पैदा होने वाला साहित्य स्टीरियोटाइप और बोगस होता है चाहे उसे कितने ही बड़े लेखक ने लिखा हो। साहित्य का आधार अब जीवन नहीं, थीम है और यही वह बिंदु है जहां साहित्य का अंत हो जाता है। दूसरी प्रवृत्ति निर्धारणवाद की है। इसमें स्त्री, युवा, दलित आदि को निर्धारणवादी ढंग से पेश किया जा रहा है। अब कोई भी रचना मर्दवाद के आतंक-उत्पीड़न, वर्णाश्रम व्यवस्था के उत्पीड़न, भूमंडलीकरण के उत्पीड़न के बिना नहीं लिखी जा रही।

साहित्य को 'स्पेस' के संदर्भ में देखें तो ऐसी रचनाएं ज्यादा आ रही हैं जिनमें 'घर' का चित्रण ज्यादा है। व्यक्तिगत, करीबी बातों और लोगों का चित्रण ज्यादा हो रहा है। अब ऐसी रचनाएं कम लिखी जा रही हैं जिनमें सार्वजनिक स्पेस हो। साहित्य की स्टाइल के बजाय खास अंचल या भौगोलिक क्षेत्र पर बातें हो रही हैं।

एक जमाना था हिंदी में लेखकगण समय पर बातें करते थे, युग पर बातें करते थे, अब समय को स्थान ने अपदस्थ कर दिया है। स्पेस का विकृतीकरण हो रहा है। इसे घर, बाहर, शहर, कामकाजी स्थान आदि के संदर्भ में देख सकते हैं।

स्त्री और दलित पर लिखी रचनाओं में स्टाइल के रूपों में पुरानी पितृसत्तात्मक अभिव्यक्ति शैली को चुनौती दी जा रही है। पुरानी पितृसत्तात्मक शैली और नई शैली में क्या अंतर है। इस पर बातें नहीं हो रही हैं। इसी तरह दलित लेखन में कामुकता और वर्चस्व की स्मृतियों की व्यापक अभिव्यक्ति हुई है। उनके विभिन्न आख्यान या रूपक सामने आए हैं।

कामुकता और वर्चस्व की स्मृतियों का आना इस बात का संकेत है कि हमारा लेखक मीडिया इमेजों से गहरे प्रभावित है। मीडिया इमेजों के प्रभाव के कारण ही स्मृतियों को साहित्य में अभिव्यक्ति के लिए प्रेरित करता है। स्मृतियों का साहित्य मीठा होता है और उसकी खपत आसानी से हो जाती है। साहित्य में चीजों को माल बनाकर पेश करने की प्रवृत्ति ने उसकी खपत बढ़ा दी है। इस क्रम में संस्कृति और यथार्थ का अंतर मिटा है।

खासकर स्त्री और दलित केंद्रित आत्मकथाओं में यथार्थ और संस्कृति का अंतर खत्म हो गया है। इन आत्मकथाओं के जरिए स्त्री के यथार्थ के बजाय संस्कृति पर ज्यादा बातें हो रही हैं। चित्रण में भी यथार्थ गौण है, संस्कृति प्रमुख है। साहित्य के चित्रण में यथार्थ की जगह संस्कृति और विचार विशेष का आना और यथार्थ का गायब हो जाना साहित्य के वस्तुकरण की प्रक्रिया को सामने लाता है। इस तरह के

साहित्य की रूपांतरणकारी भूमिका नहीं होती। वह बिकता ज्यादा है, उसकी खपत ज्यादा होती है, वह आलोचनात्मक नजरिए से रहित होता है। साहित्य का वस्तुकरण वस्तुतः परवर्ती पूंजीवाद की सांस्कृतिक विजय है।

फ्रेडरिक जेम्सन ने लिखा है, नए युग की विशेषता है कि हमारे कानों में इतिहास का आवाजें आनी बंद हो जाती हैं। इतिहास के प्रति बहरापन एक सामान्य फिनोमिना है। नए युग का विचारशास्त्र संस्कृति में सत्य को खोज कर रहा है। संस्कृति के परे सत्य के किसी भी आयाम को ये लोग नोटिस ही नहीं लेते।

सार्वजनिक इतिहास से हमारा संबंध कमजोर हुआ है और नए किस्म की निजी सामयिकता से उसे जोड़ दिया गया है। इसके कारण एक खास किस्म की उन्मादी भाषा का प्रयोग हो रहा है। साहित्य और मीडिया में शुद्ध भौतिक अनुभवों को उभारा जा रहा है। साहित्य में दैनंदिन जीवन के सतही मनो अनुभवों और स्पेस केंद्रित सांस्कृतिक भाषा के वैविध्यपूर्ण चित्रों की बाढ़ आई हुई। बेचैनी के चित्र यथार्थ के बिना आ रहे हैं। नई संचार तकनीक का साहित्य पर गहरा असर हुआ है। नई तकनीक पुनरुत्पादन की तकनीक है। फलतः साहित्य सृजन कम और उसका पुनरुत्पादन ज्यादा हो रहा है।

उत्तर-आधुनिक अवस्था में 'साहित्य के अंत' की भी घोषणा की गई है। इसका वास्तव में क्या अर्थ है इस ओर हमारे समीक्षकों ने कभी गंभीरता से ध्यान नहीं दिया। लेकिन एक परिवर्तन आया है साहित्य को विधाओं में वर्गीकृत करके पढ़ने की परंपरा का अंत हुआ है। साहित्य के पुराने वर्गीकरण और मानक अप्रासंगिक हो गए हैं।

मसलन एक जमाना था साहित्य की कोटि में अखबार का लेखन नहीं आता था। लेकिन इधर यह नहीं कह सकते। सवाल उठता है स्व. प्रभाष जोशी के निबंधों को हिंदी गद्य साहित्य का हिस्सा मानें या नहीं ? इसी तरह बड़े पैमाने पर साहित्येतर समस्याओं पर हिंदी में लिखा जा रहा है वह साहित्य का हिस्सा है या नहीं ? विधाओं के दायरे टूटे हैं, साहित्य में आए दिन नई विधाएं जन्म ले रही हैं। कल तक जिस लेखन को विधा नहीं मानते थे उसे अब विधा मानते हैं।

मसलन, निजी पत्र साहित्य का हिस्सा नहीं थे। लेकिन रामविलास शर्मा ने *निराला की साहित्य साधना* में पत्रों का इस्तेमाल किया और पत्रों का ही एक खंड बना दिया। अपनी आत्मकथा में भी उन्होंने यही पद्धति अपनाई। इसी तरह नवजागरण संबंधी बहस में भी उन्होंने *महावीर प्रसाद द्विवेदी और हिंदी नवजागरण* नामक किताब लिखकर बड़े पैमाने पर साहित्येतर विषयों को साहित्य बना दिया।

यही काम अपने तरीके से नामवर सिंह ने *आलोचना* पत्रिका के पुनर्प्रकाशन के साथ किया और उन्होंने *आलोचना* का फासीवाद विरोधी विशेषांक निकाला। कहने का तात्पर्य है कि साहित्य अब पुराने अर्थ को त्याग चुका है। नए रूप में साहित्य को लेखन के नाम से जाना जाता है। इसमें अब साहित्य और साहित्येतर का भेद नहीं रह गया है। विधाओं का वर्गीकरण नहीं रह गया है। विधाओं का भी लेखन की अवधारणा में विलय हो चुका है। अब सब कुछ लेखन है।

पहले साहित्य की सीमाएं थीं, आज साहित्य की कोई सीमा नहीं है। अब साहित्य में सब कुछ शामिल है। साहित्य में यह परिवर्तन नई संचार तकनीक आने के साथ आया है। कंप्यूटर के आने साथ आया है। जिस तरह कंप्यूटर में उससे पहले के सभी माध्यमों का विलय हो गया, कन्वर्जन हो गया। ठीक वैसे ही लेखन में सब विधाओं का विलय हो गया है। पहले रचना का एक ही अर्थ होता था, यही कहा जाता था लेखक का काम है सत्य की खोज करना। लेकिन अब किसी भी रचना का एक अर्थ नहीं है बल्कि अनेक अर्थों की चर्चा हो रही है। एक सत्य की नहीं, एकाधिक सत्य की चर्चा हो रही है। एक व्याख्या नहीं, व्याख्याओं का अनंत आकाश खुल गया है। इस पूरी प्रक्रिया में आलोचना, सत्य, व्याख्या आदि के संदर्भ में 'सापेक्षतावाद' घुस आया है। अब हम सापेक्ष रूप में विचार करते हैं। सत्य, कथ्य और व्याख्या की एकाधिक अस्मिताओं पर जोर दिया जा रहा है। इस परिप्रेक्ष्य में देखें तो पुराने साहित्य की धारणा का अंत हो गया है।

'साहित्य के अंत' की प्रक्रिया में 'साहित्य' पर नहीं, साहित्य के सवालों पर बहस हो रही है। 'साहित्य' पर जब बातें कर रहे थे तो साहित्य समीक्षा के आधार पर कृति का विवेचन कर रहे थे, समीक्षा या आलोचना का विकास कर रहे थे। साहित्य के नियमों को लागू करते हुए बता रहे थे कि साहित्य की सीमा क्या है और रचना में साहित्येतर क्या है ? साहित्य को साहित्येतर से दूर रखने में आलोचना मदद कर रही थी। लेकिन अब ऐसा नहीं हो रहा।

हमारे साहित्यिक बंधु साहित्य के सवालों पर चर्चा करते हुए साहित्यालोचना के दायरे के बाहर चले गए हैं। अब साहित्य और साहित्येतर का विभाजन खत्म हो गया है। यह विभाजन और किसी ने नहीं, साहित्य के दो महान आलोचकों रामविलास शर्मा और नामवर सिंह ने किया है। जब आप साहित्य के बजाय साहित्य के सवालों पर चर्चा रहे होते हैं तो साहित्य की सीमाओं को खत्म करते हैं। इस क्रम में साहित्य की अपनी कोई निजी पहचान नहीं रह जाती। अब तक यह कहा जाता

था कि साहित्य की अपनी पहचान या अस्मिता होती है। लेकिन यह पहचान अब खत्म हो गई है। अब हम नहीं जानते कि साहित्य की अस्मिता क्या है ? पहचान क्या है? यही वह जगह है जहां पर साहित्यालोचना की जगह साहित्य सैद्धांतिकी आ गई है। अब ज्यादा से ज्यादा साहित्यालोचना नहीं, साहित्य की थ्योरी के आधार पर चर्चाएं हो रही हैं।

पहले 'आलोचना' लिखी जाती थी अब 'परिप्रेक्ष्य' की बातें हो रही हैं। आलोचना को परिप्रेक्ष्य ने अपदस्थ कर दिया है। इसका गहरा असर हुआ है। अब साहित्य में अनेक परिप्रेक्ष्यों के आधार पर मूल्यांकन किया जा रहा है। जैसे मार्क्सवाद, संरचनावाद, उत्तर-आधुनिकतावाद, स्त्रीवाद आदि।

मजेदार बात यह है कि हिंदी में आलोचना के मसलों को पूरी तरह दुरुस्त भी नहीं कर पाए थे कि अचानक आलोचना को परिप्रेक्ष्य ने अपदस्थ कर दिया। अब परिप्रेक्ष्य के आधार पर साहित्य में व्यक्त सत्य को तय किया जा रहा है। परिप्रेक्ष्य अलग हैं तो सत्य भी भिन्न होगा। इसके कारण दुनिया भी अलग दिखाई देगी। दुनिया का अलग-अलग हिस्सा दिखाई देगा।

मसलन स्त्रीवादी और मार्क्सवादी परिप्रेक्ष्य को ही लें, इसके मानने वाले 'लिंग' और 'वर्ग' के अलावा और किसी भी बात पर ध्यान नहीं देते। वे अन्य पक्षों की अनदेखी करते हैं। व्यवस्था में 'लिंग' और 'वर्ग' के अलावा भी चीजें हैं जिन्हें हमें देखना चाहिए। वे साहित्य को 'लिंग' और 'वर्ग' के सीमित दायरे में रखकर देखते हैं, जबकि साहित्य का दायरा बहुत बड़ा है, स्त्रीवादी साहित्य और मार्क्सवादी साहित्य या दलित साहित्य के दायरे की तुलना में। फलतः साहित्य में टुकड़ों या अंशों पर बातें हो रही हैं, समग्रता में साहित्य पर बातें नहीं हो रहीं। इसी अर्थ में साहित्य की पुरानी धारणा का अंत हुआ है।

परिप्रेक्ष्य में देखने की यह खूबी काफी पहले से चली आ रही है इसमें उत्तर-आधुनिकतावाद के आने से मामला दूसरी दिशा में चला गया है। जितने भी परिप्रेक्ष्य प्रचलन में हैं उनमें राजनीति गहरे समाई हुई है। राजनीति के बिना इन पर बातें करना संभव नहीं है।

इस समूची प्रक्रिया का साहित्य के पठन-पाठन पर भी गहरा असर हुआ है। अब साहित्य के विभाग नहीं होते बल्कि उनकी जगह साहित्यिक या सांस्कृतिक अध्ययन के विभाग होते हैं। साहित्यिक अध्ययन विभाग बनते ही अनुसंधान और अध्ययन के क्षेत्र में हिंसा, दमन, उत्पीड़न, विभाजन आदि राजनीतिक केटेगरी का अध्ययन

प्रमुख हो गया है।

अब कोई शोध ऐसा नहीं होता जिसका ठोस आधार राजनीति न हो। अब प्रत्येक निर्णय राजनीतिक आधारों पर हो रहा है। राजनीतिक आधार पर सोचने का परिणाम निकला है कि अब कोई चीज निश्चित नहीं है। टिकाऊ नहीं है। राजनीति के अलावा अन्य पहलुओं को छिपाया जा रहा है।

जब कोई चीज निश्चित नहीं है तो अब अनुमानाधारित दर्शन, काल्पनिक साहित्य और रेडिकल गणित पर जोर दिया जा रहा है और इसी क्रम में गेम या खेल की सैद्धांतिकी सामने आई है।

ख़ास सीमा के बाद ज्ञान, विचार, अनुभव आदि को ठेल दिया जाता है। लेकिन राजनीतिक एक्शन को लक्ष्य से नहीं हटाया जा सकता। चूंकि चीजें राजनीति से जुड़ी हैं अतः संदर्भ को वास्तव होना चाहिए। बिना वास्तव संदर्भ के राजनीति की व्याख्या संभव नहीं होती। इस क्रम में वास्तव पर संदेह नहीं किया जा सकता अथवा यह भी कह सकते हैं कि कुछ सवाल उठाए ही नहीं जा रहे। ऐसी स्थिति में जो भी मूल्यांकन करेंगे उसके लिए वास्तव के बाहर जाने की जरूरत पड़ेगी।

हमें चलताऊ तुलनाओं, प्रतिगामी उपेक्षाभाव, अतार्किकता, सांस्थानिकता, बौद्धिकता विरोध, अराजनीति आदि से बचना होगा। वास्तव पर निर्भर आलोचना लिखेंगे तो राजनीति और स्कॉलरशिप दोनों में संतुलन बना रहेगा। इस संतुलन को डिस्टर्ब न किया जाए।

इन दिनों वास्तव और अवास्तव, व्यक्ति और अव्यक्ति, जीवन और मृत्यु, उपस्थित और अनुपस्थित आदि के बारे में सवाल नहीं किए जाते। जो कुछ भी कहा जाता है वह खास सीमा में रहकर ही कहा जाता है। देरिदा ने लिखा है, अब ऐसे विद्वान नहीं रहे जो वास्तव अर्थ में विद्वान हों और विद्वान की तरह ही भूत के बारे में बता सकें। परंपरागत विद्वान भूत में विश्वास नहीं करते थे और न ही इसे वर्चुअल स्पेस का नजारा ही कह सकते हैं। अब ऐसे विद्वान नहीं रहे जो बता सकें कि यथार्थ और अयथार्थ में अंतर क्या है, वास्तव और अवास्तव में अंतर क्या है। जीवित और मृत में अंतर क्या है। व्यक्ति और अ-व्यक्ति में अंतर क्या है। उपस्थित और अनुपस्थित में अंतर्विरोध बताने वाले विद्वान नहीं रहे।

इसी तरह साहित्य में जो सवाल उठे हैं या उठाए जा रहे हैं वे निज या सेल्फ को उद्घाटित करने वाले हैं। वे ही बातें लिखी जा रही हैं जो अस्मिता की संगति में आती हैं। निज की संगति में आती हैं। ये सभी उत्तर-आधुनिक अवस्था के लक्षण

हैं। उत्तर-आधुनिक अवस्था का चरमोत्कर्ष है समाजवादी व्यवस्था का विघटन। जिस तरह सन् 1917 की सोवियत संघ की बोल्शेविक क्रांति से हिंदी साहित्य प्रभावित था, ठीक उसी तरह समाजवाद के पराभव का भी हिंदी पर गहरा असर हुआ है। जिस तरह ब्रिटिश साम्राज्यवाद और उसके खिलाफ चले संघर्षों ने असर डाला था, वैसे ही नव्य आर्थिक उदारीकरण ने भी साहित्य की विभिन्न विधाओं से लेकर मीडिया तक सबको प्रभावित किया है।

सोवियत संघ के पराभव के बाद सारी दुनिया में मार्क्सवादी चिंतकों को करारे वैचारिक सदमे और अनिश्चितता से गुजरना पड़ा है। सूचना समाज किस तरह वैचारिक विपर्यय पैदा कर सकता है इसके बारे में कभी विचार ही नहीं किया गया। अधिकांश समाजवादी विचारक इसे सामान्य और एक रुटीन परिवर्तन मानकर चल रहे थे। वे यह भी देखने में असमर्थ रहे कि परवर्ती पूंजीवादी मॉडल को लागू किए जाने के बाद मार्क्सवाद का भी रूप बदलेगा। पुराने किस्म का मार्क्सवाद चलने वाला नहीं है। लेकिन अनेक विचारकों के यह बात गले नहीं उतर रही है। एक तरफ मीडिया में समाजवाद विरोधी उन्माद और दूसरी ओर सामाजिक-राजनीतिक यथार्थ की धड़कनों का हाथ में न आना, यही वह विडंबना थी जिसने मार्क्सवादियों को हतप्रभ अवस्था में पहुंचा दिया।

सूचना समाज में मार्क्सवाद और साहित्य की प्रकृति और भूमिका एकदम बदल गई है। राजनीतिक प्रतिवाद की शक्ल बदल गई है। लोगों को जोड़ने, उनसे संवाद और संपर्क करने के तरीके बदल गए हैं। सूचना समाज आने के पहले राजनीतिक मुहावरे, पदबंध आदि संचार के हथकंडे के रूप में इस्तेमाल किए जाते थे। सूचना समाज के जन्म के साथ ही राजनीतिक पदबंधों और मुहावरों की जगह सांस्कृतिक पदबंधों और मुहावरों ने ले ली। अब सारी चीजें वस्तुओं और उपभोक्तावादी तत्वों के जरिए व्याख्यायित होने लगी हैं। साहित्य से लेकर राजनीति तक सब जगह उपभोक्तावाद की भाषा और मुहावरे चले आए हैं।

मसलन पहले नामवर सिंह की तुलना आचार्य रामचंद्र शुक्ल के साथ की जाती थी, नए दौर में उनकी तुलना अमिताभ बच्चन से होने लगी। प्रसिद्ध आलोचक सुधीश पचौरी ने उन्हें हिंदी के अमिताभ बच्चन के नाम से पुकारा। कहने का अर्थ यह है कि सूचना समाज अपने साथ नया यथार्थ और नई भाषा लेकर आया है और इस नए यथार्थ को पढ़ने के लिए नए किस्म की सैद्धांतिकी की भी जरूरत है। इसी प्रसंग में प्रसिद्ध मार्क्सवादी विचारक फ्रेडरिक जेम्सन ने मार्क्सवाद की पांचवीं थीसिस

में लिखा, 'राजनीतिक तथा आर्थिक दोनों क्षेत्रों के लिए संस्कृति का बढ़ता हुआ महत्व इन क्षेत्रों के सोद्देश्यमूलक अलगाव या विभेदीकरण का परिणाम नहीं बल्कि स्वयं जिंसीकरण (कमोडिफिकेशन) की अपेक्षाकृत अधिक विश्वव्यापी संतृप्ति और प्रवेश है। जिन्सीकरण अब उस सांस्कृतिक क्षेत्र के उन विशाल क्षेत्रों को अपना उपनिवेश बनाने में सक्षम हो गया है, जो क्षेत्र अब तक इससे बचे थे और सचमुच इसके विरुद्ध या इसके तर्क से असहमत थे। यह तथ्य कि संस्कृति आज अधिकांशतया व्यवसाय में बदल गई है, इसका परिणाम यह हुआ है कि अधिकांश चीजें जो पहले विशिष्ट रूप से आर्थिक और वाणिज्यिक समझी जाती थीं, वे भी अब सांस्कृतिक बन गई हैं, यह ऐसी व्याख्या है जिसमें इमेज सोसायटी या उपभोक्तावाद के विभिन्न निदानों को शामिल करने की आवश्यकता है।'

'इस प्रकार के विश्लेषण, मसलन जिंसीकरण (कमोडिफिकेशन) की अवधारणा संरचनात्मक और गैर-उपदेशात्मक, में अपेक्षाकृत अधिक सामान्य रूप में मार्क्सवाद को सैद्धांतिक बढ़त हासिल है। नैतिक मनोवेग राजनीतिक कार्रवाई उत्पन्न करता है लेकिन यह बहुत ही क्षणिक होती है जो शीघ्र ही पुनर्समाहित और पुनर्शमित हो जाती है। यह अपने विशिष्ट विषयों को अन्य आंदोलनों के साथ बांटने के लिए शायद ही प्रवृत्त होती है। लेकिन केवल इस प्रकार के संलयन और निर्माण द्वारा ही राजनीतिक आंदोलनों का विकास और विस्तार संभव है। सचमुच मैं इस मुद्दे को दूसरी तरह से कहना चाहूंगा कि उपदेशपरक राजनीति में वहीं विकसित होने की प्रवृत्ति होती है जहां संरचनात्मक संज्ञान और समाज का मानचित्रण (मैपिंग) अवरुद्ध होता है। समाजवाद के असफल होने का बोध होने पर उत्पन्न आक्रोश को आज के संजातीय और धार्मिक प्रभुत्व के रूप में, उस शून्य को नए अभिप्रेरकों से भरने के एक हताश अंध प्रयास के रूप में देखा जा सकता है।'

'जहां तक उपभोक्तावाद का संबंध है, यह आशा की जा सकती है कि यदि इसके स्थान पर जान-बूझकर कुछ और बिलकुल भिन्न चीज चुनना हो तो यह ऐतिहासिक रूप में उतना ही महत्वपूर्ण सिद्ध होगा जितना कि मानव समाज को एक जीवनशैली के रूप में उपभोक्तावाद के अनुभवों से गुजरना। लेकिन विश्व के अधिकांश के लिए उपभोक्तावाद के व्यसन वस्तुनिष्ठ रूप में उपलब्ध नहीं होंगे, तब यह संभव प्रतीत होता है कि 1960 के दशक की रैडिकल थ्योरी का दूरदर्शितापूर्ण निदान : कि पूंजीवाद स्वयं ठीक उसी रूप में एक क्रांतिकारी शक्ति है जिस रूप में यह नई आवश्यकताओं और इच्छाओं को जन्म देता है लेकिन जिनकी पूर्ति यह

नहीं कर सकता है : नई विश्व व्यवस्था के विश्व स्तर पर प्राप्त होगा।'

'सैद्धांतिक स्तर पर यह कहा जा सकता है कि वर्तमान में स्थायी संरचनात्मक बेरोजगारी, वित्तीय सट्टेबाजी और अनियंत्रणीय पूंजी संचलन, इमेज सोसाइटी के ज्वलंत मुद्दे व्यापक रूप में उस स्तर पर एक-दूसरे से अंतस्संबंधित हैं जिसे उनकी अंतर्वस्तु, उनके अमूर्तन का अभाव (ठीक उसके विपरीत जिसे किसी अन्य काल में उनका 'आत्मनिर्वासन' (एलीनेशन) कहा जाता) कहा जा सकता है। जब हम वैश्वीकरण एवं सूचनाकरण (इन्फार्मेटाइजेशन) जैसे मुद्दों को जोड़ने का प्रयास करते हैं तो द्वंद्वात्मकता का और भी विरोधाभासी स्तर मिलता है। जब नए विश्व नेटवर्कों (वामपंथी और दक्षिणपंथी दोनों) की राजनीतिक और विचारधारात्मक संभावनाओं को आज के विश्व तंत्र की स्वायत्तता के लोप तथा किसी राष्ट्र या क्षेत्र की अपनी स्वायत्तता और अस्तित्व प्राप्त करने की असंभावना या स्वयं को विश्व बाजार से अलग करने की असंभावना के साथ जोड़ा जाता है तो प्रतीयमानतः जबर्दस्त असमंजस की स्थिति उत्पन्न होती है। किसी एक विचार को अपना लेने मात्र से बुद्धिजीवी इस गलियारे से रास्ता नहीं निकाल सकते। वास्तव में संरचनात्मक विरोधाभासों के परिपक्व होने से ही नई संभावनाओं का जन्म होता है।'

उत्तर आधुनिकतावादी विकास का प्रधान लक्षण है व्यवस्थागत भ्रष्टाचार, नेताओं में संपदा संचय की प्रवृत्ति, अबाधित पूंजीवादी विकास, उपभोक्तावाद की लंबी छलांग और संचार क्रांति। इन लक्षणों के कारण सोवियत अर्थव्यवस्था धराशायी हो गई। सोवियत संघ और उसके अनुयायी समाजवादी गुट का पराभव एक ही साथ हुआ। सामान्य तौर इस पराभव को मीडिया में साम्यवाद की असफलता कहा गया। वास्तव में यह साम्यवाद की असफलता नहीं है। फ्रेडरिक जेम्सन के शब्दों में यह 'आधुनिकीकरण की छलयोजना' है।

उत्तर-आधुनिकतावाद दौर में क्रांति पर सबसे तेज हमले हुए हैं। इन हमलों के आंतरिक और बाह्य दोनों ही किस्म के रूप रहे हैं। इस प्रसंग में पहली बात यह कि क्रांति का वास्तव अर्थ इन दिनों विकृत हुआ है। उसका अवमूल्यन हुआ है। क्रांति का अर्थ परिवर्तन मान लिया गया है और प्रत्येक परिवर्तन को क्रांति कहने का रिवाज चल निकला है। क्रांति के अर्थ का यह विकृतीकरण है। क्रांति का अर्थ है बुनियादी या आमूल-चूल परिवर्तन।

क्रांति पर बहस करते हुए आमतौर पर कुछ इमेजों, कुछ आख्यानों, कुछ देशों, कुछ खास क्षण विशेष आदि का जिक्र किया जाता है और यह क्रांति का भ्रष्टीकरण

करने में मदद करता है। क्रांति पर बात करने के लिए उसे साम्यवादी और साम्यवाद-विरोधी विचारकों और प्रचार सामग्री के द्वारा निर्मित इमेजों से बाहर आकर देखने की जरूरत है।

क्रांति अनंत क्षण में नहीं बल्कि समकालिक क्षण में घटित होती है। इसमें प्रत्येक चीज एक-दूसरे जुड़ी होती है। क्रांति का मतलब राजतंत्र या समाजतंत्र का 'सुधार' या 'अल्प सुधार' नहीं है। क्रांति का मतलब किसी काल्पनिक मानसिक जगत में परिवर्तन से नहीं है बल्कि इसका संबंध आमूल-चूल परिवर्तन से है। ये परिवर्तन एक-दूसरे से अभिन्न रूप से जुड़े हैं।

क्रांति कोई बनी-बनाई परंपरा का निर्माण नहीं है बल्कि मूलभूत परिवर्तनों का पुनरान्वेषण है। क्रांति कोई तयशुदा तर्कसंघर्ष नहीं है। इसी प्रसंग में प्रसिद्ध मार्क्सवादी फ्रेडरिक जेम्सन ने तीसरी थीसिस में लिखा है, 'सामाजिक क्रांति अनंत समय का एक क्षण मात्र नहीं है। प्रत्युत समकालिक तंत्र में परिवर्तन की आवश्यकता की पुष्टि है, जिसमें हर चीज एक साथ है और एक-दूसरे से अंतस्संबंधित है। इस प्रकार का तंत्र संपूर्ण तंत्रगत परिवर्तन की मांग करता है, न कि अल्प 'सुधार', जिसे निंदात्मक अर्थ में 'मनोराज्य विषयक' कहा जाता है, जो भ्रामक है, व्यावहार्य नहीं। अभिप्राय यह है कि यह तंत्र वर्तमान सामाजिक व्यवस्था के स्थान पर एक रेडिकल सामाजिक विकल्प की विचारधारात्मक दृष्टि की मांग करता है, ऐसा कुछ जिसे वर्तमान तर्कमूलक संघर्ष के अंतर्गत दिया हुआ या विरासत में मिला नहीं माना जाए बल्कि जो पुनरान्वेषण की मांग करे। धार्मिक रूढ़िवाद (चाहे वह इसलामी, ईसाई या हिंदू रूढ़िवाद हो) जो उपभोक्तावाद या 'अमरीकी जीवनशैली' का रेडिकल विकल्प देने का दावा करता है, तभी महत्वपूर्ण अस्तित्व प्राप्त करता है जब पारंपरिक वाम विकल्प खासकर मार्क्सवाद और साम्यवाद की महान क्रांतिकारी परंपराएं अचानक अनुपलब्ध प्रतीत होने लगती हैं।'

आज क्रांति का महत्वपूर्ण एजेंडा है राष्ट्रीय संप्रभुता की रक्षा करना। क्रांति एक प्रक्रिया है और समकालिक परवर्ती पूंजीवादी तंत्र का अवसान भी है। लेकिन इसका प्रस्थान बिंदु राष्ट्रीय संप्रभुता की रक्षा के सवालों से आरंभ होता है। परवर्ती पूंजीवाद के जमाने में राष्ट्रीय संप्रभुता ही दांव पर लगी है। किसी भी देश को स्वतंत्र रूप से अपनी नीतियां बनाने और विकास करने का हक नहीं है। क्रांतिकारी ताकतों का यह विश्व एजेंडा है।

क्रांतिकारी ताकतों का आंतरिक एजेंडा है हाशिए के लोगों को उनकी जनवादी

मांगों के इर्द-गिर्द एकजुट करना। समाज में प्रत्येक व्यक्ति को संघर्ष की अवस्था में इस या उसके साथ खड़े होने, प्रतिबद्ध होने के लिए तैयार करना। परवर्ती पूंजीवाद ने गैर प्रतिबद्धता की हवा चला दी है, इस हवा को जनवादी प्रतिबद्धता के आधार पर ही चुनौती दी जा सकती है। आम लोगों को जनवादी विचारों के प्रति प्रतिबद्ध बनाना, हाशिए के लोगों की जनवादी मांगों के आधार पर एकजुट करना, उनके संगठनों और संघर्षों को आयोजित करना वास्तव अर्थों में क्रांति के मार्ग पर ही चलना है।

मार्क्सवादी आलोचक फ्रेडरिक जेम्सन ने मौजूदा दौर के संदर्भ में मार्क्सवाद की पांच थीसिस प्रतिपादित की हैं। इनमें दूसरी थीसिस में उन्होंने उन खतरों की ओर ध्यान खींचा है जो मार्क्सवाद के लिए आ सकते हैं या आए हैं और जिनसे मार्क्सवादी आंदोलन को धक्का लगा है। उत्तर-आधुनिक परिस्थितियों के आने के साथ मार्क्सवादी चिंतन को नव्य उदार आर्थिक नीतियों और उसके गर्भ से पैदा हुए बाजार ने सबसे बड़ा खतरा पैदा किया है। इन नीतियों के इतने व्यापक और भयावह रूपांतरणकारी परिणाम होंगे इसका कोई भी मार्क्सवादी पूर्वानुमान नहीं लगा पाया।

नव्य उदारतावाद के खिलाफ विचारधारात्मक संघर्ष में मार्क्सवादी आम लोगों का दिल जीतने, उन्हें इसके परिणामों के बारे में समझाने में असमर्थ रहे। इस समस्या के दो स्तर थे, पहला स्तर स्वयं मार्क्सवादियों के लिए था। वे खुद समझ ही नहीं पाए कि नव्य उदार आर्थिक नीतियों का क्या परिणाम निकलेगा। उनका इन नीतियों के प्रति तदर्थ रवैय्या था। जब वे स्वयं दुविधाग्रस्त थे तो वे अन्य को कैसे समझाते? इससे संकट और भी गहरा हो गया।

उत्तर-आधुनिकतावाद के संदर्भ में मार्क्सवादियों की सफलताएं कम हैं, असफलताएं ज्यादा हैं। सबसे बड़ी असफलता है नव्य उदार आर्थिक नीतियों के गर्भ से पैदा हुई असुरक्षा, अव्यवस्था, विस्थापन और भय को संगठनबद्ध न कर पाना। नव्य उदार दौर में मजदूर वर्ग के क्षय को वे रोक नहीं पाए और असंगठित मजदूर वर्ग की तबाही को अपने संगठनों के जरिए एकजुट नहीं कर पाए। आज महानगरों में लाखों असंगठित मजदूर हैं जो किसी भी वाम संगठन में संगठित नहीं हैं।

मजदूर वर्ग के अंदर नव्य उदारतावाद ने जो भय पैदा किया उसे भी प्रभावशाली ढंग से मार्क्सवादी लिपिबद्ध नहीं कर पाए। इसका व्यापक दुष्परिणाम निकला है, मजदूरों की आवाज सामान्य वातावरण से गायब हो गई है। नव्य उदारपंथी एजेंडा वाम संगठनों में आ घुसा है। वे इससे बचने की युक्ति नहीं जानते।

इसी प्रसंग में फ्रेडरिक जेम्सन ने लिखा, 'तर्कमूलक संघर्ष (जैसा कि यह सीधी वैचारिक लड़ाई के विरुद्ध है) अपने विकल्पों की साख समाप्त करके और थीमैटिक प्रसंगों की एक पूरी शृंखला को अनुल्लेखनीय घोषित करके सफलता हासिल करता है। यह राष्ट्रीकरण, विनियमन, घाटा व्यय, कींसवाद, नियोजन, राष्ट्रीय उद्योगों की सुरक्षा, सुरक्षा नेट तथा अंततः स्वयं कल्याणकारी राज्य जैसी पूर्ववर्ती गंभीर संभावनाओं को निर्णायक रूप में अवैध घोषित करने के लिए क्षुद्रीकरण, निष्कपटता, भौतिक स्वार्थ, 'अनुभव', राजनीतिक भय, ऐतिहासिक सबक को 'आधार' मानने का आग्रह करता है। कल्याणकारी राज्य को समाजवाद बताना बाजारवाद का उदारवादियों (अमेरिकी प्रयोग में जैसा कि 'न्यू डील लिबरल्स' में किया गया है) तथा वामपंथियों दोनों पर दोहरी जीत दिलाता है। इस प्रकार आज वामपंथ ऐसी स्थिति में आ गया है जब उसे बड़ी सरकारों या कल्याणकारी राज्यों का समर्थन करना है। सामाजिक प्रजातंत्र की समीक्षा करने की जो वामपंथियों की विस्तृत और परिष्कृत परंपरा रही है, उसके लिए यह कार्य, खासकर वामपंथियों को इतिहास की द्वंद्वात्मक समझ जितनी होनी चाहिए उतनी नहीं होने के कारण, बेहद लज्जित करने वाला है। खास तौर पर, ऐतिहासिक स्थितियों में परिवर्तन तथा उनके अनुरूप उपयुक्त राजनीतिक और कार्यनीतिगत प्रतिक्रिया के बारे में पुनः कुछ बोध प्राप्त करना वांछनीय है। लेकिन यह भी तथाकथित इतिहास के अंत यानी आमतौर पर उत्तर-आधुनिक की मौलिक अनैतिहासिकता के साथ बहस की मांग करता है।'

मार्क्सवादी फ्रेडरिक जेम्सन ने आगे लिखा है, 'इसी बीच मनोराज्य (यूटोपिया) से जुड़ी चिंताएं जो इस भय से उत्पन्न होती हैं कि हमारी वर्तमान पहचान, हमारी आदतें और आकांक्षा पूर्ति के तरीकों का निर्माण करने वाली चीज कतिपय नई सामाजिक व्यवस्था में समाप्त हो जाएगी तथा सामाजिक व्यवस्था में आमूल-चूल परिवर्तन आज कुछ समय पहले की तुलना में अधिक संभव है। स्पष्टतया दुनिया के आधे से अधिक भाग में और न केवल प्रभावशाली वर्गों में आज निस्सहाय लोगों के जीवन में परिवर्तन की आशा का स्थान 'नष्ट हो जाने के भय' ने ले लिया है। इस प्रकार की मनोराज्य-विरोधी (एंटी-यूटोपियन) चिंताओं को दूर करना अनिवार्य है जोकि सांस्कृतिक निदान और उपचार के रूप में किया जाना चाहिए, न कि बाजार के सामान्य बहस और अलंकार की इस या उस विशेषता से सहमति जताकर इससे बचना चाहिए।'

'मानव-स्वभाव मूल रूप से अच्छा और सहयोगी है या फिर बुरा और आक्रामक।

यदि यह सर्वसत्तात्मक राज्य (लेवियाथन) को नहीं तो कम से कम बाजार को वश में रखने की अपेक्षा करता है, ये सारे तर्क वास्तव में मानवतावादी और विचारधारात्मक हैं (जैसा कि अलथूसर ने कहा है) और इसके स्थान पर रेडिकल परिवर्तन और सामूहिक परियोजना का परिप्रेक्ष्य लाना चाहिए। साथ ही वामपंथियों को बड़ी सरकारों या फिर कल्याणकारी राज्यों का आक्रामक रूप से बचाव करना चाहिए तथा मुक्त बाजार के ऐतिहासिक ध्वंसात्मक रिकॉर्ड को देखते हुए बाजारवाद पर लगातार प्रहार करते रहना चाहिए।'

मार्क्सवादी के लिए साम्यवाद पूजा की चीज नहीं है। मार्क्सवादी के लिए वैज्ञानिक ढंग से इस समाज को समझना और उस परिवर्तन के तर्क को समझना जरूरी होता है जिसके कारण परिवर्तन घट रहे हैं। उत्तर-आधुनिकता के दूसरे चरण में नव्य उदार परिवर्तनों का केंद्र बिंदु अमेरिका नहीं, एशिया है। पुराने साम्राज्यवाद के दौर में पूंजीवाद का केंद्र था इंग्लैंड, बाद में द्वितीय विश्वयुद्धोत्तर दौर में अमेरिका केंद्र बना। नव्य उदारतावाद के आरंभ में अमेरिका ही पूंजीवाद का गोमुख था। लेकिन नव्य उदारतावाद के अगले चरण में यानी मौजूदा दौर में पूंजीवाद का केंद्र चीन है, अमेरिका नहीं। कॉरपोरेट और लंपट पूंजीवाद की इसमें सभी खूबियां हैं। सब कुछ हजम कर जाने का इसमें भाव है। विश्व बाजार में छा जाने, सब कुछ बनाने और सस्ता उपलब्ध कराने का नजरिया है। इस समाविष्टकारी भाव से सारी दुनिया में देशज उद्योगों के लिए गंभीर संकट पैदा हो गया है।

एक जमाना था चीन में कम से कम चीजें पैदा होती थीं। सारा देश पांच किस्म के कपड़े पहनता था। सारा देश साइकिल पर चलता था। लेकिन विगत 30 सालों में उसने सब कुछ बदल दिया है। उत्पादन और जिंसों के उत्पादन में तो उसने क्रांति की है। किसी वस्तु को सस्ते में बनाना, बाजार में इफरात में उपलब्ध कराना और बाजार को घेरे रखना। बड़ी पूंजी को आकर्षित करना, श्रम और श्रमिक को सस्ते माल में तब्दील करना। मैन्युफेक्चरिंग की ताकत को ऐसे समय में स्थापित करना जब सारी दुनिया मैन्युफैक्चरिंग छोड़कर सेवाक्षेत्र की ओर आंखें बंद करके भाग रही थी, अपने आप में महान उपलब्धि है।

उत्पादन और खूब उत्पादन का नारा लगाकर चीन ने उत्पादन और उत्पादकों की महत्ता स्थापित की है। तंत्रगत संकटों को उसने अभिनव परिवर्तनों और प्रौद्योगिक क्रांति के जरिए संभाला है। विकास की तेज गति को बरकरार रखा है। साथ ही उत्पादन की गति को बनाए रखकर कॉरपोरेट पूंजीवाद को नए सिरे से

पुनर्गठित किया है। इन परिवर्तनों को उत्तर-मार्क्सवाद के आधार पर ही परखा जा सकता है। चीन और अमेरिका के नव्य उदार आर्थिक परिवर्तन पुराने मार्क्सवाद से नहीं, उत्तर-मार्क्सवाद से ही समझ में आ सकते हैं।

फ्रेडरिक जेम्सन ने लिखा है, 'तंत्रगत संकटों पर काबू पाने के लिए दूसरी आवश्यकता है अभिनव परिवर्तन और प्रौद्योगिकी में 'क्रांति' की। अर्नेस्ट मेंडेल ऊपर उल्लिखित चरणों के साथ इन परिवर्तनों का तालमेल बिठाते हैं : वाष्प तकनीकी का राष्ट्रीय पूंजीवाद के क्षण के साथ; विद्युत और दहनशील इंजन का साम्राज्यवाद के क्षण के साथ; आणविक ऊर्जा और साइबरनेटिक का हमारे अपने समय के बहुराष्ट्रीय पूंजीवाद और भूमंडलीकरण के क्षण के साथ, जिसे कुछ लोगों द्वारा उत्तर-आधुनिकता का भी नाम दिया जाता है। ये प्रौद्योगिकियां नई प्रकार की जिंसों का उत्पादन तो कर ही रही हैं, साथ ही, नए विश्व क्षितिज को उद्घाटित करने में भी सहायक हैं। इस प्रकार ये विश्व को छोटा और पूंजीवाद को नए पैमाने पर पुनर्गठित कर रही हैं। इसी अर्थ में उत्तर-पूंजीवाद (लेट कैपिटलिज्म) की विवेचना सूचना या साइबरनेटिक्स के पदों के रूप में उपयुक्त हैं (और ये पद सांस्कृतिक रूप में भी बहुत कुछ व्यक्त करते हैं) लेकिन इन्हें आर्थिक गतिकी के साथ पुनर्युग्मित करने की आवश्यकता है, जिससे इनमें सांस्कृतिक, बौद्धिक और विचारधारात्मक रूप से आसानी से अलग होने की प्रवृत्ति है।'

स्त्री साहित्य हिंदी की यह विरल परंपरा है कि स्त्री साहित्य है लेकिन स्त्री साहित्य इतिहास नहीं है। साहित्य के इतिहास में उसका न्यूनतम जिक्र नहीं है। लंबे समय से औरतें लिख रही हैं लेकिन उनके साहित्येतिहास का कहीं अता-पता नहीं है। स्त्री साहित्य का इतिहास न तो पुरुषों ने लिखा है और औरतों ने। इतिहास की अनुपस्थिति स्वयं में बड़ी समस्या है। स्त्री साहित्य का इतिहास क्यों नहीं लिखा गया ? इसका उत्तर आलोचकों को खोजना चाहिए।

स्त्री साहित्येतिहास की प्रधान समस्या है स्त्री साहित्य खोजने और उसे व्यवस्थित ढंग से पेश करने की। इससे स्त्री साहित्य परंपरा, शैलियों और विधाओं के मूल्यांकन में मदद मिलेगी। बड़े पैमाने पर स्त्री साहित्य लिखा गया है लेकिन वह सब इधर-उधर बिखरा पड़ा है। कभी उसका समग्रता में संकलन नहीं किया गया, किसी ने उस पर कलम चलाने की आवश्यकता महसूस नहीं की। अतः पहली जरूरत है कि स्त्री रचनाओं को खोजा जाए। इसके बाद उनका कालक्रम और संदर्भ तय किया जाए, विश्लेषण किया जाए।

स्त्री साहित्येतिहास की दूसरी बड़ी समस्या है स्त्री साहित्य की निरंतरता को स्थापित करने की। अनेक लेखिकाओं की रचनाएं नष्ट हो गई हैं या अनुपलब्ध हैं। सन् 1905 से हिंदी में स्त्री साहित्य के संकलनों के प्रकाशन का सिलसिला चल रहा है इसके कारण अनेक लेखिकाओं की महत्वपूर्ण और दुर्लभ रचनाएं सामने आई हैं। लेकिन इतिहास अभी तक नहीं लिखा गया। इसके अलावा यह भी देखा गया है कि अनेक महिला लेखिकाओं की रचनाएं प्रकाशित ही नहीं हो पाई हैं।

प्रसिद्ध स्त्रीवादी आलोचिका और दार्शनिक हेलिनी सिकसाउस का मानना है कि किसी भी विषय पर कोई भी बात एटीट्यूट, संस्कार, शरीर और मन के तंत्र को जाने बिना नहीं हो सकती। खासकर स्त्री साहित्य और स्त्री पर कोई भी बात करने के लिए चीजों को एकदम नग्नतम रूप में देखना और पेश करना बेहद जरूरी है। चीजों को नग्नतम रूप में देखने का अर्थ है उन्हें अवधारणाओं में बांधकर देखना।

अवधारणा में यथार्थ को जब भी देखेंगे, चीजें, घटनाएं और विचार एकदम साफ नजर आएंगे। दुनिया को जब भी देखो तो रक्षाविहीन नजरिए से देखो। इससे दुनिया बेहद सुंदर और काव्यात्मक नजर आएगी। दुनिया को देखने के लिए किसी 'ट्रिक्स' या हथकंडे का इस्तेमाल नहीं किया जाना चाहिए। दुनिया को देखने के लिए हम जब किसी एपरेट्स का इस्तेमाल करने लगते हैं तो आंखें बंद हो जाती हैं। लेकिन जब आप अवधारणाओं में देखते हैं तो कोई चीज छिपाई नहीं जा सकती। जो छिपाया जा रहा है वह साफ दिखाई देने लगता है।

हेलिनी सिकसाउस के अनुसार अवधारणाओं में सोचना जरूरी है। खासकर स्त्री साहित्य के इतिहास-दर्शन के प्रसंग में अवधारणाएं और भी महत्वपूर्ण हैं क्योंकि इस क्षेत्र में पुंसवादी सैद्धांतिकी हावी है। मध्यकाल में आमतौर पर स्त्रियों की राजनीतिक घटनाओं और राजनीतिक कार्यक्रमों में दिलचस्पी कम होती थी। वे चीजों के साथ राजनीतिक संबंधों को नहीं देख पाती थीं। वे चीजों को राजनीति के बिना एक सामान्य औरत की तरह ही देखती थीं। यही वजह है कि अनेक मर्तबा औरतों को सामाजिक-राजनीतिक यथार्थ विशालकाय पहाड़ नजर आता है।

आधुनिक काल में आकर औरतों में राजनीतिक-सामाजिक यथार्थ को लेकर आकर्षण पैदा होता है। आधुनिक शिक्षा, आधुनिक आंदोलनों और मीडिया ने औरत को इस क्षेत्र में समझदार बनाने में महत्वपूर्ण भूमिका अदा की है।

स्त्री के व्यक्तित्व की एक अन्य खूबी है कि वह अपने दायित्व और सामाजिक भूमिकाओं का पालन करने के साथ-साथ अन्य की जिम्मेदारियों का पालन भी

करती। समग्रता में अन्य के लिए वह ज्यादा समय देती है, स्वयं के लिए कम समय देती है। अन्य के दबाव में उसकी कल्पनाशीलता, सर्जनात्मकता और काव्यात्मकता कहीं नष्ट न हो जाए इस बात का उसे सब समय खयाल रखना होता है। दूसरी ओर महिला आंदोलन में स्त्री साहित्य के लिए जरा सी भी जगह नहीं है। ऐसी अवस्था में स्त्री साहित्य लिखना, उसे बचाना और भावी पीढ़ी के हाथों सौंपना बहुत बड़ी चुनौती है।

स्त्री साहित्य में स्त्री होने मात्र से किसी लेखिका को स्वीकृति नहीं मिलती। उसे लेखिका पहले होना होगा। लेखिका होने के लिए जरूरी है कि वह पहले साहित्य रचना करे या कृति लिखे, उसके लिखे के आधार पर ही वह पाठकों में स्वीकृति प्राप्त करती है। रचना दौड़ती है उसके पीछे लेखिका दौड़ती है और फिर पाठक पीछा करते हैं। यदि किसी रचना का पाठक पीछा नहीं कर रहे हैं तो जान लो कि पाठक बैठे हुए हैं। रचना कम पढ़ी जा रही है। लेखिका को प्रसन्नचित्त रखने में उसके पाठक ही मदद करते हैं।

हिंदी में स्त्री साहित्य की बातें करना, उसके पक्ष में बोलना, उसके इतिहास की बातें करना, स्त्री की समस्याओं पर जनजागरण का काम करना आदि बातें अब भी लोकप्रिय नहीं हैं। इसका प्रधान कारण है स्त्री की स्वतंत्र सत्ता और चेतना को अधिकांश समाज आज भी स्वीकार नहीं करता। स्त्री है, लेकिन वह कैसी है और उसकी क्या समस्याएं हैं ये सभी बातें आज भी पुरुष के नजरिए से ही देखी-सुनी और कही जाती हैं। हम सभी के जेहन में लिंग या जेंडर के नाम पर एक ही लिंग का वर्चस्व है और वह पुरुषलिंग। यह स्थिति कमोबेश पूरे समाज की है। खासकर स्त्री चेतना इससे बेहद प्रभावित है।

भारत में लोकतंत्र है और स्त्री, स्त्री साहित्येतिहास और इतिहास-दर्शन का कोई भी नजरिया इसके बिना नहीं बनता। लोकतंत्र महत्वपूर्ण संस्थान, मूल्य और संस्कार है। लोकतंत्र में एक अस्मिता नहीं अनेक अस्मिताएं एक साथ सक्रिय रहती हैं। इसके अलावा वर्ग, समुदाय के रूप में भी अस्मिताएं सक्रिय रहती हैं। फलतः लोकतंत्र में व्यक्ति की अस्मिता के साथ कई अस्मिताएं अंतर्ग्रथित होती हैं। सवाल यह है लोकतंत्र में कौन सी अस्मिता कब प्राथमिक और महत्वपूर्ण है ? अस्मिता संदर्भ-निर्भर होती है।

मसलन नागरिक, लिंग, जाति, धर्म, समुदाय, राष्ट्र, राष्ट्रवाद आदि में कौन सी अस्मिता कब महत्वपूर्ण है ? खासकर स्त्री के संदर्भ में इनमें कौन सी अस्मिता

बेहतरीन समझ और सामाजिक सामंजस्य पैदा कर सकती है ?

भारत की वास्तविकता यह है कि 65 साल बाद भी लोकतंत्र और लोकतांत्रिक मूल्यों को आत्मसात नहीं कर पाए हैं। हमें लोकतंत्र के फल खाने में अच्छे लगते हैं। उसकी सभी सुविधाओं और संस्थानों का लाभ उठाना चाहते हैं लेकिन लोकतांत्रिक मूल्यों को आत्मसात किए बिना। यह समस्या समूचे समाज की है। स्त्रियां भी इससे अछूती नहीं हैं। जिस तरह पुरुषों को स्त्री के परंपरागत संस्कार, रूप और स्वभाव अच्छे लगते हैं। वैसे ही स्त्रियों को भी अच्छे लगते हैं। हमारे महिला आंदोलन की यह सीमा है कि वह स्त्री के मसले उठाता है लेकिन स्त्री को लोकतांत्रिक पहचान नहीं दे पाया है। स्त्री की लोकतांत्रिक अस्मिता का निर्मित न होना स्त्री की प्रमुख समस्याओं में से एक है। आज भी अस्मिता के सवालों पर लोकतंत्र के परिप्रेक्ष्य के बजाय पितृसत्ता और पुंसवादी राजनीति के संदर्भ में सारा विमर्श चल रहा है।

भारतीय संविधान में सभी को नागरिक अधिकार प्राप्त हैं। लेकिन नागरिक चेतना का विकास नहीं हो पाया है। यही हाल औरतों का है वे अपने को परंपरागत स्त्री रूप में ही देखना पसंद करती हैं। नागरिक चेतना को प्राप्त करने की उनमें कोई विशेष छटपटाहट नजर नहीं आती। स्त्रियों में जब तक नागरिक चेतना और लोकतांत्रिक मूल्यों का विकास नहीं होता तब तक उनकी स्त्री अस्मिता को लेकर विभ्रम की स्थिति बनी रहेगी। अस्मिता तब बनती है जब नागरिक चेतना अर्जित करते हैं। लोकतांत्रिक मूल्य हासिल करते हैं। देखना चाहिए क्या भारतीय समाज में औरतें लोकतांत्रिक मूल्यों और नागरिक चेतना से अपने को लैस कर पाई हैं ?

भारतीय समाज की विशेषता है कि स्त्री परिवार से पूरी तरह बंधी है। यह सामान्य परिवार नहीं है बल्कि जाति और धर्म से घिरा परिवार है। वह अपने किसी भी हक को यदि पाना चाहती है तो उसे पुंससत्ता का समर्थन लेना अनिवार्य है बिना उसके वह अपने हक प्राप्त नहीं कर सकती।

स्त्री के सामाजिक-सांस्कृतिक अधिकारों को विभिन्न किस्म के सामाजिक भेदों ने हजम कर लिया है। सामाजिक भेदों के प्रति हमारे अंदर जितनी तीव्र नफरत होगी और उनसे मुक्ति का जितना प्रयास करेंगे स्त्री-मुक्ति और अस्मिता के एजेंडे को हम उतनी ही जल्दी हासिल कर पाएंगे।

भारत में अभी तक स्त्री की जंग पितृसत्ता से रही है। लेकिन इसके अलावा पूंजी की सत्ता और राजनीतिक सत्ता के खिलाफ जंग को हम ठीक से आरंभ ही नहीं कर

पाए हैं। कायदे से पितृसत्ता, पूंजी और राजनीतिक सत्ता के वर्चस्व के खिलाफ एकजुट नहीं कर पाए हैं। बिना इसके स्त्री की राजनीतिक और सामाजिक सत्ता को प्रतिष्ठित करना संभव नहीं है।

सामाजिक निर्माण की समग्र भाषा पूरी तरह संस्थानों की रणनीति और तर्कों पर आधारित होती है। यह ऐसी भाषा है जिसे आमतौर पर औरतें कभी नहीं बोलतीं। भारत में भाषायी वैविध्य और अंग्रेजी की महत्ता इसमें अतिरिक्त कारक है। हम भारत में स्वाधीन, आत्मनिर्भर और स्वायत्त स्त्री की इमेज को स्वीकृति नहीं दिला पाए हैं। इसका प्रधान कारण है स्त्री का सामाजिक वातावरण से घिरा रहना और उससे निकलकर अपनी अस्मिता बनाने में असफल होना।

इसके पीछे प्रधान कारण है महिला आंदोलन का विषम विकास। कायदे से स्त्री अधिकारों को लेकर महिला आंदोलन ने कोई राष्ट्रीय आंदोलन अभी तक खड़ा नहीं किया। महिला आंदोलन ने स्त्री के मुद्दों को अनेक बार उठाया है उससे स्त्री के अधिकारों में इजाफा हुआ है लेकिन ये सभी आंदोलन सीमित दायरे और सीमित अवधि में चलते रहे हैं। इन आंदोलनों से स्त्री चेतना कम प्रभावित हुई है। इसके विपरीत स्त्रियां अपनी अस्मिता, सामाजिक इतिहास, साहित्य का इतिहास आदि को वर्तमान के आधार पर नहीं, अतीत के आधार पर निर्मित करना पसंद करती हैं।

स्थिति यह है 'फेमिनिस्ट' को विलक्षण और औचक भाव से देखा जाता है। यहां तक कि अकादमिक जगत में भी उन्हें दूसरे लोक का प्राणी मानकर व्यवहार किया जाता है। साहित्य की स्नातक और उससे ऊपर की कक्षाओं में 'फेमिनिज्म' या स्त्रीवादी साहित्य सिद्धांत नहीं पढ़ाए जाते। अकादमिक जगत में हम स्त्री के बारे में बात करते हैं लेकिन उसके शास्त्र को पढ़ाने से परहेज करते हैं। युवा लड़कियां भी फेमिनिस्ट कहलाना पसंद नहीं करतीं।

आज औरतों के पास जितने अधिकार हैं उन्हें दिलाने में फेमिनिज्म और महिला आंदोलन की महत्वपूर्ण भूमिका रही है। लेकिन अधिकतर औरतें फेमिनिज्म या महिला आंदोलन के इस कर्ज के प्रति कृतज्ञता से पेश नहीं आतीं। वे स्त्री की उन परिस्थितियों को अस्वीकार नहीं करतीं जिनमें औरतें कष्ट और अपमान में रह रही हैं, और अपनी वास्तव स्त्री चेतना से वंचित हैं। इस क्रम में औरतें समाज में हाशिए पर चली गई हैं। अधिकतर औरतें अदृश्य रहना चाहती हैं। वे परिवार के निर्माण में अपनी भूमिका निभाना चाहती हैं लेकिन सामाजिक वातावरण में अपनी भूमिका नहीं निभाना चाहतीं। उनके व्यक्तित्व से नागरिक आयाम एक सिरे से गायब है।

यह भी कह सकते हैं घरेलू औरत की अस्मिता ने उसकी नागरिक अस्मिता का अपहरण कर लिया है।

फेमिनिज्म की खूबी है कि वह औरत के आसपास बने हुए परंपरागत माहौल को खत्म करता है। उसके अंदर नागरिक अधिकारों की चेतना पैदा करता है। खासकर लोकतंत्र में फेमिनिज्म तो स्त्री रक्षा का प्रभावशाली हथियार है। उल्लेखनीय है विभिन्न रंगत का फेमिनिज्म प्रचलन में है। स्त्री अपनी सुविधा और समझ के आधार पर चुन सकती है कि वह किस तरह के फेमिनिस्ट नजरिए का पालन करे। फेमिनिज्म के बिना स्त्री अपनी अस्मिता का निर्माण नहीं कर सकती। स्त्री के लिए फेमिनिज्म नजरिया है और उसके सामाजिक विकास की दिशा में उठाया गया बड़ा कदम है। हिंदी की आयरनी है कि हमारे यहां स्त्री साहित्य है लेकिन फेमिनिस्ट कोई नहीं है। उलटे फेमिनिज्म से नफरत करने वाली लेखिकाएं मिल जाएंगी।

लोकतंत्र में स्त्री अधिकार की आधारशिला है उसका स्वायत्त अस्तित्व। स्त्री का जब तक स्वायत्त अस्तित्व समाज और स्वयं स्त्री स्वीकार नहीं करती, सारी कवायद बेकार है। स्त्री का अस्तित्व और स्वायत्तता ये उसके दो बुनियादी हक हैं। अभी औरत को हम महज सेवा करने वाली और बच्चा पैदा करने वाली के रूप में ही देखते हैं।

इसके अलावा विभिन्न संस्थानों को भी लोकतंत्र का पाठ नए सिरे से पढ़ाने की आवश्यकता है जिससे वे नागरिक अधिकारों और नागरिक चेतना के प्रति परिपक्वता से पेश आएं। नागरिक परिपक्वता पैदा करने के लिए नागरिक कानूनों की नए सिरे पड़ताल की जानी चाहिए। जजों से लेकर सांसदों-विधायकों को नागरिकता का गहन प्रशिक्षण दिया जाना चाहिए। वे जानें कि नागरिक अधिकारों का मतलब क्या है ? सीमाएं क्या हैं ? प्राकृतिक नियम विधान और कानूनी नियम विधान की सीमाएं क्या हैं ? इस दिशा में पहले कदम के तौर पर स्त्री की इच्छा और अधिकारों का हम सम्मान करना सीखें, उस पर थोपना बंद करें।

स्त्री-पुरुष ये दोनों समाज में स्वायत्त इकाई हैं, इस बात को बुनियादी तौर पर मानें। लोकतंत्र का आरंभ नागरिक संबंधों से होता है और नागरिक संबंधों को नागरिक अधिकारों के जरिए संरक्षण प्राप्त है। ये नागरिक अधिकार पुरुष की तरह स्त्री को भी प्राप्त हैं। स्त्री-पुरुष के बीच में प्रेम रहे। दोनों एक-दूसरे की संवेदना, अनुभूति, शरीर और मूल्यों का सम्मान करें।

हमारे देश में लोकतंत्र है, संविधान में हक भी मिले हैं लेकिन स्त्री-पुरुष एक-दूसरे का सम्मान नहीं करते। नागरिकता का उदय तब होता है जब हम सम्मान

करते हैं, भिन्नता को स्वीकार करते हैं। भिन्न किस्म की धार्मिक, राजनीतिक और सांस्कृतिक भावनाओं को स्वीकार करते हैं। नागरिक भावबोध पैदा करने लिए हमें स्त्री-परुष के प्राकृतिक अंतर को भी मानना पड़ेगा। इन दोनों की स्वायत्तता को भी मानना पड़ेगा।

लोकतंत्र में हक मिलते नहीं हैं उनको हासिल करना पड़ता है। यह स्त्री के विवेक पर निर्भर करता है कि वह अपने अधिकारों के प्रति कितनी सजग है। स्त्री की सजगता के आधार पर यह भी देख सकते हैं कि वह अपने को दासता से किस हद तक मुक्त करना चाहती है। इसके लिए स्त्री को लिंग के दायरे से बाहर निकलकर नागरिक के दायरे में आना होगा। लिंग-बोध का नागरिक-बोध में रूपांतरण करना होगा।

लिंग का दायरा स्त्री दासता बनाए रखता है। जबकि नागरिकता का दायरा दासता से मुक्ति का मार्ग प्रशस्त करता है। इससे स्त्री को अपनी प्राकृतिक पहचान को नागरिक अस्मिता में रूपांतरित करने में मदद मिलती है। स्त्री, प्राकृतिक स्त्री की इमेज में जब तक बंधी रहेगी उसे नागरिक समाज और नागरिक अधिकारों के साथ सामंजस्य बिठाने में असुविधा होगी। यह भी संभव है स्त्री अपनी प्राकृतिक जिंदगी को पूरी तरह त्यागे बिना नागरिक जिंदगी में प्रवेश करे। जिस तरह स्त्री के लिए वस्त्र जरूरी हैं वैसे ही नागरिक अधिकार भी जरूरी हैं। इसके लिए जरूरी है कि स्त्री-पुरुष में प्रेम हो। प्रेम के बिना सब बेकार है। यहां तक कि नागरिक अधिकार भी अर्थहीन हैं। परंपरा और धर्म भी अर्थहीन है। स्त्री की स्वायत्तता बचे इसके लिए स्त्री-पुरुष में प्रेम जरूरी है। स्त्रियों में आपसी प्रेम जरूरी है।

स्त्री के प्रति रवैय्या बदले इसके लिए जरूरी है कि हम उसे देखने का तरीका बदलें। स्त्री चेतना का सामाजिक स्रोत है संस्थान। स्त्री के बारे में जब भी किसी विषय पर बात की जाए उसे संस्थान के साथ जोड़कर देखा जाना चाहिए। स्त्रीचेतना का निर्धारण स्त्री कम और सामाजिक संस्थान ज्यादा करते हैं। मसलन, मध्यकाल में स्त्री पर विचार करना है तो मध्यकालीन संस्थानों से जोड़कर देखें। आधुनिक औरत पर बात करनी है तो आधुनिक संस्थानों की भूमिका के संदर्भ में विश्लेषित करें। संस्थान के चरित्र उद्घाटन के बिना स्त्री अस्मिता का रहस्योद्घाटन संभव नहीं है।

संस्थान किसे कहते हैं ? उनका काम क्या है ? संस्थान हमारे बीच में तयशुदा संबंध और व्यवहार जिनसे सामाजिक मूल्यों और विश्वासों को बनाए रखते हैं।

सामान्यतौर पर स्त्री पर बात करते समय, उसके लिखे पर बात करते समय हम स्त्री को लिंग की तरह नहीं देखते, उसकी राय को लिंग की राय के रूप में ग्रहण नहीं करते बल्कि व्यक्तिगत राय के रूप में देखते हैं। इस तरह देखने का दुष्परिणाम यह निकला है कि स्त्री को, उसके विचारों को हाशिए पर डाल देते हैं। उसके स्वायत्त अस्तित्व और उसकी उपलब्धियों या सामाजिक भूमिका को सीमित करके पुंस वर्चस्व के अधीन बना देते हैं।

स्त्री साहित्य पर बात करनी हो या स्त्री के सवालों पर या खुद स्त्री से बात करनी हो, उसे लिंग के रूप में देखना और उसी रूप में उसकी राय का सम्मान करना चाहिए। स्त्री को लिंग के रूप में देखने के कारण हम सामाजिक जीवन में व्याप्त लिंगभेद को बेहतर ढंग से समझ पाएंगे। स्त्री की समस्याएं, उसका सृजन, उसका मन, उसके विचार आदि ये कोई निजी या व्यक्तिगत नहीं हैं वे तो एक लिंग के विचार हैं। स्त्री कभी भी निजी नहीं होती है। वह हमेशा लिंग के रूप में बनी रहती है, और लिंग के रूप में उसकी भूमिका तय है, और उसी रूप में उस पर वर्चस्व के रूप भी तय हैं। स्त्री के वास्तव स्वरूप को जानने के लिए उसकी लिंग की पहचान को केंद्र में रखना चाहिए।

स्त्री को लिंग के रूप में न देखने का यह भी परिणाम निकला है कि हम स्त्री की निर्माण प्रक्रिया से भी अनभिज्ञ हैं। स्त्री-पुरुष को एक-दूसरे के सामाजिक पूरक के रूप में देखते हैं। खासकर स्त्री को तो पुरुष की पूरक के रूप में ही देखते हैं।

कॉमनसेंस है पुरुष कर्ता है और स्त्री पूरक है। जबकि यह बात गलत है। स्त्री पूरक नहीं है। वह स्वतंत्र लिंग है। स्त्री लिंग के रूप में उसकी सत्ता, स्वायत्तता और महत्ता है।

उल्लेखनीय है लिंगरहित पहचान की जितनी भी धारणाएं या संबंध हमारे समाज में प्रचलन में हैं उनके आधार पर स्त्री की सही समझ नहीं बनती। मसलन, स्त्री को मनुष्य, निजी, व्यक्ति, बीबी, बहू, बेटी, बहन आदि के आधार पर नहीं समझा जा सकता। इस तरह के सारे पदबंध स्त्री की लिंग की पहचान को छिपाते हैं या उसकी उपेक्षा करते हैं। स्त्री को न्यूनतम स्पेस देते हैं। साथ ही, इनमें किसी न किसी रूप में पुंसवादी संदर्भ निहित है और वह निर्णायक भूमिका अदा करता है। ये सभी पदबंध पुरुष कोड में निर्मित हैं। कायदे से हमें मर्द के सांचे में ढलकर आई अवधारणाओं और स्त्री के सांचे में ढलकर आई अवधारणाओं में अंतर करना चाहिए।

अन्या

हिंदी में लेखिकाओं को स्त्री को 'अन्या' के रूप में देखने की आदत है, वे अपने को भी अन्या के रूप में पेश करती हैं। प्रभा खेतान ने तो अपनी आत्मकथा का नाम ही *अन्या से अनन्या तक* रख दिया। 'अन्य' की धारणा बेहद जटिल है। इसमें यह तथ्य निहित है कि अन्य हमसे (स्त्री से) लेते हैं और स्त्री को भी कुछ देते हैं। हेलिनी सिकसाउस ने लिखा है, अन्य हमारा मित्र हो सकता है और मित्र भी नहीं हो सकता है। शत्रु जरूरी नहीं है कि बुरा ही हो। शत्रु भी हमें कुछ न कुछ शिक्षा देता है। शत्रु जरूरी नहीं है कि घृणा की ही शिक्षा दे। वह हमारे रहस्यमय असुरक्षित क्षेत्रों को सामने लाता है। वह हमें निज की रक्षा करने की शिक्षा देता है। वह अनेक क्षेत्रों में विकास और परिपक्वता पैदा करने की संभावनाओं के द्वार खोलता है। अगर वह स्वयं मौत न हो, मौत की ओर ठेलने वाला या हत्यारा न हो तो अनेक क्षेत्र ऐसे भी हो सकते हैं जिनमें शत्रु के साथ मिलकर भी काम किया जा सकता है। यानी सब समय स्त्री और पुरुष को एक-दूसरे के शत्रु के रूप में नहीं देखना चाहिए।

भारतीय समाज में औरतों में व्यापक स्तर पर हीनता-बोध है। इस हीनता-बोध के प्रसार का प्रधान कारण है समाज में खुलेपन का अभाव। खुलेपन के अभाव के कारण हमारे सभी किस्म के संबंध प्रभावित होते हैं। इसके बावजूद लोग प्रेम कर रहे हैं। मित्र बना रहे हैं। इसका अर्थ क्या है ? इसका अर्थ है अन्य मौजूद है और उसकी महत्वपूर्ण भूमिका भी है।

अन्य पूरी तरह अन्य है। वह हमारे अंदर नहीं है। हम सब समय यह कहने की स्थिति में होते हैं कि 'मैं आपको लाइक नहीं करता' या 'प्यार' नहीं करता। ये बातें विनिमय के रूप में होती हैं। यह कहते हुए हम अपने को नहीं देखते। अन्य को देखते हैं। जब अन्य कुछ कहता है तो हमें अपने को भी देखना चाहिए। अन्य के साथ अंतर करते हुए जब चीजें पेश की जाती हैं तो हम देखते हैं। ऐसी अवस्था में हम अन्य को ज्यादा देखते हैं। अन्य में ज्यादा चीजें देखते हैं। साथ ही कुछ बिंदु होते हैं जिन्हें हम नहीं देखते या नहीं जानते और उनसे कभी- कभी अनजाना सच जन्म ले सकता है। जब अन्य की गुप्त, छिपी बातें मालूम पड़ती हैं, अन्य का व्यक्तित्व खुलता है।

अन्य वह है जिसे हम नहीं जानते। इस अन्य से संबंध में सुंदर चीज क्या है? वह कौन सी चीज है जो हमें गतिशील बनाती है ? अन्य से प्यार करते समय वह

कौन सा हिस्सा है जिसकी एक झलक को हम तरसते हैं और एक झलक पाकर धन्य हो जाते हैं। अन्य में वह क्या छिपा है जो अन्य नहीं देख सकता। वह कौन सा क्षेत्र है जिसके जरिए हम अन्य के छिपे हुए को देखते हैं, महसूस करते हैं ? इसी को हम प्यार कहते हैं। यह हृदय में निवास करता है।

कई बार हम देख नहीं पाते इसका अर्थ है कि इससे आगे जानने के तरीके नहीं जानते। ऐसी भी चीजें होती हैं जिनके बारे में हम नहीं जानते या जिनको हम पुनर्प्रस्तुत नहीं कर सकते। क्योंकि व्यवहार और फैसलों में वे हमारे लिए पराये हैं, विदेशी हैं। यह वह जगह है जहां से अन्य का परायापन आरंभ होता है। इसकी समृद्धि, जरूरत, पहुंच आदि हमें आकर्षित करती है। इसका अर्थ यह नहीं है कि हम खोज नहीं करेंगे या हमने कोई खोज नहीं की है।

कुछ लोग मानते हैं असीमित परायापन अपने आप में विध्वंसक है, परेशानीदायक है। इसके विपरीत इसका अंत उत्साहजनक और अति सुंदर होता है। यह अज्ञेय है लेकिन सुंदर है। यह वैसे ही है जैसे बिना जाने प्यार करना। प्यार करना और नहीं जानना। अन्य पर बिना किसी प्रमाण के विश्वास करना। विश्वास के क्षण में रहना। अन्य जब झूठ बोल रहा हो तब भी उस पर विश्वास करना। वैसे ही जैसे ईश्वर नहीं है लेकिन हम ईश्वर में विश्वास करते हैं। भगवान है इसका कोई प्रमाण नहीं है। लेकिन विश्वास है कि ईश्वर है। यानी आस्था के क्षण में जीना।

अन्या की अवधारणा पर मनोवैज्ञानिकों की समझ का, खासकर फ्रॉयड की ओडिपस कॉम्प्लेक्स की धारणा का व्यापक असर है। इसकी विभिन्न किस्म की व्याख्याओं और चुनौतियों को स्त्रीवादी विमर्श में विकसित किया गया है। ये सभी व्याख्याएं एक साझा बात पर विचार करती हैं कि बाह्य हमारे अंदर कैसे आता है। अन्य हमारे अंदर कैसे आता है। नैंसी चोदोरोव और अन्य फ्रांसीसी स्त्रीवादी मानती हैं कि जेंडर के विकास के लिए मां के रूप में आरंभ के 2 सालों का बच्चे के लिए बड़ा महत्व है। इन्हीं आरंभिक 2 सालों में बच्चे की अस्मिता की बुनियाद बनती है। पुराने फ्रायडपंथी मानते हैं बच्चे के स्वस्थ विकास में विभिन्न किस्म के प्रेम ऑब्जेक्ट के साथ उसके अहं का संपर्क-संबंध स्वस्थ बच्चे का विकास करते हैं।

इन दिनों जिस तरह परिवारीजनों की व्यस्तता बढ़ी है और मां-बाप ने अपनी शक्ति बच्चों में व्यय करने के बजाय अन्यत्र व्यय करना आरंभ किया है उससे बच्चों के विकास पर सीधा असर पड़ा है। मां और पिता की भूमिका घटी है। इसके कारण

बच्चे के जीवन में अन्य लोगों की भूमिका बढ़ी है और यह उसके अंदर पुंसवादी मानसिकता के विकास का बड़ा कारण है। पश्चिमी सभ्यता का जिस तरह विकास हुआ है उसमें पुंसवाद के मूल्यों जैसे अलगाव, स्वायत्तता, आत्म-निर्भरता और व्यक्तिवाद को सब्जैक्टिविटी का आधार बनाया गया है। इसके कारण स्त्री के गुणों की उपेक्षा बढ़ी है। जैसे संपर्क, संबंध, पालन-पोषण आदि का निजी जीवन के क्षेत्र में अवमूल्यन हुआ है। स्त्रीवादी मनोवैज्ञानिक मानती हैं कि सभी लोगों में वे पुरुष हों या स्त्री। आदमी के विकास में एजेंसियां संतुलित ढंग से विनिमय करें। सेल्फ-एसर्शन और सेल्फ रिकॉगिनीशन के साथ काम करें इससे परिपक्वता और व्यक्तिवाद का विकास होगा।

लूस इरीगरी, जूलिया कृस्त्वा और कैथरीन क्लेमेंट का नजरिया इससे भिन्न है। वे फ्रॉयड के नजरिए के आधार पर अन्य के बारे में सवाल उठाती हैं। इन लोगों ने फ्रॉयड की धारणा ड्राइव का इस्तेमाल किया है। वे इच्छाओं के भिन्न तंत्र में रुचि रखती हैं। इसमें उन्होंने ड्राइव, इंपल्स, ऑब्जेक्ट चयन आदि पर ध्यान दिया है। मनुष्य के आत्म के विभाजनकारी रूपों का मूल्यांकन किया है।

बच्चा बड़ा होने के साथ अपनी इच्छाओं को मां से अलग कर लेता है और अन्य के साथ जोड़कर देखता है। लाकां के अनुसार मां से अलग होने की प्रक्रिया बच्चे के अंदर जब वह 6-18 माह का होता है तब से आरंभ होती है। इस बीच बच्चा अपनी इमेज और शारीरिक गठन को पहचानने लगता है। यही वह प्रस्थानबिंदु है जहां से अन्य का बच्चे के जेहन में प्रवेश और आकर्षण पैदा होता है।

पितृसत्ता

पितृसत्ता की अवधारणा पर हिंदी में आमतौर पर बहस नहीं होती। 1990 के बाद से पितृसत्ता के बारे में हिंदी में थोड़ी बहुत हलचल नजर आती है। यहां तक कि फेमिनिज्म की बहसों में भी 1960 के बाद ही केंद्र में आती है। हिंदी में अधिकांश लेखन स्त्री-पुरुष संबंध की धारणा पर ही केंद्रित रहा है।

पितृसत्ता एक व्यवस्था है जिसमें पुरुष के विशेषाधिकार, शक्ति और क्षमता को मर्दानगी के आधार पर व्याख्यायित किया जाता है। पितृसत्ता के दायरे में औरतें अधिकार और स्वायत्ततारहित होती हैं। उन्हें वही करना होता है जो पुरुष चाहता है। घर से लेकर बाहर तक सभी, बच्चे से लेकर राजनीति तक सभी फैसले पुरुष लेता है और औरतों एवं अन्य को मानने के लिए मजबूर करता है। परिवार में पुरुष मूलतः

मुखिया है और वह इसी आधार पर जीवन के प्रत्येक क्षेत्र में अपना वर्चस्व बनाए रखता है।

परिवार पितृसत्ता की बुनियाद है। परिवार किस तरह का है उससे पितृसत्ता का स्वरूप समझने में मदद मिलेगी। पारिवारिक संबंधों की अभिव्यंजना समूचे सामाजिक-राजनीतिक ढांचे पर भी पड़ती है। समाज में पितृसत्ता की क्या स्थिति है यह इससे तय होगा कि परिवार में पुरुष की स्थिति क्या है ? समाज की वैचारिक संरचनाओं को देखने का सही आधार परिवार है। अमूमन समाज की अन्य संरचनाओं को ज्यादा महत्व देते हैं।

सवाल यह है आप किस तरह का परिवार बनाना चाहते हैं ? लेकिन बहस इस पर होती रही है कि किस तरह का समाज बनाना चाहते हैं ? यह सवाल इस बात से जुड़ा है किस तरह के उत्पादन संबंध बनाना चाहते हैं ? इन बुनियादी सवालों की उपेक्षा करते रहे हैं। सामंती समाज से लेकर समाजवादी समाज तक पितृसत्ता का बने रहना इस बात का सबूत है कि व्यवस्था परिवर्तन का पितृसत्ता पर कोई खास असर नहीं होता। पितृसत्ता पर बात करते हुए अनेक लोग ऐसे भी हैं जो सामान्यीकरण का सहारा लेते हैं और उसकी सांस्कृतिक-राजनीतिक और तकनीकी परक जटिलताओं की अनदेखी करते हैं।

पितृसत्ता महज विचार या अवधारणा नहीं है बल्कि कंप्लीट सामाजिक व्यवस्था ही उसका आर्थिक आधार है। वह जितना समाज में है उससे ज्यादा मन के अंदर है। पितृसत्ता की जितनी मजबूत जड़ें मन में हैं उतनी ही गहरी सामाजिक संरचनाओं, राजनीति, संस्कृति उद्योग और आर्थिक संबंधों में जड़ें हैं। पितृसत्ता को व्यक्ति केंद्रित होकर देखने के बजाय व्यवस्था और विचारधारा के रूप में देखें तो ज्यादा बेहतर होगा। यह मूलतः वर्चस्व की विचारधारा है।

श्रम-विभाजन, परिवार, राज्य, संस्कृति, मासकल्चर, मीडिया, उपनिवेशवाद, कामुकता, स्वतंत्रता आदि क्षेत्र हैं जहां मर्दानगी को विचरण करते हुए सहज देखा जा सकता है। पितृसत्ता मूलतः वर्चस्व का पुराना रूप है जिसे कभी गंभीरता से चुनौती नहीं दी गई। वर्चस्व के अनेक रूपों को विभिन्न समयों पर चुनौती दी गई लेकिन पितृसत्ता को चुनौती नहीं दी गई, विभिन्न व्यवस्था परिवर्तनों के साथ उसके सामंजस्य के बहाने खोज लिए गए।

पितृसत्ता वर्चस्व का प्रधान रूप है। हम वर्चस्व के अन्य रूपों को विश्लेषित करते रहे लेकिन इसकी ओर कभी ध्यान ही नहीं दिया। पुरुष के सामाजिक वर्चस्व

को स्वाभाविक मान लिया। वर्चस्व के खिलाफ संघर्ष को चुनौतीपूर्ण प्रकल्प के रूप में कभी स्वीकार ही नहीं किया। फलतः इतिहास, राजनीति, धर्म, दर्शन आदि में तमाम सदिच्छाओं के बावजूद पितृसत्ता बनी रही। साहित्य के इतिहास और आलोचना में उसका वर्चस्व बना रहा। आज भी कौन लेखिका महान है यह फैसला मन्नू भंडारी या कृष्णा सोबती नहीं करतीं बल्कि मर्द आलोचक ही करेगा। इतिहास में स्त्री लेखन दर्ज हो या नहीं यह फैसला भी वही करेंगे। स्त्री चाहे तो भी समाज और साहित्य में अपना स्थान तय नहीं कर सकती।

पितृसत्ता का ही कमाल है कि स्त्री के मरने के बाद भी स्त्री के साथ क्या व्यवहार किया जाए यह पुरुष ही तय करता है। पितृसत्ता के वर्चस्व की बात जब भी होती है तो उसका अर्थ है सामाजिक-सांस्कृतिक-राजनीतिक-आर्थिक वर्चस्व। यह व्यवस्था हजारों सालों से चली आ रही है और इससे स्त्री-पुरुष दोनों का ही नुकसान होता है। यह वर्चस्व सिर्फ स्त्री के तन और मन को ही प्रभावित नहीं करता बल्कि समाज के सभी संस्थानों को प्रभावित और संचालित करता है। एक तरह इसने जीवनशैली में सहज-स्वाभाविक स्थान बना लिया है। फलतः पितृसत्ता को आम जीवन में स्वाभाविक अधिकार की भूमिका अदा करते हुए पाते हैं।

पितृसत्ता में एक अंतर्निहित नजरदारी और निर्देशन का भाव है। इसने समाज पर ऊपर से निषेधों की विशाल नियमावली थोप दी है। पूंजीवाद ने सभी किस्म के भेदों की समाप्ति का वायदा किया था। इसमें लिंगभेद भी शामिल है। लेकिन पूंजीवाद के 250 सालों के शासन में लिंगभेद खत्म नहीं हुआ। उलटे लिंगभेद संबंधी समस्याओं में इजाफा हुआ है।

हाल के वर्षों में दुनिया के विभिन्न इलाकों में नए किस्म के पुंसवादी आंदोलनों का भी जन्म हुआ है। ये लिंगभेद के स्त्रीवादी तर्कशास्त्र का अपने पक्ष में जमकर इस्तेमाल कर रहे हैं ।

वे पुरुष की लैंगिक पहचान को मर्द के ही संदर्भ में चिह्नित कर रहे हैं और उसकी समस्याओं पर रोशनी डाल रहे हैं। आज प्रत्येक देश में मर्द आंदोलन ने सामूहिक रूप ले लिया है। मर्द का मर्द से प्यार, झगड़ा, उत्पीड़न, अवसाद, मर्द का मर्द के जरिए दमन-शोषण, मर्द-मर्द के बीच में प्यार और पुलिस उत्पीड़न, कानूनी उत्पीड़न आदि के सवाल उठाए जा रहे हैं। इस क्रम में मर्द के मिथ और आध्यात्मिकता का भी सहारा लिया जा रहा है। मर्द-मर्द के बीच के शारीरिक-भावनात्मक संबंधों को स्वाभाविक कहा जा रहा है। पिता के अधिकारों की मांग की जा रही है।

एकल पिता के अधिकारों पर जोर दिया जा रहा है। खासकर बच्चे की कस्टडी के सवाल पर काफी विवाद हो रहा है। अमेरिका-आस्ट्रेलिया में यह स्थिति ज्यादा नजर आ रही है।

विकसित पूंजीवादी मुल्कों में पिता अधिकार ग्रुप, पुंस अधिकार ग्रुप आदि ताकतवर समूह के रूप में सामने आए हैं। इससे लिंगभेद बढ़ा है। इस तरह के आंदोलन अपनी बुनियादी प्रकृति में स्त्री-विरोधी विचारधारा और पितृसत्तात्मक विचारधारा को ही व्यक्त करते हैं। इस तरह के आंदोलनों का आधार है व्यक्तिगत विकास और राहत हासिल करना। इस तरह के तर्कों के आधार पर पुंस आंदोलनों से ज्यादा से ज्यादा मर्द जुड़ते चले जा रहे हैं। इस आधार पर वे मर्दानगी को नए फ्रेमवर्क में गठित करने की कोशिश कर रहे हैं। भारत में पति उत्पीड़ित संघ टाइप संगठन इसी मनोदशा को व्यक्त करते हैं। मर्दानगी को पुनर्गठित करने का यह प्रयास जिस तरह के सामाजिक संबंधों, संस्थानों और विचारधारा की बात कह रहे हैं वह समाज के लिए अर्थहीन हैं। पश्चिम में जिस तरह वूमेन स्टैडीज है उसकी तर्ज पर मेन स्टैडीज भी खुल गए हैं।

स्त्री का पाठ कैसे पढ़ें?

इन दिनों लेखक को पढ़ने की पद्धति बदल गई है। लेकिन हिंदी में अधिकांश आलोचक अब भी पुरानी शैली में पढ़ते हैं। यानी वे किताब को केंद्र में रखकर पढ़ते हैं। रोलां बार्थ ने सन् 1977 में इस दिशा में ध्यान खींचा था कि युग बदल गया है अब हमें 'वर्क' से 'पाठ' की ओर जाना चाहिए। यही वह प्रस्थान बिंदु है जिसके आधार पर हमें पाठ का विश्लेषण करना चाहिए। पहले आलोचक कृति को पढ़ते थे लेकिन अब पाठ को पढें।

सैकड़ों सालों से बड़े कौशल के साथ कृति का संरक्षण चला आ रहा था। इसके कारण कृति के मूल अर्थ में कोई परिवर्तन नहीं आया। पीढ़ी-दर-पीढ़ी एक ही अर्थ का प्रचार-प्रसार होता रहा। इसके विपरीत बार्थ ने जिस पाठ के मूल्यांकन की ओर ध्यान खींचा है वह सुनिश्चित कलात्मक-साहित्यिक अभ्यासों के समृद्ध संदर्भों पर निर्भर है। अतः इस पाठ को प्रत्येक पीढ़ी को संबंधित समस्या के लिए नए सिरे से खोजना होता है। इस क्रम में पाठ के एक नहीं अनेक बल्कि अंतर्विरोधी अर्थ भी प्राप्त होते हैं। इस क्रम में मूल बात यह है कि आप अर्थ को कैसे हासिल करते हैं।

पाठ में अनेक जटिलताएं होती हैं। इसकी परिभाषा को लेकर भी व्यापक मतभेद हैं। इसके बावजूद सवाल यह है कि पाठ किसे कहते हैं ? पाठ अनेक संकेतों का समूह है। इस पहलू को अम्ब्रेतो इको ने भिन्न ढंग से कहा है। इको का मानना है शब्द ही पाठ है और पाठ ही शब्द है। लेकिन इनका असुरक्षित इतिहास है। पाठ के शब्द संसार पर प्रतिक्रिया देने का अर्थ है नए अर्थ की खोज करना। सवाल यह नहीं है कि रचना को आप कृति कहते हैं या पाठ कहते हैं। सवाल यह है उसका क्या निश्चित अर्थ होता है ? क्या उसमें अनेक संभावित अर्थ होते हैं अथवा कोई अर्थ ही नहीं होता ?

इन दिनों पाठक के पास अपने समाज, संस्कृति, राजनीति आदि की व्यापक जानकारी है और वह इसके आधार पर विभिन्न पाठों को नए सिरे से खोलता है। पाठ के संदर्भ में बुनियादी मसला क्या है ? यहां पर स्त्री का पाठ बुनियादी मसला है। अतः पाठ को स्त्री के संदर्भ में पढ़ा जाना चाहिए। उसी संदर्भ में पाठ के अर्थ की खोज की जानी चाहिए। साथ ही यह भी देखना चाहिए कि कौन पढ़ रहा है ? स्त्री पढ़ रही है या मर्द पढ़ रहा है ? इससे यह भी पता चलेगा कि पाठ का अर्थ कौन ग्रहण कर रहा है ? कौन रोक रहा है ? कौन प्रतिवाद कर रहा है ? या कौन अर्थ को समायोजित कर रहा है। यानी पाठक की अस्मिता का पाठ के मूल्यांकन में महत्व होता है। अपनी अस्मिता के आधार पर ही वह अर्थ की खोज करता है। अनेक बार हम फिल्म देखते हुए उसे बीच में ही छोड़कर चल देते हैं हमें वह अच्छी नहीं लगती। इसके लिए कोई खास कारण हम नहीं जानते लेकिन छोड़कर चल देते हैं। असल में दर्शक यह काम अपने अनुभव के आधार पर करता है। पाठ के आधार पर नहीं करता। लेकिन ज्योंही पाठक को पाठ के आधार पर बात करने के लिए कहा जाएगा वह यही कहता है कि हमें कहानी अच्छी नहीं लगी, अभिनय अच्छा नहीं लगा यानी वह कोई न कोई आधार बताता है।

पाठ का पाठक पर विखंडित असर पड़ता है जिसके आधार पर वह राय बनाता है। पाठ का पाठक पर असर ही नहीं पड़ता बल्कि मूल्यों और विचारधारा का भी असर पड़ता है। इसका भी असर पड़ेगा कि आखिरकार पाठक निजी तौर पर स्त्री, लिंग, सेक्स, कामुकता, नस्ल, रक्तसंबंध, वर्ग, जातीयता आदि के बारे में किस तरह के मूल्यों को जानता और महसूस करता है। उसमें वह किन मूल्यों को घातक मानता है। यह भी संभव है किसी कृति या फिल्म में ऐसे मूल्यों का चित्रण किया गया हो जिनका पाठक की मूल्य संरचना के साथ अंतर्विरोध हो, विवाद हो, पंगा हो, ऐसे में

वह पाठ से असहमत भी हो सकता है। उल्लेखनीय है फिल्म का पाठ नहीं संकेत की धारणा के आधार पर मूल्यांकन किया जाना चाहिए। यह भी देखें संकेत को किन तत्वों के साथ सजाकर पेश किया है।

मसलन, आप किसी शिक्षक के पढ़ाने को ले सकते हैं। कक्षा में विभिन्न किस्म के छात्र होते हैं। इनकी मनोदशा भी भिन्न किस्म की होती है। वे पाठ और शिक्षक को एक ही तरह से ग्रहण नहीं करते। उनके ग्रहण का आधार होता है उनकी अपनी चेतना और रीडिंग, आदतें होती हैं। जिस छात्र की किताब पढ़ने की आदत नहीं है और नोट्स से काम चला लेता है, उसके लिए वह शिक्षक मूल्यवान है जो नोट्स लिखाता है या नोट्स देता है। लेकिन जो छात्र किताब पढ़ने में दिलचस्पी रखता है उसके लिए वह शिक्षक मूल्यवान है जो किताब के सवालों को विभिन्न तरीकों से खोलकर पढ़ाता है यानी छात्र की अस्मिता और चेतना यहां मूलतः निर्धारण का काम कर रही है।

एस. हाल ने रेखांकित किया है पाठ की रीडिंग में शरीर की अवस्थिति की बड़ी भूमिका होती है। मसलन कब, कहां, किस समय, किस अवस्था में शरीर है। इसका पाठ की रीडिंग पर सीधा असर पड़ेगा। इसी प्रसंग में मिशेल फूको ने व्यक्ति के शरीर के नियमन और अनुशासित करने की प्रक्रियाओं को विस्तार से बताया है कि आधुनिक काल आने के बाद व्यक्ति के शरीर को किस तरह नए किस्म के अनुशासन, आदतों, संस्कार और नियमों में बांधा गया।

एस. हाल का मानना है अस्मिता आंतरिक तत्वों से बनती है, बाह्य रिप्रजेंटेशन से नहीं। प्रत्येक व्यक्ति अपना आख्यान एवं प्रस्तुति स्वयं बनाता है जिसमें उसका समाज झांकता है। वह समाज के सांस्कृतिक तत्वों के जरिए ही अस्मिता बनाता है फलतः व्यक्ति की अस्मिता सांस्कृतिक निर्मित होती है। उसमें बहुस्तरीय सामयिक विषय तैरते रहते हैं। जो चीज उसके सांस्कृतिक संदर्भ में आ जाती है उसका वह रूपांतरण कर लेता है।

पाठ की व्याख्या की कई परंपराएं हैं। खासकर रैनेसां के साथ पाठ की सार्वभौम व्याख्याओं का जन्म होता है। सार्वभौम तुलनाओं का किया जाता है। सार्वभौम तुलना का अर्थ है कि प्रत्येक चीज, बात, व्यक्ति, घटना, विचार आदि अन्य से जुड़ा है। यानी अन्य तत्व उस तत्व की अभिव्यंजना है या अन्य किसी चीज की अंतर्वस्तु है। जब आप दो चीजों में तुलना करेंगे, एक-दूसरे के साथ जोड़कर देखेंगे तो व्याख्या के अनियंत्रित होने की संभावनाएं भी रहेंगी। यहां अर्थ से अर्थ की ओर रूपांतरण

होगा। समानता से समानता की ओर स्थानांतरण होगा। इस छोर का उस छोर के साथ संपर्क बनेगा। यानी एक से दूसरे की ओर स्थानांतरण होगा। यहां कोई कदम सुनिश्चित नहीं हो सकता।

हिंदी साहित्य के आधुनिक काल के इतिहास को इस नजरिए से देखें तो विभिन्न समयों में पैदा हुई व्याख्याओं के कारणों को सहज भाव से जान सकते हैं। मसलन, भारतेंदुकाल में किसी लेखक ने इस युग को रैनेसां या नवजागरण नहीं कहा। सन् 1940 के बाद ही पता चला कि भारतेंदु युग नवजागरण काल था। यह बात सबसे पहले राहुल सांकृत्यायन ने कही। यही हाल छायावाद का है। इस आंदोलन के लेखक और आलोचक नहीं जानते थे कि इस आंदोलन का स्वाधीनता संग्राम से कोई संबंध है। यह तथ्य खोजकर रामविलास शर्मा ने बताया।

कहने का अर्थ है कि रैनेसांकालीन व्याख्या की पद्धति में अर्थ और तुलना दोनों के ही असीमित रूपों के उदय की संभावना निहित है। रैनेसांकालीन आलोचना की सीमा यह है कि वह किसी चीज की अनुपस्थिति या रूपांतरणकारी अर्थ के बारे में नहीं बताते। यही वजह है हमारे यहां भारतेंदु से लेकर छायावाद तक रैनेसांकालीन आलोचना को अपने रूपांतरण के अर्थ का पता नहीं है। वे तो यह देखते हैं कि हर चीज एक-दूसरे से जुड़ी है और उसके आधार पर ही आलोचना के सारे मानक बने हैं।

सार्वभौम अर्थ में संकट भी पैदा हो सकता है। मसलन, स्त्रीभाषा के संदर्भ को ही लें। पश्चिम में भाषा में दो ही लिंग हैं लेकिन भारत में तीन लिंग हैं। पुल्लिंग, स्त्रीलिंग और नपुंसकलिंग। इन तीन कोटियों के कारण हमें साहित्य के उस तीसरे रूप को अलग से जानने का अवसर मिल सकता है जिसे लेकर इन दिनों पश्चिम परेशान है।

इसी तरह सार्वभौम स्त्री धारणाओं का आधार भारत में वही नहीं है जो पश्चिम में है। सारी दुनिया में तीन बड़े धर्म हैं। क्रिश्चियन, इस्लाम और हिंदू । इनमें पहले दो धर्मों के पास एकमात्र पुरुष परंपरा है और स्त्री को पुरुष संदर्भ से ही देखने का नजरिया है। लेकिन भारत में हिंदू धर्म में शक्ति संप्रदाय के नाम से जो दार्शनिक-धार्मिक परंपरा है वह स्त्री को स्त्री के संदर्भ में ही देखती है। यह विशिष्टता भारत के स्त्रीवादी विमर्श को व्यापक देशज वैचारिक आधार प्रदान करती है। शक्ति परंपरा में भी सैकड़ों विकल्प हैं। ये चीजें पश्चिम में नहीं हैं।

दिक्कत यह है कि स्त्री परंपरा को कभी फेमिनिस्ट नजरिए से देखा ही नहीं

गया। शक्ति परंपरा के रूपों के साथ भारतीय स्त्री के वैविध्य को देखने से अनेक नई चीजें सामने आएंगी।

एक और चीज है जिसे ध्यान में रखना होगा। वह है भारत में असंख्य प्रतीकों और रूपकों का सर्जनात्मक संसार। खासकर शक्ति के प्रतीकों का वैविध्य नए किस्म के विमर्श को जन्म दे सकता है। प्रतीकों और संकेतों के नए अर्थ देखने का लाभ यह है कि हम निरंतर एक अर्थ से दूसरे अर्थ की ओर जाते रहते हैं। साथ ही और ज्यादा नए अर्थ की मांग करते हैं। यानी 'आगे क्या हुआ' या 'नया अर्थ क्या है' यह धारणा पीछा करती रहती है। अर्थ से नए अर्थ की ओर जाने की निरंतरता के कारण नए आलोचना मानकों और धारणाओं का जन्म होता है।

जब हम किसी पाठ को पढ़ते हैं तो असल में जीवन सत्य खोजना मूल लक्ष्य होता है। पुराने अर्थ के आधार पर जीवन सत्य ठीक से नजर नहीं आता, इसलिए नए अर्थ खोजने की जरूरत पड़ती है। पाठ पर से पुराने कपड़े उतारने पड़ते हैं और पाठ को नए अर्थ के कपड़े पहनाने होते हैं। नए कपड़े पहनाने के लिए पुराने कपड़ों को पूरी तरह उतारना बेहद जरूरी है यानी पाठ को पुराने अर्थ से मुक्त करना बेहद जरूरी है। नए अर्थ के आने का मतलब है एक नई प्रस्तुति का आना। नई प्रस्तुति की रोशनी में हम सत्य को देखते हैं। यहीं पर नई व्याख्या का जन्म होता है। यह व्याख्या स्थायी नहीं होती बल्कि आगे फिर कभी बदल सकती है। क्योंकि जीवन सत्य बदलता रहता है। परिवर्तित जीवन सत्य के साथ व्याख्या का बदलना आम बात है। इस क्रम में धारणाएं भी बदलती रहती हैं।

रैनेसां जब आया तो स्थिति यह थी कि व्याख्याओं का ढेर लग गया। गद्य की बाढ़ आ गई। वस्तु, घटना, व्यक्ति, संवृत्ति, प्रवृत्ति आदि के बारे में हम ज्यादा जानने लगे। हम ज्यादा जानते हैं इसका अर्थ नहीं है कि हम सब कुछ जानते हैं। यही हाल रैनेसां कालीन लेखकों का था। वे जिन चीजों को जानते थे, साथ में उनके कुछ आधार को भी जानते थे। वे जिस संदर्भ में लिख रहे थे उसकी क्षमता भी जानते थे। नई आधुनिक व्यवस्था के संदर्भ में वे असीमित जान सकते थे। लेकिन प्रक्रियाएं सीमित ही थीं, उनका असीमित ज्ञान संभव नहीं था।

रैनेसां में आलोचना की जो पद्धति अपनाई गई उसमें अर्थ की जड़ों को जानने का भाव है। उसके आधार पर व्याख्या करने की प्रवृत्ति मिलती है। लेकिन एक अवस्था या समय गुजर जाने के बाद लेखक और आलोचक यथास्थितिवाद में बंध जाता है, रूढ़िवाद में बंध जाता है और फिर उससे निकलने की छटपटाहट आरंभ

हो जाती है। अभिव्यक्ति के फॉर्म और अंतर्वस्तु को बदलने की छटपटाहट आरंभ हो जाती है। फलतः एक ही समय में अनेक किस्म की प्रवृत्तियां और शैलियां सक्रिय नजर आती हैं। अब हर किस्म संदर्भ और हर चीज से संबंध प्रासंगिक नजर आता है। प्रत्येक वस्तु के साथ संबंध स्वीकार्य हो जाता है।

मसलन, भारतेंदु के साहित्य के साथ सन् 1857 का संपर्क, संबंध और असर मान लिया गया। नई पूंजीवादी सभ्यता के विभिन्न रूपों के साथ संपर्क-संबंध भी मान लिया गया। प्रेस से संबंध मान लिया, धार्मिक-समाज सुधार आंदोलन, पुनरुत्थानवाद, ब्रजभाषा, खड़ी बोली हिंदी, उर्दू, पुराने भक्ति आंदोलन आदि जो भी चीज मिलती गई उससे संबंध जोड़ते चले गए। इनमें से प्रत्येक चीज को अन्य के साथ जोड़ा, अभिव्यक्ति रूपों के साथ जोड़ा। एक अभिव्यक्ति रूप को दूसरे के साथ जोड़ा यानी प्रत्येक अंतर्वस्तु को अन्य अंतर्वस्तु की अभिव्यक्ति माना। ग्लोबल अंतर्वस्तु का भी विकास होता रहा।

रैनेसां काल से आरंभ हुई अनंत समीक्षा की संभावनाओं ने अवधारणा और अर्थ की अनंत संभावनाओं के द्वार खोले हैं। इसे आलोचना की भाषा में विस्थापन कहते हैं। जब आप आलोचना करते हैं तो अनुगमन करते हैं, विस्थापन करते हैं। देरिदा ने *ऑफ ग्रामोटोलॉजी* में लिखा, पाठ तो मशीन है उसमें अनंत विस्थापन निहित हैं। इसकी प्रकृति वसीयत के मर्म को समेटे होती है। यानी इसमें वसीयती भाव है। यही वजह है इतिहास, परंपरा आदि की खोज का काम आधुनिक काल में ज्यादा हुआ है। लेखक अपने को भक्ति आंदोलन, रैनेसां आदि के वारिस के रूप में पेश करने लगे हैं।

यह ऐसा दौर है जिसमें पाठ का आनंद लें या कष्ट उठाएं, उससे आगे निकलें या उसे छोड़ें। प्रत्येक क्षण का अध्ययन करें। प्रत्येक संकेत या पाठ या प्रवृत्ति के उदय की प्रक्रिया पढ़ने लायक होती है, साथ ही वह एक समय के बाद खो जाती है या नष्ट हो जाती है। वह अपने समय से संबंध बनाती है और एक अवस्था के बाद संबंध विच्छिन्न कर लेती है। देरिदा के नजरिए से यही बुनियादी तौर पर विस्थापन या 'ड्रिफ्ट' है।

पाठ की आलोचना में मंशा की अवधारणा की महत्वपूर्ण भूमिका है। अम्ब्रेतो इको ने इसी संदर्भ में लिखा है पाठ के पीछे निहित आत्मगत मंशा को जब अस्वीकार कर दिया जाता है तो पाठक की पाठ के प्रति वफादारी खत्म हो जाती है। फलतः उसकी भाषा बहुस्तरीय खेलों का आधार बन जाती है। यही वजह है पाठ में अंतिम

अर्थ को शामिल नहीं किया जा सकता। यहां कोई रूपांतरणकारी संकेतित अर्थ नहीं रह जाता। प्रत्येक संकेतक अन्य संकेतक के साथ युक्त नजर आता है। कोई भी चीज प्रासंगिकता के दायरे के बाहर नजर नहीं आती। आलोचना का काम है पाठ में अंतर्निहित अर्थ की खोज करना । उसे भिन्न लक्ष्य के साथ पेश करना। इस क्रम में आलोचना कॉमनसेंस का दायरा अतिक्रमित कर जाती है।

स्त्री साहित्य के संदर्भ में यह बात महत्वपूर्ण है कि किसी एक पद्धति के आधार पर उसका मूल्यांकन नहीं कर सकते। क्योंकि स्त्री के अनुभव ऐतिहासिक तौर पर बेहद जटिल होते हैं। विभिन्न विषयों और क्षेत्रों के अध्ययन के लिए अलग-अलग सैद्धांतिक मॉडलों को आधार बनाया जाना चाहिए। इस मामले में अंतर्विषयवर्ती पद्धतिशास्त्र की मदद लेनी चाहिए।

रामविलास शर्मा की इतिहास-दृष्टि

रामविलास शर्मा हिंदी जातीय गौरव के प्रतिष्ठाता थे। मार्क्सवादी इतिहास-दृष्टि के विकास में उनका अतुलनीय अवदान है। खासकर ऐसे समय में जब मार्क्सवाद पर हमले हो रहे थे, ये हमले मार्क्सवाद विरोधियों और मार्क्सवाद के मानने वालों के एक गुट विशेष की तरफ से हो रहे थे। इनमें ऐसे विद्वान भी हैं जो रामविलास शर्मा को सांप्रदायिक बनाने में लगे हैं, ऐसे आलोचक भी हैं जो नवजागरण की उपलब्धियों और साम्राज्यवाद विरोध को कम करके आंक रहे हैं। कुछ ऐसे भी हैं जो उन्हें मार्क्सवादी तक नहीं मानते। यह सच है कि रामविलास शर्मा ने बहुत कुछ ऐसा भी लिखा है जिससे सहमत नहीं हुआ जा सकता। किंतु उससे भी बड़ा सच यह है कि उन्होंने इतने बड़े पैमाने पर आधुनिक काल और प्राचीन काल के बारे में लिखा है जो मार्क्सवादी दृष्टिकोण के व्यापक फलक को सामने लाता है। एक मार्क्सवादी की मुश्किल यह होती है कि वह किसी की सहमति हासिल करने के लिए नहीं लिखता। वह तयशुदा दृष्टिकोण से, तयशुदा निष्कर्षों को हासिल करने का प्रयास नहीं करता। मार्क्सवाद उसके लिए पद्धति या विचारधारा नहीं है। अपितु वह मार्क्सवाद का विश्व दृष्टिकोण के रूप में इस्तेमाल करता है।

रामविलास शर्मा के बारे में सोचते समय बुनियादी तौर पर यह ध्यान रखें कि उनका परिप्रेक्ष्य और दृष्टिकोण मार्क्सवादी था। उन्होंने समाज, साहित्य, आलोचना और इतिहास पर जितने भी ग्रंथ लिखे, उनमें कम से कम सामग्री के तहत मार्क्सवाद की बुनियादी समझ का विकास किया। रामविलास शर्मा का मार्क्सवाद किताबी नहीं था अपितु उनके मार्क्सवादी दृष्टिकोण का मौजूदा अनेक मुद्दों पर कम्युनिस्ट आंदोलन के साथ गहरा संबंध है। अनेक लेखकों ने उनके सामाजिक इतिहास-लेखन का मूल्यांकन किया है। उन्हें मार्क्सवाद से भटका हुआ बताया है। किंतु ये सभी

आलोचक यह बात भूल गए कि कम्युनिस्ट आंदोलन की रणनीति और कार्यनीति समझे बगैर उनके समाजेतिहास को समझना असंभव है। साहित्यालोचना में उनके दृष्टिकोण का प्रगतिशील आंदोलन से गहरा संबंध है। उन्होंने अपने सामने हमेशा कम्युनिस्ट आंदोलन के हितों और लक्ष्यों को प्राथमिकता दी। जिन मसलों पर कम्युनिस्ट आंदोलन गलत नजर आया, वहां पर तीखी आलोचना भी की। भारतीय समाज, भारतीय साहित्य, जातीय समाज और जातीय साहित्य के मूल्यांकन के पीछे मूल ध्येय वही है जो कम्युनिस्टों का है। वह लिखने मात्र के लिए या आजीविका मात्र के लिए नहीं लिखते थे अपितु प्रतिबद्ध लेखक के रूप में लिखते थे। उन्होंने किसी निर्देश या पाठ्यक्रम को ध्यान में रखकर नहीं लिखा और न कभी बाजार की मांग के आधार पर ही लिखा। उन्हें जो विषय प्रगतिशील आंदोलन के लिए प्रासंगिक लगा उसी पर लिखा। यदि कोई दबाव था तो प्रगतिशील आंदोलन का दबाव था। उनके लेखन में आंदोलन और साहित्य, आंदोलन और इतिहास के अंतस्संबंध को साफतौर पर देखा जा सकता है।

लेखक के रूप में उन्होंने कितनी पुस्तकें लिखी थीं, इसका उन्होंने *अपनी धरती अपने लोग* (1996) के दूसरे खंड में हिसाब दिया है। उसके अनुसार उनके लेखन का बहुत बड़ा हिस्सा साहित्यालोचना से संबंधित है। उनका सृजन कर्म अनुवादक और रचनाकार (उपन्यासकार और कवि) से शुरू हुआ। बाद में उसने आलोचक और इतिहास का रूप ग्रहण किया। मौलिक कृति के रूप में *चार दिन* (1936) पहली रचना है। उनकी कुल 63 किताबों की जानकारी मेरे सामने है जिनमें सामाजिक इतिहास एवं दर्शन की 12 पुस्तकें हैं। ये हैं—*मानव सभ्यता का विकास* (1956), *सन् सत्तावन की राज्य क्रांति* (1957), *सन् सत्तावन की राज्य क्रांति और मार्क्सवाद* (1990), यह पुस्तक सन् सत्तावन की राज्य क्रांति का परिवर्द्धित रूप है। *मार्क्स और पिछड़े हुए समाज* (1986), *मार्क्स, त्रॉत्स्की और एशियाई समाज* (1986), *स्वाधीनता संग्राम : बदलते परिप्रेक्ष्य* (1992), *भारतीय इतिहास और ऐतिहासिक भौतिकवाद* (1992), *पश्चिमी एशिया और ऋग्वेद* (1994), *भारतीय नवजागरण और यूरोप* (1994), *भारत में अंग्रेजी राज और मार्क्सवाद*, दो खंडों में (1994), *इतिहास दर्शन* (1995), *आज की दुनिया और लेनिन*, *भारतीय संस्कृति और हिंदी प्रदेश*, दो खंडों में (1999) और *गांधी, आंबेडकर, लोहिया और भारतीय इतिहास की समस्याएं* (2000)। इनके अलावा समस्त कृतियां साहित्य और भाषा पर केंद्रित हैं। सन् 1957 से लेकर 1986 तक उन्होंने साहित्य एवं भाषा के विभिन्न पहलुओं पर विचार किया।

सन् 1986 के बाद उन्होंने सामाजिक इतिहास की विभिन्न समस्याओं पर विचार किया।

रामविलास शर्मा की इतिहास-दृष्टि के नियामक तत्व हैं स्वाधीनता संग्राम, प्रगतिशील साहित्यांदोलन और अंग्रेजी साहित्य का रोमैंटिक आंदोलन। जिन लेखकों का उनकी इतिहास-दृष्टि पर गहरा असर है, उनमें तुलसीदास, भारतेंदु, रामचंद्र शुक्ल, निराला और प्रेमचंद का प्रमुख स्थान है। रामविलास शर्मा की सामाजिक इतिहास-दृष्टि का आधार है कार्ल मार्क्स, एंगेल्स, लेनिन और प्राच्यविदों की इतिहास-दृष्टि। उन्होंने जब-जब प्राच्यविदों के दृष्टिकोण के साथ सामंजस्य बिठाने की कोशिश की है, तब-तब उन्हें गंभीर आलोचनाओं का सामना करना पड़ा है। प्राचीन एवं मध्यकालीन इतिहास के विभिन्न प्रसंगों में उन्होंने प्राच्यविदों का कुछ मामलों में आंख बंद करके अनुकरण किया है। ये अंश उनकी इतिहास-दृष्टि का अप्रासंगिक हिस्सा हैं। रामविलास शर्मा की इतिहास-दृष्टि का सबसे प्रासंगिक हिस्सा आधुनिक काल से संबंधित है। यह बात साहित्य और समाज दोनों ही क्षेत्रों पर लागू होती है। किंतु लगता है कि कुछ लेखकों और पत्रिकाओं ने रामविलास शर्मा के बारे में गलत प्रचार की ठानी हुई है। खासकर *आलोचना* और *हंस* पत्रिकाओं की सबसे खराब भूमिका रही है।

सबसे पहले उन पर सांप्रदायिक दृष्टिकोण अपनाए जाने के आरोप को लें, क्या रामविलास शर्मा ने वास्तव में सांप्रदायिकता के पक्ष में लिखा है? सच इसके एकदम विपरीत है। उन्हें सांप्रदायिक बताने वालों में प्रगतिशील लेखकों का एक तबका बढ़-चढ़कर हिस्सा ले रहा है और सुचिंतित ढंग से उनके सांप्रदायिकता विरोधी दृष्टिकोण को छिपाने की कोशिश की जा रही है।

जैसा कि सभी जानते हैं कि सांप्रदायिकता बहुरंगी होती है। अनेकरूपा होने के बावजूद उसका एक ही लक्ष्य है, सामाजिक विभाजन पैदा करना, राष्ट्रीय एकता को खंडित करना। रामविलास शर्मा ने इसके आर्थिक आधार, सामाजिक आधार और अंतर्राष्ट्रीय सहजिया संप्रदाय का गंभीरता से उद्घाटन किया है। रामविलास शर्मा के लेखन का अध्ययन करते समय ध्यान रखें कि उनकी वामपंथी आंदोलन से कुछ अपेक्षाएं हैं। साथ ही कुछ परिकल्पनाएं भी हैं। इनको किसी भी तरह उनके विचारों के मूल तत्व के रूप में प्रस्तुत नहीं करना चाहिए। रामविलास शर्मा ने भारतीय इतिहास के अध्ययन की जिन समस्याओं पर विचार किया है, उनमें सांप्रदायिकता, जाति व्यवस्था, जातीय भाषा, जातीय साहित्य, वर्ग संघर्ष, मजदूर वर्ग के हित और

विचारधारा, जनतंत्र, साम्राज्यवाद की औपनिवेशिक एवं उत्तर-औपनिवेशिक भूमिका आदि प्रमुख हैं। इन प्रश्नों पर विचार करते हुए उन्होंने मार्क्सवादी सैद्धांतिकी का विकास किया किंतु मार्क्सवाद के बुनियादी सिद्धांतों को छोड़ा नहीं।

सांप्रदायिकता के प्रति नया नजरिया

रामविलास शर्मा का मानना था कि 'भारत में फासिस्ट तानाशाही का खतरा विश्व पूंजीवाद के संकट से, अमेरिका की युद्धवादी नीति से, भारत पर अमेरिका के दबाव से और भारत में अमेरिकापरस्त दक्षिणपंथी गुटों के बढ़ते हुए प्रभाव से उत्पन्न होता है।'[1]

कांग्रेस ज्यों-ज्यों कम्युनिस्ट विरोध की राह पर गई है देश में सांप्रदायिकता का आधार बढ़ा है। रामविलास शर्मा ने लिखा है कि 'कांग्रेस ने सन् बीस के क्रांतिकारी उभार को रोका। परिणाम हुआ, नए पैमाने पर हिंदू-मुस्लिम दंगे। कांग्रेस ने तीस के आंदोलन को क्रांतिकारी रूप न लेने दिया, सन् पैंतीस के काले कानून को लागू किया। परिणाम हुआ और भी ज्यादा दंगे तथा पाकिस्तान का प्रस्ताव। कांग्रेस ने छियालीस के क्रांतिकारी उभार को रोक, विशेष रूप से नाविक विद्रोह का विरोध किया। परिणाम हुआ भारत का विभाजन और विभाजन के बाद और भी भीषण दंगे। और जैसे-जैसे दंगे हुए वैसे-वैसे सांप्रदायिक संगठन और भी मजबूत हुए।'[2] सांप्रदायिकता को उन्होंने पूंजीवादी फिनोमिना माना। कांग्रेस के सांप्रदायिकता विरोधी दृष्टिकोण की पोल खोलते हुए कांग्रेस की नीतियों में निहित प्रतिक्रियावादी रवैये में इसकी जड़ें तलाश कीं। साथ ही, विश्व पूंजीवाद से इसके रिश्ते को रेखांकित किया। खासकर साम्राज्यवाद के साथ इसके अंतस्संबंध की खोज की।

रामविलास शर्मा का मानना था कि 'कांग्रेस सांप्रदायिकता का विरोध करने की बात करती है किंतु उसकी कम्युनिस्ट विरोधी नीति और सामंतों से गठबंधन की नीति का ही फल है कि सांप्रदायिकता अब एक राजनीतिक शक्ति बन गई है। सन् 20, 30, 37, 46, 47 आदि सालों में, और बाद को भी, जब-जब जनता के साम्राज्य विरोधी, सामंत विरोधी उभार को रोका, तब-तब सांप्रदायिक दल शक्तिशाली बने। उनकी आज की स्थिति कांग्रेस की इस नीति का ही परिणाम है।'[3] ये बातें उन्होंने 1967 में *आलोचना* में प्रकाशित लेख में कही थीं किंतु नामवर सिंह (*स्वाधीनता*, शारदीय अंक, 2000) और रविभूषण (*आलोचना*, अप्रैल-जून, 2000) जैसे प्रगतिशीलों को यह सब नहीं दिखाई दिया। इन दोनों लेखकों ने फासीवाद या सांप्रदायिकता के

बढ़ाव के लिए वामपंथ के मत्थे जिम्मेदारी मढ़ दी। ऐसे प्रगतिशीलों का मानना है कि यदि वामपंथ ने लड़ाई लड़ी होती तो सांप्रदायिकता का प्रसार न होता। असल में सांप्रदायिकता के प्रसार की जड़ें वामपंथी आंदोलन की असफलता या कमजोरी में नहीं है। सबसे बड़ी बात है कि सांप्रदायिकता पूंजीवादी आर्थिक, राजनीतिक नीतियों की देन है, न कि वामपंथ की। दूसरी बात यह है कि वामपंथी दल आज भी भारत में हाशिए पर खड़े दल हैं। राष्ट्रीय स्तर पर मुख्य नीतियों को प्रभावित करने में इनकी न्यूनतम भूमिका है।

रामविलास शर्मा का मानना था कि सांप्रदायिकता और बुनियादपरस्ती (फंडामेंटलिज्म) एक ही चीज है। बुनियादपरस्ती को वे सांप्रदायिकता का दूसरा नाम मानते थे।[4] 'इन दोनों का धर्म से कोई संबंध नहीं है बल्कि धर्म के मूल सिद्धांतों का तोड़-मरोड़ कर वर्तमान पूंजीवादी हितों से जोड़ना उसका लक्ष्य रहता है। सांप्रदायिकता के तर्कजाल को विश्लेषित करते हुए उन्होंने लिखा कि सांप्रदायिक दल 'राष्ट्रीय एकता' पर बल देते हैं किंतु बहुजातीय राष्ट्रीयता की उपेक्षा करते हैं। वे धर्म आधारित जातीयता की वकालत करते हैं। उनके लिए बहुजातीयता माया है और जातीयता ब्रह्म है। समाज में ऐसे भी उत्तर-आधुनिक पैदा हो गए हैं जिनके लिए बहुजातीयता का महत्व है किंतु राष्ट्रीयता का महत्व नहीं है। रामविलास शर्मा का मानना था कि हिंदू और मुस्लिम सांप्रदायिकता दोनों का विरोध करना चाहिए। दोनों एक ही सिक्के के दो पहलू हैं। दोनों का आदिगुरु हिटलर है।

रामविलास शर्मा के शब्दों में 'भारत और पाकिस्तान के संप्रदायवादियों का आदिगुरु हिटलर है। हिटलर ने कहा, जर्मनी पराजित हुआ, पूरा राष्ट्र अपमानित हुआ। उसकी पराजय के लिए जर्मन जाति जिम्मेदार नहीं है। वह तो आर्य नस्ल की जाति है, दूसरों पर शासन करने के लिए पैदा हुई है। लेकिन इस जाति के अंदर कुछ यहूदी घुस आए हैं, उन्होंने हमेशा गद्दारी की है। यहूदियों को निकाल दिया जाए, इनका नाश कर दिया जाए तो जर्मन जाति अपराजेय हो जाएगी। इसके समानांतर भारत में हिंदू संप्रदायवादी कहते हैं : हिंदू संस्कृति संसार की सर्वश्रेष्ठ संस्कृति है। जब तक मुसलमान नहीं आए थे, भारत संसार का गुरु था। इनके आने के बाद भारत का पतन हुआ। जब-जब यहां स्वाधीनता संग्राम चला, मुसलमानों ने गद्दारी की। यहां के धर्म को, भाषाओं को ये नहीं मानते। इन्हीं के कारण देश का विभाजन हुआ, पाकिस्तान बन गया। उसके बाद भी ये चैन नहीं लेने देते, इसलिए इनकी अक्ल ठिकाने लगाना जरूरी है। या तो इन्हें मारपीट कर पाकिस्तान भगा दिया जाए या

इन्हें ऐसी दशा में कर दिया जाए कि ये फिर किसी उत्पात के काबिल न रहें। इनके समानांतर पाकिस्तान के संप्रदायवादी कहते हैं : हम मुसलमानों ने सारे हिंदुस्तान पर हुकूमत की है। हमारे आने के पहले ये लोग अपने देश का नाम तक नहीं जानते थे। इनके पास कोई जबान नहीं थी, तहजीब नहीं थी। हमने इन्हें तहजीब दी। उसका सिला यह मिला कि ये भारत में डेमोक्रेसी लागू करने लगे जिसका मतलब था कि हिंदू मिलकर मुसलमानों पर शासन करें। कायदे आजम मुहम्मद अली जिन्ना ने यह बात देख ली और उन्होंने मुसलमानों को संगठित किया और कहा, तुम्हें अपने अधिकारों के लिए लड़ना चाहिए। हिंदुओं के नीचे दबकर नहीं रहना। तुमने इन पर हुकूमत की है। कम से कम हिंदुस्तान के एक हिस्से पर अपना राज कायम करो। और उन्होंने पाकिस्तान बनाया। पाकिस्तान में आए दिन झगड़े और फसाद हुआ करते हैं। इन सबकी जड़ में हिंदू हैं। पूर्वी बंगाल पाकिस्तान का हिस्सा था। हिंदुओं ने बंगालियों को भड़काया और वहां लड़ाई हुई। हिंदुस्तानी फौज की मदद से पूर्वी बंगाल पाकिस्तान से अलग हो गया। अब जो बचा हुआ पाकिस्तान है, वहां सिंध में अकसर लड़ाई होती रहती है। इस लड़ाई के पीछे हिंदुओं का हाथ है। कश्मीर में बहुसंख्यक मुसलमान हैं। हिंदुओं ने जबरदस्ती उन पर अधिकार जमा रखा है। हम कश्मीरियों की मदद करेंगे और एक दिन ऐसा आएगा जब दुनिया के मुसलमान कश्मीरियों के साथ मिलकर हिंदुस्तान की हुकूमत को हरा देंगे। तब कश्मीर आजाद होगा। इसके लिए जो इस्लाम के बुनियादी उसूल हैं, उनके आधार पर सरकार चलाना चाहिए, वगैरह। जैसी भूमिका जर्मनी में हिटलर ने यहूदियों के लिए निर्धारित की थी, वैसी ही भूमिका भारत में हिंदू संप्रदायवादी मुसलमानों के लिए, मुसलमान संप्रदायवादी पाकिस्तान में हिंदुओं के लिए निर्धारित करते हैं। इसलिए यह कहना सही होगा कि इन सबका आदिगुरु हिटलर है।'[5]

सांप्रदायिक शक्तियों ने अपने को देशी दिखाने के लिए प्रत्येक देश में परंपरा और इतिहास का दुरुपयोग किया है। कम्युनिस्टों की यह जिम्मेदारी है कि इस सबके खिलाफ संघर्ष करें। फासीवाद विरोधी संघर्ष के संयुक्त मोर्चे की रणनीति के बारे में विचार करते हुए ज्यार्जी दिमित्रोव ने लिखा था कि 'जो कम्युनिस्ट अतीत के प्रति आम जनता को सचेत नहीं करते और समझते हैं कि उससे हमें कुछ लेना-देना नहीं है, वे जाति के ऐतिहासिक अतीत में जो भी मूल्यवान है, वह सब अपने हाथों फासिस्ट मिथ्यावादियों को सौंप देते हैं जिससे कि वे उसका उपयोग करके जनता कि आंखों में धूल झोंक सकें।'[6] दिमित्रोव की राय थी कि 'फासिस्टवाद चरम

साम्राज्यवादियों के हित में काम करता है लेकिन आम जनता के सामने वह अपने को इस रूप में पेश करता है कि वह प्रताड़ित जाति के हितों का संरक्षक है और क्षुब्ध जातीय भावना को उभारता है।'[7] रामविलास शर्मा ने जर्मनी और भारत की तुलना करते हुए लिखा है कि 'हिटलर के अभ्युदय के समय जो स्थिति जर्मनी के वामपक्ष की थी, उससे मिलती-जुलती स्थिति बीसवीं सदी के अंत में भारत के और विशेष रूप से हिंदी प्रदेश के वाम पक्ष की है। प्राचीन संस्कृति पर गर्व करना तो दूर की बात है, उसका नाम लेने से भी कुछ लोगों को उबकाई आने लगती है। *ऋग्वेद* का नाम लिया और कहा कि यह आदमी तो संघ परिवार का है। अंग्रेजी राज कायम होने के पहले ज्ञान-विज्ञान के क्षेत्र में भारत की कोई भी उपलब्धि हो, उसका जिक्र करते ही मार्क्सवादी मित्र कहते हैं कि यह पुनरुत्थानवादी है। सभी मार्क्सवादी ऐसा नहीं करते लेकिन जो करते हैं उनकी संख्या काफी बड़ी है। इतिहास और संस्कृति के बारे में उनके कार्यक्रमों में स्पष्ट नीति दिखाई देती हो, ऐसा नहीं है। इस उपेक्षा के भाव को बहुत से लोग जानते हैं। ऐसे लोग भी जानते हैं जो किसी न किसी कम्युनिस्ट पार्टी के सदस्य हैं। निजी तौर पर वे इसे स्वीकार भी करते हैं लेकिन खुल्लमखुल्ला इसके बारे में नहीं बोलते। परिणाम यह कि नेता लोग सोचते हैं कि जो हम कर रहे हैं, वह ठीक है और संस्कृति वगैरह की चीजों पर समय खपाना उसे बरबाद करना है। इस नीति का परिणाम यह है कि हिंदी प्रदेश संप्रदायवाद का एक प्रमुख गढ़ बन गया है।'[8]

रामविलास शर्मा का मानना था कि फासीवाद विरोधी संघर्ष में प्रत्येक जाति के इतिहास की उपलब्धियों का इस्तेमाल किया जाना चाहिए। इसका जनता पर गहरा असर पड़ता है। रामविलास शर्मा की मान्यता थी कि 'भारत में फासिस्टवाद का खतरा वास्तविक है। यह फासिस्टवाद जर्मनी की तरह एकाधिकारी पूंजीवाद का प्रतिनिधि नहीं है। वास्तव में वह साम्राज्यवाद का सहयोगी है और उसका मुख्य आधार सामंती अवशेष अथवा अनुत्पादक पूंजीपति वर्ग है। राष्ट्रवाद की विधारधारा को तोड़-मरोड़कर और जातीय संस्कृति को सांप्रदायिक जामा पहनाकर वह अपनी शक्ति बढ़ाता है।'[9] हमारे अधिकांश बुद्धिजीवी सांप्रदायिकता के इस पहलू की उपेक्षा करते हैं। सांप्रदायिकता के खिलाफ संघर्ष का आधारभूत कार्यक्रम साम्राज्यवाद के खिलाफ सुसंगत संघर्ष से जुड़ा है। जातीय चेतना, जातीय एकता और जातीय भाषाओं की सत्ता की स्थापना के संघर्ष से जुड़ा है। इन दिनों कुछ आलोचक रामविलास शर्मा को सांप्रदायिक बनाने पर तुले हैं और खोज-खोजकर ऐसी बातें बता रहे हैं जो उनके

मूल दृष्टिकोण का हिस्सा नहीं है अथवा उनकी बातों की गलत या विकृत व्याख्याएं कर रहे हैं। शायद ऐसे ही आलोचकों को ध्यान में रखकर रामविलास शर्मा ने दो-टूक शब्दों में लिखा कि 'हिंदू जाति का विकल्प केवल हिंदी जाति है। हिंदू राष्ट्रवाद से लड़ना है तो हिंदी जातीयता की भावना को पुष्ट करना होगा और इसके लिए सही इतिहासबोध बहुत आवश्यक है।'[10] यह भी लिखा है कि 'हिंदी प्रदेश की जनता के सामने हिंदू संस्कृति का विकल्प हिंदी संस्कृति है। हिंदी प्रदेश और भारत देश में कोई अंतर्विरोध नहीं है। हिंदी संस्कृति और भारतीय संस्कृति में कोई अंतर्विरोध नहीं है। किसी को अपने परिवार से प्रेम है तो इसका यह अर्थ नहीं कि उसे समाज से प्रेम नहीं है। वास्तव में सामाजिक विकास की धुरी परिवार है, उसी तरह राष्ट्रीयता की धुरी जातीयता है। जब तक हम यह न समझेंगे कि भारत बहुजातीय राष्ट्र है, तब तक हमारा राष्ट्रप्रेम हिंदू राष्ट्रप्रेम से ज्यादा दूर न रहेगा। यदि भारत में जातियां नहीं रहतीं तो यहां केवल संप्रदाय रहेंगे, यह निश्चित बात है। यदि भारत बहुजातीय राष्ट्र है तो उसमें एक जाति हिंदीभाषी है, यह तथ्य स्वीकार करना होगा।'[11]

सांप्रदायिक इतिहासकार व्यक्ति की अस्मिता की पहचान का आधार धर्म को मानते हैं जबकि रामविलास शर्मा जातीयता को पहचान का आधार मानते हैं। सांप्रदायिक लोग हतिहास को धर्म से जोड़ते हैं जबकि रामविलास शर्मा ने उत्पादन के संबंधों के आधार पर इतिहास का विवेचन किया है। इतिहास को धर्म से जोड़ने वाली दृष्टि का विरोध किया है। सांप्रदायिक चिंतक धर्म और संस्कृति में घालमेल करते हैं। इसके विपरीत रामविलास शर्मा ने इस तरह के घालमेल का विरोध किया है। इस संदर्भ में उन्होंने प्राचीन, मध्यकालीन और आधुनिक इतिहास के बारे में सांप्रदायिक इतिहासकारों की धारणाओं का खंडन किया है।

सांप्रदायिक इतिहासकार अस्मिता का आधार धर्म को मानते हैं जबकि रामविलास शर्मा अस्मिता का आधार भाषा और जातीयता को मानते हैं। सांप्रदायिक इतिहासकार इतिहास को धर्म से जोड़कर देखते हैं। इस तरह के दृष्टिकोण की रामविलास शर्मा ने तीखी आलोचना की है। आर.सी. मजूमदार ने मध्यकालीन इतिहास को धर्म के आधार पर विश्लेषित किया है। वे सुल्तानों की पहचान को इस्लाम धर्म से जोड़ते हैं। इसके जवाब में रामविलास शर्मा ने लिखा है कि 'जातीयता की पहचान सबसे पहले भाषा से होती है। तुर्क अपनी भाषा की रक्षा यहां नहीं कर सके। भारत के जिस प्रदेश में बस गए, वहां की भाषा उन्होंने अपनाई। भाषा के साथ वहां की संस्कृति भी अपनाई। धर्म और संस्कृति एक ही चीज नहीं हैं। तुर्क, ईरानी, अरब, पठान सब

मुसलमान हैं पर इनकी भाषाएं अलग हैं और इनकी संस्कृतियां अलग हैं। सभी मुसलमानों के धार्मिक विचार एक नहीं थे।'[12] इसी क्रम में उन्होंने लिखा कि अरबों और तुर्कों के जातीय चरित्र में फर्क था। रामविलास शर्मा के मुताबिक मध्यकालीन सुल्तानों के बारे में, उनके शासन के बारे में विश्लेषण करते समय इस्लाम से ज्यादा महत्वपूर्ण है शासकों का जातीय चरित्र। राष्ट्रवादी इतिहासकारों और हिंदुत्ववादी इतिहासकारों के दृष्टिकोण की आलोचना करते हुए लिखा कि 'अनेक आधुनिक इतिहासकार विश्वास करते हैं कि इस देश का पुनर्गठन हिंदुत्व के आधार पर होना चाहिए। इसके लिए इतिहास पर वे इस्लामिक एकता आरोपित करते हैं, यह दिखाते हैं कि मुसलमान सब एक थे, इसलिए वे विभाजित हिंदुओं पर अपना शासन स्थापित कर सके। जैसे ही मुसलमानों के जातीय गठन पर ध्यान दिया जाएगा, वैसे ही स्पष्ट हो जाएगा कि मध्य एशिया और पश्चिम एशिया में मुसलमान बराबर एक-दूसरे से लड़ रहे थे। विभिन्न जातियों के मुसलमानों के अलावा स्वयं तुर्क आपस में लड़ते रहे।'[13] इतनी सफाई से अपने दृष्टिकोण को प्रस्तुत करने के बावजूद अनेक प्रगतिशील समीक्षक उन्हें संघ के दृष्टिकोण का प्रतिपादक कह रहे हैं। ऐसे ही आलोचकों को ध्यान में रखकर रामविलास शर्मा ने सांप्रदायिक इतिहासकारों के प्रति दो-टूक राय व्यक्त करते हुए लिखा कि 'जितने भी संप्रदायवादी इतिहासकार हैं, उनका मूल उद्देश्य यह दिखाना है कि हिंदुओं के वास्तविक शत्रु मुसलमान हैं और मुसलमानों के हिंदू हैं, और दोनों के सबसे बड़े हितैषी अंग्रेज हैं।'[14] इन सब बातों की रोशनी में रामविलास शर्मा को क्या सांप्रदायिक कहा जा सकता है? जी नहीं।

रामविलास शर्मा ने सांप्रदायिकता की प्रकृति में निहित दंगे की संस्कृति का विस्तार वे विश्लेषण किया है। दंगे क्यों होते हैं? दंगों की प्रकृति क्या एक जैसी रही है? 'विराम चिह्न' (1985) में 'जनहत्या और संस्कृति' (1947) लेख में दंगों के पीछे सक्रिय विचारधारा और दंगों की बदलती प्रकृति पर विचार किया है। लिखा कि ये दंगे नहीं विजन हैं—जनता का कत्लेआम। यह विजन जनता पर नहीं, संस्कृति और इंसानियत और हमारे स्वाधीनता-संग्राम की परंपरा पर बोला गया है। यह चुनौती है समूची जनता को और खासतौर पर लेखकों को कि अब अगला कदम जिंदगी की तरफ उठता है या मौत की तरफ।

हिंदुस्तान में ऐसे इलाके बन गए हैं जहां पर हिंदू-मुस्लिम एकता का नाम लेना हिंदुओं या मुसलमानों के प्रति विश्वासघात समझा जाता है। ये इलाके ऐसे हैं जहां राष्ट्रीय परंपरा को बिलकुल दबा दिया गया है, खुले खजाने लूट, व्यभिचार और हत्या

का नग्न नाच हो रहा है। पुराने दंगों और इस विजन में बहुत बड़ा फर्क है। किसी जमाने में बाजे-गाजे के सवाल को लेकर लोग लाठी-डंडे लेकर सड़कों पर इकट्ठे हो जाते थे, वह दंगों का सतयुग था। पुलिस वाले लाख कोशिश करने पर भी उन दंगों को कत्लेआम का रूप न पाते थे। इसके बाद कैबिनेट मिशन और विधानसभा के दिन आए। अब लोग अपनी-अपनी छतों से 'जयहिंद' और 'अल्लाहो-अकबर' के नारे लगाने लगे। शहर में कर्फ्यू लग जाता था। रोज कमाकर खाने वाले डरे और सहमे हुए घरों में बंद रहते थे। दफा एक सौ चवालीस लगाकर दंगा-विरोधी सभाएं रोक दी जाती थीं। इक्के-दुक्के छुरे के हमले हो जाते थे। कभी-कभी गुंडे पकड़ भी लिए जाते थे और तब गुंडों के सरपरस्त कहते थे, 'उनके गुंडों को तो छोड़ देते हैं, हमारे ही गुंडे पकड़ लेते हैं।' यह दंगों को त्रेता युग था। उसके बाद कलकत्ता और नोआखाली के दिन आए जबकि मुहल्लों-मुहल्लों हथियारबंद लड़ाइयां लड़ी गईं। इस द्वापर युग में कलकत्ता के ट्रामवे के मजदूर वर्ग का अटूट एका और जनता के शांति प्रदर्शन भी देखे गए। लेकिन पंजाब, भरतपुर, अलवर, दिल्ली आदि के दंगे बिलकुल कत्लेआम की श्रेणी में आते हैं। पुराने दंगों से इनकी तुलना नहीं। पुलिस और फौज के बड़े अफसरों, नवाबों, राजाओं और बड़े-बड़े जमींदारों और पूंजीवादी नेताओं, मुनाफाखोरों और चोर बाजार के आढ़तियों की साजिश से ये विजन संगठित किए गए हैं।

आज हम पचपन वर्ष के बाद दंगों के वैसे ही हमले देख रहे हैं। आजाद भारत के दंगों का इतिहास गवाह है कि दंगों में वे सब लोग सक्रिय पाए गए जिनकी चर्चा रामविलास शर्मा ने की है।

दंगे अचानक नहीं होते, वे स्वतःस्फूर्त भी नहीं होते बल्कि सुनियोजित योजना के तहत प्रायोजित होते हैं। दंगों को भड़काने वाले अल्पसंख्यक लोगों को ही खत्म करना नहीं चाहते, वे इस आग में अपने शत्रु देश की प्रगतिशील ताकतों को भी खत्म कर देना चाहते हैं। उनके हृदय में मुसलमानों के प्रति घृणा तो है ही, लेकिन उससे भी ज्यादा घृणा गांधी जी और उन जैसों के लिए है। हिंदू राज के नाम पर जिस हुकूमत का वे स्वप्न देख रहे हैं, उसमें अंग्रेजों के पाले हुए नेता, राजा और जमींदार सबसे ऊपर होंगे। टोडियों और मुनाफाखोरों का स्वर्ग होगा।...हिंदू राज के नाम की आड़ में घोर प्रतिक्रियावादी राज कायम करने का षड्यंत्र चल रहा है। हिंदू संगठन के नाम पर भोले-भाले लड़कों के दिल में पहले तो मुसलमानों की तरफ से नफरत पैदा की जाती है, फिर अंग्रेजी सत्ता के स्तंभ देशी राजाओं और जमींदारों के प्रति श्रद्धा

उत्पन्न की जाती है। रामविलास शर्मा का मानना था कि यह चुनौती हमारी मनुष्यता और देशभक्ति को है। यह धारणा 1947 में थी और अंत तक बनी रही, क्योंकि इस निबंध का पुनर्प्रकाशन 1985 में हुआ था। बाद की सभी पुस्तकों में इसी धारणा का विकास किया गया है।

इस प्रसंग में एक महत्वपूर्ण तथ्य को ध्यान में रखने की जरूरत है, वह है उनका हेगल संबंधी मूल्यांकन। हेगल के दृष्टिकोण की उन्होंने *मार्क्स और पिछड़े हुए समाज* (1986) और *इतिहास दर्शन* (1995) में विस्तृत आलोचना की है। रामविलास शर्मा ने *मार्क्स और पिछड़े हुए समाज* में लिखा कि हेगल के इतिहास संबंधी विवेचन में धार्मिक आग्रह हर जगह दिखाई देता है। यह व्यापक रूप में धार्मिक आग्रह न होकर सांप्रदायिक आग्रह है जो और भी संकीर्ण है और वस्तुगत स्थिति को समझने में बाधक होता है। यही बुनियादी कारण है कि वे हेगल की विस्तृत आलोचना प्रस्तुत करते हैं। शायद इतनी विस्तृत आलोचना हिंदी में पहली बार की गई है। इस आलोचना में हेगल की नस्लवादी इतिहास-दृष्टि की उन्होंने विस्तार से गंभीर आलोचना की है।

रामविलास शर्मा की पुस्तकों में से एक *गांधी, आंबेडकर, लोहिया और भारतीय इतिहास की समस्याएं* (2000) में इन तीनों व्यक्तियों के सांप्रदायिकता संबंधी विचारों की जिस रूप में आलोचना प्रस्तुत की गई है उससे उन पर संघ के करीब जाने के विचार का खंडन होता है। महात्मा गांधी हिंदू और मुसलमानों को दो कौम मानते थे। इस पर रामविलास जी ने गांधी जी की तीखी आलोचना की। नवंबर 1917 में गांधी जी ने लिखा था, हिंदू-मुसलमानों के बीच जो गांठ पड़ गई है, उनके दिल में जो कड़ुवाहट पैदा हो गई है—इसे कैसे दूर किया जाए? इन दोनों कौमों के बीच मित्रभाव की स्थापना करना ही मेरे जीवन का कार्य है।' इसकी आलोचना करते हुए रामविलास जी ने लिखा कि दो संप्रदायों को दो कौमें मान लिया जाए तो उनमें एक जीवन तो क्या कई जीवन में एकता कायम नहीं की जा सकती। वर्ग और जाति के रूप में एकता जहां स्थापित है, वहां यह धारणा उसे खंडित करती है।[15] रामविलास जी ने मजहब नहीं सिखाता आपस में बैर रखना की भी आलोचना की और सवाल किया कि यदि मजहब नहीं सिखाता तो कौन सिखाता है।[16]

रामविलास जी का मानना था कि 'यदि हिंदुओं और मुसलमानों को पुरोहित और मुल्ला लड़ाते हैं, राजा और बादशाह धर्म के प्रचार के लिए हिंसा का सहारा लेते रहे हैं तो इनका विरोध करना चाहिए। ऐसे लोग केवल एक ही संप्रदाय में नहीं हैं, सभी

संप्रदायों में हैं। उनका सम्मिलित विरोध संगठित करना आवश्यक है।'[17]

गांधी जी ने 8 अगस्त, 1942 को अ.भा. कांग्रेस कमेटी की बैठक में कहा था— 'एक समय था जब हर मुसलमान दावा करता था कि सारा भारत उसकी मातृभूमि है।' रामविलास जी ने सवाल किया कि ऐसा क्या हुआ कि वे इसी मातृभूमि के विभाजन की मांग करने लगे? गांधी जी का दावा था कि अहिंसक रास्ते ने हिंदुस्तान को सदियों की नींद से जगाया है। रामविलास जी प्रश्न करते हैं कि इस जगाने में ऐसा क्या हो गया कि जो लोग मिलकर अंग्रेजों से लड़ते आए थे, वे आपस में लड़ने लगे? इन दोनों प्रश्नों का उत्तर खोजते हुए लिखा—'1906 में मुस्लिम लीग का जन्म, 1909 में सुधार, 1935 का कानून, ये सारे कदम बता रहे थे कि अंग्रेजों की सुधार योजना में खास मुद्दा यह है कि उच्च वर्ग मुसलमानों को हिंदुओं से अलग किया जाए। थोड़े से कांग्रेसी नेता विरोध किया करते थे, फिर उन्हीं पर अमल करते थे। इस तरह अंग्रेजों की नीति को आगे बढ़ाने में उनका हाथ भी था। स्वयं गांधी जी इन सुधारों के विरोध में बोले थे किंतु सन् '35 के कानून के तहत जब 1937 में कांग्रेसी मंत्रिमंडल बने, तब वे उनका समर्थन करने लगे। कांग्रेसियों को कितने दिन तक मंत्रिमंडल में रहना है, पद छोड़ना है, तब उन्हें क्या करना चाहिए, ये सारी नीतियां गांधी जी तय कर रहे थे। सन् '35 की तुलना में अंग्रेज 1946 में भारतीय पूंजीपतियों को ज्यादा रियायत देने वाले थे। परंतु जो बातें 1935 के कानून में बीज रूप में मौजूद थीं, वे 1946-47 में विषवृक्ष के रूप में बढ़कर सामने आईं। सन् '35 और '46 के बीच में मुस्लिम लीग ने पाकिस्तान का प्रस्ताव पास किया था। मुस्लिम लीग से समझौता करो, तब तुम्हें स्वराज्य मिलेगा, यह अंग्रेजों की शर्त थी। मुस्लिम लीग ही मुसलमानों की एकमात्र संस्था है, ये राजनीतिक परिदृश्य तैयार करने में अंग्रेजों की निर्णायक भूमिका थी। यह भूमिका जन आंदोलन द्वारा निरस्त की जा सकती है।'[18]

आंबेडकर यह मानते थे कि मुसलमान एक जाति या नेशन है। साथ ही मानते थे कि यह एक सामाजिक भावना है। वे भावना के आधार पर मुसलमानों को जाति के रूप में देखते थे। रामविलास जी ने उसकी आलोचना करते हुए लिखा कि 'यहां जातीयता की पहचान के लिए कोई वस्तुगत कसौटी नहीं रखी गई है। केवल भावना की बात है। इस भावना के अनुसार शिया एक कौम हो सकते हैं, सुन्नी दूसरी कौम हो सकते हैं। रोमन कैथोलिक एक कौम हो सकते हैं, प्रोटेस्टेंट ईसाई दूसरी कौम हो सकते हैं। ब्राह्मण एक कौम हो सकते हैं, क्षत्रिय, वैश्य, शूद्र दूसरी कौम हो सकते हैं।'

'भावनाएं बहुत तरह की हो सकती हैं। एक बिरादरी की भावना है। दूसरी अपने धर्म की भावना है। तीसरी अपने वर्ग की भावना है, पूंजीपति वर्ग, मध्य वर्ग, मजदूर वर्ग आदि की भावना। प्रश्न यह है कि बिरादरी और संप्रदाय की भावना के मुकाबले प्रादेशिक जाति की भावना प्रबल है या निर्बल? वरीयता किसे मिलने चाहिए? इतिहास के वर्तमान दौर में, किन्हीं विशेष परिस्थितियों में, बिरादरी या संप्रदाय की भावना प्रबल जान पड़ सकती है। परंतु उसका कोई ठोस भौतिक आधार नहीं होता। इसलिए समय और परिस्थितियां बदलने पर प्रादेशिक जाति की भावना अधिक शक्तिशाली सिद्ध होती है।'[19]

आंबेडकर भाषावार प्रांत बनाने के भी विरोधी थे। वे इसे विघटनकारी प्रवृत्ति मानते थे। रामविलास जी ने इसकी आलोचना में लिखा कि 'इसमें आश्चर्य की कोई बात नहीं है। मुसलमान एक जाति, उनका प्रदेश अलग। अब यह हिंदू प्रदेश प्रशासनिक सुविधाओं के अनुसार विभाजित न होना चाहिए।'[20]

बंबई की विधानसभा में आंबेडकर ने कहा था—'अनुसूचित जाति के लोग महाराष्ट्री या गुजराती या कर्णाटकी होने में किसी गर्व का अनुभव नहीं करते। आंबेडकर बड़े राज्यों के पक्ष में नहीं थे। रामविलास जी ने इस दृष्टिकोण की कड़ी आलोचना की है। उन्होंने लिखा है कि 'योजना के अनुसार आर्थिक विकास करने के लिए बड़े राज्यों का अस्तित्व आवश्यक है। इसके सिवा सांस्कृतिक विकास के लिए एक भाषा बोलने वालों का एक ही राज्य में संगठित होना आवश्यक है। बहुत से हिंदू राष्ट्रवादी योजनाबद्ध विकास में विश्वास नहीं करते, जातीय भाषाओं और संस्कृतियों का महत्व स्वीकार नहीं करते। इसलिए वे बड़े राज्यों को विभाजित करके छोटे राज्य बनाने का समर्थन करते हैं। उनको और आंबेडकर को जोड़ने वाली यह एक और कड़ी दिखाई देती है।'[21]

लोहिया के द्वारा हिंदू-मुस्लिम समस्या पर जो विचार रखे गए थे, उनकी समीक्षा के दौरान रामविलास शर्मा ने कई महत्वपूर्ण बातें कही हैं जिनके जरिए हम यह जान सकते हैं कि आखिरकार चूक कहां पर हुई? लोहिया ने *हिंदू बनाम मुसलमान* पुस्तिका में मुसलमानों में पिछड़े और अगड़े का भेद किया है। छोटी और बड़ी जाति का भेद किया है। इस पर टिप्पणी करते हुए रामविलास जी ने लिखा, 'मुसलमानों में छोटी-बड़ी जातियों के भेद के साथ वर्गों का भेद भी है। कुछ थोड़े से मुसलमान नवाब और जमींदार हैं और बहुत से मुसलमान किसान और हलवाहे हैं। उनमें कुछ व्यापारी भी हैं। हिंदू और मुसलमान व्यक्ति मिलकर व्यापार करते हैं। राजा और

नवाब मिलकर अंग्रेजों की सेवा करते हैं और अपनी जनता को दबाते हैं। उनके विरुद्ध हिंदू और मुसलमान, किसान और हलवाहे अपनी एकता मजबूत कर सकते हैं परंतु जब तक मुसलमानों को अलग एक दबे हुए वर्ग के रूप में देखा जाएगा तब तक ये वर्गों की एकता संभव नहीं है। वर्गों के अलावा मुसलमानों में प्रादेशिक जातियों वाला भेद है। बहुत से मुसलमान सिंधी हैं, कश्मीरी हैं, हिंदी हैं। उनकी संस्कृति और भाषाएं अलग-अलग हैं। प्रादेशिक जातियों पर ध्यान देना इतिहास को समझने के लिए बहुत जरूरी है। स्वाधीनता आंदोलन के दौरान प्रादेशिक जातियों के स्तर पर हिंदुओं और मुसलमानों को मिलाने का प्रयत्न किया जा सकता था। वर्ग के आधार पर मिलाना और प्रादेशिक जाति के आधार पर मिलाना यह काम स्वाधीनता आंदोलन के नेताओं को करना था। एक हद तक उन्होंने किया भी परंतु सुसंगत रूप से वे सामंतवाद और साम्राज्यवाद का विरोध न कर रहे थे इसलिए उन्हें सफलता न मिली।'[22]

रामविलास शर्मा का मानना है कि इतिहास में हिंदू और मुस्लिम राजाओं की भूमिका के बारे में आम जनता को शिक्षित किया जाना चाहिए। किंतु हिंदू-मुसलमान में मेल कराने के बारे में उन्होंने लोहिया की पद्धति को एक सिरे से खारिज किया। लोहिया का तरीका यह है : हर एक बच्चे को सिखाया जाए, हर एक स्कूल में, घर-घर में क्या हिंदू क्या मुसलमान, बच्चे-बच्चे को कि रजिया, शेरशाह, जायसी वगैरह हम सबके पुरखे, हिंदू और मुसलमान दोनों के। इसके साथ ही : हममें से हर एक आदमी, क्या हिंदू क्या मुसलमान, यह कहना सीख जाए कि गजनी, गौरी और बाबर लुटेरे थे और हमलावर थे। रामविलास जी का मानना है कि 'जैसे यह बताना जरूरी है कि किन कौमों के मुसलमानों ने भारत पर हमला किया, उसी तरह यह बताना जरूरी है कि कौन-सी भाषाएं बोलने वालों ने विदेशी हमलावरों का मुकाबला किया। उनमें वर्गभेद किस तरह का था। कहां आम जनता ने मुकाबला किया और कहां सामंतों ने मुकाबला किया। कौन से सामंत हमलावरों से मिल गए और कौन से सामंत उनका विरोध करते रहे, यह सब बताना चाहिए। इसके बदले एक तरफ हिंदू और एक तरफ मुसलमान, यह अंग्रेजों की इतिहास-लेखन की पद्धति है जो कि निस्संदेह दिमाग में कूड़ा भर देती है।'[21] रामविलास जी ने विस्तार से आगे के पन्नों पर इन सबका खुलासा किया है।

अंत में, रामविलास शर्मा को सांप्रदायिकता की टोपी पहनाने में जो लोग लगे हैं वे बताएं कि उन्होंने कब सांप्रदायिक ताकतों का साथ दिया? कहां पर उन्होंने

संघ का समर्थन किया? यदि एक भी ऐसा उदाहरण बताया जाए तो उस पर गौर किया जा सकता है। रामविलास शर्मा ने आर्य समस्या पर अनेक धर्मनिरपेक्ष इतिहासकारों से भिन्न रूप में विचार किया है। किंतु क्या इस बिना पर उन्हें संघ के रास्ते का अनुकरण करने वाला घोषित करना उचित होगा। क्या उन्हें एक बुद्धिजीवी के नाते धर्मनिरपेक्ष इतिहासकारों से भिन्न राय रखने का अधिकार है या नहीं? उन्होंने जो विचार इस मसले पर व्यक्त किए हैं, वे आंबेडकर के विचारों से काफी मिलते हैं। ऐसे में क्या वे प्रगतिशील विचारक आंबेडकर को भी संघी बना सकते हैं? जी नहीं, वे ऐसा नहीं करेंगे क्योंकि ऐसा करते ही दलित उखड़ जाएंगे, हो सकता है, वोट की राजनीति पर भी इसका असर पड़े? दूसरी बात यह कि क्या इतिहास के प्रश्नों पर मार्क्सवादियों में सब एकमत हैं? क्या धर्मनिरपेक्ष इतिहासकारों का इतिहास के विभिन्न प्रश्नों पर एक जैसा दृष्टिकोण है? क्या इतिहास के प्रश्नों की पड़ताल करने की एक ही पद्धति है? यदि नहीं तो रामविलास शर्मा के आर्य संबंधी मूल्यांकन को उनके द्वारा चुनी गई सामग्री के परिप्रेक्ष्य में विश्लेषित करने की जरूरत है। इस विषय पर उनके विचार निश्चित तौर पर विवादास्पद हैं, किंतु उपेक्षा के लायक अथवा संघी बनाने लायक नहीं हैं।

आज जो लोग धर्मनिरपेक्षता की रक्षा के बहाने रामविलास शर्मा का अंध विरोध कर रहे हैं, उनमें से अधिकांश ने उनकी किताबें पढ़ी नहीं हैं। खासकर नामवर सिंह जैसे आलोचक तक में रामविलास जी को बगैर पढ़े आलोचना करने की प्रवृत्ति देखी जा सकती है। इसका प्रमाण है आलोचना में लिखा गया उनका आलेख और आदेश पर अपने अनुयायियों से लिखाए गए कई आलेख। हिंदी की आलोचना, खासकर सामाजिक आलोचना, अभी कितनी पीछे है इसका सहज ज्ञान *आलोचना* के रामविलास शर्मा स्मृति अंक को देखकर लगता है। पूरनचंद्र जोशी को छोड़कर किसी भी लेखक में समाजविज्ञान का न्यूनतम विवेक दिखाई नहीं देता। मजेदार बात यह है कि आलोचना के इसी अंक में रामशरण शर्मा का इंटरव्यू है किंतु रामशरण शर्मा ने भी रामविलास शर्मा के दृष्टिकोण का उद्घाटन करने वाली किताबें नहीं पढ़ी हैं और न उन्होंने रामविलास जी द्वारा रामशरण शर्मा की *आर्य संस्कृति की खोज* पुस्तक की *गांधी, आंबेडकर, लोहिया और इतिहास की समस्याएं* पुस्तक में लिखी आलोचना ही पढ़ी है। इस आलोचना के जरिए रामविलास जी ने जहां एक ओर रामशरण शर्मा के दृष्टिकोण की तथ्यपूर्ण आलोचना लिखी है, वहीं दूसरी ओर हिंदुत्ववादियों से अपने को अलगाया है। रामशरण शर्मा को कायदे से लिखकर रामविलास जी के विचारों

पर रौशनी डालनी चाहिए। यहां यह उल्लेखनीय है कि रामविलास जी ने रामशरण शर्मा पर हिंदुत्ववादी विचारों के करीब होने का आरोप लगाया है।

रामविलास जी का मानना है, 'हिंदुत्ववादी आज के भारत में अनेक भाषाओं का अस्तित्व स्वीकारते हैं। परंतु इन भाषाओं के बोलने वाली जातियों का अस्तित्व स्वीकार नहीं करते। उनकी अलग-अलग जातियां, संस्कृतियां हैं, यह बात स्वीकार नहीं करते। उनका भारत राष्ट्र एक है। उसकी एक राष्ट्रीय संस्कृति है। प्रदेशों में जो भेद दिखाई देता है वह धर्म के आधार पर मिट गया है या मिटाया जा सकता है। जैसे हिंदू राष्ट्रवादी आज के भारत में जातीय भाषाओं, जातीय संस्कृतियों का अस्तित्व स्वीकार नहीं करते। उनके लिए आर्य एक विशाल समुदाय है जो भारत में फैला हुआ है। उसकी भाषा से ही संसार की भाषाओं का जन्म हुआ। संसार की नहीं, तो भारत की भाषाओं का जन्म अवश्य हुआ और भारत की सभी भाषाओं का नहीं तो आर्य भाषा परिवार की भाषाओं का जन्म अवश्य ही उससे हुआ है। रामशरण शर्मा की विचार पद्धति इस तरह के चिंतन के बहुत नजदीक है। वह जिस हिंद-यूरोपीय जमात की बात करते हैं, उसमें कहीं कबीले का भेद दिखाई नहीं देता। इन सबकी एक भाषा है। वे किसी आदि स्थान से चलते हैं और वह आदिभाषा आदि रूप धारण करती जाती है। वह भाषा भारत में आकर वैदिक भाषा का रूप लेती है और उसी से समस्त आर्य भाषाओं का जन्म होता है।'

जाति-व्यवस्था के प्रति दृष्टिकोण

रामविलास शर्मा ने भारतीय इतिहास की दूसरी सबसे बड़ी समस्या के रूप में जाति-व्यवस्था के बारे में समग्रता से विचार किया है। जाति-व्यवस्था को वह पराधीनता, बाहरी आक्रमण, विषमता एवं पिछड़ेपन का प्रधान कारण मानते हैं। जाति-व्यवस्था की मुख्य विशेषता है, 'जो पास है उसे बचाओ और जो नहीं है, उसे दूसरे से हथिया लो।'[24] राष्ट्रवादी इतिहासकार जातिप्रथा की हिमायत करते हैं, साथ ही, तमाम ऐसे संगठन भी हिमायत करते हैं जो दलितों के हितों की रक्षा का दावा करते हैं। रामविलास शर्मा ने इसके कई रोचक पक्षों की ओर प्रकाश डाला है। आमतौर पर हिंदुत्ववादी संगठन मध्यकाल में हुए बाहरी आक्रमणों का सांप्रदायिक भावनाएं भड़काने के लिए जिक्र करते हैं। साथ ही, जाति-व्यवस्था भी बनाए रखना चाहते हैं। सच यह है कि बाहरी आक्रमणकारियों को सफलता इसलिए मिली कि देश में जाति- व्यवस्था थी। रामविलास शर्मा ने प्रश्न उठाया है कि भारत में विदेशी हमलावर

इतनी तेजी से जीत कैसे हासिल कर पाए और उन्हें कहीं पर भी पराजय का मुंह क्यों नहीं देखना पड़ा? इस संदर्भ में परमात्मा शरण को उद्धृत करते हुए लिखा है कि 'सबसे पहला कारण जातिप्रथा है। इसका परिणाम यह था कि भारतीय समाज अलग-थलग टुकड़ों में बंटा हुआ था। इनमें अल्पसंख्यक लोगों को विशेषाधिकार प्राप्त थे। वे आम जनता को बहुत से नागरिक अधिकारों से वंचित करके अपने विशेषाधिकारों, अपने निहित स्वार्थों की रक्षा करते थे। समाज के अन्य लोगों के समान आम जनता को शिक्षा के अधिकार, आपस में स्वाधीनतापूर्वक मिलने-जुलने के अधिकार, संगठित होने के अधिकार नहीं थे। इस तरह आम जनता पर क्षुब्ध करने वाली बहुत-सी पाबंदियां लगा दी गई थीं। साथ ही, विशेषाधिकारी वर्गों के प्रति कर्तव्य और कार्यों का भार उन पर लादा गया था। इससे भारतीय जनता में, अर्थात उच्च वर्गों में, झूठा अभिमान पैदा हुआ। सारी दुनिया से अलग रहने में वे गर्व का अनुभव करते थे। उनमें हेकड़ी का भाव पैदा हुआ था जिसके बारे में अलबरूनी ने लिखा था, 'हिंदू समझते हैं कि उनके जैसे राजा और कहीं नहीं हैं, उनके जैसा विज्ञान और कहीं नहीं है...। अगर वे बाहर निकलकर यात्रा करें और दूसरी जातियों से मिलें तो वे बहुत जल्दी अपने विचार बदल देंगे।' अलबरूनी ने यह भी लक्ष्य किया था कि वर्तमान पीढ़ी की तरह उनके पूर्वज इस तरह के संकुचित विचारों के नहीं थे। यह एकांत श्रेष्ठता की भावना बौद्धिक धोखाधड़ी की प्रक्रिया द्वारा निर्मित हुई थी और उसके द्वारा सुरक्षित रखी गई थी। इस दौर का समस्त साहित्य इसी उद्देश्य के लिए इस्तेमाल किया गया था और आम जनता से कहा जाता था कि वह आंख मूंद कर शास्त्रों का अनुसरण करे। उनमें कही गई बातों पर अविश्वास करना अक्षम्य अपराध माना जाता था (आर.सी. मजूमदार ने जिसे हिंदू संस्कृति कहा है, वह यहां आम जनता को धोखा देने वाला बौद्धिक प्रपंच है।)।'

'लेखक ने आगे लिखा है कि इस तरह समुद्र पार न जाना, कुछ पवित्र क्षेत्रों की सीमाओं के पार भी न जाना, हिंदू धर्म का अंग बन गया। इस अलगाव की भावना से बहुत हद तक भारतीय राजाओं में लीचड़पन पैदा हुआ। पूरे भारत के संदर्भ में देशभक्ति और राष्ट्रीय स्वाधीनता के ऊंचे मूल्यों से उन्हें कोई सरोकार न रह गया। जिस छोटे से क्षेत्र में वे रहते थे, उससे बाहर और किसी चीज से उन्हें काम नहीं था। बाहर संसार में जो बड़े राजनीतिक परिवर्तन हो रहे थे, युद्ध विद्या का जो विकास हो रहा था, उससे वे अपरिचित थे। इसलिए सीमांत की रक्षा के महत्व को समझने और उसकी रक्षा के लिए उचित उपाय करने में वे असमर्थ रहे।'

'जनता के बहुसंख्यक भाग को ऐसी अपमानजनक स्थिति में रखा गया था कि वह देशव्यापी संकट और संबंधित समस्याओं के प्रति उदासीन हो गया था। इससे भयावह स्थिति पैदा हुई कि हमलावर सारे देश में फैल गए और आम जनता अधिकतर निष्क्रिय बनी रही।... कुछ अपवादों को छोड़कर देश की आम जनता चारों तरफ जो कुछ हो रहा था, उसकी ओर से उदासीन बनी थी। एक धार्मिक, सामाजिक उत्पीड़न द्वारा उसकी आवाज को दबाकर उसे खामोश कर दिया गया था।... विदेशियों के सामने कहीं भी जन उभार दिखाई नहीं देता। जैसे शरीर को लकवा मार गया हो, भारतीय जनता असहाय होकर टुकुर-टुकुर देखती रही और विजेता उसके शरीर पर पैर रखता हुआ आगे बढ़ गया। एक क्षण के लिए लगता है लोग कसमसाते हैं लेकिन उसके बाद ही वे उसी दयनीय स्थिति में पहुंच जाते हैं, जहां सिखाया गया है कि समर्पण कर देना अनिवार्य है।'

परमात्मा शरण कहते हैं, 'उनके गुरुओं ने उन्हें क्षत्रीय शूरता के झूठे आदर्श सिखाए थे। इससे राजपूत राजा निरंतर पारस्परिक संघर्षों में फंसे हुए एक-दूसरे को शक्तिहीन बना रहे थे। उनमें विशु राष्ट्रीय दृष्टिकोण और देशभक्ति की भावना का अभाव पैदा हो गया। हिंदू राजाओं के लिए इतिहास का कोई अर्थ नहीं था।...राष्ट्रीय चेतना, देशप्रेम, स्वाधीनता पर गर्व, ये सब सामाजिक रूढ़ियों और कर्मकांड के बोझ के नीचे, तुच्छ हेकड़ी और संकुचित स्वार्थपरता के नीचे कुचल दिए गए थे।'[25] रामविलास शर्मा की मान्यता थी कि 'जो लोग भी जातिप्रथा जैसे सामंती व्यवस्था के अवशेष समाप्त करना चाहते हैं, उन्हें सबसे पहले यह देखना चाहिए कि भूस्वामित्व के आधार में परिवर्तन हुआ है या नहीं।'[26] उनकी यह मान्यता थी कि 'वर्णव्यवस्था का अध्ययन करते हुए केवल *मनुस्मृति* पर निर्भर रहना ठीक नहीं है। स्मृतिकार जो नियम बनाते थे, सदा उनका पालन न किया जाता था। अकसर ये नियम उनकी इच्छापूर्ति मात्र होते थे। आपातकाल के लिए उन्होंने जो नियम बनाए थे, उनसे वास्तविक स्थिति का पता चल जाता है। धर्मशास्त्रों में बनाए नियम सारे भारत में लागू होते थे, यह सोचना ठीक न होगा। धर्मशास्त्रों के अधिकांश नियम उत्तर भारत, विशेष रूप से हिंदी प्रदेश के जनपदों के समाजों के लिए बनाए गए थे।'[27]

अमूमन बुद्धिजीवियों का एक वर्ग यह कहता रहा है। जबकि सच्चाई यह है कि अंग्रेजों के आने के बाद जाति-व्यवस्था और भी ज्यादा मजबूत हुई है। अंग्रेजों ने अपनी सत्ता के विस्तार के लिए तमाम किस्म की पिछड़ी ताकतों एवं सामाजिक संरचनाओं के साथ समझौता किया, उन्हें बनाए रखा। जातीय चेतना के विकास के

लिए जरूरी है कि हमारा समाज सांप्रदायिक एवं जातिवादी चेतना से मुक्त हो। इस मूल ध्येय को ध्यान में रखकर रामविलास शर्मा ने गांधी, आंबेडकर और लोहिया के चिंतन पर अन्य बातों के अलावा विचार किया। गांधी के अस्पृश्यता विरोधी दृष्टिकोण का विश्लेषण करते हुए रामविलास शर्मा ने लिखा, 'धर्मांधता और अस्पृश्यता में गहरा संबंध है।'[28] गांधी के नजरिए का विश्लेषण करते हुए लिखा कि 'अछूतों की दशा सुधारने के लिए दो चीजें आवश्यक थीं। पहली देश का उद्योगीकरण, जिससे लोगों को नए काम धंधे मिल सकें और वे पुराना धंधा छोड़ सकें। इसके लिए उद्योगीकरण से नई प्रौद्योगिकी प्राप्त कर सकें और उससे मैला आदि ढोने का काम खत्म किया जा सकता था। यह अनिवार्य नहीं था कि समाज में भंगी का काम होता ही रहे। सफाई के नए तरीके इस्तेमाल किए जा सकते थे। दूसरी, बेजमीन खेत-मजदूरों को जमीन देना, इसके लिए जमीन का नए सिरे से बंटवारा आवश्यक था। यह तभी हो सकता था जब जमींदारों और राजाओं के विशेषाधिकार खत्म किए जाएं।'[29] किंतु गांधी तमाम सदिच्छाओं के बावजूद ऐसा नहीं कर पाए। कांग्रेस के नेतृत्व में जमींदारों के खिलाफ संघर्ष चलाने की शक्ति नहीं थी। दूसरी बात यह कि हमारे शासकों के पास शहरों के आधुनिकीकरण की कोई समझ नहीं थी। तीसरी बात यह कि औपनिवेशिक युग में उद्योगीकरण के बजाय निरुद्योगीकरण हुआ। बेकारों की तादाद में इजाफा हुआ। प्रश्न उठता है कि निरुद्योगीकरण किसे मानें? निरुद्योगीकरण का अर्थ है उद्योगों का क्षय या उद्योगीकरण से विपरीत स्थिति। उद्योगीकरण का मतलब है कृषि कर्म से उत्पन्न राष्ट्रीय आय की तुलना में शिल्प कर्म से उत्पन्न अंश में वृद्धि और शिल्प कर्म में नियोजित मनुष्यों के अनुपात में वृद्धि। यदि जब देशवासी शिल्प कर्म छोड़कर खेती को जीविकोपार्जन का आधार बनाना शुरू करें अथवा राष्ट्रीय आय में कृषि का अंश बढ़ता रहे और शिल्प का अंश कम होता रहे तो इसे निरुद्योगीकरण कहा जाता है।

प्रसिद्ध आर्थिक इतिहासज्ञ सव्यसाची भट्टाचार्य ने लिखा है कि '19वीं शताब्दी के प्रथम दशक में औपनिवेशिकता के दबाव से पहले घरेलू उद्योग नष्ट हुए अथवा निरुद्योगीकरण हुआ। इसके बाद एक नव-उद्योगीकरण जैसी चीज शुरू हुई। विदेशी तकनीक के आधार पर नए कल-कारखाने खुले। पहले-पहल उद्योग थोड़ा पीछे हटा। फिर दूसरे चरण में लंगड़ाता हुआ आगे बढ़ा। औद्योगीकरण की इस धीमी प्रगति का अंदाज राष्ट्रीय आय में औद्योगिक क्षेत्र के प्रतिशत के अनुपात से चलता है: 1900-04 में राष्ट्रीय आय के सौ पैसों में से उद्योग से आने वाली आय 13 पैसे से

भी कम थी, 1925-29 में 16 पैसे से भी कम थी और 1940 से 44 तक 17 पैसे से भी कम थी। जहां भारत में 1900-04 में राष्ट्रीय आय का 13% ही उद्योग से आता था, वहां इंग्लैंड में इसके एक सौ साल पहले, 1801 में यह अनुपात 23% था। इस हिसाब में औद्योगिक क्षेत्र से होने वाली आय में कुटीर तथा छोटे उद्योग और आधुनिक कल-कारखाने दोनों को ही गिना गया है। इन दोनों को अलग कर दिया जाए तो भारत में आधुनिक उत्पादन की दर और नीचे चली जाएगी।'[30]

रामविलास शर्मा ने लिखा है कि मैला ढोने की समस्या गांव के बजाय शहरों में थी। इसके लिए नए तरीके अपनाने की जरूरत थी। आम धारणा है कि उद्योगीकीकरण के साथ-साथ शहरीकरण होता है। शहर नई किस्म की संरचना लेकर आते हैं। यह मिथ है कि अंग्रेजों के जमाने में शहरीकरण बढ़ा। किंतु सच्चाई यह है कि शहरीकरण में आनुपातिक दृष्टि से वृद्धि नहीं हुई। जनगणनाविदों के लिए शहरीकरण का अर्थ है ग्रामीण जनसंख्या की तुलना में शहरी बाशिंदों की आनुपातिक वृद्धि। इस दृष्टि से देखें तो शहरों का कोई खास विस्तार नहीं हुआ। 18वीं शताब्दी के अंतिम दशकों में पुराने शहर नहीं बढ़े इसके विपरीत अनेक नगरों की जनसंख्या कम हो गई। मसलन ढाका, लखनऊ, मुर्शिदाबाद आदि शहरों की जनसंख्या बुरी तरह कम हुई। इरफान हबीब के अनुसार यह वि-नगरीकरण है। दूसरा मिथ यह है कि उद्योगीकीकरण होगा तो शहरीकरण होगा। सच्चाई यह है कि औपनिवेशिक दौर में उद्योगीकीकरण के बिना नगरीकरण हुआ है। यह पश्चिमी धारा के एकदम विपरीत है। हमारे यहां शहरों के रूप-विधान में कोई परिवर्तन नहीं आया। कहने का तात्पर्य यह है कि हमारे यहां औपनिवेशिक शासनकाल में नगरीकरण की अत्यंत सीमित प्रक्रिया थी।

रामविलास शर्मा ने लिखा कि 'अंग्रेजों ने जातिप्रथा को जन्म नहीं दिया। वह पहले से थी पर इसमें संदेह नहीं कि उनके राज में इस प्रथा के बंधन पहले से बहुत कठोर हो गए। अंग्रेज अपना राज कायम रखने के लिए सामंतों और पुरोहितों पर निर्भर थे। ये सामंत और पुरोहित समाज के विशेषाधिकारी वर्ग थे। इसलिए राज्यसत्ता को सहारा देने वाले इन्हीं वर्गों के कारण जातिप्रथा का होना अनिवार्य था।'[31]

रामविलास शर्मा ने वर्णव्यवस्था को ऐतिहासिक दृष्टिकोण से *मार्क्स और पिछड़े हुए समाज* (1986) में विस्तार से विश्लेषित करते हुए लिखा कि भारतीय वर्ण-व्यवस्था का विश्लेषण करते हुए यूरोपीय सामंती समाज की विशेषताओं को ध्यान में रखना चाहिए। उन्होंने लिखा कि 'जो लोग यूनानी और रोमन समाजों में दासप्रथा

के प्रसार के कारणों पर ध्यान नहीं देते, उसे सामाजिक विकास के लिए अनिवार्य मान लेते हैं, फिर उसे रूस, चीन या भारत, किसी भी देश के इतिहास में ढूंढ़ निकालने का प्रयत्न करते हैं। जब तथ्य नहीं मिलते तो अटकलबाजी से काम लेते हैं। ऐसा अटकलपंथी विवेचन ऐतिहासिक भौतिकवाद से बहुत दूर है, वह कठसिद्धांती दृष्टिकोण का नतीजा है, मार्क्स और एंगेल्स की विचारधारा के विकास की मुख्य दिशा न पहचानने का परिणाम है। जो चीज अनिवार्य है, वह है गण व्यवस्था का टूटना। समानता की जगह विषमता, स्वाधीन और पराधीन नागरिकों में भेद, कुछ के पास विशेषाधिकार और कुछ अधिकारों से वंचित, सामाजिक विकास का यही सामान्य मार्ग है।'[32] इसी संदर्भ में एंगेल्स को उद्धृत करते हुए लिखा कि सामंती व्यवस्था 'कुछ व्यक्तियों को विशेषाधिकार देती है, समाज की पूरी श्रेणियों (ranks) और स्थानीय संघों को विशेषाधिकार देती है। उसके सामाजिक संगठन का ढांचा ऐसा है कि अधीनता के बंधन (the hereditary ties of subordination) वंशगत होते हैं।'[33]

रामविलास शर्मा ने वर्णव्यवस्था और जातिप्रथा के बारे में अपने समग्र विचारों को *भारतीय इतिहास और ऐतिहासिक भौतिकवाद* (1992) में विस्तार से प्रश्नोत्तर के रूप में लिखा। जाति या बिरादरी की विशेषताएं बताते हुए लिखा कि 'जाति या बिरादरी की तीन विशेषताएं होती हैं। पहली विशेषता यह है कि बिरादरी के सदस्य एक ही पेशे में होते हैं। दूसरी विशेषता यह है कि पेशा वंशगत होता है, जो काम बाप करता है, वही बेटा करता है। तीसरी विशेषता यह है कि बिरादरी के सदस्य आपस में संबंधी होते हैं।'[34] इसी क्रम में उन्होंने लिखा कि सामंती समाज की विशेषता है ऊंच-नीच का भेदभाव, 'इस भेदभाव का कारण है कि समाज में जब एक अवकाश-भोगी वर्ग पैदा हो जाता है, तब वह मेहनत करने वालों को, खासकर से हाथ से परिश्रम करने वालों को, नीचा मानने लगता है। वह स्वयं काम नहीं करता, अपने को श्रेष्ठ मानता है, जो हाथ से काम करते हैं, उनको नीचा मानता है।'[35] कालांतर में वर्णव्यवस्था का विघटन हुआ। मिश्रित जातियों का उदय हुआ। ध्यान रहे, भारतीय समाज में जातिप्रथा के समर्थक रहे हैं तो इसके विरोधी भी रहे हैं। इनमें समय-समय पर संघर्ष भी हुए हैं, ये संघर्ष वैचारिक और सामाजिक दोनों ही रूप में हुए हैं। इस संघर्ष का ही परिणाम था कि अनेक निचली जाति के संत, महंत, राजा और विद्वानों का लोहा मानने को उच्च वर्ण के लोग मजबूर हुए। बदलते आर्थिक संबंधों एवं व्यापारिक पूंजीवाद के दौर में विभिन्न जनपदों में तेजी से आदान-प्रदान बढ़ने से जातिप्रभा के बंधन ढीले पड़े। लेकिन अंग्रेजों के आने के बाद से जातिप्रथा

के बंधन धीरे-धीरे मजबूत होने लगे। रामविलास शर्मा ने लिखा कि 'नौवीं सदी में तमिलनाडु में एक बहुत बड़े संत हो गए हैं, जिनको लोग नम्मालवार कहते हैं। वह निम्न वर्ग के थे, उनके शिष्य मधुर कवि ब्राह्मण थे। ब्राह्मण शिष्य है और निम्न वर्ण का व्यक्ति गुरु है। उन्होंने जो रचनाएं की हैं, उनका तमिलनाडु में वैसा ही आदर होता है जैसे उत्तर भारत में तुलसीदास की रचनाओं का। भक्ति आंदोलन के दौरान महाराष्ट्र में, हिंदी प्रदेश में, बंगाल में, भारत के लगभग सभी प्रदेशों में निम्न वर्ण के लोग इस आंदोलन में सिमट आए। उनमें अनेक महात्मा, संत और कवि हुए। इनमें हमारे प्रदेश के रैदास कवि भी थे।...उनका जन्म चमार जाति में हुआ था। इनके परिवार के लोग मुर्दा ढोते थे। बनारस के पास रहते थे लेकिन उन्होंने भक्त होकर ऐसा नाम कमाया कि ब्राह्मण उनको दंडवत करते थे।... यदि बनारस के पंडित भक्त चमार को दंडवत कर सकते थे तो इसे जातिप्रथा की शिथिलता का बहुत बड़ा प्रमाण मानना चाहिए। आचार्य शुक्ल ने एक कृष्ण भक्त का उल्लेख किया है। उनका नाम कृष्णदास था। वह शूद्र थे पर मंदिर में पुजारी का काम करते थे। शुक्ल जी ने लिखा, यह भी वल्लभाचार्य के शिष्य और अष्टछाप में थे। यद्यपि वे शूद्र थे पर आचार्य जी के बड़े कृपापात्र थे और मंदिर के प्रधान मुखिया हो गए थे। सोलहवीं या सत्रहवीं सदी में यदि शूद्र किसी मंदिर का पुजारी हो सकता था तो आज स्वाधीन भारत में वह मंदिर का पुजारी क्यों नहीं हो सकता?'[36]

उल्लेखनीय है कि कालांतर में जातिप्रथा इतनी कठोर हो गई कि मंदिरों में निचली जातियों के प्रवेश पर पाबंदी लगा दी गई। स्वाधीनता संग्राम के दौरान इसके खिलाफ महात्मा गांधी के नेतृत्व में बड़े-बड़े आंदोलन हुए। अछूतों से संबंधित समस्याओं पर गांधी जी के अवदान और दृष्टिकोण को रामविलास शर्मा ने सकारात्मक रूप से विश्लेषित किया है।[37]

रामविलास शर्मा का मानना है कि अंग्रेजों के शासन के दौरान जातिप्रथा को नया जीवनदान मिला। 'अंग्रेज इस बात को प्रोत्साहन देते थे कि लोग अपनी जाति का नाम बराबर लिखें। सरकारी नौकरी के लिए आवेदन करना हो तो उसमें जाति का उल्लेख करना जरूरी होता था। शिक्षा संस्थान में भर्ती होना हो, वहां भी जाति का नाम लिखना आवश्यक था। अंग्रेजों ने एक काम और किया, कुछ बिरादरियों को उन्होंने अधिक शूरवीर मान लिया। इनको फौज में विशेष रूप से नौकरी मिलनी चाहिए। कुछ जातियां शूरवीर हो गईं, कुछ अन्य जातियां विद्या के लिए विशेष योग्य मानी गईं। शेष जातियां केवल सेवा करने के योग्य रह गईं। इस तरह जाति-प्रथा

को नया जीवन मिला।'[38]

उन्होंने आगे लिखा कि 'अंग्रेजी राज में जातिप्रथा के मजबूत होने का मुख्य कारण यह है कि भारत में प्रगति के साथ नए पूंजीवादी संबंध पनप रहे थे। यहां जो शहरों का विकास हुआ था, जनपद एक-दूसरे के निकट आए थे, अंतरजनपदीय, अंतरप्रादेशिक व्यापार का विकास हुआ था, उस सबको अंग्रेजी राज में भारी धक्का लगा। यहां पर उद्योग और व्यापार का नाश करके अंग्रेजों ने पुराने सामंतवाद के अवशेष कायम रखे, इन अवशेषों को उन्होंने कठपुतलियों की तरह पाला। ये सब अंग्रेजों के आश्रित थे। इसलिए पुराने सामंतवाद के अवशेष वास्तविक पुराने सामंतवाद से अधिक प्रतिक्रियावादी थे। प्रजा को दबाने में ये अंग्रेजों की सहायता करते थे। अंग्रेजों ने पुराने समांतवाद के अवशेषों से संतोष नहीं किया, उन्होंने भारत में नया सामंतवाद कायम किया। नए जमींदार, नए ढंग के महाजन यहां कायम किए।'[39] रामविलास शर्मा के मूल्यांकन में गौर करने लायक बात है, 1. अंग्रेजों ने सामंतवाद का खात्मा नहीं किया अपितु नए सामंतवाद का निर्माण किया जो पुराने से ज्यादा प्रतिक्रियावादी था। 2. अंग्रेजों ने उद्योगीकरण के बजाय निरुद्योगीकरण किया। भारत में जातिप्रथा के खात्मे के लिए जरूरी है वर्ग संघर्ष की चेतना के विकास पर जोर दिया जाए। पूंजीवादी नेता वर्ग संघर्ष का विरोध करते हैं। रामविलास शर्मा ने लिखा कि 'ऊंच-नीच के भेदभाव से जिन्हें कष्ट होता है, वे इसके विरुद्ध आंदोलन करते हैं। पूंजीवादी नेता सोचते हैं कि आमूल परिवर्तन न करना पड़े। कथरी में थोड़ा-बहुत पैबंद लगा दिया, उससे काम चल जाएगा। उन्होंने पैबंद लगाया, वह आरक्षण का पैबंद है।... आरक्षणों से नए वर्ग संगठित नहीं होते, पुरानी जातिप्रथा निश्चित रूप से कायम रहती है। वैसे जिन्हें निम्न जातियां कहा जाता है, उनमें सभी लोगों की आर्थिक स्थिति एक जैसी नहीं है। बहुत लोग सरकारी नौकरी में हैं, बहुतों के पास खेती की जमीन है। छोटी जातियां और बड़ी जातियां, इन सब में गरीब आदमियों की संख्या है। अमीर चाहे छोटी जातियों में उतने न हों लेकिन गरीब अवश्य हैं और गरीब ऊंची जातियों में भी हैं। ये सब आंदोलन करें उससे देश की दशा बदल सकती है।'[40] जातिप्रथा के उन्मूलन के लिए जरूरी है भूमि-सुधार लागू किए जाएं। शिक्षा का बगैर किसी भेदभाव के गांवों में समान रूप से विकास किया जाए। शिक्षा के पाठ्यक्रमों को इस तरह बनाया जाए जिससे छात्रों में वर्ग संघर्ष की चेतना का विकास हो। अस्पृश्यता और भेदभाव को जीवन के विभिन्न स्तरों पर सचेत रूप से खत्म करने के लिए अभियान चलाए जाएं।

रामविलास शर्मा की पद्धति

आमतौर पर हिंदी के बुद्धिजीवी पद्धति की मीमांसा से दूर रहते हैं। ऐसे में जब कोई आलोचक किसी लेखक का मूल्यांकन करते हुए पद्धति से प्रश्न उठाता है तो उसे लेकर किसी तरह का आलोचनात्मक दृष्टिकोण दिखाई नहीं देता। हाल ही में भगवान सिंह ने रामविलास शर्मा की पद्धति के बारे में कुछ बातें लिखी हैं।[41] भगवान सिंह का मानना है कि 'रामविलास शर्मा जी की विवेचन शैली व्यास परंपरा के निकट है। इसमें आवृत्तियां भी हैं।'[42] सच यह है कि उनकी शैली द्वंद्वात्मक पद्धति पर आधारित है। 'व्यास शैली' उवाच शैली है। इसमें विमर्श या वाद-विवाद-संवाद एवं स्वतंत्र चिंतन के लिए कोई जगह नहीं है। 'व्यास शैली' पर धर्मशास्त्र का गहरा प्रभाव है। उल्लेखनीय है कि भारतीय चिंतन परंपरा में तीन तरह की पद्धतियां मिलती हैं। 1. धर्मशास्त्रीय पद्धति, 2. तर्कशास्त्र और परमाणुवादीय पद्धति और 3. भौतिकवादी पद्धति। इन तीन पद्धतियों में से रामविलास शर्मा ने भौतिकवादी पद्धति को चुना। धर्मशास्त्रीय दृष्टिकोण में स्वतंत्र चिंतन के लिए कोई जगह नहीं है। ये लोग निर्द्वंद्वतापूर्वक तर्क करने को भ्रांतिमूलक मानते हैं। उस पर विश्वास नहीं करते। ये लोग स्वतंत्र चिंतन को अपराध मानते थे। इन लोगों ने स्वतंत्र चिंतकों के खिलाफ कानूनी एवं दंडात्मक कार्यवाही की मांग की, सामाजिक बहिष्कार की मांग की। जबकि तर्कशास्त्र और परमाणुवाद के पक्षधरों ने इस दृष्टिकोण का विरोध किया। ये लोग गोल-मटोल ढंग से अपनी बातें कहते थे। इनमें भौतिकवादियों की बहुत-सी बातें मिलती हैं। इन दोनों के विपरीत भौतिकवादी पद्धति है। भौतिकवादियों की प्राचीन पद्धति के लिए औपनिषदिक शब्द है 'वाकोवाक्य'। जिसका अर्थ यूनानी शब्द 'डायलेक्टिक' से मिलता-जुलता है। इसका अर्थ है प्रश्नोत्तर के माध्यम से विवाद। कालांतर में *चरक संहिता* में वाद-विवाद, परिचर्चा अथवा तार्किक विचार-विनिमय की पद्धति का जमकर विकास किया गया।[43] रामविलास शर्मा की पद्धति इसके ज्यादा करीब है।

रामविलास शर्मा ने *चरक संहिता* की पद्धति का विस्तार से वर्णन करते हुए लिखा कि 'औषधि विज्ञान के विकास के लिए सभाओं में खुला वाद-विवाद कितना महत्वपूर्ण था और उसका कितना चलन था, यह विमान स्थान के आठवें अध्याय से मालूम होता है। वक्ता जो बात सिद्ध करना चाहता है, उसे प्रतिज्ञा कहते हैं। अपनी प्रतिज्ञा को वह हेतु, द्रष्टांत आदि से सिद्ध करता है, उसे स्थापना कहा जाता है।

जिन विषयों की परीक्षा की जा रही है, अनेक बार उनकी परीक्षा करने पर जो स्थायी निर्णय लिया जाता है, उसे सिद्धांत कहते हैं। जर्मन दार्शनिक हेगेल ने अपने द्वंद्ववाद के लिए जैसे थीसिस, ऐंटीथीसिस, स्थापना-प्रतिस्थापना और संस्थापना के ये तीन अंग प्रस्तुत किए थे, कुछ हजार साल पहले उनका पूर्व रूप, अनेक सूक्ष्म भेदों के साथ *चरक-संहिता* में विद्यमान है। स्थापना, प्रतिस्थापना और संस्थापना ये तीनों पारिभाषिक शब्द *चरक संहिता* में प्रयुक्त हुए हैं।'[44] यदि रामविलास शर्मा को गौर से पढ़ा जाए तो पाएंगे कि उनके यहां भौतिकवादियों की शैली का प्रयोग किया गया है। उनकी वाद-विवाद की शैली में *चरक संहिता* के अलावा *न्याय सूत्र* की शैली का प्रयोग किया गया है। देवी प्रसाद चट्टोपाध्याय ने इसकी विशेषताएं बताते हुए लिखा कि 'इस संबंध में ध्यान देने योग्य बात यह है कि किसी दार्शनिक स्थिति की 'अंतिम जांच-पड़ताल' किसी समस्या के 'विवेचनात्मक परीक्षण' पर ही पूरी तरह निर्भर है। 'अंतिम जांच-पड़ताल' को निर्णय और 'विवेचनात्मक परीक्षण' को परीक्षा कहा जाता है। आशय यह कि परीक्षा के बिना कोई भी निर्णय संभव नहीं है। इसका सीधा तात्पर्य यह है कि किसी भी दार्शनिक निष्कर्ष पर पहुंचने के लिए समस्या की परीक्षा यानी उसका विवेचनात्मक परीक्षण एक न्यूनतम शर्त है।'

'इस संबंध में दूसरी बात यह है कि परीक्षा की भी अपने आप में एक आवश्यक शर्त होती है। वह शर्त है 'संदेह', जिसे विमर्श अथवा संशय कहा जाता है।... दार्शनिक शब्दावली में 'संदेह' एक ऐसी बौद्धिक अवस्था है, जहां एक-दूसरे का विरोध करने वाली और एक-दूसरे को भयाक्रांत करने वाली दो दार्शनिक स्थितियां मुकाबले पर खड़ी होती हैं। भारतीय पारिभाषिक शब्दावली में इन्हें 'पक्ष' और 'प्रतिपक्ष' (अथवा विपक्ष) कहते हैं। इनके अंग्रेजी पर्याय 'थीसिस' और 'एंटीथीसिस' हैं।'[45]

रामविलास शर्मा ने द्वंद्ववादी पद्धति के साथ ऐतिहासिक दृष्टिकोण का प्रयोग किया है। इसके अलावा उनकी पद्धति पर वर्ग विश्लेषण, सामाजिक परिघटनाओं और सामाजिक-राजनीतिक आंदोलनों का स्पष्ट रूप से प्रभाव देखा जा सकता है। रामविलास शर्मा जब साहित्य के किसी आंदोलन या प्रवृत्ति या लेखक का मूल्यांकन करते हैं तो पद्धति के तौर पर सामाजिक परिघटनाओं, आंदोलनों एवं वर्गीय आधार का व्यापक इस्तेमाल करते हैं और इस क्रम में द्वंद्ववादी पद्धति की कहीं-कहीं उपेक्षा कर बैठते हैं। नई कविता और प्रगतिशील आंदोलन के संदर्भ में इस तरह की चूक को साफतौर पर देखा जा सकता है। फलतः उन्होंने अनेक आत्मगत एवं एकांगी

निष्कर्ष निकाले हैं, जिन्हें स्वीकार करने में असुविधा होती है।

रामविलास शर्मा ने लेखन में 'संक्षिप्तीकरण' और 'सरलीकरण' का विरोध किया। उनकी प्रत्येक पुस्तक खास संदर्भ और खास मकसद से लिखी गई है। सारी पुस्तकें एक ही मकसद से नहीं लिखी गईं। अतः उनका विश्लेषण करते समय प्रत्येक पुस्तक के संदर्भ और मकसद को ध्यान में रखा जाना चाहिए। इसके अलावा मार्क्सवाद का उत्तर-औपनिवेशिक स्थितियों में कैसे विकास करें और नए दृष्टिकोण से उत्तर-औपनिवेशिक समाज, साहित्य, संस्कृति और सभ्यता के प्रश्नों का समाधान कैसे करें, यही बुनियादी लक्ष्य है जिसे वह अर्जित करना चाहते हैं। इस लक्ष्य की प्राप्ति के लिए उन्होंने उत्तर-औपनिवेशिक आलोचना का विकास किया। यही वजह है कि उन्हें औपनिवेशिक सैद्धांतिकी के ढांचे में समझने में असुविधा हो सकती है। जबकि हमारी आलोचना एवं इतिहास-दृष्टि पर औपनिवेशिक सैद्धांतिकी का गहरा प्रभाव है। उत्तर-औपनिवेशिक सिद्धांतकार परंपरागत अध्ययन के क्षेत्रों में उन पक्षों की खोज करते हैं, जिनकी परंपरागत सैद्धांतिकी में उपेक्षा हुई है। रामविलास शर्मा ने मूलतः उन पक्षों का मूल्यांकन किया जिनकी परंपरागत आलोचना ने उपेक्षा की। 'उत्तर-औपनिवेशिक विमर्श' की विशेषता है साहित्य का इतिहास, राजनीति, समाजशास्त्र आदि ज्ञान की बहुआयामी सामग्री के साथ मिलाकर अध्ययन करना। अध्ययन की सामग्री बहुआयामी बौद्धिक संदर्भ को केंद्र में रखकर निर्मित करना। उत्तर-औपनिवेशिक आलोचना पाठ और संदर्भ को केंद्र में रखकर अध्ययन की सुनिश्चित पद्धति का अनुकरण नहीं करती। इसके विपरीत वह पाठ का संबंधित लोगों और (नव) औपनिवेशिक सत्ता के भौतिक संदर्भ में मूल्यांकन करती है। साहित्य और लोक-साहित्य (वाचिक साहित्य) के बीच की विभाजन रेखा को अस्वीकार करते हैं। साहित्य के उन विधा रूपों के विकास पर जोर देते हैं जो अभी तक हाशिए पर थे, जैसे पत्रकारिता, चिट्ठियां, यात्रा साहित्य आदि। रामविलास शर्मा ने अपनी साहित्यालोचना में उपुर्यक्त बातों का खासतौर पर ध्यान रखा है। इसी तरह सामाजिक इतिहास के अध्ययन में आमतौर पर प्रश्नों पर विचार किया है जो 'उत्तर-औपनिवेशिक विमर्श' के केंद्र में रहे हैं। खासकर 'पश्चिम' के दृष्टिकोण के प्रभाव से मुक्त होकर 'पूर्व' की सत्ता, संस्कृति और स्वाभिमान का प्रचार-प्रसार करना। साम्राज्यवाद, वर्णव्यवस्था, जातीयता, यूरोप की तुलना में भारतीय नवजागरण की खूबियों पर जोर देना जिससे इतिहास को पश्चिम के सांस्कृतिक प्रभुत्व से मुक्त किया जा सके। औपनिवेशिक एवं उत्तर-औपनिवेशिक स्थितियों में मौजूद विध्वंसक एवं तनावपूर्ण स्थितियों का

समग्रता में मूल्यांकन करना। मार्क्सवाद की प्रासंगिकता पर जोर देना, मजदूर वर्ग के हितों को कैसे संरक्षित और संवर्द्धित किया जाए, राष्ट्रीय गौरव और जातीय-बोध का कैसे विकास करें, ये बुनियादी लक्ष्य हैं जिनको प्राप्त करना चाहते हैं।

रामविलास शर्मा ज्ञान को अवर्गीय दृष्टिकोण से नहीं देखते। वह तथ्यों, आंकड़ों, सूचनाओं, घटनाओं आदि को यथावत स्वीकार नहीं करते। अपितु उनमें निहित तटस्थता को अस्वीकार करते हैं। उन्हें मजदूर वर्ग के नजरिए से विश्लेषित करते हैं। वह ध्यान देते हैं कि कौन किस विचार का, किसके लिए और कैसे निर्माण करता है। उत्पादन संबंधों को सभी सामाजिक संबंधों की तुलना में सबसे ज्यादा महत्वपूर्ण मानते हैं।

रामविलास शर्मा का विकृत मूल्यांकन करते हुए भगवान सिंह ने उन्हें 'राष्ट्रवादी इतिहासकारों' के निकट पहुंचा दिया।[46] यह भी लिखा कि उनका लेखन 'साम्राज्यवादी शोषण और औपनिवेशिक मानसिकता के विरुद्ध एक अभियान है। विषयों की विविधता होते हुए भी, उनके लेखन की धुरी यही है।'[47] यह सत्य का अर्द्धांश है। उनके लेखन की धुरी है शोषणविहीन समाजवादी समाज की स्थापना करना। यह कार्य वह मार्क्सवादी दृष्टि और कम्युनिस्ट आंदोलन के माध्यम से करना चाहते हैं। जाहिरा तौर पर राष्ट्रवादी इतिहासकार यह लक्ष्य हासिल नहीं करना चाहते। दूसरी बात यह कि राष्ट्रवादी इतिहासकार साम्राज्यवाद से लड़ने के लिए प्रतिक्रियावादी आधारों का इस्तेमाल करते हैं। अतः राष्ट्रवादी इतिहासकारों से रामविलास शर्मा की तुलना करना गलत है। राष्ट्रवादी इतिहासकार इतिहास को धर्म से जोड़कर देखते हैं, धर्म को अस्मिता का आधार मानते हैं। जबकि रामविलास शर्मा यह सब नहीं मानते। कहने का तात्पर्य यह है कि रामविलास शर्मा का दृष्टिकोण राष्ट्रवादी इतिहासकारों से कहीं पर भी नहीं मिलता। इसके विपरीत उन्होंने राष्ट्रवादी इतिहासकारों की तीखी आलोचना की है।[48] रामविलास शर्मा की पद्धति की यह कमजोरी है वह कम से कम सामग्री का अपनी बात को स्पष्ट करने के लिए इस्तेमाल करते हैं। खासकर सामाजिक इतिहास संबंधी लेखन में यह समस्या है। खूबी यह है कि वह मार्क्सवादी परिप्रेक्ष्य से देखते हैं और प्रतिक्रियावादी विचारक के तथ्यों का भी इस्तेमाल करने में नहीं चूकते, उसका अपने परिप्रेक्ष्य के विकास में इस्तेमाल करते हैं, उसकी सकारात्मक बातों का भी हवाला देते हैं। उनकी पद्धति में यह समस्या है कि जिस कृति का इस्तेमाल करते हैं, उसके लंबे-लंबे उद्धरण देते हैं। वे जब किसी धारणा पर विचार करते हैं तो उससे संबंधित अन्य महत्वपूर्ण कार्यों की अनदेखी करते हैं।

इससे यह आभास होता है कि संबंधित विषय पर सबसे पहले उन्होंने ही विचार किया है। इस पद्धति का उन्होंने सामाजिक इतिहास एवं भारतीय साहित्य की समस्याओं पर विचार करते हुए प्रयोग किया है। रामविलास शर्मा सरल लेखक नहीं हैं; वह सबसे जटिल प्रश्नों से टकराने वाले लेखक हैं। उनके लेखन का फलक विशाल है। उन्होंने जितनी बड़ी मात्रा में लिखा है और जिस गति से उनकी पुस्तकें प्रकाशित हुई हैं, उस गति से हिंदी आलोचकों ने उन पर विचार नहीं किया है। ज्यादातर हिस्सा चालू लेखन से भरा है। गंभीर अकादमिक ढंग से उन पर बहुत कम बातें हुई हैं। स्थिति इतनी खराब है कि उनकी ज्यादातर पुस्तकों की गंभीर समीक्षाएं तक नहीं लिखी गईं। ऐसी स्थिति में हमारी और भी ज्यादा जिम्मेदारियां बढ़ जाती हैं। इस स्थिति के दो प्रमुख कारण हैं, पहला कारण यह है कि हिंदी के आलोचक और शिक्षक गंभीर लेखन के अध्ययन से पूरी तरह संबंध तोड़ चुके हैं। वे विषय से संबंधित पुस्तक खरीद कर या लाइब्रेरी से लाकर पढ़ने के बजाय आत्मज्ञान एवं शब्दों के खेल से खेलते रहते हैं। दूसरा कारण है मार्क्सवाद के पाठन-पाठन का अभाव।

रामविलास शर्मा को मार्क्सवाद जाने बगैर समझना, विश्लेषित करना मुश्किल है। ध्यान रहे समूची दुनिया में 1984-85 के बाद मार्क्सवाद और कम्युनिस्ट आंदोलन पर सबसे ज्यादा हमले हुए हैं। यही वह दौर है जब नए सिरे से मार्क्सवाद की प्रासंगिकता को सिद्ध करने और उसे जनता की ज्वलंत समस्याओं के समाधान का आधार बनाने का काम रामविलास शर्मा ने किया। जब मार्क्स, एंगेल्स, लेनिन, स्टालिन की प्रतिमाएं तोड़ी जा रही थीं तब रामविलास शर्मा ने मार्क्स-एंगेल्स-लेनिन-स्टालिन की रचनाओं के आलोक में भारतीय इतिहास की समस्याओं पर विचार किया। शायद उनकी धारणा थी कि मार्क्सवाद के बुनियादी सिद्धांतों से विचलन हो रहा है, अतः मार्क्सवाद के मूल पाठ की ओर लौटो। यही वह समय है जब उनकी प्रसिद्ध पुस्तक *मार्क्स और पिछड़े हुए समाज* (1986) प्रकाशित हुई। ध्यान रहे द्वितीय विश्वयुद्ध के बाद जब शीतयुद्ध शुरू हुआ था तब मुक्तिबोध के अलावा अकेले रामविलास शर्मा थे जिन्होंने शीतयुद्ध के सांस्कृतिक हमले के खिलाफ साहित्य में प्रगतिशील दृष्टिकोण और मार्क्सवाद की प्रासंगिकता पर सबसे ज्यादा आलोचना पुस्तकें लिखीं। रामविलास शर्मा ने पुनः समाजवादी समाजों के पराभव के दौर में (1985-86) सबसे ज्यादा मार्क्सवाद की प्रासंगिकता पर लिखा। किंतु हमारा हिंदी समाज इतनी गहरी नींद में सोया हुआ है कि उसे मालूम ही नहीं है कि आखिरकार रामविलास शर्मा का अवदान क्या है? यहां रामविलास शर्मा के शब्दों में कहें तो अच्छा

होगा। उन्होंने हिंदीभाषी समाज पर लिखा कि 'हमारी मानसिकता संस्कृति के रूप में व्यक्त होती है, उसके दो पक्ष हैं। एक है आलस्य और निष्क्रियता, दूसरा है जुझारूपन और सक्रियता। मार्क्स ने बहुत पहले कहा था कि जर्मनी के बुद्धिजीवी ऊंघते ही नहीं, सोते भी हैं। भारतेंदु हरिश्चंद्र ने बार-बार आलस्य के बारे में कहा है कि हिंदीभाषियो, अपना आलस्य त्यागो। देखो, देश कैसे जाग रहा है, तुम भी उठ खड़े हो! तो आलस्य हमारा जातीय चरित्र बन गया है। अगर कोई जगाता है तो कहते हैं : यथार्थ निद्रा है, जागरण माया है, इसलिए हमें सोने दो। जब क्रांतिकारी आंदोलन होगा, जनता लाल किले तक पहुंच जाएगी, तब झंडा फहराने हम भी पहुंच जाएंगे। उसका नेतृत्व करना, उसे संगठित करना, एक निश्चित उद्देश्य की तरफ उसे आगे ले जाना हमारा काम नहीं है।[49]

रामविलास शर्मा पर अनेक प्रगतिशीलों का आरोप है कि उन्होंने 'समसामयिक साहित्य की उपेक्षा' की है। ऐसे आलोचकों के आरोप के बारे में यही कहा जा सकता है कि उनके लेखन को तात्कालिक पुस्तक समीक्षा या नामवर सिंह मार्का सस्ती और चलताऊ टी.वी. या सेमिनार मार्का भाषण तक संकुचित करके नहीं देखना चाहिए। वैसे सच्चाई यह है कि हिंदी के प्रसिद्ध आलोचकों ने बमुश्किल चंद अच्छी पुस्तक समीक्षाएं लिखी हैं। स्थिति यह है कि स्वातंत्र्योत्तर हिंदी साहित्य के विभिन्न विधा रूपों के विकास एवं साहित्येतिहास पर प्रामाणिक सामग्री का अभाव है। इसके विपरीत रामविलास शर्मा ने आधुनिक हिंदी साहित्य के विभिन्न कालखंडों से जुड़े प्रमुख लेखकों और साहित्यिक प्रवृत्तियों का मूल्यांकन किया। उन्होंने भक्ति आंदोलन, सन् 1857 के संग्राम से प्रभावित साहित्य, भारतेंदुयुगीन साहित्य, द्विवेदीयुगीन साहित्य, छायावाद, प्रगतिवाद, नई कविता, शीतयुद्ध साहित्य एवं संस्कृति, जनवादी साहित्य की प्रवृत्तियों पर लिखने के साथ भारतेंदु, प्रेमचंद, निराला, महादेवी वर्मा, जयशंकर प्रसाद, केदारनाथ अग्रवाल, शमशेर, त्रिलोचन, नागार्जुन, वृंदावनलाल वर्मा, यशपाल, राहुल सांकृत्यायन, महावीर प्रसाद द्विवेदी, रामचंद्र शुक्ल, हजारी प्रसाद द्विवेदी, मुक्तिबोध, अमृतराय, शिवदान सिंह चौहान, नामवर सिंह, मैनेजर पांडेय आदि के लेखन के बारे में अपने मूल्यांकन का इजहार किया है। इसी तरह आधुनिक इतिहास, यूरोपीय एवं भारतीय नवजागरण एवं भारतीय साहित्य एवं इतिहास दर्शन की आधुनिक समस्याओं एवं विमर्श का मूल्यांकन किया। इसके अलावा मौजूदा दौर में प्रचलित बुर्जुआ विचारधाराओं एवं विचारकों के मूल्यांकन के क्रम में राजा राममोहन राय, रवींद्रनाथ टैगोर, सुब्रह्मण्यम् भारती, राधामोहन गोकुल

जी, लाला हरदयाल, महात्मा गांधी, जवाहरलाल नेहरू, जयप्रकाश नारायण, आंबेडकर, राममनोहर लोहिया, बिलियम जोंस, बर्नियर, मोरलैंड, दादा भाई नौरोजी, एम.एन. राय, इरफान हबीब, सबाल्टर्न इतिहास-दृष्टि, ऐंडरसन, हॉब्सबाम, पार्थ चटर्जी आदि की इतिहास-दृष्टि का विश्लेषण किया है। क्या ये सब हमारे समसामयिक विमर्श के केंद्र में नहीं हैं? यदि हां तो रामविलास शर्मा पर समसामयिक की उपेक्षा का आरोप निराधार है।

भारतीय साहित्य की समस्याएं

रामविलास शर्मा हिंदी के प्रथम आलोचक हैं जिन्होंने हिंदी साहित्य को भारतीय साहित्य के परिप्रेक्ष्य में देखने की बात की। अमूमन हिंदी के इतिहासकार, आलोचक, हिंदी साहित्य को भारतीय साहित्य के परिप्रेक्ष्य में रखकर नहीं देखते। भारतीय साहित्य के विभिन्न पहलुओं पर उनकी दो महत्वपूर्ण पुस्तकें हैं। पहली पुस्तक *भारतीय साहित्य के इतिहास की समस्याएं* (1986) और दूसरी पुस्तक *भारतीय साहित्य की भूमिका* (1996) में प्रकाशित हुईं। इन दोनों पुस्तकों में भारतीय साहित्य के इतिहास की समस्याओं पर विस्तार से विचार किया गया है। असल में ये दोनों पुस्तकें भारतीय साहित्य की अवधारणा पर राष्ट्रीय स्तर की बहस में कुछ बुनियादी मुद्दों पर मार्क्सवादी दृष्टिकोण से रोशनी डालती हैं। विभिन्न भारतीय भाषाओं में, विशेषकर अंग्रेजी में विगत 40 वर्षों में भारतीय साहित्य की अवधारणा पर जो बहसें चली हैं, वे साहित्य की गैर-मार्क्सवादी दृष्टि से चली हैं। *भारतीय साहित्य के इतिहास की समस्याएं* पुस्तक में दो निबंध हैं : 'बहुजातीय राष्ट्रीयता और साहित्य' और 'साहित्य में देशी भाषाओं की प्रतिष्ठा'। इन दोनों निबंधों में जिन समस्याओं का विवेचन है, उनका संबंध भारतीय साहित्य से है और भारत की प्रत्येक भाषा के साहित्य से है।'[50]

रामविलास शर्मा ने साहित्य के ऊपर विचार करने की जो कसौटी चुनी है, उसको यदि आधार बनाकर साहित्य का इतिहास लिखा जाए तो शायद साहित्य के प्रचलित इतिहास ग्रंथों की मूल प्रकृति ही बदल जाए, साहित्य के अनेक क़िस्म के रूपवादी रुझानों से मुक्ति मिल जाए। रामविलास शर्मा का मानना है कि 'किसी भी भाषा के साहित्य का इतिहास लिखना हो तो इस बात पर विचार करना आवश्यक होगा कि उस भाषा के व्यवहार करने वाले मानव समाज के गठन का रूप कौन-सा है। वह मानव-समाज विकास की किस अवस्था में है, इसकी जानकारी के बिना

उसकी भाषा के साहित्य के इतिहास का विवेचन नहीं किया जा सकता, उस साहित्य की सामाजिक विषयवस्तु का ऐतिहासिक महत्व निर्धारित नहीं किया जा सकता।'[51]

भारतीय साहित्य की अवधारणा मूलतः जातीय अस्मिता की खोज के प्रयासों से जुड़ी है। अस्मिता का आधार धर्म है या जाति (कास्ट) या भाषा है? इसी तरह 'समाज और साहित्य का इतिहास लिखते समय क्या धर्म और सांप्रदायिक मतों को विवेचन का आधार बनाना चाहिए? काल-निर्धारण में धर्म और मतों का ध्यान रखा जाता है यथा बौद्ध काल, मुस्लिम काल का विवेचन किया जाता है। इनके समानांतर हिंदू काल होना ही चाहिए पर ईसाई काल नहीं है, न भारत में है न यूरोप में। कलाओं का नामकरण भी इसी पद्धति के अनुरूप है यथा बौद्ध स्थापत्य, मुस्लिम स्थापत्य, हिंदू स्थापत्य। पर हिंदू संगीत, मुस्लिम संगीत नहीं है। क्यों नहीं है? हिंदू इतिहास पर विचार किया जाए तो समस्याएं सुलझाने में मदद मिलेगी। हिंदू संगीत और मुस्लिम संगीत की जगह हिंदुस्तानी और कर्णाटक संगीत, भारतीय संगीत के ये दो रूप प्रसिद्ध हैं। हिंदुस्तान और कर्णाटक दो जातीय प्रदेश हैं, 'जातीय' शब्द पर आपत्ति हो तो इन्हें भौगोलिक इकाई मान सकते हैं। संगीत में सांप्रदायिक विभाजन नहीं हुआ, इसका प्रधान कारण यह भी हो सकता है कि संगीत का इतिहास विश्वविद्यालयों में पढ़ाया न जाता था, इसलिए यह पेशेवर इतिहासकारों के विवेचन से बच गया।'

'भारत में नृत्य के अनेक रूप प्रचलित हैं, बौद्ध काल से लेकर अब तक प्रचलित रहे हैं। इनमें बौद्ध नृत्य, हिंदू या मुस्लिम नृत्य जैसी चीज नहीं है। लेकिन इसी धर्मनिरपेक्ष नृत्य की मुद्राएं जब शिल्प में अंकित होती हैं तो वे हिंदू या बौद्ध हो जाती हैं। दोष न तो शिल्पकारों का है, न नर्तकों और नर्तकियों का, दोष है इतिहासकारों का।'[52]

भारतीय साहित्य की अवधारणा बेहद जटिल है। भारतीय साहित्य का मतलब किसी एक भारतीय भाषा का साहित्य नहीं है। शिक्षा जगत में भारतीय काव्यशास्त्र के नाम पर संस्कृत काव्यशास्त्र का प्रचलन है। संस्कृत को भारतीय पर्याय बनाने का प्रयास औपनिवेशिक काल में शुरू हुआ। इसी तरह कुछ अंग्रेजी भक्त लोग भारतीय लेखकों के अंग्रेजी लेखन को भारतीय साहित्य के रूप में व्याख्यायित कर रहे हैं। इन्हीं के साथ कदम मिलाते हुए चंद लोग हिंदी के साहित्य को भारतीय साहित्य के नाम से प्रतिष्ठित करना चाहते हैं। इस तरह के सभी वर्गीकरण एकांगी और अवैज्ञानिक हैं। भारतीय साहित्य में भारत में प्रचलित सभी भाषाओं का साहित्य

आता है। इसमें संस्कृत है, भारतीय लेखकों का लिखा अंग्रेजी साहित्य है, साथ ही सभी देशज भाषाओं एवं जातीय भाषाओं का साहित्य भी आता है। 'इस भारत में किसी भी काल, किसी भी भाषा में जो भी साहित्य रचा गया है, उसका विवेचन भारतीय साहित्य के अंतर्गत करना चाहिए। किसी भी भाषा के साहित्य का विवेचन अखिल भारतीय परिप्रेक्ष्य में ही करना उचित है। इसलिए नहीं कि हमें भारत पर कोई अहसान करना है वरन् इस परिप्रेक्ष्य के बिना हम किसी एक भाषा के साहित्य का विवेचन कर ही नहीं सकते।'[53] इनका आपस में गहरा संबंध है। रामविलास शर्मा ने लिखा कि 'किसी भी भाषा के साहित्य का निर्माण अन्य भाषाओं के साहित्य से नितांत अलगाव की अवस्था में नहीं होता।'[54]

भारत बहुजातीय राष्ट्रीयताओं का देश है। यहां किसी भी भाषा के साहित्य का मूल्यांकन करने के लिए अखिल भारतीय परिप्रेक्ष्य में ही विचार करना होगा।[55] साथ ही प्राचीन साहित्य का विवेचन करते समय विचार करें कि किस जाति के सांस्कृतिक इतिहास से इस साहित्य का संबंध है।

रामविलास शर्मा ने भारतीय साहित्य की समस्याओं पर विचार करते हुए सबसे पहले राष्ट्र या नेशन या जाति पदबंध के उद्भव पर विचार किया है। दूसरी समस्या है नामकरण की, तीसरी समस्या है आधुनिकता की, चौथी समस्या है बहुराष्ट्रीयता और साहित्य के अंतस्संबंधी, पांचवीं समस्या है भारतीय साहित्य और राष्ट्रीय एकता के अंतस्संबंध की।

रामविलास शर्मा के अनुसार राष्ट्र की अनुभूति हमारे प्राचीन साहित्य से आधुनिक साहित्य तक निरंतरता बनाए हुए है। इस क्रम में राष्ट्र की अवधारणा की स्पष्ट समझ होनी चाहिए। अंग्रेजी के नेशन के पर्यायवाची के तौर पर राष्ट्र शब्द के बजाय जाति का प्रयोग करना सही होगा क्योंकि नेशन शब्द से केवल किसी भूमि खंड के निवासियों का बोध होता है। इसके विपरीत जाति से भूमि और निवासियों दोनों का बोध होता है। नेशन केवल एक ही भाषा बोलने वाला समुदाय होता है किंतु राष्ट्र में एक ही भूखंड के निवासी अनेक भाषाएं बोलने वाले मानव समुदाय हो सकते हैं। रामविलास शर्मा के अनुसार शब्द एक ही है, विभिन्न समाज व्यवस्थाओं में उसका अर्थ-प्रसार होता रहा। रामविलास शर्मा के अनुसार, 'इस देश की राष्ट्रीयता कम से कम *महाभारत* के रचनाकाल से लेकर अब तक निरंतर विकसित और पुष्ट होती रही है। इस राष्ट्रीयता के विकास में यहां के कवियों की भूमिका महत्वपूर्ण है। उन्होंने इस राष्ट्रीयता की सृष्टि नहीं की, उसका वस्तुगत अस्तित्व पहचान कर उन्होंने उसे

अपने काव्य में प्रतिबिंबित किया। इन कवियों की भारत संबंधी धारणा शोषक वर्गों के उत्पीड़न की विरोधी है। इस शोषण-विरोधी परंपरा के एक छोर पर *महाभारत* के कवि हैं, दूसरे छोर पर सुब्रह्मण्यम् भारती हैं। इस राष्ट्रीयता का उपयोग शोषक वर्ग अपने हित में कर सकते हैं किंतु उस पर उनका एकाधिकार नहीं है। राजनीतिक रूप से निरंतर विभाजित इस देश की जनता ने इस राष्ट्रीयता का निर्माण किया है और उसका कायम रहना शोषक वर्गों की अपेक्षा उसके हित में अधिक है।'[56] ध्यान रहे रामविलास शर्मा ने भारतीय साहित्य की अवधारणा को शोषक वर्गों के खिलाफ संघर्ष से जोड़ा है। उनका यह भी मानना था कि 'भारतीय भाषाओं के विकास के बारे में अज्ञान क्षम्य है किंतु उन भाषाओं में रचे हुए साहित्य की अखिल भारतीयता के बारे में अज्ञान अक्षम्य है।'[57]

रामविलास शर्मा का मनना था कि 'जिन परिस्थितियों में भारतीय साहित्य का निर्माण और अध्ययन हो रहा है, उनका गहरा संबंध विश्व पूंजीवाद से है।...भारत जब तक आर्थिक और सांस्कृतिक परनिर्भरता से मुक्त नहीं होता, तब तक सही ढंग से भारतीय साहित्य का निर्माण और विकास नहीं हो सकता। इसके लिए बड़े पैमाने पर स्वदेशी आंदोलन आवश्यक है।'[58] कहने का तात्पर्य यह कि जातीय साहित्य और राष्ट्रीय साहित्य के निर्माण की प्रक्रिया विश्व पूंजीवाद के आने के बाद शुरू होती है। पूंजीवाद का समाज में विकास किस समय होता है? तब से ही जातीय साहित्य और राष्ट्रीय साहित्य की अवधारणा की तरफ ध्यान जाता है। जबकि साहित्य में जाति के स्वरूप का रूपायन पहले से चला आ रहा है। लंबे समय तक जाति के रूपायन के बाद औद्योगिक पूंजीवाद के विकास के दौर में इस अवधारणा का जन्म हुआ। अब साहित्य के बजाय जातीय साहित्य और राष्ट्रीय साहित्य की धारणाओं की रोशनी में साहित्य-विमर्श होने लगा।

रामविलास शर्मा ने भारतीय साहित्य की समस्याओं पर प्रकाश डालते हुए लिखा है कि 'भारतीय भाषाओं में साहित्य-रचना की प्रक्रिया एक साथ शुरू नहीं होती।'[59] भारतीय भाषाओं में तमिल भाषा पहली भाषा है जो सर्वप्रथम साहित्य की भाषा बनी।[60] आम तौर पर भारतीय साहित्य की चर्चा करते समय सिर्फ आधुनिक काल के लेखकों के ऊपर ध्यान केंद्रित रहता है जबकि रामविलास शर्मा ने भारतीय साहित्य की अवधारणा को ऐतिहासिक दृष्टि से विश्लेषित करते हुए बुनियादी प्रश्नों को उठाया है। इस क्रम में भाषाओं के बारे में प्रचलित मिथों का खंडन किया है। सबसे पहले संस्कृत के बारे में प्रचलित मिथों को लें, संस्कृत के बारे में यह मिथ है कि

वह आर्यों की भाषा है। देवभाषा है। रामविलास शर्मा ने इस दोनों मिथों का खंडन किया है।

रामविलास शर्मा के अनुसार, 'वैदिक संस्कृत आर्य नाम के किसी ऐसे विराट मानव-समुदाय की भाषा नहीं थी जो गणों या लघुजातियों में संगठित न रहा हो। आर्य शब्द उन तमाम गण-समाजों के लिए प्रयुक्त होता है जो एक-दूसरे से मिलती-जुलती भाषाएं बोलते थे। ये भाषाएं एक-दूसरे से मिलती-जुलती थीं किंतु एक रूप नहीं थीं। समस्त गण-समाज एक ही आर्यभाषा बोलते हों, ऐसा नहीं था।'[61] 'संस्कृत, अपने प्राचीन वैदिक रूप में, भरत गण की भाषा है। इसके प्रचार-प्रसार का केंद्र उत्तर भारत है। संस्कृत साहित्य का अधिकांश हिंदीभाषी जाति के पूर्वजों का रचा हुआ है। रामविलास शर्मा ने लिखा है कि यदि कान्यकुब्ज क्षेत्र में अन्य प्रदेशों के कवि आकर बस जाते हैं, राज्याश्रय पाते हैं, संस्कृत में काव्य-रचना करते हैं तो उनका साहित्य कान्यकुब्ज क्षेत्र के निवासी कवियों की रचनाओं के साथ विवेचित होगा। यदि वह कान्यकुब्ज क्षेत्र हिंदीभाषी प्रदेश में है तो भिन्न प्रदेशीय उन कवियों की रचनाएं हिंदी जाति के साहित्यिक इतिहास में गिनी जाएंगी।'[62]

कहने का तात्पर्य यह कि समूचा संस्कृत साहित्य, पालि और प्राकृत का साहित्य हिंदी जाति के सांस्कृतिक इतिहास का हिस्सा है। इसके अलावा अपभ्रंश का अधिकांश साहित्य हिंदी प्रदेश के कवियों की देन है। यही वजह है कि इन सबको भारतीय साहित्य के अंतर्गत माना जाता है। संस्कृत, पालि, प्राकृत में रचा हुआ साहित्य सामंती समाज की देन है। ये तीनों भाषाएं जनभाषाएं नहीं थीं बल्कि शिष्ट जन की भाषाएं थीं। अंतरजनपदीय व्यवहार में शिष्ट जन इनका प्रयोग करते थे। ध्यान रहे संस्कृत में अनेक समकालीन गण-भाषाओं के तत्व समाहित हो चुके थे। सामंती अवस्था के प्रसार का प्रथम और प्रमुख माध्यम यह वैदिक भाषा है।

आगे चलकर इसी के आधार पर लौकिक संस्कृत का विकास होता है। रामविलास शर्मा ने लिखा कि 'संस्कृत के बारे में यह तथ्य बहुत से लोग स्वीकार करते हैं किंतु प्राकृतों के बारे में बहुत बड़ी भ्रांति है। इन्हें कुछ जनपदीय नाम दे दिए गए थे, इससे इस भ्रांति का पोषण होता है कि ये वास्तव में जनसाधारण की भाषाएं थीं।'[63] जनपदों के युग में बौद्ध धर्म, जैन धर्म और पुराण धर्म का तेजी से विकास होता है। इन तीनों धर्मों का साहित्य किसी जनपदीय भाषा में नहीं है बल्कि इन तीनों की धर्मवाहक भाषाएं संस्कृत, पालि और प्राकृत में हैं। रामविलास शर्मा के अनुसार, 'जैसे-जैसे सामंती व्यवस्था का ह्रास होता है, वैसे-वैसे धर्मवाहक भाषाओं

और जनपदीय भाषाओं का अंतर्विरोध बढ़ता है। सामंती व्यवस्था के अभ्युदयकाल में जो धर्मवाहक भाषा सामाजिक विकास का साधन है, वही इस व्यवस्था के ह्रास काल में सामाजिक विकास की अवरोधक बन जाती है।'[64]

संस्कृत, पालि, प्राकृत को ब्राह्मण, बौद्ध, जैन धर्मगुरु अपनी विशेष भाषा समझते रहे पर जातीय भाषाओं में, पुराने समय की देशी भाषाओं में, साहित्य का विकास धर्मनिरपेक्ष स्तर पर हुआ है। तमिल, कन्नड़, हिंदी, बांग्ला, मराठी, भारत की किसी भी जातीय भाषा को धर्म विशेष, मत विशेष में बांधा नहीं जा सकता।'[65] सामंत काल में ज्यों-ज्यों व्यापारिक पूंजीवाद का विकास होता है, संस्कृत-प्राकृत के भाषातंत्र से जनपदीय भाषाओं का अंतर्विरोध बढ़ता है और यह अंतर्विरोध अखिल भारतीय है। संस्कृत-प्राकृत तंत्र के दबाव से मुक्त हुए बिना देशी भाषाओं में साहित्य-रचना संभव नहीं था। ध्यान रहे देशी भाषाएं उस समय भी थीं जब संस्कृत में रचनाएं लिखी जा रही थीं। भरत के *नाट्यशास्त्र* में 'देशभाषा', *कामसूत्र* में 64 कलाओं में 'देश भाषा विज्ञान', कौटिल्य के *अर्थशास्त्र* में 'भाषांतरज्ञ' का उल्लेख, *कीर्तिलता* में 'कई सौ खुल्लक भाषाओं', *कुवलयमाला* में अठारह देशी भाषाओं, *विक्रमांकदेवचरित* में 'जन्मभाषा', *कथासरित्सागर, वृहद्‌कथा मंजरी* और *कविकंठाभरण* में देशभाषा और देशभाषा काव्य के उल्लेख मिलते हैं। इस प्रकार अत्यंत प्राचीन काल में प्रदेश विशेष की बोलियों के लिए देशभाषा शब्द का प्रयोग मिलता है, देशभाषा से उनका तात्पर्य अपभ्रंश कदापि नहीं था। अपभ्रंश का उल्लेख छठी शताब्दी से मिलता है। भामह ने उसका उल्लेख किया था। देशभाषा का उल्लेख उससे पुराना है, उतना पुराना है जितना भरत का *नाट्यशास्त्र*। जिस समय शिलालेखों पर संस्कृत और प्राकृत का व्यवहार होता था, उस समय देशी भाषाएं विद्यमान थीं। ये देशी भाषाएं प्राकृत से भिन्न थीं। प्राकृत काव्यों के रचनाकारों ने अपनी भाषा को देशभाषा नहीं कहा क्योंकि वे जानते थे कि देशभाषाओं से प्राकृत उतनी ही दूर है जितनी दूर संस्कृत, दरअसल संस्कृत की अपेक्षा प्राकृत देशी भाषाओं से कुछ अधिक ही दूर थी।[66]

रामविलास शर्मा की मान्यता है, 'भारतीय साहित्य भारत की जातीय भाषाओं में लिखा हुआ साहित्य है। संस्कृत और प्राकृत में रचा हुआ साहित्य भारतीय साहित्य के बाहर नहीं है, वैसे ही जैसे लैटिन में लिखा हुआ—पुराना ही नहीं, सत्रहवीं सदी तक का—साहित्य यूरोप के साहित्य के बाहर नहीं है। किंतु आधुनिक साहित्य की शुरुआत यूरोप की जातीय भाषाओं में रचे हुए साहित्य से होती है। यही स्थिति भारत में है। यूरोप में जिसे वल्गर लैटिन कहते थे, उसकी स्थिति प्राकृत से मिलती-जुलती

है, लैटिन की स्थिति संस्कृत से मिलती है। यूरोप के सामंत, पुरोहित तथा उनसे संबद्ध बुद्धिजीवी लैटिन के पक्ष में जातीय भाषाओं के अभ्युदय को भरसक रोकते रहे। वैसी ही स्थिति भारत में थी। संस्कृत बोलचाल की भाषा न रह गई थी, इसे तो हर आदमी जानता है किंतु प्राकृत का व्यवहार भी सामंतों और पुरोहितों के हठ के कारण होता चला जा रहा था, यह तथ्य आंखों से ओझल है।'[67] इसी तरह अपभ्रंश के बारे में प्रचलित मिथों का रामवलिास शर्मा ने खंडन किया।

भारतीय साहित्य की धारणा के निर्माण की प्रक्रिया का जातीय निर्माण की प्रक्रिया से गहरा संबंध है। जातीय निर्माण की प्रक्रिया का आधुनिकता के विकास से संबंध है। यह प्रक्रिया कई चरणों से होकर गुजरती है। यह धारणा बुनियादी तौर पर सही है। साहित्यालोचकों में रामविलास शर्मा के द्वारा किए गए कई चरणों को लेकर गहरे मतभेद हैं किंतु उनकी बुनियादी धारणा का किसी ने खंडन नहीं किया है। यदि खंडन किया है तो चरणों के वर्गीकरण और नामकरण का।

रामविलास शर्मा ने प्राचीन काल, मध्यकाल और आधुनिक काल के नाम से प्रचलित काल-विभाजन की पद्धति का विरोध किया, इसे अवैज्ञानिक माना।[68] उन्होंने लिखा कि 'यदि किसी देश का इतिहास इस तरह लिखना हो कि सामाजिक विकास की मंजिलों पर ध्यान ही न दिया जाए तो 'प्राचीन काल' नामकरण सही है। यदि साहित्य का इतिहास इस तरह लिखना हो कि वह सामाजिक विकास के संदर्भ से मुक्त दिखाई दे, तब उक्त नामकरण उचित है। किंतु यदि देश के इतिहास के लिए, साहित्य के इतिहास के लिए, सामाजिक विकास की मंजिलें महत्वपूर्ण हैं तो यह अध्ययन की रीति दोषपूर्ण है। प्राचीन, मध्य और आधुनिक कालों में इतिहास का काल-विभाजन तभी सार्थक हो सकता है जब प्राचीन काल का संबंध गण-व्यवस्था से जोड़ा जाए और आधुनिक काल का संबंध पूंजीवाद से जोड़ा जाए। (चाहें तो भविष्य काल से समाजवादी समाज का संबंध जोड़ सकते हैं।) किंतु इतिहास में काल-विभाजन इस प्रकार सामाजिक विकास की मंजिलों को ध्यान में रखकर नहीं किया जाता। प्रत्येक काल अथवा व्यवस्था के अनेक चरण होते हैं, वह बात अलग है।'[69]

भारत के संदर्भ में काल-विभाजन के आधार पर रामविलास शर्मा ने लिखा कि 'संस्कृत, पालि, प्राकृतों आदि में रचा गया साहित्य सामंती समाज की देन है। उस सबको मध्यकालीन साहित्य कहा जा सकता है। सबसे कठिन समस्या यह निर्धारित करने की है कि भारत में आधुनिक जातियों का निर्माण कब हुआ। जब भी इन

जातियों का निर्माण हुआ, तभी से आधुनिक काल की शुरुआत मानना चाहिए। जो लोग भारत में जातियों का अस्तित्व स्वीकार न करते हों, वे भाषाओं का अस्तित्व तो स्वीकार करेंगे ही। उन्हें इस प्रश्न पर विचार करना चाहिए कि किसी भी भाषा के बोलने वालों का समुदाय प्रदेश-विशेष में कब संगठित हुआ।'[70] हिंदी के जो आलोचक रामविलास शर्मा की काल-विभाजन की उपुर्यक्त धारणा से सहमत नहीं हैं उन्हें कायदे से बताना चाहिए कि भारत में जातीय निर्माण की प्रक्रिया कब शुरू हुई और प्रदेश-विशेष में, खासकर हिंदी प्रदेश भाषा बोलने वालों का समुदाय कब संगठित हुआ? आधुनिक जातियों के अभ्युदय को लेकर हिंदी में अभी तक किसी भी आलोचक ने रामविलास शर्मा की धारणाओं का विकल्प नहीं सुझाया है। यही वजह है कि जाति-विमर्श अब भी गंभीर चर्चा के केंद्र में नहीं आ पाया है। रामविलास शर्मा इस समस्या पर एकदम उदार दृष्टि से विचार करते हैं।

जातीय निर्माण की प्रक्रिया के अभाव और हिंदी के विमर्श एवं मार्क्सवादी विमर्श में हिंदी जातीयता के बारे में अज्ञान और घृणा के कारण हिंदी जातीयता के बारे में स्वस्थ बहस का अभाव दिखाई देता है। अज्ञानता का आलम यह है कि जिन समाजविज्ञानियों ने भारत की जाति समस्या पर विचार किया है उन्होंने भी हिंदी जातीयता के निर्माण की प्रक्रिया पर विचार नहीं किया। ऐसे विचारकों से एक प्रश्न पूछा जाना चाहिए कि यदि हिंदी जातीयता नहीं है तो क्या हिंदीभाषी जनता को बंगाली, मलयालम या मराठी जातीयता के दायरे में वर्गीकृत कर दें? अथवा हिंदीभाषी जनता को जातीय पहचान के बगैर ही रखा जाए? क्या दुनिया में कहीं पर भी ऐसी मिसाल मिलेगी जहां इतनी विशाल जनसंख्या को समाजविज्ञानियों ने जातीय पहचान से वंचित रखा हो? जो बुद्धिजीवी हिंदीभाषी जनता को हिंदी जातीयता के रूप में देखने से इनकार कर रहे हैं क्या वे बंगाली या मलयालम जातीयता के अस्तित्व से इनकार करने का साहस दिखाएंगे? जब बांग्ला, मराठी, मलयालम, तमिल आदि भाषा-भाषियों की जातीय पहचान हो सकती है तो सबसे ज्यादा भाषा बोलने वाले हिंदीभाषियों की भी जातीय पहचान हो सकती है। हिंदीभाषियों को जातीय पहचान से वंचित करने के कारण सांप्रदायिक ताकतों और साम्राज्यवादी हितों की पूर्ति होती है। दुर्भाग्य से बुद्धिजीवियों का एक बड़ा तबका प्रगतिशीलों में है जो हिंदी जातीयता की धारणा को अस्वीकार ही नहीं करता, उलटे इसे सांप्रदायिक मानता है। ऐसे बुद्धिजीवियों से अपील है कि वे प्रगतिशीलता और मार्क्सवाद की आड़ में साम्राज्यवाद के उत्तर-आधुनिक खेल को न खेलें। यह खेल ही है जो जातीयता की पहचान को

खारिज कर रहा है। आज जो बुद्धिजीवी हिंदी जातीयता के खिलाफ हैं, हो सकता है, कल वे अन्य जातीयताओं के भी खिलाफ हो जाएं। क्योंकि साम्राज्यवाद के जातीय ढांचे को ऐसे ही विचारकों से सोवियत संघ और पूर्वी यूरोप में क्षति पहुंचाई थी जो मार्क्सवादी थे, कम्युनिस्ट पार्टी के सदस्य थे, प्रगतिशील थे, कम्युनिस्ट पार्टी के सर्वोच्च पदों पर थे, ऐसे लोगों को भारत में गंभीरता के साथ हिंदी जातीयता की धारणा का विरोध करने की प्रतिक्रियावादी दृष्टि से अपने को तुरंत मुक्त कर लेना चाहिए। उनके हिंदी जातीयता विरोधी दृष्टिकोण से प्रतिक्रियावादी ताकतें फायदा उठा रही हैं।

जातीय पहचान, जातीय भाषा, जातीय साहित्य और जातीयबोध इन सबसे मिलकर राष्ट्रीय एकता मजबूत होती है, सांप्रदायिक, जातिवादी और पृथकतावादी भावनाएं और ताकतें कमजोर होती हैं। इनसे मिलकर भारत के बहुजातीय राष्ट्र की विविधतापूर्ण छवि सामने आती है। भारत में राष्ट्रीय एकता के लिए जातीय चेतना प्राण वायु का काम कर सकती है। जिस भाषा-भाषी समाज को हम जातीय पहचान से वंचित रखेंगे, वही राज्य प्रतिक्रियावादी ताकतों का किला बन जाएगा। भारत में आज अनेक जातीय समाज हैं, ये सब मिलकर राष्ट्र-राज्य की अवधारणा का निर्माण कर रहे हैं। जो लोग हिंदी जाति के अस्तित्व को अस्वीकार करते हैं वे ध्यान रखें कि हिंदी जातीयता है, हिंदीभाषियों में जातीयबोध नहीं है। जातीयबोध की चेतना के अभाव का प्रतिक्रियावादी ताकतें लाभ उठा रही हैं।

भारतीय साहित्य की भूमिका (1996) में रामविलास शर्मा ने भारतीय साहित्य की सामाजिक, सांस्कृतिक पृष्ठभूमि के विभिन्न पक्षों का विवेचन करते हुए नौ अध्याय लिखे हैं। जिनमें *ऋग्वेद, वाल्मीकि रामायण*, तमिल और बंगाल के नवजागरण, विद्यापति के युग, संगीत का इतिहास और भारतीय नवजागरण की समस्याएं, विलियम जोंस और भारतीय संस्कृति और जातीय संस्कृति और साम्राज्यवाद से जुड़ी समस्याओं पर विस्तार से विचार किया है।

रामविला शर्मा का मानना है कि 'भारत के सांस्कृतिक इतिहास की कोई समस्या तमिलनाडु को अलग रखकर हल नहीं की जा सकती।'[71] तमिल और बांग्ला के नवजागरण का विवेचन करते हुए पश्चिम के श्रेष्ठत्व को चुनौती देने का भाव बार-बार सामने आता है। साथ ही, इस धारणा को भी चुनौती दी कि अंग्रेजों के आने के बाद जाति का निर्माण की प्रक्रिया शुरू हुई। उन्होंने लिखा कि 'यूरोप में जब पुनर्जागरण काल आरंभ हुआ, उससे बहुत पहले वैसे ही युग का आविर्भाव तमिलनाडु में हो चुका था। इटली की तरह यहां साहित्य के साथ अनेक कलाओं का विकास

हुआ, व्यापारिक संबंधों का प्रसार हुआ और इटली से भिन्न काफी समय तक तमिलनाडु एकताबद्ध रहा। जब अंग्रेजों ने भारत पर अपना राज कायम किया, तब तमिल भाषा, उसके साथ जाति का विकास हो चुका था।'[72]

जातीय चेतना पैदा करने में संगीत महत्वपूर्ण भूमिका अदा करता है। आमतौर पर नवजागरण और जातीयता के निर्माण में संगीत की उपेक्षा की जाती है जबकि कलाओं के सामजशास्त्रीय अध्ययन में संगीत की केंद्रीय भूमिका रही है। यूरोपीय नवजागरण के लिए जिस तरह इटली महत्वपूर्ण है, वहां की कलाएं, स्थापत्य, साहित्य की उपलब्धियां महत्वपूर्ण हैं, उसी तरह भारतीय नवजागरण के अध्ययन के लिए तमिल नवजागरण की उपलब्धियां महत्वपूर्ण हैं। आमतौर पर यह माना जाता है कि शास्त्रीय संगीत अभिजनों का संगीत है। रामविलास शर्मा ने इस धारणा का खंडन किया और लिखा कि 'शास्त्रीय संगीत का आदि स्रोत है लोकसंगीत।'[73] इस संदर्भ में उन्होंने श्रीधर परांजपे के ग्रंथ *भारतीय संगीत का इतिहास* (1969) का विस्तार से उल्लेख करते हुए बताया है कि रागों का संबंध जातियों से था। जन संगीत ज्यों-ज्यों शिष्ट संगीत में रूपांतरण करता जाता है वह अपने को जनता से काट लेता है किंतु जाति-राग का जन्म शिष्ट संगीत के नियमों को तोड़कर हुआ। जाति-राग का लोक-व्यवहार से संबंध है। इटली और भारत के संगीत परिदृश्य की तुलना करने के साथ-साथ संगीत के ऐतिहासिक विकास और क्षय के सामाजिक कारणों का जिक्र करते हुए रामविलास शर्मा ने लिखा कि 'जातियों के निर्माण काल में जातीय संकीर्णता कम थी, पूंजीवाद के विकास के साथ वह बढ़ी। यह बात संगीत के लिए हितकर न थी। व्यापारिक पूंजीवाद के अभ्युदय काल में चित्रकला, शिल्पकला, वास्तुकला की उपलब्धियां चमत्कारी थीं। मशीनी उद्योग के चलन से वस्तुओं का उत्पादन तो बढ़ा पर कलात्मक सुंदर कृतियों का उत्पादन घट गया।...संगीत के विकास को पहला धक्का लोहे-कोयले वाली औद्योगिक क्रांति से लगा, दूसरा धक्का महाजनी पूंजीवाद के युग में विद्युत संचालित प्रौद्योगिकी से लगा। इस प्रौद्योगिकी से एक ही लाभ हुआ, बड़े पैमाने पर पुराने संगीतकारों की रचनाएं जनसाधारण को सुलभ हुईं विशेष रूप से दूसरे महायुद्ध के बाद। इन पुराने संगीतकारों के अलावा और उनके साथ जिन आधुनिक कलाकारों की रचनाएं सुनी जाती रही हैं, वे सोवियत के थे। आधुनिक संगीत के नाम पर पूंजीवादी संसार जनता को जॉज और पॉप संगीत ही दे सका है।'[74] इस संदर्भ में रामविलास शर्मा और फ्रैंकफुर्ट स्कूल के प्रमुख सिद्धांतकार एडोर्नो के विचारों में काफी हद तक साम्य है।

रामविलास शर्मा अकेले इतिहासकार हैं जो जातीयता और जनजागरण की प्रमुख समस्याओं में हिंदू-मुस्लिम संबंधों, हिंदुओं और मुसलमानों के साझा अवदान और साझे भविष्य की चर्चा करते हैं। यदि उनका दृष्टिकोण सांप्रदायिक होता तो इस पहलू पर इतना जोर क्यों देते। यहां तक कि भारतीय साहित्य और हिंदी के जातीय साहित्य मूल्यांकन में भी हिंदू-मुस्लिम संबंधों की खोज पर जोर है। भारत की भाषा समस्या के बारे में विचार करते समय भी भाषा के प्रति प्रचलित साम्राज्यवादी दृष्टिकोण की उन्होंने जितनी तीखी आलोचना लिखी है, वैसी तीखी और विस्तृत आलोचना किसी और आलोचक ने हिंदी में अभी तक नहीं लिखी। जातीय चेतना के निर्माण में दो प्रमुख शत्रु सामने आते हैं, पहला साम्राज्यवाद और दूसरा सांप्रदायिकता। इन दोनों की पराजय को सुनिश्चित करने के लिए परंपरा का सही ज्ञान आवश्यक है। खासकर प्रगतिशीलों को यह ज्ञान और भी आवश्यक है क्योंकि समाज के भविष्य की जिम्मेदारी उनके ऊपर है।

रामविलास शर्मा ने आत्मनिर्भर सार्वभौम संप्रभुता संपन्न भारत के निर्माण के लिए *भारतीय साहित्य की भूमिका* में 'स्वदेशी आंदोलन का कार्यक्रम' के नाम से 40 सूत्रीय कार्यक्रम प्रस्तावित किया है। यह कार्यक्रम मूलतः शोषण मुक्त समाज के निर्माण में महत्वपूर्ण भूमिका अदा कर सकता है।

ऋग्वेद, रामयण और *महाभारत*

रामविलास शर्मा ने इस तीनों कृतियों का एकदम भिन्न नजरिए से मूल्यांकन किया है। उनके मूल्यांकन की विशेषता है कि वह इन तीनों कृतियों को साहित्यालोचक की दृष्टि से देखते हैं। हाल के वर्षों में उन पर इन कृतियों के मूल्यांकन के कारण संघी हो जाने या दलित विरोधी हो जाने तक के आरोप विभिन्न पत्र-पत्रिकाओं में लगाए गए हैं। यहां तक कि कुछ स्वनामधन्य आलोचक सेमीनारों में भी रामविलास शर्मा को संघी बनाने से नहीं चूके हैं। ऐसे आलोचकों से यही कहा जा सकता है कि वे गंभीरता से रामविलास शर्मा को पढ़ें। रामविलास शर्मा को हिंदुत्ववादी बनाने की कोई भी कोशिश अंततः प्रगतिशील आंदोलन की क्षति करेगी।

रामविलास शर्मा की मूल चिंता यह है कि इन तीनों महान कृतियों को अभिजन की सांस्कृतिक परंपरा से बाहर लाया जाए। ये तीनों कृतियां अभिजन की परंपरा का हिस्सा नहीं हैं। अभी तक मार्क्सवादियों एवं प्रतिक्रियावादी समाजविज्ञानियों एवं दर्शनवेत्ताओं में यह लोकप्रिय धारणा रही है कि ये तीनों कृतियां उच्च वर्ग के लोगों

का सृजन हैं और उन्हीं के मूल्यों का रूपायन करती हैं। दुर्भाग्य से यह नजरिया उन समाजविज्ञानियों का भी है जो धर्मनिरपेक्षता के इन दिनों पर्याय बन गए हैं। इनके कुछ राजनीतिक अनुयायी भी हैं जो आए दिन रामविलास शर्मा पर अतार्किक ढंग से हमले करते रहते हैं। मजेदार बात यह है कि ये लोग अकादमिक विमर्श को दैनंदिन राजनीति के दांव-पेचों से संकुचित कर रहे हैं। यहां विस्तार भय से उन सब आरोपों की चर्चा नहीं की जा रही जिसे विभिन्न मंचों से उठाया गया है। रामविलास शर्मा की मुश्किल यह है कि संघ परिवार के लोग उन्हें मार्क्सवादी मानते हैं और मार्क्सवादी उन्हें संघी बनाने पर तुले हुए हैं। बेहतर यही होगा कि रामविलास शर्मा का मार्क्सवादी दृष्टिकोण से मूल्यांकन किया जाए और अकादमिक अनुशासन के नियमों का पालन किया जाए। हिंदी के अधिकांश प्रगतिशील आलोचक अकादमिक अनुशासन का पालन करने के बजाय अकादमिक अनुशासनहीनता के लिए प्रसिद्ध रहे हैं। इससे हिंदी साहित्य और प्रगतिशील आंदोलन की अपूरणीय क्षति हुई है। इस प्रवृत्ति से जितनी जल्दी संभव हो आलोचना को छुटकारा पाना चाहिए।

रामविलास शर्मा ने *ऋग्वेद* पर विचार करते हुए सबसे पहले इस प्रश्न पर विचार किया कि इसके रचयिता कौन हैं? आम धारणा है कि इनका रचयिता ईश्वर है। इसलिए वे मूल्यांकन से परे हैं। दूसरी आम धारणा यह है कि इनको उच्च वर्ग के ऋषियों ने रचा था और उनका लक्ष्य था उच्च वर्ण के प्रभुत्व को बनाए रखना। रामविलास शर्मा इन दोनों धारणाओं से भिन्न एक नई धारणा देते हैं। उनका मानना है कि *ऋग्वेद* के 'अनेक कवि या तो स्वयं कुशल कारीगर थे या वे कारीगरों के काम से अच्छी तरह परिचित थे। कौशल के इस विकास और प्रसार का गहरा असर देवतंत्र पर पड़ा और देवतंत्र के सृष्टि संबंधी चिंतन पर भी इसका असर हुआ। जहां-जहां प्रजापति, विश्वकर्मा आदि संसार के निर्माता के रूप में याद किए गए हैं, वहां समझ लेना चाहिए कि यह कारीगर का दृष्टिकोण है।'[76]

आमतौर पर यह माना जाता है कि वैदिक ऋषि परजीवी थे और श्रम और श्रमजीवी वर्ग से घृणा करते थे। रामविलास शर्मा ने इस धारणा को अस्वीकार किया है। उन्होंने लिखा है कि '*ऋग्वेद* में ऋषि अनेक प्रकार का शारीरिक श्रम करते हैं। किसी भी तरह का श्रम हो, उससे उन्हें घृणा नहीं है। इस शारीरिक श्रम के साथ वे काव्य भी रचते हैं, यज्ञ करते हैं, देवताओं के लिए स्तुति बनाते हैं। शारीरिक श्रम और मानसिक श्रम के बीच अभी फासला पैदा नहीं हुआ। *ऋग्वेद* की यह सबसे बड़ी विशेषता है कि यहां मानसिक श्रम और शारीरिक श्रम का भेद मिट गया है। यह

हमारा अतीत है और जिस भविष्य की ओर जाना है, वह भी यहीं है। संसार में व्यक्तिगत संपत्ति की उत्पत्ति के बाद वर्गों का निर्माण हुआ। समाज में शोषण को व्यवस्था कायम हुई, ऊंच-नीच का भेद पैदा हुआ। इसे मिटाने का एकमात्र तरीका यह है कि मनुष्य सब तरह का श्रम करे। जो लोग शारीरिक श्रम करते हैं, उन्हें भी पढ़ने-लिखने का अवसर मिले, मानसिक श्रम से उन्हें दूर न रखा जाए। इसी तरह जो लोग मानसिक श्रम करते हैं, वे अपने को समाज का श्रेष्ठ प्राणी न समझें। वे भी शारीरिक श्रम करें। इस तरह समाज में समानता का भाव पैदा होगा।'[77]

रामविलास शर्मा ने आगे लिखा है कि 'कवि श्रम करते हैं, काव्य रचते हैं, देव संसार का संचालन करते हैं और शारीरिक श्रम करते हैं। इस तरह *ऋग्वेद* में शारीरिक श्रम और मानसिक श्रम के बीच की रेखा मिट जाती है। आगे चलकर भूमिका का केंद्रीकरण हुआ, पुरोहित वर्ग का निर्माण हुआ, कर्मकांड का विकास हुआ। इस सारे विकास को ध्यान में रखकर लोग *ऋग्वेद* का अध्ययन करते हैं और जो वहां है नहीं, उसे देख लेते हैं। देश और विदेश में यह धारणा व्यापक रूप में फैली हुई है कि *ऋग्वेद* ब्राह्मणों की रचना है किंतु सामंती समाज के ब्राह्मण तो श्रम नहीं करते। यहां ऋषि खेती करते हैं, कारीगर का काम करते हैं, अस्त्र-शस्त्र भी बनाते हैं। सामंती समाज के ब्राह्मण यहां नहीं हैं। सामंती और पूंजीवादी समाजों में सुसंस्कृत वह माना जाता है जो शारीरिक श्रम नहीं करता। इसी धारणा को लोग *ऋग्वेद* पर आरोपित करते हैं। विद्वानों के लिए यह समझना बहुत कठिन होता है कि जो लोग श्रम करते हैं, खेती करते हैं, वस्त्र और घर बनाते हैं, वे काव्य भी रचते हैं। यह पूर्वग्रह *ऋग्वेद* को समझने में आड़े आता है। ध्यान रहे *ऋग्वेद* में श्रम का उल्लेख बीसों जगह है। कहीं भी शूद्र या दास श्रम करते नहीं बताए गए। कवि या तो अपने लिए या वंश के लिए काव्य रचना करते हैं। इसके अलावा वे अधिकतर जनता के लिए काव्य रचते हैं।'[78]

इसी तरह *वाल्मीकि रामायण* की विशेषता है 'मानव मात्र के प्रति प्रेम'। दूसरी महत्वपूर्ण बात है इसका धर्मनिरपेक्ष और लोकवादी चरित्र। प्रचलित व्याख्याओं से हटकर रामविलास शर्मा ने लिखा कि 'बहुत से महाकाव्यों के आरंभ में किसी देवी-देवता की स्तुति होती है। *रामायण* में किसी देव की स्तुति नहीं है। और यह शायद आकस्मिक नहीं है। ऐसा धर्मनिरपेक्ष काव्य शायद ही किसी और ने लिखा हो। प्रक्षिप्त अंशों में जो देव आते हैं वे पहचाने जा सकते हैं। मुख्य घटनाक्रम का विकास किसी देवता की दखलंदाजी का मोहताज नहीं है। जीवन में दुख आता है तो वह भी मनुष्य के कर्मों का परिणाम है, और मनुष्य उस दुख पर विजय पाता है

तो यह भी उसके पुरुषार्थ का परिणाम है। दुख से निवृत्त होने के लिए वह किसी देवता से प्रार्थना नहीं करता। इस दृष्टि से *रामायण* अत्यंत सांसारिक और लोकवादी काव्य है।'[79] इसी तरह *महाभारत* का लोकजीवन और लोकसंस्कृति से गहरा संबंध है।[80] *महाभारत* में वर्णित धर्म वर्ण धर्म नहीं है बल्कि यहां 'लोक-व्यवहार धर्म है। मनुष्य जिन नियमों के अनुसार कर्म करते हैं, वही धर्म कहलाते हैं। वर्णहीन समाजों में यह धर्म बहुत ही महत्वपूर्ण था। वह सब देवों से बड़ा था।'[81] यह सामान्य मानव धर्म है। इसका संबंध कर्मकांड से नहीं, मनुष्य के आचरण से है।[82] महाभारत में युधिष्ठिर गण-व्यवस्था धर्म के प्रतिपादक हैं किंतु कृष्ण नए धर्म के रूप में मानवतावादी धर्म का प्रतिपादन करते हैं। लोकसंग्रह की भावना इसकी विचारधारा की विशेषता है। *वाल्मीकि रामायण* और *महाभारत* को पढ़ते समय प्रक्षिप्त अंशों को अलग करके पढ़ा जाना चाहिए।

स्त्री-विमर्श और स्त्री-संदर्भ

औरत के बारे में लिखना बेहद मुश्किल काम है। आमतौर पर हिंदी के बुद्धिजीवी औरत के सृजन को सृजन नहीं मानते। वे उसे घर चलाने और बच्चा पैदा करने की मशीन मानते हैं। औरत की स्वतंत्र सत्ता है, पुरुष से भिन्न जीवन-संदर्भ है, यह बात हमारे अधिकांश लेखकों के गले नहीं उतरती। औरत को आमतौर पर पुरुष-संदर्भ में देखने के कारण इस तरह के दृष्टिकोण का जन्म होता है। यही वजह है कि औरत का रचनाकर्म हमारे साहित्य का हिस्सा नहीं बन पाया है।[81]

हिंदी के लेखक समाज को बदलने को तैयार हैं किंतु औरत को भी बदला जाए, यह उन्हें मंजूर नहीं है। यदि कोई लेखक लेखन में औरत की बदली हुई छवि का रूपायन करता है तो निजी पारिवारिक जीवन में औरत को बदलने से कन्नी काटता है। दूसरे की औरत बदल जाए किंतु अपने घर की औरत पुराने खयालों की ही अच्छी लगती है। लेखक खुद सामाजिक-राजनीतिक गतिविधियों में भाग लेगा किंतु घर की औरतों को बाहर की गतिविधियों में हिस्सा लेने नहीं देता। कहने का तात्पर्य यह है कि हमारा लेखक परिवर्तन से डरता है। उसे औरत की बदली हुई इमेज स्वीकार नहीं है। औरत कैसी बने यह अधिकार वह औरत को देने के बजाय अपने पास रखना चाहता है। यदि लेखक प्रगतिशील हुआ तो स्त्री के प्रति प्रगतिशील दृष्टिकोण का रूपायन करने के नाम पर अपने पुरखों और अपनी या पुरुषों की भूमिका का वर्णन करने में ज्यादा दिलचस्पी लेता है। यानी स्त्री के निर्माण में मर्दों की नियामक भूमिका

पर उसका जोर रहता है। वह स्त्री-संदर्भ में स्त्री को देखने की कोशिश ही नहीं करता। पुरुष-संदर्भ, पुरुष की सत्ता और अवदान अंततः केंद्र में होता है। दुर्भाग्य से रामविलास शर्मा की पुस्तक *घर की बात* (1983) में यह सब मौजूद है। रामविलास शर्मा के लेखकीय जीवन के निर्माण में उनकी पत्नी कैलास कुमारी की महत्वपूर्ण भूमिका थी, किंतु *घर की बात* और *अपनी धरती अपने लोग* में कैलास कुमारी के बारे में कम से कम जानकारियां हैं। वे उन्हें नाम से संबोधित करने के बजाय मालकिन के नाम से संबोधित करते हैं। *घर की बात* में मूलतः घर के पुरुषों की भूमिका का वर्णन है। यहां तक कि अधिकांश औरतों ने भी मर्दों पर ही ज्यादा लिखा है। खासकर छठे अध्याय में जो रेखाचित्र हैं वे पुरुषों पर ज्यादा हैं। लेखन में मर्दों की भूमिका का इस तरह का रूपायन इस बात का प्रतीक है कि हमारे लेखक अभी स्त्री की भूमिका को लेकर बदले नहीं हैं। घर की महिला सदस्यों पर न तो मर्दों ने और न औरतों ने ही लिखा। लगता है घर स्त्रियों का कम, मर्दों का ज्यादा था। प्रश्न उठता है कि पुरुष जब घर/परिवार के बारे में लिखता है तो स्त्रियों को क्यों भूल जाता है? स्त्रियां क्यों अपनी पहचान खो देती हैं?

घर की बात के बारे में दूसरी महत्वपूर्ण बात यह कि इसमें स्त्रियों के संस्मरण शामिल हैं, किंतु इसमें उनकी भाषा स्त्री भाषा न होकर रामविलास शर्मा की भाषा है। प्रश्न उठता है कि स्त्री की भाषा को पुरुष की भाषा बनाने का अधिकार किसने दिया? यदि ये संस्मरण या रेखाचित्र हैं तो ये लेखिका की निजी भाषा में प्रस्तुत किए जाने चाहिए, लेखक को अन्य लेखक की भाषा बदलने का अधिकार नहीं होता। स्त्री से उसकी भाषा छीनना असल में उनकी पहचान छीनना है। लेखन में यह पितृसत्तात्मक दृष्टिकोण है। आमतौर पर रामविलास शर्मा के इस पक्ष की *आलोचना* में अनदेखी हुई है।

सन् 1933 में स्त्री के बारे में उनके जो विचार थे वे अंत तक बने रहे या बदले इसका अभी तक अध्ययन नहीं हुआ है किंतु सरसरी तौर पर विचार करें तो पाएंगे कि रामविलास शर्मा के विचारों में मूल रूप से परिवर्तन हुआ। साथ ही, एक परिवर्तन भी आया। यह परिवर्तन परिवार की महिलाओं की शिक्षा के सवाल पर है। रामविलास शर्मा ने सन् 1933 में शादी के बारे में अपने विचार बताते हुए भैया के पत्र के जवाब में लिखा कि 'आपने एक जगह लिखा है कि 'Entrance' पास बहू लाने का समर्थन करने में मैं अवश्य झिझकूंगा। मैं चाहता हूं कि घर में सब औरतें एक standard की हों जिसमें एक-दूसरे को चिढ़ाने, ताने मारने या हंसने का मौका न

हो। यदि स्त्रियों को एक standard का रखना हो तो उस standard को जितना ऊंचा रखा जाए, उतना ही अच्छा है। मैं सिर्फ़ education के लिए कह रहा हूं। हमारे घर की स्त्रियों को घर पर ही जितनी शिक्षा मिले उतनी अच्छी है। स्कूलों-कॉलेजों में पढ़ी लड़कियों के लिए स्वतंत्रता, बनाव शृंगार और विलास का बहुत आकर्षण होता है। हम लोग चाहते हैं कि हमारी family की गाड़ी एक साथ-चले। इसलिए मैं अवश्य ही ऐसी लड़कियों को घर में लाने के विरुद्ध हूं।'[84]

रामविलास शर्मा विवाह के सवाल पर यूरोपीय सभ्यता के बजाय भारतीय सभ्यता का अनुकरण करने के पक्ष में थे। साथ ही उनका यह भी मानना था कि 'सुखी गृहस्थ जीवन के लिए विवाह के पहले प्रेम करने की स्वतंत्रता अवश्य होनी चाहिए।'[85] वह चाहते थे कि बच्चे शादी-ब्याह का फैसला स्वयं करें।[86] ताम-झाम के बजाय सादगी के साथ शादी की जाए। शादी के बाद लड़का-लड़की अपना स्वतंत्र रूप से परिवार बसाएं।[87] संयुक्त परिवार की जगह एकल परिवार के निर्माण पर जोर दिया। साथ ही सफल परिवार की धुरी सहयोग को माना।

रामविलास शर्मा ने परिवार की संरचना को सामाजिक व्यवस्था के साथ जोड़कर विश्लेषित किया। परिवार की संरचनाओं पर विचार करते हुए उन्होंने लिखा कि 'छोटा परिवार-सुखी परिवार, यह नारा जनसंख्या को नियंत्रित रखने के लिए ठीक है। वैसे है यह पूंजीवादी नारा। समाजवादी नारा होगा : बड़ा परिवार-सुखी परिवार। बड़ा परिवार सुखी परिवार तभी बनेगा जब उसकी संरचना समानता और सहयोग के आधार पर होगी।'

सामंती परिवार—संयुक्त परिवार, छोटे-बड़े के भेदभाव वाला परिवार, घरेलू दासता को प्रश्रय देने वाला परिवार (अपवादों की बात अलग है)।

पूंजीवादी परिवार—छोटा परिवार, लेन-देन और भेदभाव वाला परिवार, संपत्ति के संबंधों की चक्की में मानवीय स्नेह-संबंधों को पीस डालने वाला परिवार।

समाजवादी परिवार—नए स्तर पर पुनर्गठित बड़ा परिवार, समानता और सहयोग के आधार पर मानव संबंधों को विकसित करने वाला परिवार, प्रेम और बंधुत्व को संपत्ति के बंधनों से मुक्त करने वाला परिवार।'[88]

रामविलास शर्मा का मानना था कि बेटे-बेटी के बीच में भेदभाव करना गलत है। बेटी को पिता की संपत्ति में बराबर हक दिया जाए।

रामविलास शर्मा ने इसी दृष्टिकोण से विभिन्न साहित्यकारों की रचनाओं में व्यक्त स्त्री-संबंधी दृष्टिकोण का विश्लेषण किया। इस आधार पर हिंदी आलोचना

कामचेतना, कामुकता, स्त्री, स्त्री संस्कृति और स्त्री-संदर्भ आदि के बारे में आलोचना मानदंड विकसित कर सकती है।

निराला की साहित्य साधना (1972) के दूसरे खंड में निराला की कविताओं एवं निबंधों में व्यक्त कामचेतना और स्त्री-संबंधी दृष्टिकोण का विश्लेषण करते हुए लिखा कि 'समाज में द्विज और शूद्र का भेद उत्पन्न हुआ, तब उसके साथ स्त्री-पुरुष में छोटे-बड़े का भी भेद पैदा हुआ। पुराने कबीले टूटने पर श्रम-विभाजन के आधार पर जैसे वर्णव्यवस्था उत्पन्न होती है, वैसे ही श्रम-विभाजन के आधार पर स्त्री-पुरुष में छोटे-बड़े का भेद उत्पन्न होता है। स्त्री घर का काम करती है, पुरुष बाहर का काम करता है। संपत्ति का स्वामी पुरुष होता है, वह युद्ध करता है, शास्त्र रचता है, व्यापार करता है, स्वभावतः उसके काम के आगे स्त्री का घरेलू का काम छोटा लगता है। शूद्रों में, जहां स्त्री पुरुष के साथ काम करती है, वह द्विज वर्ण की देवियों की तुलना में अधिक समर्थ होती है। जैसे वर्णव्यवस्था विश्वव्यापी है, वैसे ही नारी की पराधीनता। सामंती व्यवस्था जहां ज्यादा पुरानी और मजबूत होगी, वहां जाति-पांति के भेदभाव की तरह स्त्री और पुरुष में छोटे-बड़े का भेद भी ज्यादा होगा। अवध और मिथिला की अपेक्षा ब्रज और पंजाब की देवियां अधिक स्वाधीन हैं, इसका यही कारण है। वर्णव्यवस्था की तरह स्त्री-पुरुष की सामाजिक असमानता कभी ऐतिहासिक रूप से अनिवार्य थी किंतु उसकी वह भूमिका शताब्दियों पहले समाप्त हो चुकी। राष्ट्र के नए विकास के लिए आवश्यक था कि स्त्रियों को पुरुषों के समान अधिकार मिलें, पुरुषों के समान ही वे देश के सामाजिक और सांस्कृतिक जीवन में भाग लें'।[89]

रामविलास शर्मा ने स्त्री के सवाल को उत्पादन संबंधों के परिप्रेक्ष्य में रखकर विश्लेषित किया, साथ ही स्त्री की आज की स्थिति को आधुनिक भारत के परिप्रेक्ष्य में रखकर विश्लेषित किया, स्त्री की पराधीनता को देश की पराधीनता से जोड़कर देखा। स्त्री की पराधीनता का मुख्य स्रोत आर्थिक पराधीनता को माना।[90] आर्थिक पराधीनता के कारण ही दोहरी नैतिकता और दोहरे मानदंडों का जन्म होता है।[91] आर्थिक पराधीनता के कारण वे दब्बू और निस्सहाय बन जाती हैं। स्त्रियों को घर में बंद जिंदगी जीने के कारण अनेक प्रकार के व्यभिचार करने को विवश होना पड़ता है। लेखकों को इन तमाम किस्मों के विषयों पर लिखना चाहिए। साथ ही स्त्री के आदर्श रूप की सृष्टि नहीं करनी चाहिए। स्त्री और पुरुष में मौलिक अधिकार भेद है। दोनों की शक्ति और कार्यक्षेत्र अलग-अलग हैं। स्त्री के जीवन में विभिन्न

क्रांतियों के कारण जो परिवर्तन हुए हैं, उनके संदर्भ में नारी की परिवर्तित स्थिति पर विचार करना चाहिए।[92]

हिंदी की आधुनिक आलोचना में कामचेतना और कामुकता के प्रश्नों पर नहीं के बराबर लिखा गया है, खासकर स्त्री के दृष्टिकोण से काम एकदम नहीं हुआ है। शृंगार साहित्य और रीतिवादी साहित्य में कामचेतना पर ध्यान गया किंतु वहां पर भी कामोद्दीपन पर ही ज्यादा जोर है। जबकि स्वच्छंदतावादियों के यहां यह कल्पना-विलास है। इन दोनों से भिन्न रामविलास शर्मा ने कामचेतना और कामकेलि को मानव के सामान्य व्यवहार की दृष्टि से चित्रित करने पर जोर दिया। यह भी लिखा कि कामचेतना पुरुषों में नहीं, स्त्रियों में भी होती है। आलोचना और रचना में पुरुष की कामचेतना का चित्रण बहुत मिलेगा किंतु स्त्री की कामचेतना को आधुनिक लेखकों ने उपेक्षित किया है। आधुनिक कवियों में स्त्री की कामचेतना का चित्रण करने में निराला का अद्वितीय स्थान है।

निराला के यहां स्त्री बधिया या 'पैसिव' नहीं है, बल्कि 'एक्टिव' है। इस संदर्भ में *निराला की साहित्य साधना* में दूसरे खंड में 'कामचेतना' और 'ऋतुचक्र' अध्याय देखने योग्य हैं। इनको देखकर यह तथ्य भी साफ होता है कि रामविलास शर्मा के लिए कामचेतना का क्या अर्थ है? अनेक आलोचकों ने रामविलास जी को कामुकता के बारे में पिछड़ी मानसिकता का साबित करने की कोशिश की है। इसके साथ ही उनका जायसी और सूरदास संबंधी मूल्यांकन रखकर देखें तो पाएंगे कि जो आलोचकगण रामविलास जी को पिछड़ा साबित करने में लगे हैं वे एक सिरे से गलत हैं। पहली बात यह कि 'काम केलि को मानव की सृजन-लीला' के रूप में देखा जाना चाहिए।[93]

निराला के गीतों में पुरुष के बजाय नारी के वियोग का वर्णन मिलता है। खासकर *गीत गुंज* के गीतों में नारी के वियोग का अपूर्व रूपायन मिलता है। निराला की कविता में प्रेम की जाति और धर्म से टक्कर होती है जिसमें प्रेम जीतता है, जाति और धर्म हारता है। निराला का प्रेम शारीरिक मिलन का विरोधी न होने पर भी, कुछ और गहरे उतरकर प्राणों का मिलन भी है।[94] रामविलास शर्मा ने लिखा कि 'हमारे समाज में जितनी रुकावटें प्रेम करने वाली नारी की राह में हैं, उतनी पुरुष के मार्ग में नहीं हैं। निराला साहित्य में नारी बार-बार प्रेम के अधिकार के लिए लड़ती, प्रेमी को प्रोत्साहन देती, अपने संघर्ष की विजय पर उल्लसित होती है।'[95] प्रेम का नियम है कि 'एक डूब रहा है, दूसरा संभाले हुए है, बह रहे हैं दोनों प्रेम की धारा में।'[96]

प्रेम जब शुरू होता है तब लोकापवाद का खतरा सबसे ज्यादा पुरुष को भयाक्रांत करता है, स्त्री को लोकापवाद का भय नहीं होता। कारण साफ है, समाज प्रेम को कभी वैध नहीं मानता। समाज की नजर में प्रेम स्वभावतः अवैध होता है। ऐसी स्थिति में निराला की स्त्रियों सबसे ज्यादा बहादुर रुख अख़्तियार करती हैं।

रामविलास शर्मा ने इस स्थिति के विभिन्न पक्षों का विवेचन करते हुए जिस दृष्टिकोण का परिचय दिया है अभी हमारा हिंदी समाज वहां तक नहीं पहुंचा है।

रामविलास शर्मा ने निराला की कविता को उद्धृत किया है, 'मैं लिखती, सब कहते/सहते, प्रिय सहते।' (*गीतिका*, पृ. 21) रामविलाास शर्मा ने लिखा कि 'सामाजिक दृष्टि से जो प्रेम अवैध है, उसी के कारण पुरुष को बहुत कुछ सहना पड़ता है, पुरुष की पीड़ा की चर्चा करके वह एक तरह से उसे ढांढस बंधाती है। उसे समझाती है—तुम न होते तो मैं किसे क्या लिखती? इसलिए लोगों को जो रुचे कहने दो, जब मन में चाह है, तब मैं तुम्हें चाहती हूं।' इस तरह लोकापवाद का सामना करने के लिए वह उसे स्नेह का संबल देती है।

प्यार करती हूं अलि, इसलिए मुझे भी वे करते हैं प्यार
बह गई हूं अजान की ओर, तभी यह बह जाता संसार।

(*गीतिका*, पृ. 36)

इस गीत में भी प्रेम के लिए संघर्ष करती हुई नारी का चित्र है। अजान की ओर बहने में प्रेम के लिए सब कुछ त्यागने का भाव है, संसार के बह जाने का अर्थ है, समाज से अलग होना, पुरानी रूढ़ियों से मुक्त होना। आगे जब कहती है—

टूट गए सब आट-ठाट, घर
छूट गया परिवार।

तब सामाजिक बंधन तोड़ने का भाव और पुष्ट होता है।

बांधों न नाव इस ठांव, बंधु!
पूछेगा सारा गांव, बंधु!

(*अर्चना*, 37)

इस गीत में अवैध प्रेम करने वाली नारी पुरुष को सावधान काती है, लोक-ताज का

भय दिखाती है, किंतु इस बहाने उसी ठांव अपनी नांव बांधने के लिए पुरुष को आमंत्रित करती है।'[97]

रामविलास शर्मा ने जैनेंद्र, यशपाल, राहुल और अज्ञेय के साहित्य में स्त्री के बारे में जो नजरिया व्यक्त किया है वह समस्यामूलक है। मार्क्सवादी स्त्रीवादी साहित्य दृष्टि के आलोक में विचार करें तो पाएंगे कि रामविलास शर्मा का मूल्यांकन आत्मगत है।

ध्यान रहे मार्क्सवादी स्त्रीवादी साहित्य-दृष्टि आज के स्त्रीवादी विमर्श में सबसे विकसित दृष्टि है। ये लोग मानते हैं कि सामाजिक बदलाव की प्रक्रिया का लिंगवादी प्रभुत्व से गहरा संबंध है। मार्क्सवादी स्त्रीवादी मिशेल बरेट का मानना है कि 'लिंग' की धारणा के निर्माण करने के पीछे पुरुष की मूल कोशिश यह रही है कि वह 'कामुकता' को नियंत्रित करे। इसके लिए स्त्री के शरीर की दो तरह की इमेजों पर जोर दिया गया। एक ओर उसे पुरुष की काम संपत्ति के रूप में चित्रित किया गया, वहीं दूसरी ओर उसकी मां की इमेज पर जोर दिया गया। यदि स्त्री की इन दो इमेजों को आदर्श मान लेंगे तो पुरुष का इन दोनों क्षेत्रों में साधिकार प्रवेश और फिर वर्चस्व मानना होगा। परंपरा में संस्कृति को पुरुष का पर्याय माना गया है और प्रकृति को स्त्री का पर्याय माना गया है। इसी तरह सत्य का संबंध पुरुष से माना गया और स्त्री को द्वयर्थक भावबोध का पर्याय बना दिया गया। कारण को पुरुष से जोड़ा गया और सहिष्णुता को स्त्री से जोड़ा गया। पुरुष को दिन का प्रतीक बताया गया और स्त्री को रात का प्रतीक बताया गया। रामविलास शर्मा की तरह मिशेल बरेट ने स्त्री परंपरा को समाज-व्यवस्था से जोड़कर देखा। इसके आधार पर सौंदर्यशास्त्रीय धारणाओं का विकास किया।

रामविलास शर्मा ने समानता की धारणा के परिप्रेक्ष्य में स्त्री-पुरुष संबंधों पर विचार किया है। साथ ही प्रश्न उठाया है कि स्त्री के जीवन को कैसे बदला जाए? उसे मौजूदा अवस्था से कैसे मुक्ति दिलाई जाए? दोनों प्रश्न स्त्रीवादी आंदोलन के भी प्रमुख प्रश्न हैं। इन दोनों सवालों पर मार्क्सवादी नजरिया क्या है, इस पर संक्षेप में विचार करना समीचीन होगा।

मार्क्सवादी स्त्रीवाद स्त्री की मुक्ति के सवालों को सर्वहारा की मुक्ति के प्रयासों से जोड़कर देखता है। इसकी मुक्ति में समाज के सभी शोषित समूहों और वर्गों की मुक्ति निहित है। इसमें समाज में बुदिनयादी बदलाव लाने की क्षमता है। वह स्वयं को ही मुक्त नहीं करता, अपितु समूची मानव जाति को मुक्त करता है। आमतौर

पर मार्क्सवादियों में यहां तक सामान्य समझ देखने को मिलती है। किंतु एक बात ये लोग भूल जाते हैं कि मार्क्स ने मानव मुक्ति के कार्य को धर्म से मुक्ति की लड़ाई से जोड़ा था। राजनीतिक मुक्ति को ही ये सर्वस्व नहीं मानते थे। मिशेल बरेट ने लिखा कि यह पहलू स्त्रीवाद के लिए महत्व रखता है।

स्त्रीवाद की समानता की लड़ाई वस्तुतः राजनीतिक मुक्ति और अधिकारों की लड़ाई तक सीमित है। मार्क्स ने *जुइस क्वेश्चन* पर विचार करते हुए लिखा कि 'बगैर क्रांतिकारी ढंग से जूडिज्म से मुक्त हुए राजनीतिक तौर पर मुक्त नहीं हो सकते। हम यह भी कह सकते हैं कि जूडिज्म को छोड़े बगैर राजनीतिक तौर पर मुक्त नहीं हो सकते। इसका अर्थ यह है कि राजनीतिक मुक्ति मानव मुक्ति नहीं है। अगर एक यहूदी के नाते तुम राजनीतिक मुक्ति बगैर धार्मिक मुक्ति प्राप्त किए बगैर हासिल करना चाहते हो तो ऐसे में अधूरेपन एवं अंतर्विरोध तुम पर नहीं बल्कि राजनीतिक मुक्ति की प्रकृति और कोटि पर छाए रहेंगे।' स्त्रीवादियों की मूल चिंता 'आजादी' की है, जबकि मार्क्स-एंगेल्स की मूल चिंता शोषण से मुक्ति प्राप्त करने की थी। मार्क्सवादियों के लिए आजादी, समानता, स्वाधीनता आदि की लड़ाई शोषण के संघर्ष से जुड़ी है। स्त्री के अस्तित्व की सारी लड़ाइयां विचारधारात्मक संघर्ष से जुड़ी हैं।

वर्जीनिया वुल्फ मानती हैं कि उत्पादन के साधनों पर मर्दों का स्वामित्व है। यही वजह है कि बौद्धिक उत्पादन पर भी उनका स्वामित्व होगा। यह मार्क्स-एंगेल्स की विचारधारा संबंधी अवधारणा का विकृत विवेचन है। पहली बात यह कि मार्क्स ने 'लिंग' की धारणा के परिप्रेक्ष्य में विचारधारा का विवेचन नहीं किया था, अपितु उत्पादन संबंधों के संदर्भ में विचारधारा का विवेचन किया था। रामविलास शर्मा ने भी इसी परिप्रेक्ष्य में स्त्री साहित्य का मूल्यांकन किया है और उसे साहित्य के प्रचलित ढांचे में रखकर देखा है। साथ ही स्त्रीवादी मार्क्सवादियों की तरह 'लिंगभेद' को ऐतिहासिक प्रक्रिया में रखकर विश्लेषित किया है।

हिंदी के मर्दवादी आलोचकों ने महादेवी वर्मा का मूल्यांकन करते हुए उन्हें रहस्यवादी, पीड़ावादी, पलायनवादी आदि सिद्ध किया। इसके जवाब में रामविलास शर्मा ने लिखा है कि 'महादेवी और उनकी कविता का परिचय केवल 'नीर भरी दुख की बदली' या 'एकाकिनी बरसात' कहकर नहीं दिया जा सकता। उन्हीं के शब्दों में उनका परिचय देना हो तो मैं यह पंक्ति उद्धृत करूंगा—

'रात के उर में दिवस की चाह का शर हूं'

निराला को छोड़कर किसी भी छायावादी कवि में जीवन की इतनी चाह नहीं है जितनी महादेवी में। निराशावाद की अंधेरी रात में जीवन-प्रभात की यह चाह महादेवी की रचनाओं में बार-बार दीप्त हो उठती है। और जितना ही अंधेरा घना होता है, उतनी ही यह चाह और भी तीव्र हो उठती है।'[98]

'महादेवी जी अपने गीतों में 'देवी' के रूप में नहीं, एक मानवी के रूप में दर्शन देती हैं। वह अपनी भाव-व्यंजना में इस धरती पर काम करने वाली मनुष्य नामक प्राणी ही नहीं है, वरन उसका एक भेद नारी भी हैं। उनका नारीत्व सामाजिक सीमाओं में रहकर फड़फड़ाता है। उसकी यह व्याकुलता अनेक सांकेतिक रूपों में उनकी कविताओं में प्रकट होती है। नारीत्व के इन तत्वों को निकाल दीजिए, उनका काव्य-साहित्य उतना ही नीरस और निर्जीव हो जाएगा।'[99]

रामविलास शर्मा ने लिखा कि महादेवी को 'अध्यात्मवादी' के बजाय भौतिकवादी कवयित्री के रूप में पढ़ा जाए तो बेहतर होगा। 'महादेवी जी की नारी प्रकृति की सरस विशेषता उनका हठ है। उनके 'प्राण' 'पागल' हैं तो हठीले भी हैं।' संभव है कि आलोचकगण रामविलास जी के मूल्यांकन से सहमत न हों किंतु एक बात साफ है, वह यह कि महादेवी जी को स्त्री-संदर्भ में पढ़ा जाना चाहिए। आमतौर पर स्त्री-संदर्भों की स्त्री की कविता के संदर्भ में उपेक्षा हुई है।

स्त्री-संदर्भ में स्त्री के साहित्य को देखने के कारण ही रामविलास जी ने भक्ति आंदोलन की चार प्रमुख कवयित्रियों तमिलनाडु की आंडाल, कर्णाटक की अक्कमहादेवी, हिंदी प्रदेश की मीराबाई और कश्मीर की ललद्यद का पहली बार एक साथ मूल्यांकन प्रस्तुत किया।[100] इन चारों में संत-साहित्य की अनेक विशेषताएं हैं। साथ ही इनसे भिन्न इनमें नारीत्व की अभिव्यक्ति भी है। इस अभिव्यक्ति में कुछ बातें सामान्य हैं और देशकाल के अनुसार भिन्न हैं।[101]

आंडाल (*गोदा*) की रचनाओं में कृष्णभक्ति का रूपायन मिलता है। उसके पदों में सघन ऐंद्रियता है जो अन्य संत कवियों में नहीं है। वह कृष्ण से साक्षात प्रेम करना चाहती है। वह कृष्ण के रूप का वर्णन करती है, साथ ही अपने रूप-यौवन के प्रति भी सचेत है। वह अपने रूप-यौवन का जिस तरह वर्णन करती है वैसा वर्णन न तो *भागवत* में है और न *सूरसागर* में है। गोदा के कृष्ण प्रेम की विस्तृत चर्चा के बाद रामविलास शर्मा ने लिखा कि 'गोदा के प्रभु स्त्री का दुख नहीं जानते, यह शिकायत

साधारण भक्त की नहीं है। यह शिकायत समस्त नारी जाति की है जो पुरुषसत्तात्मक व्यवस्था में अपने मूल अधिकारों से वंचित हो गई है।'[102] गोदा इसी जीवन में कृष्ण से शारीरिक संपर्क चाहती है। वह चेतना के धरातल पर विद्रोहिणी के रूप में सामने आती है। गोदा के बारे में *दिव्य प्रबंध* के अनुवादक श्रीनिवास राघवन ने लिखा कि दक्षिण भारत में श्री विल्लिपुत्तूर नगर में संत श्री विष्णुचित्त रहते थे। अपनी फुलवाड़ी से फूल चुनकर वे उनकी मालाएं बनाते थे और भगवान को अर्पित करते थे। एक दिन तुलसी के पौधे के पास उन्होंने एक सुंदर शिशु को देखा। उसे वे घर ले आए और उसका नाम गोदा रखा। बड़ी होकर गोदा संत विष्णुचित्त की पूजा-आराधना में भाग लेने लगी और उसने कृष्ण को अपना पति माना।'[103]

बारहवीं सदी के कन्नड़ वचनकारों में अक्कमहादेवी इस भाषा की पहली कवयित्री हैं। आंडाल की तरह महादेवी की रचना में कामचेतना को उद्दीप्त करने वाले सारे विभाव मौजूद हैं।[104] रामविलास जी ने लिखा है कि जिस तरह शूद्र को तपस्या का अधिकार नहीं था उसी तरह स्त्री को घर-बार छोड़कर भक्ति करने का अधिकार नहीं था। समाज में ऊंच-नीच का भेद न मानने वाले भक्तों को विरोध का सामना करना पड़ा। उन भक्तों में यदि कोई स्त्री हो तो उसे जिस तरह के विरोध का सामना करना पड़ा होगा, हम उसकी सहज कल्पना कर सकते हैं।

कश्मीरी लेखिका ललद्यद का मूल्यांकन करते हुए रामविलास जी ने उसे वैदिक ऋषियों और कालिदास के समकक्ष रखा है। उसके दार्शनिक विचारों की *ऋग्वेद* एवं कालिदास के विचारों से तुलना करते हैं। ललद्यद से कविता में दार्शनिक तत्व का प्राधान्य है।

मीरा के बारे में लिखा कि वह ललद्यद से काफी दूर हैं और आंडाल के बहुत पास हैं। मीरा ने जोग के स्थान पर प्रेम की परंपरा का विकास किया। मीरा की लोकप्रियता राष्ट्रव्यापी थी। निजी जीवन के अनुभवों एवं अनुभूतियों की सघन अभिव्यक्ति उनकी कविता में मिलती है। उनके काव्य में अपूर्व भाव विह्वलता और समर्पण का भाव है। माधुर्य भाव को व्यक्त करते हुए सहज और साक्षात को अभिव्यक्ति दी। मीराबाई अभिजन वर्ग की थीं, इस वर्ग की आंतरिक जिंदगी से वाकिफ थीं। अभिजन वर्ग के प्रति उनमें जबर्दस्त घृणा का भाव था। मीराबाई का युग व्यापारिक पूंजीवाद के विकास का युग है। इस युग में स्त्रीवाद की राजनीति का अभाव था। इसके बावजूद मीरा ने लिंगीय भेदभाव और सामाजिक वैषम्य को चुनौती दी। स्त्री के अधिकारों, खासकर स्त्री के मन और तन पर उसी का अधिकार है, इसकी

वकालत की। व्यापारिक पूंजीवाद के युग में 'स्त्री जो उचित समझे' वह करे की धारणा का जन्म होता है। मीरा इसका समझौताहीन ढंग से इस्तेमाल करती हैं। वह इसके लिए लोकनिंदा या पारिवारिक कटुता या पुरुष वर्चस्व के आगे समर्पण नहीं करतीं।

मीराबाई के काव्य का दूसरा महत्वपूर्ण तत्व है स्त्री अस्मिता की पहचान के लिए संघर्ष। बगैर पुरुष-संदर्भ के पूंजीवादी समाज में स्त्री की अस्मिता का निर्माण असंभव है किंतु इस असंभव को मीरा ने सृजन के माध्यम से संभव कर दिखाया है। स्त्री यदि बोलती है, लिखती है, तो पुरुष-संदर्भ के बिना उसे अपनी अस्मिता के निर्माण में मदद मिलती है। मीरा सचेत रूप से पुरुष-संदर्भ से अपने को अलग करती हैं। मसलन, मीरा जिस राणा परिवार की सदस्या थीं उसमें 'एकलिंग' और 'भवानी' की पूजा का विधान था। इन दोनों की पूजा के बजाय उन्होंने 'गिरधर नागर', 'जोगी', 'गुसाईं' आदि की उपासना पर जोर दिया। वह अपने परिवार के संदर्भ को अस्वीकार करती हैं। भक्त और यायावर रूप को ग्रहण करती हैं।

मीरा की कविता पर विचार करते समय यह ध्यान रहे कि रेगिस्तान का परिवेश उनकी कविता को गहरे तक प्रभावित किए हुए है। रेगिस्तान के प्रभाववश ही उनमें जीवन के प्रति गहरा लगाव दिखाई देता है। रेगिस्तान में जीना चुनौतीपूर्ण होता है। वहां व्यक्ति अपनी जीवनशैली को भूल जाता है। जीवन की सुरक्षा की गारंटी के अभाव में क्या खाएंगे, क्या पीएंगे, कहां रहेंगे इत्यादि सवाल उसके लिए गौण हो जाते हैं। प्राण रक्षा ही प्रमुख तत्व हो उठता है। रेगिस्तान की यह भी खूबी है कि वहां किसी वस्तु का भोग करना और उसे पास रखना असंभव हो जाता है। फलतः घुमंतू या यायावर जीवन जीने को मजबूर होना पड़ता है।

यहां यह उल्लेखनीय है कि मीराबाई से पहले उमा और पार्वती नामक दो हिंदी कवयित्रियां हुई हैं। इनके अलावा हिंदी में मध्यकाल में स्त्री लेखिकाओं की लंबी परंपरा है। इनमें मुक्ताबाई, झीमाचारणी, पद्मावती, सुरसरी, बाबरी साहिबा, गंगाबाई, रत्नावली, शेखरंगरेजन, केशवपुत्रवधू, ताज, रसिकबिहारी, बनीठनी, बिरजूबाई, सुंदरकली, इंद्रामती, कविरानी चौबे, दयाबाई, सहजोबाई, पवनकुंवरी, कृष्णवती, माधवी, स्वर्णलली आदि के नाम महत्वपूर्ण हैं। ये लोकप्रिय स्त्रीवादी काव्यधारा की प्रमुख कवयित्रियां हैं। इनका रचनाकाल 1388-1545 तक के विस्तृत कालखंड तक फैला हुआ है। हिंदी में दो तरह की काव्यधारा मिलती है। पहली काव्यधारा 'लोकप्रिय स्त्रीवादी काव्य' की है और दूसरी 'अभिजनवादी स्त्री काव्य' की है। 'लोकप्रिय स्त्रीवादी काव्य' की प्रमुख प्रवृत्तियां इस प्रकार हैं—

1. ये लेखिकाएं सामाजिक बंधनों एवं भेदभाव का विरोध करती हैं। कविता के जरिए पार्थक्व और भेदभाव का विरोध करके ये अपनी अस्मिता के निर्माण की कोशिश करती हैं। भेदभाव और पार्थक्य के रहते स्त्री अपनी अस्मिता हासिल नहीं कर सकती, यही वजह है कि ये पार्थक्य और भेदभाव का जमकर विरोध करती हैं।
2. कृष्ण की इमेजों के जरिए पुरुष वर्चस्व को चुनौती देती हैं। साथ अपने लिए आदर्श पुरुष की छवि निर्मित करती हैं। यह ऐसी छवि है जो कृष्ण के देवत्व रूप को अस्वीकार करती है। साथ ही अंध पुरुष विरोध का भी निषेध करती हैं। इनकी रचनाओं में कृष्णलीलाओं पर जोर है किंतु कृष्ण के जरिए हिंसा या वध का रूपायन बहुत कम है।
3. इन कवयित्रियों के लेखन से यह बात उभरती है कि उस दौर में औरतें आहत और अपमानित महसूस करती थीं। यही वजह है कि ज्यादातर लेखिकाओं ने आहत और अपमानित भावबोध के रूपायन पर जोर दिया है। आहत और अपमानित भावबोध का रूपायन स्त्री स्वाधीनता का मार्ग प्रशस्त करता है। इस धारा की कवयित्रियों की विशेषता है कि जो मिला उसमें मन नहीं लगा और जो पाना चाहती थीं वह असंभव था। इस असंतुलन को खत्म करने के लिए उन्होंने धर्म की शरण ली।
4. धार्मिकता और भक्ति के जरिए जब सृजनात्मक संघर्ष चलता है तो यथास्थिति बनी रहती है। पार्थक्य घटने के बजाय बढ़ता है इससे पुंसवादी व्यवस्था मजबूत होती है।
5. अनेक रचनाओं में अपराधबोध या हीनभाव की अभिव्यक्ति हुई। ऐसी रचनाएं व्यष्टि चेतना को व्यक्त करती हैं। ध्यान रहे स्वयं के प्रति हेयभाव प्रतिकूल परिस्थितियों में पैदा होता है।
6. अधिकांश कवयित्रियां नए प्रयोग करने में असफल हुईं। ज्यादातर ने पुरुष कवियों के द्वारा निर्मित काव्य रूपों का अनुकरण किया।
7. यह आत्मगत भावबोध की कविता है। इसमें तिरस्कृत, आहत, अकेली स्त्री का मन और व्यक्तित्व व्यक्त हुआ है।
8. अधिकांश ने प्रेम पर कविताएं लिखी हैं। प्रेम कविताओं में खुलापन है। जबकि वास्तविक जीवन में खुलापन एक सिरे से नदारद है। वस्तुतः ये प्रेम की फैंटेसी की कविताएं हैं।

9. इनकी कविताओं में स्त्री की आत्मकथा और इतिहास दोनों शामिल हैं।
10. मध्ययुगीन स्त्री काव्य में 'मैं' असल में 'हम' है। वे स्त्रियों में फर्क करके नहीं देखतीं। भक्ति के माध्यम से निजी जीवन के तनावों, द्वंद्वों और अंतर्विरोधों को शांतिपूर्वक और अहिंसक ढंग से हल करती हैं। स्त्री लेखिकाओं ने भक्ति साहित्य में स्त्री के अनुभवों की कमी को कविताओं के द्वारा दूर किया। पुरुष भक्त कवियों को स्त्रियों के अनुभवों का ज्ञान नहीं था क्योंकि साहित्य में संत का अर्थ है स्त्री-शून्य जीवन। स्त्री-शून्य जीवन जीकर स्त्री के अनुभव प्राप्त करना संभव नहीं था। स्त्री मन और अनुभव को अभिव्यक्ति देकर भक्ति आंदोलन को पुंसवादी होने से बचाया। आत्मानुभूति को अभिव्यक्ति दी। ईश्वर की मानवीय छवि निर्मित की। ईश्वरोपासना को निजता प्रदान की।

इससे भिन्न 'अभिजनवादी स्त्री काव्यधारा' है। इसमें महारानी सोनकुंवरि, वृषभानु कुंवरी, रानी रारधड़ी नाथी, चंपा दे, ठकुरानी काकरेची, हरिजी रानी चावड़ीजी, ब्रजदासी रानी बाकांवती, रानी बक्त कुंवरि (प्रिया सखी), मधुर अली, प्रवीव राय, रूपवती बेगम, प्रताप कुंवरि बाई आदि के नाम उल्लेखनीय हैं। ये ऐसी लेखिकाएं हैं जिनका जीवन से संबंध कटा हुआ है। इनकी कविता में निर्वैयक्तिकता और निजी संवेदना का अभाव है। ये जीवन की दर्शक हैं। अतः दर्शक भाव से कविताएं भी रची गईं। इनमें राम और कृष्णभक्ति की परंपरा का निर्वाह मिलेगा। किंतु ज्यादातर ने कृष्णभक्ति को केंद्र में रखा। ध्यान रहे स्त्री मन को कृष्ण की एकांतिक प्रेम साधना अपील करती है। माधुर्य भाव अपील करता है। एकांतिक प्रेम साधना में सामाजिक विधि निषेधों से बाधा पहुंचती है। यही वजह है कि उन्होंने सामाजिक विधि निषेधों का उल्लंघन करने वाले चरित्रों के रूपायन पर जोर दिया। अधिकांश कविरानियों के यहां कृष्ण के राजा रूप का रूपायन मिलता है। वहीं दूसरी ओर साधारण कवयित्रियों के यहां कृष्ण के मानवीय रूप पर जोर है। उन्होंने अपने निजी जीवन के सुख, दुख, प्रेम, इच्छा, संवेदना आदि को अभिव्यक्ति दी। अपनी आत्मकथा को काव्य रूप दिया वहीं कविरानियों के यहां कविता में आत्मकथा का अभाव है। निजी मन एवं निजी जीवन की अभिव्यक्ति का अभाव है।

कविरानियों द्वारा रचित रामकथा राजा-रानी की कथा मात्र होकर रह गई है। संभवतः उन्हें राम अप्रासंगिक लगे हों। इसके विपरीत अधिकांश लेखिकाओं ने कृ

को कथानक के लिए उपयुक्त पाया क्योंकि में व्यक्तिवादी मूल्यों के विकास की ज्यादा संभावनाएं हैं। अधिकांशतः लेखिओं ने श्रृंगार रस की उपेक्षा की। सिर्फ वेश्या लेखिकाओं के यहां श्रृंगार का रूपायन मिलता है। हिंदी में श्रृंगार रस विलास का अंग रहा है। स्त्री लेखिकाओं ने श्रृंगार को अस्वीकार करके वस्तुतः विलास का उपकरण बनने से इनकार किया है। जबकि कविरानियों के यहां कृष्ण के श्रृंगारवर्णन में काममूलक पक्षों का रूपायन मिलता है किंतु इसमें मादकता का अभाव है। कविरानियों ने सामाजिक समस्याओं को अभिव्यक्ति नहीं दी। मध्यकालीन स्त्री काव्य में ईश्वरोपासना के क्षेत्र में स्त्री-पुरुष के बीच समानता के भाव की अभिव्यक्ति मिलती है।

रामविलास शर्मा के बारे में जिस तरह की बातें नामवर सिंह जैसे वरिष्ठ आलोचक ने *आलोचना* के रामवलिास शर्मा केंद्रित अंक में कही हैं उनमें से अधिकांश बातें निराधार हैं और नामवर सिंह के पहले के मूल्यांकन से मेल नहीं खातीं। फिर भी बात चल निकली है तो सच को फिर से जानना समीचीन होगा। रामविलास जी न तो सनातनी पद्धति से लिखते हैं, न आर्यसमाजी दृष्टिकोण के हैं, बल्कि पूरी तरह मार्क्सवादी हैं। रामविलास जी के मूल्यांकन के केंद्र में स्त्री-संदर्भ की उपस्थिति इस बात का प्रतीक है कि उन्हें परंपरागत आलोचना मानदंडों से पढ़ा नहीं जा सकता। इस संदर्भ में उनके द्वारा *महाभारत* का जिस संदर्भ सूत्र को आधार बनाकर जो विवेचन सामने आया है वह मार्क्सवादियों, सनातनियों, आर्यसमाजियों और संघियों आदि के लिए स्वयं में प्रत्युत्तर है। कोई लेखक प्रगतिशील है या प्रतिक्रियावादी है यह इस बात से तय होगा कि उसका स्त्री के प्रति, स्त्री-संदर्भ के प्रति क्या रवैया है। आज जितने भी आलोचक हैं रामविलास जी को संघ के विचारों के करीब पहुंचाने में लगे हैं। वे वस्तुतः साहित्य में प्रतिक्रियावादी दृष्टिकोण का प्रतिपादन कर रहे हैं। *महाभारत* के मूल्यांकन में रामविलास जी ने दो प्रमुख संदर्भ सूत्र चुने हैं। पहला—द्रौपदी और दूसरा—कृष्ण।

रामविलास जी ने लिखा कि '*महाभारत* में बड़े-बड़े कुशल वक्ता हैं पर जैसा उदात्त भाषण यहां द्रौपदी का है, वैसा इस महाकाव्य में अन्यत्र किसी दूसरे का नहीं है। जो कुछ द्रौपदी चाहती है, उसे कार्य रूप में परिणत करने वाले कृष्ण हैं। द्रौपदी *महाभारत* की विराट भावशक्ति है। कृष्ण *महाभारत* की अपराजेय कर्मशक्ति हैं। इन दोनों को देखते अर्जुन आदि वीर निमित्त मात्र हैं।'[105]

आमतौर पर पुंसवादी दृष्टिकोण से इतिहास का विवेचन करने वाले इतिहासकार

महाभारत की मुख्य समस्या के तौर पर पांडवों को आधा राज्य न मिल पाने को मानते हैं किंतु वास्तव में *महाभारत* की यह मुख्य समस्या नहीं है; बल्कि द्रौपदी के मान-सम्मान की है। कृष्ण द्रौपदी की समस्या से सहमत होते हैं और उसे ही प्रमुख समस्या बनाते हैं। रामविलास जी ने इसी स्त्री-संदर्भ को मुख्य रूप से उभारने की कोशिश की है। इसी प्रकार धर्म की धारणा का विवेचन करते हुए द्रौपदी की धर्म संबंधी धारणा का विस्तार से विवेचन किया है और तत्कालीन समाज में धर्म की जो समझ प्रस्तुत की है वह प्रचलित मार्क्सवादी चिंतन की धर्म संबंधी अवधारणा से भिन्न है।

इसी तरह महात्मा बुद्ध का विश्लेषण करते हुए रामविलास जी ने जिस बिंदु पर जोर दिया है यह काफी महत्वपूर्ण है और परंपरावादियों से उन्हें अलग करता है। उन्होंने लिखा है कि 'बुद्ध की सबसे बड़ी समस्या रोग, मृत्यु, दुख नहीं थी, उनकी सबसे बड़ी समस्या थी कामवासना। जितनी बार मार अथवा कामदेव का उल्लेख उनके वचनों में हुआ, उतनी बार और किसी देवी-देवता का नहीं। स्त्री के प्रति बुद्ध का दृष्टिकोण सामंती व्यवस्था के वैरागियों जैसा है। उसकी तरफ देखो ही मत, हमेशा उससे दूर रहो।'[106] इस प्रसंग में रामविलास जी ने विस्तार से बुद्ध के स्त्री-विरोधी दृष्टिकोण की आलोचना की है।[107]

नामवर सिंह ने *आलोचना* के रामविलास शर्मा स्मृति अंक में लिखा है कि उन्होंने बुद्ध पर कुछ भी नहीं लिखा। इस बारे में यही कहा जा सकता है कि *भारतीय संस्कृति और हिंदी प्रदेश* पुस्तक में रामविलास जी ने पृष्ठ 501 से 608 तक विस्तार से बुद्ध के विचारों का मूल्यांकन किया है। इसी तरह आंबेडकर के विचारों की समीक्षा करते हुए *गांधी, आंबेडकर, लोहिया और भारतीय इतिहास की समस्याएं* (2000) में 'बुद्ध और कार्ल मार्क्स' शीर्षक के तहत उन्होंने विश्लेषण किया है। रामविलास जी के अनुसार, 'बुद्ध की सबसे शानदार घोषणा यह है कि किसी ने कहा इसलिए मान लिया, किसी पुस्तक में लिखा है, इसलिए मान लिया, श्रद्धावश मान लिया, ऐसा न करना चाहिए। अपने विवेक से काम लेना चाहिए और विवेक से बढ़कर अपने अनुभव से देखना चाहिए कि यह बात सही है या गलत। उन्होंने कालामो से कहा—'हे कालामो, आओ! तुम किसी बात को केवल इसलिए मत स्वीकार करो कि यह बात अनुश्रुत है, केवल इसलिए मत स्वीकार करो कि यह बात परंपरागत है, केवल इसलिए मत स्वीकार करो कि यह बात इसी प्रकार कही गई है, केवल इसलिए मत स्वीकार करो कि यह हमारे धर्मग्रंथ (पिटक) के अनुकूल है, केवल इसलिए मत स्वीकार करो कि यह तर्कसम्मत है, केवल इसलिए मत स्वीकार करो कि यह न्याय

(शास्त्र) सम्मत है, केवल इसलिए मत स्वीकार करो कि आकार-प्रकार सुंदर है, केवल इसलिए मत स्वीकार करो कि यह हमारे मत के अनुकूल है, केवल इसलिए मत स्वीकार करो कि कहने वाले का व्यक्तित्व आकर्षक है, केवल इसलिए मत स्वीकार करो कि कहने वाला श्रमण हमारा पूज्य है। हे कालामो, जब तक तुम आत्मानुभव से अपने आप ही यह जानो कि यह बातें अकुशल हैं, ये बातें सदोष हैं, ये बातें विज्ञ पुरुषों द्वारा निंदित हैं, इन बातों के अनुसार चलने से अहित होता है, दुख होता है तो हे कालामो, उन बातों को छोड़ दो।' (*अंगुत्तरनिकाय*, भाग 1, पृ. 192) इससे मिलती-जुलती घोषणा *तैत्तिरीय उपनिषद* में है। आचार्य ने शिष्य से कहा—यानि अनविद्यानि कर्माणि तानि सेवितव्याति नो इतराणि। यानि अस्माकं सुचरितानि यानि त्वया उपास्यानि नो इतराणि। 'हमारे जो अनिंदित कर्म हैं, उन्हीं का सेवन करना, दूसरों का नहीं। जो हमारे सुचरित हैं, उन्हीं को उपास्य समझना, दूसरों को नहीं (1.11.2)।' गुरु यह नहीं कहता कि मैं जो कुछ करता हूं, वह सब ठीक है, जो कुछ भी मैं करूं, उसका तुम अनुसरण करना। बहुत-सी बातें वह शिष्य की बुद्धि पर छोड़ देता है। अपनी बुद्धि से शिष्य समझे कि आचार्य का कौन-सा आचरण अनुकरणीय है और कौन-सा नहीं, यह विवेकपूर्ण दृष्टिकोण श्रद्धा का विरोध नहीं है परंतु यह अंधश्रद्धा का विरोध अवश्य है। गुरु पर, आचार्य पर, अपने से बड़ों पर श्रद्धा करनी चाहिए किंतु अंधे होकर उनका अनुसरण नहीं करना चाहिए। लोग कहते हैं कि यह हमारे धर्म की बात है, हमारे विश्वास की बात है, हम तो इसका अनुसरण करेंगे ही। यहां विवेक समाप्त हो जाता है, अंधश्रद्धा, अंधविश्वास उसके स्थान पर आ जाते हैं। बुद्ध ने अपने चिंतन को दार्शनिक आधार दिया। इसलिए उन्होंने कहा कि श्रद्धा के कारण किसी बात को बुरा या अच्छा मत समझो। समस्त यथार्थवादी चिंतन का आधार मनुष्य का अनुभव है, इस अनुभव पर बुद्ध ने जोर दिया। गलती बड़ों से भी हो सकती है। इसलिए उपनिषद् में आचार्य ने शिष्य को बताया कि जो गुरुओं के सुचरित हैं, उन्हीं का अनुकरण करना चाहिए।'[108]

कौटिल्य के *अर्थशास्त्र* में रामविलास जी के मुताबिक अर्थ और काम पर बल है, मोक्ष की धारणा नगण्य है।[109] अर्थशास्त्र के विवेचन में भी स्त्री-संदर्भ और स्त्री की अवस्था के बारे में कौटिल्य के दृष्टिकोण का मूल्यांकन प्रस्तुत किया है।[110] यही स्थिति कालिदास के मूल्यांकन में दिखाई देती है। रामविलास जी ने लिखा है, 'कालिदास शृंगारी कवि हैं परंतु जो बात उन्हें कामसूत्र प्रेमी कवियों से अलग करती है, वह उनके साहित्य में गर्भवती और पुत्रवती स्त्रियों की प्रतिष्ठा है।'[111]

कालिदास के युग में वेश्याओं की भरमार थी, उस जमाने में पुरुष एक से अधिक स्त्रियां रख सकता था। परंतु इस समाज में भी एक ही स्त्री और एक ही पुरुष के घनिष्ठ संबंध का चित्रण अनेक बार हुआ है। *मेघदूत* ऐसे ही युगल प्रेम की अद्भुत कविता है। प्रेमियों के सहज मिलन में कुछ सामाजिक बाधाएं अवश्य हैं, वे कालिदास के साहित्य में शाप के रूप में चित्रित की गई हैं। इस समाज में स्त्री पराधीन है। अपनी इच्छानुसार अपने प्रिय का वरण नहीं कर सकती। रामविलास जी ने लिखा है कि कालिदास के लिए स्त्री-पुरुष संबंध महत्वपूर्ण हैं। अन्य सामाजिक संबंध भी महत्वपूर्ण हैं। यह संसार उनके लिए सत्य है और शिव का प्रत्यक्ष रूप है।[112]

हिंदी के प्रमुख आलोचक रामचंद्र शुक्ल पर लिखते हुए अनेक स्थानों पर उन्होंने शुक्ल जी के दृष्टिकोण की कड़ी आलोचना की है। जायसी के मूल्यांकन के दौरान रामचंद्र शुक्ल ने लिखा कि 'सूफियों के अद्वैतवाद ने एक बार मुसलमानी देशों में बड़ी हलचल मचाई थी। ईरान, तूरान आदि में आर्य संस्कार बहुत दिनों तक दबा न रह सका। शामी कट्टरपन के प्रवाह के बीच भी उसने अपना सिर उठाया।' रामविलास जी ने लिखा कि 'शुक्ल जी यहां एक क्षण के लिए अपना यह सिद्धांत भूल गए हैं कि साहित्यिक गतिविधि का स्रोत जनता की सामाजिक परिस्थितियों में ढूंढ़ना चाहिए। सूफीमत या उससे मिलती-जुलती प्रवृत्तियों का स्रोत शामी और आर्य जातियों के संस्कारों में न खोजकर विभिन्न देशों की सामाजिक परिस्थितियों में खोजना ज्यादा उचित होगा। यदि हम यह मान लें कि जहां भी सहृदयता मिले, वह आर्य संस्कारों के कारण है और जहां भी कट्टरता मिले, वह शामी संस्कार के कारण, तो बात ही दूसरी है। भारत में भक्तों ने जो प्रेम-मार्ग अपनाया, वह भी एक प्रकार की कट्टरता का विरोध करने के लिए था। यह कट्टरता सामंतों और उनके धार्मिक सहयोगियों की थी। उनके विरुद्ध जनता का पक्ष लेने वाले और समानता, भाईचारे और प्रेम की भावनाओं को व्यक्त करने वाले ये भक्त कवि थे।'[113] जायसी लौकिक प्रेम के कवि थे। रामचंद्र शुक्ल ने *जायसी* की भूमिका लिखी। यह उनकी शानदार आलोचना कृतियों में से है। इन दिनों संघ परिवार के लोग हिंदी साहित्य के पठन-पाठन में से *जायसी* को निकालने की कोशिशों में लगे हैं। एक जमाने में आचार्य रामचंद्र शुक्ल की जायसी संबंधी मान्यताओं के खंडन में कमल कुलश्रेष्ठ ने *हिंदी प्रेमाख्यान काव्य* नामक पुस्तक लिखी थी। कुलश्रेष्ठ साहब का मत था कि जायसी आदि कवियों ने 'प्रेमाख्यानों के द्वारा इस्लाम प्रचार की पृष्ठभूमि तैयार की।' रामविलास जी ने इसकी आलोचना करते हुए लिखा कि 'उनका तर्क है कि इन

कवियों के गुरु इस्लाम के प्रचारक थे और इन कवियों की 'दृढ़ आस्था' इस्लाम पर थी। ये कवि *कुरान* को भी पुरान कहते थे क्योंकि इस तरह वे *कुरान* के लिए श्रद्धा उत्पन्न करना चाहते थे। अगर ये विद्वेष दिखलाते तो इनका भेद शीघ्र ही खुल जाता; 'इस कारण उन्होंने संभवतः सामंजस्य एवं सहिष्णुता का जामा पहन लिया था।' कहने का मतलब यह कि प्रेममार्गी कवि पूरे चार सौ बीस थे; अपने धर्म का प्रचार करने के लिए इन्होंने तरह-तरह के भेस बना लिए थे।'[114] असल में कुलश्रेष्ठ जी ने जो बात कही है उसका मूल स्रोत तो प्राच्यविद मैकडानल्ड हैं। चंद्रबली पांडेय ने *तसव्वुफ अथवा सूफी मत* में लिखा है, 'श्री मैकडानल्ड ने ठीक ही कहा है कि इस्लाम के प्रचार के लिए नीतिज्ञ दरवेश प्रांतीय प्रदेशों में जाते और अपनी उदारता तथा प्रेम के उपदेशों से कतिपय व्यक्तियों को मंड़ लेते थे।'

इसके विपरीत शुक्ल जी की धारणा थी कि 'खलीफा लोगों के कठोर शासन के बीच भी सूफियों की प्रेममयी वाणी ने जनता को भावमग्न कर दिया।'

रामविलास जी ने आचार्य शुक्ल के सूरदास संबंधी मूल्यांकन की आलोचना करते हुए लिखा है कि सूर अपने समय की समस्याओं के प्रति तटस्थ थे और उनमें लोकसंग्रह का अभाव था, यह धारणा मान्य नहीं है। सूर के कृष्ण दुर्योधन के यहां न जाकर विदुर के यहां शाक खाना पसंद करते हैं। राजा दुर्योधन के बजाय उन्हें दासीसुत विदुर पसंद हैं। सूर के कृष्ण सभा में द्रौपदी की लाज बचाते हैं, लेकिन दुखी प्रजा कुछ कर नहीं सकती। भक्त के लिए कृष्ण अपना प्रण छोड़कर सुदर्शन चक्र धारण करते हैं। इंद्र के कोप से ब्रजवासियों की गोवर्धन पर्वत उठाकर रक्षा करते हैं। कृष्ण को ब्रज सबसे प्रिय है। 'कृष्ण की प्रेमलीला देखकर दूर स्वर्ग में बैठे देवता तरसते रहते हैं। गोपियों का प्रेम लोकधर्म और कुलकानि के लिए चुनौती है। उनका कृष्ण से संयोग और वियोग दोनों मानव प्रेम का जयगीत हैं जो सामंती समाज के जाति, वर्ण और संपत्ति के बंधन तोड़कर प्रवाहित हुआ था। सूर शृंगार और वात्सल्य के ही कवि हैं, वह संसार के प्रेम के श्रेष्ठ गायकों में से हैं। इस प्रेम को कुलकानि, लोक-धर्म, पाप-पुण्य की मर्यादा कुचलती है, उसका जयघोष सामंती व्यवस्था को ही एक चुनौती है। इस सामंत-विरोधी मानव-मूल्य को हम लोक-संग्रह से बाहर कैसे रख सकते हैं?'[115]

रामविलास जी के तुलसीदास संबंधी मूल्यांकन में अन्य बातों के अलावा जिस बात पर जोर है वह है तुलसी के बारे में प्रचलित स्त्री विरोधी, शूद्र विरोधी धारणा का खंडन करना। उन्होंने लिखा है कि 'स्त्रियों, शूद्रों आदि के प्रति तुलसी की भावना क्या थी, इसका प्रभाव इधर-उधर की दो-चार उक्तियां नहीं हैं वरन कथावस्तु का

निर्वाह और चरित्र-चित्रण है। तुलसी की कथा और उनके पात्र निंदासूचक उक्तियों से ठीक उलटी बात करते हैं। और मूल वस्तुकथा और उसके चरित्र हैं, न कि इधर-उधर की उक्तियां। तुलसी के अन्य ग्रंथों से मिलान करने से और उसकी कथावस्तु और चरित्र-चित्रण के संदेश पर विचार करने से यह बात स्पष्ट हो जाती है कि स्त्रियों, शूद्रों आदि के लिए ताड़ना आदि की बातें कही गई हैं, वे तुलसी की लिखी हुई नहीं हैं, प्रक्षिप्त हैं, उन्हें प्रमाण नहीं माना जा सकता।'[116]

अंत में नामवर सिंह के शब्दों में रामविलास जी के बारे में कहें तो बेहतर होगा क्योंकि वे अपनी बात भूल गए हैं। नामवर सिंह ने लिखा था, 'आज वे अपने साहित्य-साधना के सर्वोच्च शिखर पर हैं। जो उनकी मान्यताओं से सहमत नहीं हैं, वे भी स्वीकार करेंगे कि डॉ. शर्मा अपने संघर्ष और साधना में अप्रतिम हैं। प्रगतिशील आलोचना के अग्रदूत होने के साथ ही वे हिंदी जाति के प्रतिनिधि समालोचक हैं और इस हैसियत से समूचे भारतीय साहित्य के विकास में उनका योगदान अन्यतम है। उनके संघर्ष और साधना हमारे लिए सतत प्रेरणा के स्रोत हैं और अतुलनीय उपलब्धियां अभिनंदनीय।'[117] दिलचस्प बात यह है कि नामवर सिंह को 1982 में रामविलास शर्मा मार्क्स-एंगेल्स के समानधर्मा नजर आ रहे थे किंतु आज उन्हें वे सनातनी, आर्यसमाजी, संघ की विचारधारा के करीब नजर आ रहे हैं। नामवर सिंह ने रामविलास शर्मा की 1955 से लेकर 1982 तक की साहित्यलोचना संबंधी पुस्तकों की चर्चा करने के बाद लिखा है, 'कहने की आवश्यकता नहीं कि उपर्युक्त कृतियों में से कोई भी एक अमर होने के लिए पर्याप्त है, फिर भी जहां भाषा, साहित्य, राजनीति, इतिहास आदि सभी क्षेत्रों में एक से बढ़कर कीर्तिमान स्थापित किए गए हों—ऐसी अभूतपूर्व उपलब्धि के बारे में कहना ही क्या?'[118]

नामवर सिंह ने साहित्यालोचना की रामविलास जी की कृतियों को *आधुनिक हिंदी साहित्य का इतिहास* या *साहित्य का इतिहास* कहा है। असल में रामविलास जी की इतिहास-दृष्टि का मूलाधार है 'ट्रेजेडी'। इसकी उपेक्षा करके उन्हें समझना असंभव है। 'ट्रेजेडी' के कारण उन्हें निराला, तुलसीदास, भवभूति और वाल्मीकि पसंद हैं। वे दुख, पराजय और मनुष्य की संघर्ष साधना को व्यक्त करते हैं। यही वजह है कि उनकी भारत की एकता और सांप्रदायिक सद्भाव, वंचितों, दलितों, अल्पसंख्यकों, स्त्रियों, मजदूरों और किसानों के मुक्ति प्रयासों को उद्घाटित करने में गहरी दिलचस्पी है। यदि किसी लेखक और इतिहासकार की इन वर्गों और समूहों की मुक्ति में दिलचस्पी हो तो वह संघ परिवार के करीब कैसे हो सकता है?

संदर्भ

1. शर्मा, रामविलास, *स्वाधीनता संग्राम के बदलते परिप्रेक्ष्य,* 1992, दिल्ली विश्वविद्यालय, पृ. 151
2. वही, पृ. 153-54
3. वही, 154
4. शर्मा, रामविलास, *भारतीय साहित्य की भूमिका,* 1996, राजकमल प्रकाशन, पृ. 334
5. वही, पृ. 337-338
6. दिमित्रोव ज्यार्जी, *सेलेक्टेड आर्टिकल्स एंड स्पीचेस,* पृ. 100
7. वही, पृ. 43
8. शर्मा, रामविलास, *भारतीय साहित्य की भूमिका,* 1996, पृ. 340
9. वही, पृ. 376
10. वही पृ. 371
11. वही, पृ. 372-373
12. शर्मा, रामविलास, *भारतीय संस्कृति और हिंदी प्रदेश,* 1999, दिल्ली, द्वितीय खंड, पृ. 13
13. वही, पृ. 23
14. वही, पृ. 111
15. शर्मा, रामविलास, *गांधी, आंबेडकर, लोहिया और भारतीय इतिहास की समस्याएं,* वाणी प्रकाशन, दिल्ली, 2000, पृ. 316
16. वही, पृ. 316
17. वही, पृ. 317
18. वही, पृ. 321
19. वही, पृ. 575-576
20. वही, पृ. 591
21. वही, पृ. 591-592
22. वही, पृ. 739-40
23. वही, पृ. 741
24. शर्मा, रामविलास, *भारतीय संस्कृति और हिंदी प्रदेश,* खंड 2, 1999, पृ. 16
25. वही, पृ. 21-22
26. शर्मा, रामविलास, *भारतीय संस्कृति और हिंदी प्रदेश,* खंड 1, 1999 पृ. 491
27. वही, पृ. 490
28. शर्मा, रामविलास, *गांधी, आंबेडकर, लोहिया और भारतीय इतिहास की समस्याएं,* वाणी प्रकाशन, दिल्ली, 2000, पृ. 385
29. उपर्युक्त, पृ. 388

30. भट्टाचार्य, सव्यसाची, *आधुनिक भारत का आर्थिक इतिहास,* राजकमल प्रकाशन, दिल्ली, 1990, पृ. 130
31. शर्मा, रामविलास, *गांधी, आंबेडकर, लोहिया और भारतीय इतिहास की समस्याएं,* पृ. 551-552
32. शर्मा, रामविलास, *मार्क्स और पिछड़े हुए समाज,* राजकमल, दिल्ली, 1986, पृ. 207
33. एंगेल्स, फ्रेडरिक, *ऐंटी ड्यूहरिंग,* पाद टिप्पणी 2, मास्को, 1975, पृ. 306
34. शर्मा, रामविलास, *भारतीय इतिहास और ऐतिहासिक भौतिकवाद,* दिल्ली वि.वि., 1992, पृ. 37-38
35. वही, पृ. 42
36. वही, पृ. 47
37. शर्मा, रामविलास, *गांधी, आंबेडकर, लोहिया और भारतीय इतिहास की समस्याएं,* पृ. 382-394
38. शर्मा, रामविलास, 1992, पृ. 48
39. वही
40. वही, पृ. 51
41. सिंह, भगवान, भाषा, 'परंपराबोध और संस्कृति', *आलोचना,* जुलाई-सितंबर 2000
42. वही, पृ. 34
43. चट्टोपाध्याय, देवी प्रसाद, *भारतीय दर्शन में क्या जीवंत है और क्या मृत है,* कृति को देखें।
44. शर्मा, *भारतीय संस्कृति और हिंदी प्रदेश,* किताबघर, दिल्ली, 1999, पृ. 537
45. चट्टोपाध्याय, देवी प्रसाद, *भारतीय दर्शन में क्या जीवंत है और क्या मृत है,* 1984, पृ. 61
46. *आलोचना,* वही, पृ. 33
47. वही
48. विस्तृत अध्ययन के लिए *भारतीय संस्कृति और हिंदी प्रदेश* के दोनों खंड देखें
49. शर्मा, रामविलास, 1996, पृ. 37
50. शर्मा, रामविलास, *भारतीय साहित्य के इतिहास की समस्याएं,* वाणी प्रकाशन, दिल्ली, 1986, भूमिका से।
51. वही
52. वही, पृ. 6
53. वही, पृ. 72
54. वही, पृ. 6-7
55. वही, पृ. 8
56. वही, पृ. 7

57. वही, पृ. 76
58. शर्मा, रामविलास, 1996, पृ. 11
59. शर्मा, रामविलास, 1986, पृ. 78
60. वही, पृ. 90
61. वही, पृ. 36
62. वही, पृ. 38
63. वही, पृ. 81
64. वही, पृ. 80
65. वही, पृ. 82
66. वही, पृ. 87-88
67. वही, पृ. 72-83
68. वही, पृ. 41
69. वही, पृ. 43
70. वही, पृ. 45
71. शर्मा, रामविलास, *भारतीय साहित्य की भूमिका,* राजकमल प्रकाशन, दिल्ली, 1996, पृ. 121
72. वही
73. वही, पृ. 218
74. शर्मा, रामविलास, *भारतीय साहित्य की भूमिका,* पृ. 220
75. वही, पृ. 377-79
76. शर्मा, रामविलास, *भारतीय संस्कृति और हिंदी प्रदेश,* प्रथम खंड, 1999, पृ. 40
77. वही, पृ. 63
78. वही, पृ. 64-65
79. शर्मा रामविलास, 1999, खंड 1, पृ. 175
80. वही, पृ. 271
81. वही, पृ. 233
82. वही, पृ. 234
83. विस्तृत अध्ययन के लिए जगदीश्वर चतुर्वेदी की पुस्तक *स्त्रीवादी साहित्य विमर्श,* 2000 देखें
84. शर्मा, रामविलास, *घर की बात,* राजकमल प्रकाशन, दिल्ली, 1983, पृ. 151
85. वही, पृ. 150
86. वही, पृ. 347
87. वही, पृ. 345
88. शर्मा, रामविलास, 1983, पृ. 407

89. शर्मा, रामविलास, *निराला की साहित्य साधना,* 1972, खंड 2, राजकमल प्रकाशन, दिल्ली, द्वि सं. 1981, पृ. 35

90. वही, पृ. 36

91. वही, पृ. 37

92. शर्मा, रामविलास, खंड-2, 1972, पृ. 41

93. वही, 276

94. वही, पृ. 210

95. वही, पृ. 211

96. वही, पृ. 210

97. शर्मा, रामविलास, *निराला की साहित्य साधना,* भाग-2, पृ. 271

98. शर्मा, रामविलास, *परंपरा का मूल्यांकन,* 1981, पुनर्मुद्रित, 1995, राजकमल प्रकाशन, दिल्ली, पृ. 182

99. वही, पृ. 182-183

100. शर्मा, रामविलास, *भारतीय संस्कृति और हिंदी प्रदेश, भाग-2,* पृ. 122-141

101. वही, पृ. 122-123

102. वही, पृ. 125

103. वही, पृ. 123

104. वही, पृ. 126-127

105. शर्मा, रामविलास, *भारतीय संस्कृति और हिंदी प्रदेश,* भाग-1, किताबघर, दिल्ली, 1999, पृ 200-201

106. वही, पृ. 575

107. वही, पृ. 575-580

108. वही, पृ. 588

109. वही, पृ. 617

110. वही, पृ. 619-622 एवं 624-625

111. वही, पृ. 666

112. वही, पृ. 667-668

113. शर्मा, रामविलास, *आचार्य रामचंद्र शुक्ल और हिंदी आलोचना,* 1973, पांचवां संस्करण, 1989, राजकमल प्रकाशन, दिल्ली, पृ. 64-65

114. वही, पृ. 74

115. वही, पृ. 93

116. वही, पृ. 108

117. सिंह, नामवर, *वाद-विवाद-संवाद,* 1999, राजकमल प्रकाशन, दिल्ली, पृ. 99

118. वही, पृ. 102

मार्क्सवाद और नई चुनौतियां

इंटरनेट आने के बाद पुरानी चीजें और पुराने विचार नवीकरण कर रहे हैं। नए सिरे से समाज, सत्ता और सामाजिक संरचनाओं को परिभाषित किया जा रहा है। स्वचालितीकरण, उपग्रह, इंटरनेट और कंप्यूटर इस युग की चालक शक्ति हैं। भारत में भविष्य का सारा संचार, राजनीति, व्यापार, शिक्षा, न्याय, मित्रता, शत्रुता आदि का कम्युनिकेशन इन तीनों के माध्यम से ही होगा।

एक जमाना था सारी दुनिया ने मार्क्सवाद को औद्योगिक क्रांति और प्रेस क्रांति के सदंर्भ में पढ़ा और लागू किया। लेकिन पूंजीवाद ने परवर्ती पूंजीवाद के नाम से नए इंजन के रूप में स्वचालितीकरण, सैटेलाइट, इंटरनेट और कंप्यूटर के माध्यम से सारी दुनिया को नए सिरे से संगठित होने के लिए मजबूर किया है। मार्क्सवादी विचारकों और पूर्व-समाजवादी समाजों के नायकों और कम्युनिस्ट पार्टियों ने इस संदर्भ की उपेक्षा की है। इसका परिणाम यह निकला कि सामयिक यथार्थ उनकी पकड़ के बाहर चला गया। वे जिस समाज में रह रहे थे उससे ही कटते चते गए, जिस यथार्थ में जी रहे थे उसे देखने में असमर्थ रहे।

परवर्ती पूंजीवाद ने नए यथार्थ को संवाद या कम्युनिकेशन के बहाने बदला। इस क्रम में पुराने संवाद की समूची प्रक्रिया को ही अप्रासंगिक बना डाला। संवाद के बहाने आम जनता के जीवन में सीधे असर डाला। इसके लिए उपग्रह प्रणाली का इस्तेमाल किया। इसने जीवनशैली से लेकर आचार-व्यवहार, राजनीति, शिक्षा, धर्म, दर्शन आदि सभी क्षेत्रों को सीधे प्रभावित किया है। विकसित पूंजीवाद मुल्कों ने दुनिया के सारे कानून तोड़ते हुए सैटेलाइट कम्युनिकेशन को सारी दुनिया पर थोप दिया और इस अवैध कम्युनिकेशन के जरिए सारे संसार को नए सिरे से संगठित करने की कोशिशें तेज कर दीं। अमेरिका ने अपनी तकनीकी शक्ति का दुरुपयोग

करते हुए कम्युनिकेशन के विश्व कानूनों की अवहेलना करते हुए इंटरनेट, सैटेलाइट, मोबाइल आदि की प्रचंड आंधी में सारी दुनिया को झोंक दिया। इस क्रम में संयुक्त राष्ट्र सुरक्षा परिषद से लेकर संप्रभु राष्ट्रों की स्वतंत्र सरकारों तक सारी दुनिया को मजबूर किया गया कि वे आगे बढ़कर इंटरनेट परिवर्तन की प्रक्रिया का हिस्सा बनें, संचार क्रांति का हिस्सा बनें, अपने कानूनों को बदलें या बिना कानून बदले संचार क्रांति में शामिल हों। इंटरनेट और सैटेलाइट के तमाम कानून बाद में आए हैं उनका सामाजिक प्रयोग पहले हुआ है।

संचार क्रांति स्वाभाविक ढंग से नहीं आई है अपितु इसके पीछे बड़े पैमाने पर बहुराष्ट्रीय निगमों के हित काम करते रहे हैं। इंटरनेट और उपग्रहजनित कम्युनिकेशन का फैसला महज संचार का फैसला नहीं था अपितु यह समाज को नए सिरे से संगठित करने का फैसला था। इस क्रम में पुराने सभी सामाजिक सांचों को तोड़ा गया, फलतः समाजवाद भी टूटा। इससे पूंजीवादी वर्चस्व के अबाधित विकास को सुनिश्चित बनाने में मदद मिली।

उल्लेखनीय है जिस समय गैट वार्ताएं चल रही थीं और बौद्धिक संपदा और सांस्कृतिक मालों पर विश्ववार्ताएं फेल हो गईं तो अचानक अमेरिका ने उपग्रह संचार के जरिए इंटरनेट को सारी दुनिया पर थोप दिया और सीधे विभिन्न देशों की बौद्धिक संपदा, संगीत, मीडिया, संस्कृति आदि के कॉपीराइट के कानूनों को अप्रासंगिक बना दिया। सभी नागरिक अधिकारों और बौद्धिक संपदा कानूनों को सीधे बाजार की शक्तियों के हवाले कर दिया।

यह सच है कि संचार क्रांति ने बड़ी विलक्षण चीजें हमें दी हैं लेकिन इससे भी बड़ा सच है कि समूची बौद्धिक संपदा को निजी स्वामित्व के दायरे से निकालकर बाजार की शक्तियों खासकर बहुराष्ट्रीय मीडिया कंपनियों के हवाले कर दिया है। संचार क्रांति के जितने भी खिलौने, मसलन मोबाइल, आईपोड आदि हमारे हाथों में हैं, उनके द्वारा संचार कम और बौद्धिक संपदा के स्वामित्व का बड़े पैमाने पर अपहरण हुआ है। इससे राष्ट्रीय संपदा, संप्रभुता, सर्जकों-संस्कृतिकर्मियों और बुद्धिजीवियों को बड़ा नुकसान हुआ है। कालांतर में विभिन्न देशों में इनके अधिकारों को संरक्षित करने के कानून बनाने की ओर ध्यान गया। लेकिन इस अवधि में सारी दुनिया की बौद्धिक संपदा की नेट कंपनियों ने खुली लूट की है।

कहने का तात्पर्य यह है कि आज मार्क्सवाद पर कोई भी बात संचार क्रांति के परिप्रेक्ष्य में ही संभव है। मार्क्सवाद को नए सिरे से परवर्ती पूंजीवाद के संदर्भ में पुनः

पढ़ने और नई व्याख्याएं तलाशने की जरूरत है। हमें पढ़ने की पुरानी पद्धति बदलनी होगी। पहले मार्क्स-एंगेल्स के उद्धरणों के जरिए बातें कहने की आदत थी, आज यह पद्धति बेकार हो गई है। हमें जानना होगा कि परवर्ती पूंजीवाद क्या है? मार्क्सवाद की कौन सी धारणाएं आज भी प्रासंगिक हैं?

मार्क्सवाद के लिए अवधारणाओं में सोचना बेहद जरूरी है। परवर्ती पूंजीवाद अवधारणाओं का अवमूल्यन करता है। अवधारणाओं के अवमूल्यन से यथार्थ को समझने में असुविधा होती है। पूंजीवादी वर्चस्व को चुनौती देने के लिए मार्क्सवादी अवधारणाओं के व्यापक रूप में प्रयोग पर जोर दिया जाना चाहिए, अवधारणाओं को जनप्रिय बनाने के लिए सरल अर्थ की खोज की जानी चाहिए लेकिन अवधारणा का अवमूल्यन नहीं करना चाहिए। यहां हम सुविधा के लिए नव्य-आर्थिक उदारतावाद, माध्यम साम्राज्यवाद और पितृसत्ता की अवधारणा पर विचार करेंगे। ये तीनों धारणाएं भारत के लिए बहुत महत्व की हैं।

नव्य-उदारतावाद

नव्य-उदारतावाद का मूल लक्ष्य है कि सामुदायिक संरचनाओं का क्षय और बाजार के तर्क की प्रतिष्ठा। यह मूलतः वर्चस्ववादी विमर्श है। इसका लक्ष्य है श्रम का मूल्य घटाना, सरकारी खर्च घटाना, काम को और भी लोचदार बनाना। नव्य-उदारतावादी विमर्श, विमर्शों में से एक विमर्श नहीं है, बल्कि यह 'ताकतवर का विमर्श' है। फलतः यह कठोर है, आक्रामक है, अपने साथ सारी दुनिया की ताकतों को एकीकृत कर लेना चाहता है। यह आर्थिक निर्णय और चयन को अपने अनुकूल ढाल रहा है। वर्चस्ववादी आर्थिक संबंधों को निर्मित कर रहा है। इसकी समस्त सैद्धांतिकी सामूहिकता की भूमिका को अस्वीकार करती है और वित्तीय संस्थानों के विनियमन पर जोर है। इसने व्यक्तिवादिता, व्यक्तिगत तनख्वाह और सुविधाओं को केंद्र में ला खड़ा किया है। तनख्वाह का व्यक्तिकरण मूलतः सामूहिक तनख्वाह की विदाई की सूचना है।

नव्य-उदारतावाद मूलतः बाजार के तर्क से चलने वाला दर्शन है। इसमें बाजार ही महान है। इसके लिए परिवार, राष्ट्र मजदूर संगठन, पार्टी, क्षेत्र आदि किसी भी चीज का महत्व नहीं है, यदि किसी चीज का महत्व है तो वह है उपभोग का। उपभोग को बाजार के तर्क ने परमपद पर प्रतिष्ठित कर दिया है। नव्य-उदारीकरण के दौर में संरचनात्मक हिंसाचार में इजाफा हुआ है। असुरक्षा बढ़ी है। मुक्त व्यापार, मुक्त

मीडिया, अबाधित सूचना प्रवाह और कॉरपोरेट वर्चस्व इसके परम लक्ष्य हैं। नीति से लेकर मीडिया प्रस्तुतियों तक व्यक्तिवादिता, प्रतिस्पर्धा और विशिष्टता इन तीन तत्वों का खास तौर पर खयाल रखा जाता है।

नव्य-उदारतावाद ने सारी दुनिया में अमेरिकी सभ्यता और समाज को पश्चिम के आदर्श मॉडल के रूप में पेश किया है। नव्य-उदारतावाद अथवा सामयिक ग्लोबलाइजेशन की प्रक्रिया 1971 से आरंभ होती है। अमेरिका के राष्ट्रपति निक्सन को इस प्रक्रिया को शुरू करने का श्रेय दिया जाता है। राष्ट्रपति निक्सन ने इसी वर्ष ब्रिटॉन वुड सिस्टम की समाप्ति की घोषणा की थी, इसके बाद सन् 1973 में विश्व के बड़े देशों के नेता निश्चित विनिमय दर व्यवस्था के बजाय चंचल विनिमय दर व्यवस्था के बारे में एकमत हुए थे। इसके बाद सन् 1974 में अमेरिका ने अंतर्राष्ट्रीय पूंजी गतिविधि पर सभी किस्म की पांबदियां हटा दीं। इसके बाद सन् 1989 में सोवियत संघ में समाजवादी व्यवस्था का अंत हुआ। बर्लिन की दीवार गिराई गई, जर्मनी को एकीकृत किया गया। इसके बाद नव्य-उदारतावाद की आंधी सारी दुनिया में चल निकली।

इस आंधी का पहला पड़ाव था मध्यपूर्व का युद्ध, जिसने सारी दुनिया की अर्थव्यवस्था पर दूरगामी प्रभाव छोड़े। तेल की कीमतों में अंधाधुंध वृद्धि हुई। मौजूदा ग्लोबलाइजेशन वित्तीय साम्राज्यवादी संस्थानों के दिशा-निर्देशों पर चल रहा है। इसमें अंतर्राष्ट्रीय वित्तीय संस्थानों विश्वबैंक, अंतर्राष्ट्रीय मुद्राकोष आदि का वर्चस्व है।

पूंजी के अबाध आवागमन और सूचना तकनीक के अबाध प्रसार ने एकदम नए किस्म की दुनिया निर्मित की है, यह वह दुनिया है जिसने पुरानी औद्योगिक क्रांति के गर्भ से पैदा हुई दुनिया को बुनियादी तौर पर बदल दिया, औद्योगिक क्रांति और रैनेसां के गर्भ से पैदा हुए वैचारिक विमर्श और पैराडाइम को बदल दिया, यह सारा परिवर्तन इतनी तेज गति से हुआ है कि अभी तक हम सोच भी नहीं पाए हैं कि आखिरकार ग्लोबलाइजेशन किस तरह की दुनिया रच रहा है, मध्यवर्ग इसकी चमक में खो गया है, वहीं गरीब किसान और मजदूर अवाक् होकर देख रहे हैं।

आरंभ में नव्य-उदारतावाद को लोग समझ ही नहीं पाए किंतु धीरे-धीरे इसका जनविरोधी स्वरूप सामने आने लगा है और साधारण नागरिकों में इसके प्रति प्रतिवाद के स्वर फूटने लगे हैं। ग्लोबलाइजेशन की चमक और टीवी चैनलों की आंधी ने सोचने के सभी उपकरणों को कुंद कर दिया है, कुछ क्षण के लिए यदि कोई आलोचनात्मक विचार आता भी है तो अगले ही क्षण उसके प्रति अनास्था पैदा हो जाती है।

ग्लोबलाइजेशन ने मानव मस्तिष्क को संशय और अविश्वास से भर दिया है। अब हमें किसी पर विश्वास नहीं रहा, सारे नियम और कानून बार-बार हमें यही संकेत दे रहे हैं कि अपने पड़ोसी पर नजर रखो, उस पर विश्वास मत करो। आपके पास जो बैठा है उससे दूर रहो, उससे संपर्क, संवाद, खान-पान मत करो। विश्वास और आस्था से भरी दुनिया में संशय और अविश्वास की आंधी इस कदर चल निकली है कि अब प्रत्येक देश में प्रत्येक व्यक्ति पर नजर रखी जा रही है। प्रत्येक देश की मुद्रा का मूल्य घटा है।

माध्यम साम्राज्यवाद

बुर्जुआ विचारक कहते हैं कि मीडिया सिंपल, नेचुरल, डेमोक्रेटिक, कल्चरल एंड सिविलाइजिंग उद्यम है। यह धारणा विभ्रम पैदा करती है। गैट वार्ताओं के पहले मीडिया को संस्कृति के अंग के रूप में देखा जाता था, किंतु गैट वार्ताओं के बाद मीडिया को सेवाक्षेत्र का अंग माना जाता है। उल्लेखनीय है कि बहुराष्ट्रीय माध्यमों का अमेरिकी विदेशी नीति से गहरा संबंध है। इनके समूचे समाचार और विचार संप्रेषण की धुरी है अमेरिकी विदेश नीति। ये अहर्निश अमेरिकी विदेश नीति का प्रचार करते रहते हैं और उसके हितों की सब समय रक्षा करते हैं।

बहुराष्ट्रीय मीडिया का मूल काम है सामाजिक-राजनैतिक वर्चस्व स्थापित करना और विभिन्न किस्म के सामाजिक विखंडन को हवा देना। साम्राज्य विस्तार, 'प्रभुत्व' और 'निर्भरता' इसकी धुरी हैं। बुर्जुआ चिंतन में ग्लोबलाइजेशन का अर्थ है जिम्मेदारी और जवाबदेही से मुक्ति। सामाजिक तौर पर बहिष्कार के रूपों का विस्तार, अंतर्निर्भरता। दूर से देखना, सत्ता की चाटुकारिता करना।

बुर्जुआ विचारकों के अनुसार ग्लोबल वह है जो स्व-संचालित है। ग्लोबल व्यक्ति की मानसिकता है कि वह उपलब्ध वस्तु को ठुकराता है। आलोचनात्मक विचारों और अभिव्यक्ति के आलोचनात्मक रूपों का संभावित जगत से बहिष्कार करता है, जो विचार केंद्र में होता है उसका ही अवमूल्यन करता है, बाजार के तर्क को सार्वजनिक जीवन पर थोपता है, बाजार के तर्क को गुलाम बनाता है, वैविध्य के बजाय इकसार वस्तुओं की बाढ़ पैदा करता है।

माध्यम साम्राज्यवाद कभी भी सांस्कृतिक साम्राज्यवाद के बिना अपना प्रसार नहीं करता, इन दोनों को बहुराष्ट्रीय सैन्य उद्योग से गहरा संबंध है। सैन्य हितों को विस्तार देना इसका केंद्रीय लक्ष्य है, बहुराष्ट्रीय कंपनियों के सांस्कृतिक मालों की

खपत में इजाफा करके, सांस्कृतिक मालों की सामान्य जीवन में बाढ़ पैदा करके वह हमें कृत्रिम सांस्कृतिक सवालों में उलझा देता है और अपने बुनियादी काम में सफल हो जाता है।

माध्यम साम्राज्यवाद अनुदार विचारधाराओं का प्रचार करता है, उनके लिए सामाजिक परिवेश बनाता है। इसका स्वभावतः उदारतावादी विचारों के साथ बुनियादी अंतर्विरोध है। यह साधारण लोगों में अपनी संस्कृति, अपनी भाषा, देशी मीडिया, देशी जीवनशैली आदि के प्रति घृणा पैदा करता है। साधारण लोग अपनी संस्कृति से आज जितना घृणा करते हैं उतना पहले कभी नहीं करते थे। माध्यम साम्राज्यवाद की सबसे बड़ी उपलब्धि है कि वह घृणा और डाह को केंद्रीय फिनोमिना बना देता है। यह भी कह सकते हैं कि वह पुरानी और नई सभी किस्म के घृणा रूपों को संजीवनी प्रदान करता है। माध्यम साम्राज्यवाद की सात सूत्रीय रणनीति है—

1. प्रतिबंधात्मक उपायों को नए किस्म के कम्युनिकेशन रूपों पर लागू न किया जाए।
2. बहुराष्ट्रीय फर्मों के निवेश के लिए माहौल बनाया जाए।
3. साझा क्षेत्र तय किए जाएं और अस्मिता के सवालों को हाशिए पर डाल दिया जाए।
4. नई कम्युनिकेशन तकनीक, ऑडियो-वीडियो तकनीक के ऊपर लगी कानूनी पाबंदियां हटाई जाएं।
5. अंतर्राष्ट्रीय स्तर पर संस्कृति के जो मानक प्रचलन में हैं, वे महत्वहीन हैं, अप्रासंगिक हैं, वे हमारे मानक नहीं हो सकते।
6. विदेशी निवेश बढ़ाने के लिए अधिक से अधिक समझौते किए जाएं।
7. बहुराष्ट्रीय फर्मों, खासकर अमेरिकी कंपनियों से सीधे समझौते किए जाएं।

पितृसत्ता

पितृसत्ता सभी किस्म की सत्ताओं पर शासन करती रही है। उसके सामने सत्ता और शक्ति के सभी विमर्श बौने हैं। पितृसत्ता के साथ सामंजस्य बिठाना और तदनुरूप सामाजिक तानेबाने का निर्माण करना प्रत्येक सत्ता की मजबूरी रही है। पितृसत्ता का शोषण मानव सभ्यता का सबसे पुराना और सबसे नया शोषण है। पितृसत्ता के बिना न पूंजीवाद रह सकता है और न समाजवाद।

पितृसत्ता के ताने-बाने और वैचारिक प्रपंच में इस कदर लोच है कि अब तक

की समस्त शोषणकारी विचारधाराएं उसी की ओर जाने को अभिशप्त हैं। सच यह है कि पितृसत्ता ने हमारी सांसों, शरीर, शारीरिक हरकतों, अंग-प्रत्यंग के सभी रूपों को प्रभावित किया है। पितृसत्ता मानव सभ्यता और खासकर स्त्री के शोषण का सबसे खतरनाक और मीठा हथियार है। यह वर्चस्व, मुनाफे और सत्ता के अधिकार विस्तार का बुनियादी हथियार है। पितृसत्ता ऐसी भूल-भुलैया है जिसमें एक बार फंसने के बाद निकलने का रास्ता नहीं मिलता। यह मीठा जहर है। वर्चस्व की विचारधारा है।

फ्रेडरिक एंगेल्स ने *परिवार, राज्य और व्यक्तिगत संपत्ति* नामक पुस्तक में लिखा, 'मातृसत्ता का विनाश नारी जाति की विश्व ऐतिहासिक महत्व की पराजय थी। अब घर के अंदर भी पुरुष ने अपना आधिपत्य जमा लिया। नारी पदच्युत कर दी गई। वह जकड़ दी गई। वह पुरुष की वासना की दासी, संतान उत्पन्न करने का एक यंत्र बनकर रह गई। बाद में धीरे-धीरे तरह-तरह के आवरणों में ढककर, सजाकर और आंशिक रूप में थोड़ी नरम शक्ल देकर उसे पेश किया जाने लगा, पर वह कभी दूर नहीं हुई।' 'पितृसत्ता के आने के बाद ही एकल परिवार, एकनिष्ठ विवाह, पतिव्रत धर्म आदि का जन्म हुआ। चूंकि पितृसत्ता की धुरी है लिंगभेद, अतः एकल परिवार के आने के बाद भी स्त्री के प्रति असमान रवैये में कोई बदलाव नहीं आया। इसके विपरीत ऐतिहासिक विकास-क्रम में स्त्री की दासता, सामजिक वैषम्य और उत्पीड़न में तेजी से इजाफा हुआ।'

एंगेल्स के शब्दों में, 'इतिहास का पहला वर्ग-विरोध, एकनिष्ठ विवाह के अंतर्गत पुरुष और नारी के उत्पीड़न के साथ-साथ प्रगट होता है। इतिहास की दृष्टि से एकनिष्ठ विवाह आगे की ओर एक बहुत बड़ा कदम था, परंतु इसके साथ-साथ वह एक ऐसा कदम भी था जिसने दास-प्रथा और धन-संपदा के साथ मिलकर उस युग का श्रीगणेश किया, जो आज तक चला आ रहा है और जिसमें प्रत्येक अग्रगति साथ ही सापेक्ष रूप से पश्चात गति भी होती है, जिसमें एक समूह की भलाई और विकास दूसरे समूह को दुख देखकर और कुचलकर संपन्न होते हैं। एकनिष्ठ विवाह वह कोशिका रूप है जिसमें हम उन तमाम विरोधों और द्वंद्वों का अध्ययन कर सकते हैं जो सभ्य समाज में पूर्ण विकास प्राप्त करते हैं।'

एंगेल्स का मानना है कि एकनिष्ठ विवाह पुरुष वर्चस्व को बनाए रखने की ऐतिहासिक घटना है। एंगेल्स के शब्दों में इस परिवार में पति बुर्जुआ होता है, पत्नी सर्वहारा की स्थिति में होती है। इसी अर्थ में मार्क्सवादी मानते हैं कि लिंगीय प्रश्न वर्गीय प्रश्न है। लिंगीय शोषण वर्गीय शोषण है। एंगेल्स का मानना था, 'स्त्रियों की

मुक्ति की पहली शर्त यह है कि पूरी जाति फिर से सार्वजनिक उत्पादन में प्रवेश करे और इसके लिए आवश्यक है समाज की आर्थिक इकाई होने का वैयक्तिक गुण नष्ट कर दिया जाए। साथ ही स्त्री और पुरुष कानून की नजर में समान मान लिए जाएं।' एंगेल्स का मानना था कि स्त्री-पुरुष में असमानता मूलतः आर्थिक उत्पीड़न का परिणाम है। जिस एकल परिवार की बुर्जुआजी ने आदर्श परिवार के रूप में लोकप्रिय बनाया, उसके बारे में एंगेल्स की राय थी कि 'आधुनिक वैयक्तिक परिवार नारी की खुली या छिपी हुई घरेलू दासता पर आधारित है।'

नव्य साम्राज्यवाद के नए दौर में पितृसत्तात्मक नजरिए को नई शक्ल प्रदान की जा रही है। संसदीय जनतंत्र और स्वतंत्रता के माध्यम से पितृसत्ता के हमले तेज हुए हैं। नए किस्म के शारीरिक अनुशासन और नियंत्रण को स्त्रियों पर थोपा जा रहा है। यह कार्य शिक्षा संस्थाओं, जनतांत्रिक संस्थाओं और मीडिया के जरिए हो रहा है। इस हमले ने स्त्रियों के लिए नए किस्म की मुश्किलें पैदा कर दी हैं। स्त्री अपना कौन सा शरीर दिखाए, किस अंग को कैसे चमकाए, उसका वजन कितना हो, कद कितना, किस तरह चले, कार से उतरे तो कैसे पैर बाहर रखे, सार्वजनिक स्थानों पर जाए तो क्या पहने और उसके शरीर का कौन सा अंग कितना दिखाई दे। वह किस तरह देखे, कितना खाए, कौन-कौन-सी चीजें न खाए, कब खाए, शरीर के प्रत्येक अंग का साइज क्या हो, हाव-भाव कैसे हों इत्यादि चीजों के बहाने पितृसत्तात्मक नजरिया स्त्री को नए सिरे से परिभाषित कर रहा है। इस प्रक्रिया में विशिष्ट किस्म का अनुशासन स्त्रियों के ऊपर थोपा जा रहा है। आज बुर्जुआजी ने स्त्री के शरीर या बॉडी को नए रूप में नियोजित, नियमित और नियंत्रित करने के नए तरीके खोज निकाले हैं। इसके लिए ऐसी पद्धति अपनाई गई है कि स्त्रियां अपने आप वह सब करें जो पितृसत्ता चाहती है। ऐसे शरीर के निर्माण के बारे में कहा जा रहा है जो आज्ञापरायण और विनीत हो। आज स्त्री के शरीर के बारे में व्यापक मात्रा में चीजें नजर आ रही हैं, इनमें स्त्री के शरीर के बारे में बदली हुई अभिरुचि और घृणा को देखा जा सकता है। आज स्त्री शरीर का कसा हुआ, तना हुआ, छोटे स्तनों वाला, छोटे कूल्हे और पतले शरीर को महिमामंडित किया जा रहा है। आज सामान्य औरत के लिए डाइट के तरह-तरह के तरीके सुझाए जा रहे हैं। स्त्रियों को नए सांचे में ढाला जा रहा है। उन्हें पतला होने की रणनीति, चर्बी घटाने के उपाय, गर्मी में शरीर कैसा रखें और जाड़े में कैसा रखें। औरतों को सलाह दी जा रही है कि वे अपने डाइट डॉक्टर से मिलें। स्त्री के शरीर को डाइटिंग के अनुशासन में लाने की कोशिशें तेज

हो गई हैं। डाइटिंग इंडस्ट्री ने आज स्त्री को उसके शरीर का शत्रु बना दिया है। आज इसने संक्रामक बीमार का रूप धारण कर लिया है। आज स्त्री अपने को पतला रखने के नाम पर पागलपन की हद तक चली गई है।

विश्वविख्यात सौंदर्य विशेषज्ञ एम.जे. सेफरॉन ने बारह किस्म की फेसियल एक्सरसाइज का मूल्यांकन किया है जिनका मीडिया में वर्षों से हल्ला है। इनमें मशीनी कसरत के बजाय चेहरे की वर्जिस के बहाने चेहरे की रेखाओं या झुर्रियों को घटा देने या खत्म कर, शरीर के विभिन्न हिस्सों की मांसपेशियों को सुडौल बनाने, स्तनों का आकार बढ़ाने, बढ़ी हुई मांसपेशियों को घटाने के नुस्खे शामिल हैं। टी.वी. पर टेली शॉपिंग में ऐसी मशीनों और दवाओं का अहर्निश प्रचार हो रहा है जिनके माध्यम से कोई भी महिला शरीर का कोई भी अंग घटा या बढ़ा सकती है। विज्ञान की नजर में यह समूचा कार्य-व्यापार ही गलत है। अवैज्ञानिक है। शरीर का कौन सा हिस्सा किस आकार का होगा ये जेनेटिकली तय होता है। यह किसी डॉक्टर द्वारा तय नहीं किया जा सकता। इस समूची प्रक्रिया में स्त्री की स्वाभाविक पाचन क्रिया और शारीरिक गठन पर जो दुष्प्रभाव पड़ते हैं उससे औरतें बेखबर हैं, यह भी कह सकते हैं कि उन्हें सही जानकारी नहीं दी जा रही है।

पाठ के मूल्यांकन की मार्क्सवादी पद्धति

आजकल साहित्यालोचना में कृति के पाठ के मूल्यांकन जगत में संरचनावाद, उत्तर-संरचनावाद और रूपवादी दृष्टिकोण का व्यापक पैमाने पर प्रयोग हो रहा है। हिंदी आलोचना भी इससे मुक्त नहीं है। शब्दार्थ को ही साहित्य मानने वालों की चौदह सौ वर्ष बाद पुनर्वापसी आलोचकों के लिए चिंता का विषय है। चौदह सौ वर्ष पहले संस्कृत-आलोचना में जब शब्दार्थ को ही साहित्य कहा गया था। उस समय के आलोचकों का अलंकारशास्त्र से गहरा रिश्ता था। प्रच्छन्नतः वे लोग सामंतवर्ग के साहित्यिक सिपहसालार थे। सामंतवाद के संकट की अवस्था से यह दृष्टिकोण पैदा हुआ था। आज जो शब्दार्थवादी चिंतन आया है वह पूंजीवादी व्यवस्था एवं शासक पूंजीपति वर्ग का वैचारिक प्रभुत्व बनाए रखने एवं वैकल्पिक दृष्टिकोण के अस्वीकार के परिप्रेक्ष्य में आया है। इन दोनों ही युगों में लंबे अंतराल के बावजूद विचारधारात्मक साम्य है। पहला साम्य यह है कि पुराने शब्दार्थवादी और नए शब्दार्थवादी (संरचनावाद, उत्तर-संरचनावाद और रूपवाद) चिंतन का जन्म व्यवस्था के ह्रास के दौर में हुआ है। दूसरा साम्य यह है कि ये दोनों स्कूल अवरुद्ध साहित्यिक परिदृश्य एवं रूढ़िगत साहित्य प्रयोगों तक ही अपने को सीमित रखते हैं। तीसरा महत्वपूर्ण साम्य यह है कि दोनों ही स्थूल शासक वर्ग के दृष्टिकोण की हिमायत में आए हैं। चौथा साम्य यह है कि कृति को पूर्णतः स्वायत्त मानते हैं। कृति के पाठ के पाठेतर अंतस्संबंध को अस्वीकार करते हैं। पांचवां साम्य यह है कि दोनों ही लेखक के अस्तित्व एवं व्यक्तित्व की पाठ से जुड़ी भूमिकाओं को अस्वीकार करते हैं। छठा साम्य यह है कि पाठ में निहित सामाजिकता की खोज न करना इन दोनों आलोचना दृष्टियों का लक्ष्य है। आज से एक हजार वर्ष पूर्व संस्कृत की आलोचना ने पुराने शब्दार्थवादी दृष्टिकोण को अस्वीकार किया था और साहित्य से इस दृष्टिकोण की विदाई की थी।

आधुनिक युग में शब्दार्थवादी चिंतनधारा का दार्शनिक और कलात्मक धरातल पर मार्क्सवादी चिंतकों ने वैज्ञानिक दृष्टिकोण और द्वंद्वात्मक प्रणाली के आधार पर प्रत्युत्तर दिया है।

हिंदी आलोचना में डॉ. रामविलास शर्मा का कार्य इस क्षेत्र में महत्वपूर्ण माना जाता है। मार्क्सवादी दृष्टि से कृति के पाठ को कैसे पढ़ा जाए? पाठ में क्या पढ़ा जाए? पाठ में कृति और कृतिकार का सामाजिक संबंध किस रूप में व्यक्त होता है? युग के बदलने से पाठ के अध्ययन में अंतर्वस्तु में मूल्यांकन सामायिक परिदृश्य के कारण परिवर्तन आता है या नहीं? इत्यादि प्रश्नों पर डॉ. रामविलास शर्मा ने विस्तार से विचार किया है। इसी क्रम में उन्होंने मार्क्सवादी चिंतन पर होने वाले हमलों का प्रत्युत्तर भी दिया है।

मेरा मानना है कि पाठ मात्र शब्दार्थ या संरचना नहीं है। पाठ का उदय शून्य में नहीं होता। उसका सामाजिक, आर्थिक एवं ऐतिहासिक परिस्थितियों के साथ संबंध होता है। यह द्वंद्वात्मक संबंध है और इसके प्रभाव की प्रक्रिया द्विआयामी होती है।

जिस तरह पाठ का सामाजिक संदर्भ होता है उसी तरह आलोचना का भी सामाजिक संदर्भ होता है। यह संदर्भ गतिशील एवं परिवर्तनशील होता है। यही वजह है कि पाठ के पुनर्मूल्यांकन की जरूरत हमेशा बनी रहती है। आलोचना का संदर्भ पाठ की व्याख्या और अर्थ-संरचना के निहितार्थों की अनिश्चितता की ओर ध्यान खींचता है। परिणामतः किसी भी कृति के पाठ की सार्वकालिक और सार्वभौम व्याख्या संभव नहीं होती। यही वजह है कि पाठ की व्याख्या-पुनर्व्याख्या का सिलसिला चलता रहता है। इसी क्रम में पाठ के माध्यम से महत्वपूर्ण सांस्कृतिक प्रतिक्रियाओं को भी आलोचना उद्‌घाटित करने में सफल हो जाती है। कृति, कृतिकार, विचारधारा, शब्द-चयन, वाक्यविन्यास, सामाजिक प्रभाव एवं ऐतिहासिक संदर्भ को एक ही प्रक्रिया के रूप में देखना चाहिए। यही मार्क्सवादी दृष्टिकोण है।

रामविलास शर्मा ने लिखा है कि 'सामाजिक परिस्थितियों का जैसा प्रभाव भावों और विचारों पर पड़ता है, वैसा ही उनको व्यक्त करने वाली शैली, व्यंजना के ढंग, शब्द-चयन, वाक्य-विन्यास आदि पर पड़ता है' (रामविलास शर्मा, *भाषा युगबोध और कविता*, 1981, वाणी प्रकाशन, पृ. 9)। इसके अलावा कवि की शिक्षा-दीक्षा के अनुसार उसका शब्द-भंडार संकुचित अथवा विस्तृत होता है, उसी में से चुन-चुनकर वह अपने भावों के लिए शब्द संकेतों को इकट्ठा करता है। बहुधा उसकी भावाभिव्यक्ति

के लिए उसके सामने अनेक शब्द आते हैं, परंतु उनसे उसे संतोष नहीं होता। अपनी प्रतिभा के अनुसार वह ऐसे शब्दों को खोज निकालता है जो उसके भावों को उसकी अनुभूति के अनुकूल पाठक के हृदय में उतारते हैं। शब्द-संकेतों के बिना दूसरा व्यक्ति कवि के भावों को समझ नहीं सकता। अतः कवि की कला का एक प्रधान अंग शब्दों का चुनाव है। शब्द चुनते समय कवि का ध्यान सबसे पहले उसके अर्थ की ओर जाता है और शब्दों का अर्थ जन-प्रयोगों पर निर्भर करता है। शब्द संकेत-मात्र हैं और अर्थ विशेष के द्योतक होते हैं कि सब लोग वैसा मानते हैं (उप., पृ. 17-18)।

शब्द के अर्थ के पश्चात कवि उसकी ध्वनि, उसमें व्याप्त संगीत पर विचार करता है।...कवि शब्दों का इस प्रकार प्रयोग करता है कि उच्चारण ध्वनि उनके अर्थ को बढ़ा देती है। वह स्वर और व्यंजनों की शक्ति पहचानता है अथवा भाव स्पष्ट करने के लिए ध्वनि का उतना ही आश्रय लेता है, जितना मर्म का (उप., पृ. 18)।

शब्दार्थ को ही साहित्य मानने वाले आलोचक यह भूल जाते हैं इस समाज से परे शब्दार्थ की कोई दुनिया नहीं होती। शब्द-चयन, वाक्य-विन्यास, भावों और वाक्य की लय का सामाजिक प्रक्रिया और सामाजिक बोध से गहरा संबंध होता है। रूपवाद, संरचनावाद और उत्तर-संरचनावाद के नाम पर रचना के समूचे संदर्भों का समग्रता में मूल्यांकन करने की पद्धति का इन दिनों फैशन के रूप में बोलबाला है। रामविलास शर्मा ने इस फैशन का प्रतिरोध किया और मार्क्सवादी दृष्टि के आधार पर पाठ का सुसंगत विवेचन किया। इस क्रम में उन्होंने मार्क्सवादी कठमुल्लेपन का निषेध करते हुए यांत्रिक भौतिकवाद की गंभीर आलोचना लिखी। उन्होंने लिखा, 'सभ्यता का हर स्तर वर्गबद्ध नहीं होता। इसी तरह साहित्य का हर स्तर संपत्तिशाली वर्गों के हितों से बंधा नहीं रहता' (रामविलास शर्मा, *परंपरा का मूल्यांकन*, 1981, राजकमल प्रकाशन, नई दिल्ली, पृ. 11)।

कृति में क्या खोजा जाए यह सबसे अहम प्रश्न है। रामविलास शर्मा ने कृति में मूल्य की खोज को प्राथमिकता दी। साथ ही वर्तमान में कृति की प्रासंगिकता के प्रश्न से इसे जोड़कर देखा। मार्क्सवाद की यांत्रिक दृष्टि से आलोचना करते हुए उन्होंने लिखा, 'साहित्य मनुष्य के संपूर्ण जीवन से संबद्ध है। आर्थिक जीवन के अलावा मनुष्य एक प्राणी के रूप में भी जीवन बिताता है। साहित्य में उसकी बहुत सी आदिम भावनाएं प्रतिफलित होती हैं जो उसे प्राणीमात्र से जोड़ती हैं। इस बात को बार-बार कहने से कोई लाभ नहीं है कि साहित्य विचारधारा मात्र नहीं है। उसमें मनुष्य का इंद्रियबोध, उसकी भावनाएं, आंतरिक प्रेरणाएं भी व्यंजित होती हैं। साहित्य

का यह पक्ष अपेक्षाकृत स्थायी होती है' (उप.)।

रामविलास शर्मा की धारणा है कि साहित्य सापेक्ष रूप में स्वाधीन होता है। किंतु इसमें निहित द्वंद्वात्मकता और परिवर्तनशीलता की अनदेखी नहीं करनी चाहिए। यह परिवर्तन विच्छिन्न भी हो सकता है और अविच्छिन्न भी हो सकता है।

रामविलास शर्मा के आलोचनात्मक दृष्टिकोण की यह विशेषता है कि उन्होंने कृति से राष्ट्रीयता का संबंध जोड़ा है। साहित्य को संस्कृति का अंग माना और साहित्य को राष्ट्रीय की धुरी माना है (उप., पृ. 15)।

राष्ट्रीय एकता के निर्माण में उन्होंने दो महाकाव्यों *रामायण* और *महाभारत* का जिक्र किया है। प्रश्न यह है कि महाकाव्यों की अंतर्वस्तु का मूल्यांकन करते समय महाकाव्य की विधागत संरचना पर विचार करना चाहिए या नहीं? रामविलास शर्मा अपने महाकाव्यों की अंतर्वस्तु के व्यापक प्रभाव के मूल्यांकन तक ही सीमित रखते हैं जबकि महाकाव्य की विधागत संरचना का महाकाव्यों की अंतर्वस्तु के निर्माण में महत्वपूर्ण भूमिका होती है। मार्क्सवादी आलोचना की यह सीमा रही है कि वह अपने को अंतर्वस्तु के मूल्यांकन तक ही सीमित रखती है। उल्लेखनीय है कि संरचनाकार एवं मार्क्सवाद का परंपरागत दृष्टिकोण इस संदर्भ में अधूरे दृष्टिकोण को व्यक्त करता है। मेरा मानना है कि महाकाव्य की अंतर्वस्तु और विधागत संरचना को पाठ के मूल्यांकन के संदर्भ में इस्तेमाल करना चाहिए। इसी प्रसंग में प्रसिद्ध रूसी सिद्धांतकार मिखाईल बाख्तिन की धारणाओं का उल्लेख करना समीचीन होगा।

मिखाईल बाख्तिन ने संरचनावाद के जनक सोस्यूर के दृष्टिकोण का खंडन किया। बाख्तिन का मानना था कि 'भाषा का ठोस मौखिक संप्रेषण के दौरान ऐतिहासिक रूप में विकास होता है। उसका जन्म अमूर्त भाषिक संरचना के रूप में नहीं होता और न ही वक्ता की एकाकी मानसिकता से वह पैदा नहीं होती (सीदारोव, येवं, *साहित्य और सौंदर्यशास्त्र*, 1987, रादुगा प्रकाशन, मास्को, में बारबीन का निबंध, *महाकाव्य और उपन्यास*, पृ. 262-302)। बाख्तिन ने भाषा को आधार बनाकर महाकाव्य के तीन संरचनात्मक लक्षणों की चर्चा की है।

महाकाव्य के तीन संरचनात्मक लक्षण इस प्रकार हैं—

1. महाकाव्य का विषय राष्ट्रीय महिमामंडित अतीत होता है।
2. महाकाव्य का स्रोत राष्ट्रीय अनुश्रुति होती है।
3. महाकाव्य के संसार की समसामयिकता और वाचक के बीच महा-अंतराल होता है।

बाख्तिन का मानना है कि 'महाकाव्य का संसार राष्ट्र का गौरवपूर्ण अतीत होता है; राष्ट्रीय इतिहास के उद्गम और उत्कर्ष का, आदि पुरुषों का संसार होता है।' बात यह नहीं है अतीत महाकाव्य की अंतर्वस्तु होता है। चित्रित जगत का अतीत में निहित होना; अतीत से जुड़ा होना एक विधा के नाते महाकाव्य का संरचनात्मक रूपगत लक्षण है।...एक निश्चित विधा के नाते महाकाव्य को हम आरंभ से ही अतीत के बारे में काव्य के रूप में पाते हैं।

रचनाकार का दृष्टि; जो महाकाव्य में अंतर्भूत और उसके लिए संरचनागत होता है। सदा अलभ्य अतीत की बात कर रहे व्यक्ति का श्रद्धानत वंशज का दृष्टि बिंदु होता है। अपनी स्वर शैली, बिंबात्मक स्वरूप में महाकाव्य एक समकालीन द्वारा समकालीन के बारे में समकालीनों के लिए लिखी गई रचना से पूर्णतः भिन्न होता है। महाकाव्य का वाचन और श्रोता एक काल में, एक मूल्यपरक (सोपान क्रमिक) स्तर पर स्थिर होते हैं जबकि महाकाव्य में चित्रित पात्रों का संसार बिलकुल दूसरे ही मूल्यपरक-कालिक स्तर पर स्थिर होता है, तथा इन दोनों के बीच महाअंतराल होता है।

बाख्तिन ने यह भी रेखांकित किया कि महाकाव्य में हमेशा एक संपूर्ण कहानी होती है। सभी कुछ पूर्णतः तैयार और निष्पन्न। किसी भी प्रकार की अपूर्णता, समस्यापरकता के लिए महाकाव्य के संसार में कोई स्थान नहीं है।...बात महाकाव्य के तथ्यात्मक स्रोतों की नहीं है और उनकी अंतर्वस्तु और उसके रचयिताओं की घोषणा की है। सारी बात एक विधा के नाते महाकाव्य के रूपगत (सही-सही कहा जाए तो रूपगत-अंतर्वस्तुपरक) संरचनात्मक लक्षण की है।

पाठ के मूल्यांकन की ओरियंटलिज्म की धारणाओं का रामविलास शर्मा ने विस्तार से खंडन किया है। भक्तिकालीन साहित्य को धार्मिकता एवं रहस्यवादिता से पृथक करके मार्क्सीय दृष्टि से विश्लेषित किया है।

ओरियंटलिज्म का दृटिष्कोण साम्राज्यवादी दृष्टिकोण है। हिंदी में डॉ. ग्रियर्सन इसके पुरस्कर्ता रहे हैं। उन्होंने हिंदी साहित्य की समूची परंपरा को रहस्यवाद एवं धार्मिकता से जोड़कर देखा। हिंदी में इस परंपरा के लोग आज भी हैं। वे धर्म एवं साहित्य के अंतस्संबंध पर बल देते हैं। यह नजरिया मूलतः ब्रिटिश साम्राज्यवाद की देन है। डॉ. रामविलास शर्मा ने भक्ति आंदोलन की कृतियों का विवेचन करते हुए भक्तिकालीन कवियों के पाठ के धार्मिकता से पृथक करते हुए राष्ट्र एवं जाति; प्रदेशगत स्वरूप एवं अखिल भारतीय भक्ति आंदोलन की प्रक्रिया से जोड़ा। इसी क्रम

में पाठ और सामाजिक संरचना के बीच में मौजूद अंतस्संबंध को रेखांकित करते हैं। भाषा और उसके सामाजिक संबंध को भी उद्‌घाटित करते हैं। यह भी बताने की कोशिश करते हैं कि किस जगह की भाषा या बोली का किस समुदाय या क्षेत्र में प्रयोग होता है। संत साहित्य के अध्ययन की समस्याएं शीर्षक निबंध में लिखा धार्मिक प्रभावों छानबीन से ही संत-साहित्य की विषयवस्तु या रूप-भाषा, भाव और विचार का पूरा विश्लेषण नहीं हो सकता। उसका आधार सामंती ढांचे में व्यापारियों और जनसाधारण की बढ़ती हुई शक्ति है। इसी में लिखा भक्ति आंदोलन का सर्वत्र संबंध लोकभाषाओं से रहा है। रामविलास शर्मा के लिए भक्ति आंदोलन का पाठ सामंत विरोधी सांस्कृतिक आंदोलन से जुड़ा है। यह आंदोलन सामंती समाज की विषम परिस्थितियों से उत्पन्न हुआ था। पाठ की भाषा के विश्लेषण की प्रक्रिया में अनायास ही समाजशास्त्रीय दृष्टिकोण भी चला आता है। कैसे सामाजिक एवं पाठ की संरचनाएं एक-दूसरे से जुड़ी हैं और सामाजिक समस्या को भाषा के प्रयोग के स्तर पर रूपांतरित किया जा सकता है। इस प्रश्न की उन्होंने विस्तृत विवेचना की है।

रामविलास शर्मा सामाजिक संरचना को यथार्थ के रूप में व्याख्ययित करते हैं। रामविलास शर्मा की विशेषता यह है कि वह कैसे की सामाजिक पृष्ठभूमि में प्रवेश करते हैं। वे भाषा की संरचना का यथार्थ से संबंध स्थापित करते हैं। साथ ही खास तरह की व्यवस्था के मूल्यों में उस यथार्थ को जोड़कर देखते हैं। यही वजह है कि उनकी आलोचना में कविता की भाषा सामाजिक संरचना के बीच में संबंध बनाने का काम करती है। इसी प्रक्रिया में उन्होंने काव्य भाषा की संरचना पर सामाजिक कारणों के प्रभाव की खोज की है। पाठ की भाषा के विश्लेषण में बोलचाल की भाषा और बोलियों के शब्दों एवं देशज प्रभावों एवं रूपों की विस्तृत चर्चा करती है।

इसी तरह रीतिकालीन दरबारी साहित्य के मूल्यांकन के क्रम में दो तरह के साहित्य का उल्लेख करते हैं, पहला—दरबारी साहित्य, दूसरा—जनवादी चेतना से संपन्न और गैर-दरबारी साहित्य। किंतु यहां पर उन्होंने दरबारी कृतियों के पाठ का व्यापक रूप में विश्लेषण नहीं किया है।

मेरा मानना है कि दरबारी साहित्य में चंद प्रवृत्तियों के रूपायन पर ही बल दिया जाता है। उसका दायरा बंद होता है। जबकि गैर-दरबारी साहित्य का दायरा असीमित होता है। वह अनिर्धारित दिशा में विकास करता है।

ये तत्व तद्‌युगीन दोनों ही किस्म के पाठों में मौजूद हैं। इन पाठों का स्वरूप ही इन दोनों प्रवृत्तियों का सांस्कृतिक दायरा सुनिश्चित बनाता है। ये दोनों ही पाठ सामंती व्यवस्था के ह्रास के दौर में लिखे गए। दरबारी साहित्य में अलंकार और चमत्कार प्रधान दृष्टिकोण का प्राधान्य होता है। इसका पाठ निष्पन्न और अंतर्विरोध मुक्त रूप में सामने होता है। दरबारी कृतियों के पाठ के केंद्र में कृष्ण का हीरो के रूप में रूपायन है। कृष्ण की समस्त गतिविधियों पर स्त्री-चरित्र निर्भर है। काव्य संरचना में स्त्रियों के शारीरिक सौंदर्य के वर्णन का बाहुल्य है। दरबारी काव्य के पाठ में रूपायित गोपियां मूलतः गैर-दरबारी तत्व हैं। इसका एक अर्थ यह भी है कि दरबारी साहित्य के पाठ में दरबारी एवं गैर-दरबारी संस्कृति के तत्वों का समावेश है। गैर-दरबारी तत्वों को दरबारी पाठ में जो स्थान दिया गया है वह हाशिए पर है। केंद्र में कृष्ण एवं राधा का ही महत्व है। इस क्रम में कृष्ण के प्रति सभी चरित्र सम्मान से पेश आते हैं। रीतिकालीन कृतियों के पाठ दरबारी एवं गैर-दरबारी तत्वों की एक ही साथ मौजूदगी वस्तुगत तौर पर आनंद और मनोरंजन के बहाने प्रभुत्वशाली वर्ग के प्रभुत्व को सुरक्षित रखने की चेतना बनती है। काव्य में गैर-दरबारी क्षेत्र ही सभी किस्म की दुष्टताओं, अश्लीलताओं एवं काम क्रीड़ाओं का क्षेत्र है। यह ऐसा क्षेत्र है जहां अराजकता है और अंतर्विरोध है, भावों की टकराहट है। किंतु दरबारी क्षेत्र में पूरी तरह सद्‌भाव है और कोई टकराहट नहीं है। दरबारी साहित्य के पाठ में हीरो वर्चस्व है और वह अपने आसपास के परिदृश्य पर हावी है।

रीतिकालीन कृतियों के पाठ का गंभीरता से अध्ययन न करें तो पाएंगे कि वहां मिथकीय चरित्रों का बोलबाला है। दरबारी संस्कृति एवं सामंती व्यवस्था ही उनके प्रेम और मूल्य का आधार है। राधा-कृष्ण इस युग के साहित्य का दायरा भी बनाते हैं। दरबारी कविता की यह खूबी है कि इसमें संरचना पूरी तरह एकजुट एवं सुरक्षित दिखाई देती है।

राजसी ठाट-बाट और इसकी तैयारी, नगरों की सजावट एवं चहल-पहल को केशवदास की कविता में विशेष रूप से उभारा गया है। दरबारी कविता में राजा या नायक के करीब जो नायिका आती थी उसके लिए आचार्य रामचंद्र शुक्ल के शब्दों में कनक पर्यक, मखमली सेज, रत्नजड़ित अलंकार, संगमरमर के महल, खसखाने इत्यादि की जरूरत थी। रीतिकालीन कविता का हीरो टिपिकल एवं विलक्षण है। टिपिकल इस अर्थ में कि वह दरबार के मूल्यों का प्रतिनिधित्व करता है। वहां नियम का नियंत्रण है। दरबारी व्यवस्था ही एकमात्र व्यवस्था है। यही मूल्यों का स्रोत है,

साथ ही पाठ के अर्थ का भी एकमात्र संभावित क्षेत्र है।

रीतिकालीन कृतियों के पाठ को पढ़ें तो पाएंगे कि कविता रूढ़िगत प्रतिमानों की खान है इनमें गतिशीलता का अभाव है। वहां पर प्रेम का वर्णन मूलतः प्रेमी-युगल के दरबार के साथ सान्निध्य को दर्शाता है। यह भी बात उभरती है कि दरबारी पाठ में जो चरित्र आएं उनका दरबार से जुड़ा होना जरूरी है। दरबार के परिवेश को सुंदरता, जवानी, लावण्य, समृद्धि, साहस, सुसंस्कृत व्यवहार एवं राजकीय तौर-तरीकों के माध्यम से रूपायित किया गया है।

रीतिकालीन कृतियों के पाठ से यह बात भी उभरती है कि जो सुंदर है अनिवार्यतः अच्छा, कलापूर्ण, विलक्षण, अत्युत्तम, कांतिमान होगा। इस पाठ में गोपियों की स्वपक्षताः, सुहृत्पक्षता और तटस्थता दिखाई नहीं देती। अधिकांश गोपियों के नामों का उल्लेख तक नहीं है। कभी-कभार ललिता, विशाखा और चंद्रावली का नाम आ जाता है।

डॉ. रामविलास शर्मा ने लिखा कि 'रीतिकालीन कवियों ने अपनी काव्य-सामग्री राजदरबारों और वहां के वातावरण से ली थी। वह साधारण जनता के जीवन से बाहर की थी' (रामविलास शर्मा, *आचार्य रामचंद्र शुक्ल और हिंदी आलोचना*, 1989, पांचवां संस्करण, राजकमल प्रकाशन, नई दिल्ली, पृ. 114)।

रामविलास शर्मा ने लिखा कि 'दरबारी कवियों ने साधारण स्त्रियों का वर्णन भी किया है तो उन्हें राजनिवास की नायिका बना दिया।' हकीकत में दरबारी संरचना में तब ही कोई प्रवेश कर सकता है जब वह दरबार का अंग हो, अतः यह संरचना का तत्व है जो अंतर्वस्तु को सीधे प्रभावित कर रहा है।

कृति के पाठ में प्रवेश करने के लिए *निराला की साहित्य-साधना* में रामविलास शर्मा ने टैक्स्टुएलिटी की पद्धति का प्रयोग किया है। इसमें उन्होंने काव्य, कहानी एवं गैर काव्य कथापरक पाठ को एक ही साथ रखकर विश्लेषित करके आलोचना का एक नया पाठ बनाने की कोशिश की है। यह आलोचना पद्धति का भिन्न किस्म का पाठ है। इस तरह के आलोचना पाठ को पढ़ते हुए यह महसूस होता है कि काव्य, गद्य और गल्प के पाठ एक-दूसरे को बदल रहे हैं या प्रभावित कर रहे हैं और समाज के साथ भी ये सभी पाठ अंतर्क्रिया करते नजर आते हैं।

रामविलास शर्मा के द्वारा कृति के पाठ के मूल्यांकन की जो पद्धति अपनाई गई है उसकी खूबी यह है कि उसमें सामाजिक भाषा के आत्मसातीकरण को बार-बार रूपायित किया गया है। इस प्रक्रिया में भाषा की सामाजिक अस्मिता का बार-बार

उद्‌घाटन करते हैं।

साहित्य को सामूहिक हितों से जोड़कर व्याख्यायित करते हैं। उसमें निहित सामाजिक अंतर्विरोधों की खोज करते हैं और समाज के ऐतिहासिक रूपांतरण की प्रक्रिया से इस सबको जोड़ते हैं। उन्होंने सामाजिक-भाषागत परिस्थितियों को अंतर्विरोधों एवं ऐतिहासिक अनिवार्यता के संदर्भ में विश्लेषित किया है।

कविता में वक्तृत्व कला के अध्ययन के क्रम में वक्तृता को उद्देश्य से जोड़ा है। साथ ही, लिखा कि 'उद्देश्य की भिन्नता के साथ वक्तृता के दांव-पेच भी बदलते हैं' (रामविलास शर्मा, *निराला की साहित्य साधना*, भाग 2, द्वितीय संस्रण, 1981, राजकमल प्रकाशन, पृ. 276)। वक्तृत्व कला को सामाजिक और उस आंदोलन से जोड़ा और लिखा कि रचनाकार के अवबोध, राष्ट्रीय आंदोलन में सुने हुए भाषणों का निराला की कविता में रूपायित वक्तृत्व कला से संबंध है। पाठ में स्वगत-कथन को रचनाकार के भाव-मंथन से जोड़ा। पाठ में व्यक्त भाव-सामग्री को रचनाकार की ज्ञान संबंधी कल्पना की उपज बताया। वह यह भी मानते हैं कि काव्य के ध्वनि-सौंदर्य को परखने के लिए समूची काव्य-संरचना पर ध्यान देना आवश्यक है। रचना के ध्वनि सौंदर्य को परखने के सामान्य तौर-तरीके होते हैं। किंतु एक से नहीं होते। इसी तरह ध्वनि का अनुसरण विभिन्न भाषाओं में एक सा नहीं होता। ध्वनियों की विविधता के कारण रचना में वैविध्य आता है। जहां ध्वनियों की विविधता सीमित है, वहां नए-नए रूपों में मिलाकर नई-नई तरह का ध्वनि-सौंदर्य उत्पन्न करना भी असंभव है (उप., पृ. 365)।

इसी तरह पाठ में स्वर का भी महत्व होता है। स्वरों का एक ढांचा है; उसमें विभिन्न ह्रस्व-दीर्घ स्वरों का वैषम्य और संतुलन आवश्यक है। इस ढांचे में व्यंजन कैसे जड़े हुए हैं; इस पर ध्वनि का प्रभाव निर्भर है। ये स्वर व्यंजनों से स्वतंत्रत नहीं; वे व्यंजनों से प्रभावित होते हैं। उन्हें प्रभावित करते हैं। ऊर्जा की एक ही तरंग में स्वर और व्यंजन बंधे होते हैं (उप., पृ. 371)।

पाठ में तत्सम शब्दों के प्रयोग के बारे में उन्होंने लिखा कि यह देखना चाहिए कि कहां उनका प्रयोग सफल हुआ है और कहां असफल हुआ है। इसके लिए रचनाकार की भावशक्ति, यथार्थबोध, चित्रण क्षमता आदि पक्षों पर ध्यान देना चाहिए।

कृति के पाठ पर विचार करते समय यह ध्यान रखें कि पाठ की भाषा शब्दों की संख्या से समृद्ध नहीं होती है बल्कि भाव व्यंजकता से होती है। भावों का

वाक्य-विन्यास से संबंध होता है। नामवर सिंह ने *छायावाद* नामक कृति में लिखा है कि 'वाक्य छंद की इकाई माना जाता है। छंद वाक्य की गति और यति में निहित रहता है। वाक्य की गति और यति लय ध्वनित होती है। इस लय का तार वक्ता का हृदय होता है। हृदय के स्पंदन से ही वाक्य की लय निर्धारित होती है। इसी परिप्रेक्ष्य में सोचें तो पाएंगे कि पाठ की कोई स्वायत्त दुनिया नहीं होती बल्कि पाठ संरचना एवं अंतर्वस्तु समाज से ही जन्म होता है, (नामवर सिंह, *छायावाद,* 1979, राजकमल प्रकाशन, विसतृत अध्ययन के लिए देखें, पृ. 13)।

कृति का पाठ मात्र संरचना या शब्दार्थ नहीं है। उसका उदय शून्य में नहीं होता। कोई भी पाठ खास सामाजिक, आर्थिक और ऐतिहासिक परिस्थितियों को व्यक्त करता है। उसी में जन्म लेता है। मार्क्सवाद आंदोलन ने पाठ को नवीनता और पुनर्रचना से जोड़कर देखा है। पाठ में नवीनता और पुनर्रचना के तत्व की खोज करने के कारण ही मार्क्सवादी आलोचना, संकीर्णता से मुक्त हो जाती है। आज के दौर में मार्क्सवादी आलोचना रिफ्लेक्शन से मीडिएशन की ओर मुड़ी है। पाठ अब निर्मित न होकर ट्रांजिटिव है। आप कैसे पढ़ते हैं और उसमें क्या पढ़ते हैं यह परिवर्तनीय पाठ की धारणा के समानांतर घटने वाली घटना है। मार्क्सवादी आलोचना में पाठ के आंतरिक एवं बाह्य अंतस्संबंधों को समग्रता से देखा जाता है और प्रतिक्रियाओं को विचारधारा के माध्यम से देखते हैं। पाठ के मूल्य और विचारधारा पर मार्क्सवादी आलोचना ज्यादा जोर देती है।

डॉ. रामविलास शर्मा ने कृति में विचारधारा के प्रश्न की खोज पर विवादास्पद विचार व्यक्त किए हैं। किंतु व्यवहार में कृति और विचारधारा के अंतस्संबंध पर बल दिया है। रामविलास शर्मा यह मानते हैं कि 'ललित कलाओं को विचारधारा के रूपों में गिनना सही नहीं है' (रामविलास शर्मा, *आस्था और सौंदर्य,* 1990, राजकमल प्रकाशन, पृ. 34)। यह व्याख्या गैर-मार्क्सवादी दृष्टिकोण को व्यक्त करती है, साथ ही, रामविलास शर्मा के स्वयं के रचनात्मक स्तर पर प्रयोगों को आलोचना में देखें तो इसका खंडन होता है। पाठ पर विचार करते समय अर्न्स्ट फिशर का यह कथन ध्यान रखें कि 'प्रत्येक शब्द न केवल एक अंतर्वस्तु का संप्रेषण करता है बल्कि अपने आप में भी मानो एक अंतर्वस्तु होता है। इस प्रकार वह मानो स्वायत्त यथार्थ बन जाता है। कविता के प्रत्येक शब्द की अपनी एक जगह होती है। इसी से कविता के रूप और उसकी संरचना का निर्माण होता है। कुछ शब्दों की स्थिति में किया गया परिवर्तन, जो ऊपर से देखने में छोटा और महत्वहीन लग सकता है, कविता को

प्रभावहीन बना दे सकता है। असंभव नहीं है कि उससे कविता का रूप तथा उसकी संरचना नष्ट हो जाए; और मणि से कृत काव्य शरीर एक आकारहीन द्रव्यमान बनकर रह जाए (अर्न्स्ट फिशर, *कला की जरूरत*, 1990, राजकमल प्रकाशन, पृ. 181)। फिशर ने एक अन्य बात यह भी लिखी थी कि 'कवि उस शब्द से घृणा करता है जो तांबे के सिक्के की तरह एक हाथ से दूसरे हाथ में जाता रहता है, लेकिन जब वही शब्द अचानक जमीन पर गिरकर खनखनाता है तब वह सिक्का नहीं रह जाता बल्कि वह शुद्ध धातु बन जाता है। तब उसकी अनुगूंज उन साहचर्यों को जगाती है जो बहुत पहले रोजमर्रा के कचरे में दब चुके हैं। कविता में शब्द का केवल वस्तुपरक अर्थ ही नहीं होता, बल्कि एक गहरा, एक प्रकार से जादुई अर्थ भी होता है' (उप., पृ. 180)।

कृति के पाठ में अर्थ अंतर्वस्तु वस्तुतः विषयवस्तु से आगे की चीज है। अतः इसे ज्यादा गंभीरता से विश्लेषित करना चाहिए। साथ ही समाजशास्त्र को भी लागू करना चाहिए। समाजशास्त्र के उपकरणों का प्रयोग न करने के कारण हम यथार्थ से कोसों दूर; अमूर्त कल्पनाओं और सौंदर्यवाद के ऊलजलूलपन तक ही पहुंचते रहेंगे (उप., पृ. 164)। पाठ में दिखने वाला रूप तत्व हमेशा भौतिक पदार्थों से अनुबंधित होता है और सामाजिक उद्देश्य की अभिव्यक्ति करता है। इसी संदर्भ में यह भी ध्यान रखें कि अंतर्वस्तु पर ही पूरा ध्यान केंद्रित कर लेना और रूप को दूसरे दर्जे की चीज मानकर उसका महत्व घटाना मूर्खतापूर्ण होगा। कला में किसी चीज को रूप ही दिया जाता है और रूप ही किसी चीज को कलाकृति बनाता है (उप.)। रूप दरअसल कार्यकुशलता की ही अभिव्यक्ति है। आज के जमाने में एक फैशन हो गया है कि आलोचना में, मासमीडिया में, फोटोग्राफी में या चित्रकला में सभी क्षेत्रों में मूल्यांकन के दौरान रूप को प्राथमिक बनाने और मनवाने की कोशिशें चल रही हैं। वस्तुतः रूप को प्राथमिक तथा अंतर्वस्तु को द्वितीयक मानने का विचार उस शासक वर्ग की प्रातिनिधिक प्रतिक्रिया है जिसकी स्थिति संकटापन्न होती है (उप., पृ. 141)। पाठ में रूप तत्व पर बल देना और अंतर्वस्तु की उपेक्षा करना वस्तुतः पूंजीवाद की हिमायत है। यही बात पूंजीवादी समाज की आलोचनाओं पर लागू होती है। पूंजीवाद जगत के हिमायती आज उसकी पूंजीवादी अंतर्वस्तु की बात नहीं करते बल्कि उसके जनवादी रूप की बात करते हैं, हालांकि उसके इस रूप में हर जोड़ पर दरारें पड़ चुकी हैं। वे पूंजीवाद और समाजवाद के ऐतिहासिक संघर्ष से ध्यान हटाने की कोशिश करते हैं और इसके लिए जनगण के दिमागों में इस संघर्ष को जनवाद और तानाशाही

के संघर्ष में रूपांतरित करने की कोशिश करते हैं (उप., पृ. 139)। फिशन ने सही लिखा है कि 'रूपवाद उस सामाजिक रूप का प्रातिनिधिक प्रपंच है, जिसका वर्तमान समय के साथ कोई तालमेल नहीं रह गया है; यह इस तथ्य की प्रातिनिधिक अभिव्यक्ति है कि शासक वर्ग के दिन पूरे हो चुके हैं और फिर भी अब तक बना हुआ है' (उप., पृ. 140)। पाठ के मूल्यांकन की मार्क्सवादी दृष्टि को अस्वीकार करते हुए संरचनावाद और उत्तर-संरचनावाद के सिद्धांतों का प्रचार-प्रसार हो रहा है। हिंदी में संरचनावाद के माध्यम से मार्क्सवाद पर घृणित ढंग से हमला किया जा रहा है। इसी प्रसंग में हमें प्रसिद्ध संरचनावादी चिंतक यान मुकरोवक्सी को याद रखना चाहिए उन्होंने संरचनावाद को खतरनाक भाववाद की संज्ञा दी थी। जबकि ज्यां पॉल सार्त्र ने इसे तार्किक षड्यंत्र कहा था। प्रसिद्ध आलोचक और सिद्धांतकार रेने वेलेक ने लिखा कि 'मुझे लगता है कि कलाकृति की संरचना का पूरा विश्लेषण भी साहित्यिक पांडित्य के काम को पूरा नहीं करता।...कलाकृति मूल्यों की एक समग्रता है जिसका संबंध केवल संरचना से नहीं है। वे इसके सार को निर्मित करते हैं। साहित्य से मूल्यों को निकालने के सभी यत्न असफल रहे हैं और रहेंगे। यह इसलिए कि इसका सार मूल्य है। साहित्यिक अध्ययन को न तो आलोचना से अलगाया जा सकता है और न ही अलगाना चाहिए। रूप और संरचना को मूल्य, मानक और कृत्य की धारणाओं से अलगा नहीं कर सकते और रूप तथा संरचना का या शैली का, जो सौंदर्यशास्त्र का अंश नहीं है और न ही आलोचना की कोटि विज्ञान असंभव है (वेलेक, रेने, *आलोचना की धारणाएं*, 1978, हरियाणा ग्रंथ अकादमी, चंडीगढ़, पृ. 36)।

अंत में रामविलास शर्मा की आलोचना में कृति के पाठ की भाषा और समाज के अंतस्संबंध की व्याख्या के क्रम में व्यक्त विचारों को संक्षेप में इस प्रकार रखा जा सकता है।

पहला—रामविलास शर्मा ने कृति के पाठ के अध्ययन के लिए लोकप्रिय सामाजिक प्रवृत्तियों पर केंद्रित पाठ का ही चयन किया है। दूसरा—लघु साहित्यिक रूपों को व्याख्या के क्रम में उभरा है। तीसरा—कविता और कहानी के उसी पाठ को उभारा है जो लोकप्रिय अभिव्यक्ति रूपों या लघु साहित्यिक रूपों से जुड़ा है। चौथा—पाठ की भाषिक संरचना को किसी वर्ग विशेष से न जोड़कर जनता की आम बोलचाल के प्रयोगों से जोड़ा है। पांचवां—कृति में पाठक में व्यक्त यथार्थ में रूपायित अंतर्विरोधों की ऐतिहासिक दृष्टि से व्याख्या की गई है। इसी तरह विचारों का भी मूल्यांकन किया है। छठा—पाठ के रूप परक तत्वों को अंतर्वस्तु से जोड़ा है और उसके

विचारधारात्मक रूप को रेखांकित किया है। सातवा--पाठ में चित्रित प्रतीकों और संकेतों को ठोस सामाजिक प्रक्रिया और आंदोलन से जोड़कर देखा है। आठवां--अभिव्यक्ति और अभिव्यक्ति के रूपों को भौतिक आधार से जोड़कर देखा है। नवां--लेखक के दृष्टिकोण पर समग्रता में विचार करने के लिए इंटर टैक्स्टुएलिटी की पद्धति का प्रयोग किया है और इस क्रम ने विभिन्न विधागत पाठों में मौजूद विचारधारात्मक संगति और असंगतियों पर प्रकाश डाला है।